LES RUINES

Scott SMITH

LES RUINES

Traduit de l'anglais (États-Unis)
par Arnaud Regnauld

DU MÊME AUTEUR

Un plan simple, éditions Albin Michel, 1995.

Titre original :
The Ruins

7-13, boulevard Paul-Émile-Victor - Ile de la Jatte
92521 Neuilly-sur-Seine Cedex
www.michel-lafon.fr

À Elizabeth, qui a vécu l'horreur.

Je tiens à remercier Elizabeth Hill, mon épouse, mon éditrice, Victoria Wilson, ainsi que mes agents, Gail Hochman et Lynn Pleshette, pour leur contribution généreuse à la réalisation de cet ouvrage. Les personnes suivantes ont également lu le manuscrit alors qu'il était encore inachevé, et m'ont apporté des critiques et des commentaires qui se sont toujours révélés utiles : Michael Cendejas, Stuart Cornfeld, Carlyn Coviello, Carol Edwards, Marianne Merola, John Pleshette, Doug et Linda Smith, Ben Stiller. Je les en remercie.

Ils firent la connaissance de Mathias lors d'une excursion à Cozumel. Ils avaient engagé un guide pour explorer une épave locale, munis d'un masque et d'un tuba, mais la bouée qui en signalait l'emplacement avait été arrachée par une tempête, et leur accompagnateur peinait à la localiser. Aussi nageaient-ils çà et là, n'ayant rien de particulier à regarder. C'est alors que Mathias avait surgi des profondeurs, tel un génie aquatique, une bouteille d'air comprimé sur le dos. Le récit de leur mésaventure le fit sourire et il les mena à l'épave. Il était allemand. Il avait la peau brunie par le soleil, des cheveux blonds taillés en brosse et des yeux bleu pâle. Il était très grand. Il portait un aigle noir aux ailes rouges tatoué sur l'avant-bras droit. Il leur prêta sa bouteille pour qu'ils puissent descendre à tour de rôle examiner l'épave située dix mètres plus bas. Il se montrait amical, sans trop en faire, et s'exprimait dans un anglais qui trahissait à peine son accent. Il se joignit donc à eux lorsqu'ils remontèrent à bord de l'embarcation de leur guide pour regagner le rivage.

Deux nuits après être revenus à Cancún, ils rencontrèrent les Grecs sur la plage avoisinant l'hôtel. Stacy se saoula et sortit avec l'un d'entre eux. L'aventure en resta là, mais, où qu'ils aillent et quoi qu'ils fassent par la suite, ils ne cessèrent de tomber sur eux. Évidemment, personne ne connaissait le grec et, comme les Grecs ne parlaient pas l'anglais, leurs échanges se limitaient à des sourires, à des signes de tête et au partage occasionnel de boissons ou de nourriture. Ces garçons étaient au nombre de trois – ils avaient à peine vingt ans, tout comme Mathias et le reste du groupe – et se montraient plutôt sympathiques, même s'ils semblaient ne plus vouloir les lâcher d'une semelle.

Non seulement ils ne connaissaient pas l'anglais, mais ils ne parlaient pas non plus l'espagnol. Cela ne les avait pas empêchés d'adopter des noms du cru qu'ils trouvaient particulièrement désopilants : Pablo, Juan et Don Quichotte. C'est ainsi qu'ils se présentaient, désignant leur poitrine tout en prononçant leurs nouveaux patronymes avec un drôle d'accent. Stacy était sortie avec le dénommé Don Quichotte. Ils étaient pourtant tous plus ou moins semblables – larges d'épaules, un peu enveloppés, arborant une longue queue-de-cheval noire –, si bien qu'elle avait autant de mal que les autres à les identifier. Mais peut-être échangeaient-ils aussi leurs noms, peut-être cela faisait-il partie du jeu, de sorte que celui répondant au nom de Pablo le mardi se faisait appeler Juan le mercredi.

Ils étaient venus passer trois semaines au Mexique. C'était le mois d'août ; il fallait être fou pour se rendre au Yucatán en cette saison. Il faisait bien trop chaud, trop humide. Des trombes d'eau s'abattaient sans crier gare presque tous les après-midi, de ces pluies torrentielles pouvant inonder une rue en quelques secondes. À la nuit tombée, c'était au tour des moustiques d'entrer en scène, de vastes nuées d'insectes vrombissants. Au début, Amy s'était plainte de tous ces désagréments, regrettant qu'ils n'aient pas choisi San Francisco, comme elle l'avait proposé au départ. Mais Jeff s'était mis en colère. Il lui avait reproché de jouer les rabat-joie, alors elle avait cessé d'évoquer la Californie, ses journées radieuses et vivifiantes, ses tramways, son brouillard qui déroulait ses volutes au crépuscule. Du reste, tout n'était pas si terrible : la vie n'était pas chère, et il n'y avait pas grand monde. Elle décida donc de s'en accommoder.

Ils étaient quatre en tout : Amy, Stacy, Jeff et Éric. Amy et Stacy étaient très proches. Les deux amies s'étaient coupé les cheveux à la garçonne pour le voyage et portaient des panamas assortis, posant bras dessus bras dessous pour les photos. On aurait dit deux sœurs – Amy la blonde, Stacy la brune –, aussi menues l'une que l'autre, mesurant tout juste un mètre cinquante et maigres comme des coucous. Elles se comportaient d'ailleurs comme des sœurs, échangeant des messes basses, des gestes complices et des regards entendus.

Jeff sortait avec Amy, Éric avec Stacy. Les deux garçons s'entendaient bien, mais n'étaient pas à proprement parler amis. C'est Jeff qui avait eu l'idée de ce voyage au Mexique, une dernière escapade avant l'automne. Il rentrerait alors en fac de médecine avec Amy. Jeff avait dégoté une bonne affaire sur Internet, pas chère : trois semaines à lézarder sur la plage, à se dorer au soleil, à ne rien faire. Impossible de laisser passer ça ! Il avait persuadé Amy de l'accompagner, puis Amy avait entraîné Stacy, laquelle avait convaincu Éric.

Mathias leur raconta qu'il était venu au Mexique avec Henrich, son jeune frère, mais que ce dernier avait disparu. C'était une histoire compliquée, dont nul ne comprenait tous les détails. Chaque fois qu'ils l'interrogeaient, Mathias se montrait vague et semblait bouleversé. Il se mettait à parler en allemand malgré lui, en agitant les mains tandis que ses yeux se voilaient de larmes. Il aurait été inconvenant d'insister et, après un temps, ils cessèrent de lui poser des questions. Éric était persuadé que ça avait quelque chose à voir avec la drogue, d'une manière ou d'une autre, et que le frère de Mathias était recherché par les autorités, mais il n'aurait su dire si ces dernières étaient allemandes, américaines ou mexicaines. Il y avait eu une dispute, tous s'accordaient sur ce point. Mathias s'était querellé avec son frère, peut-être même l'avait-il frappé, à la suite de quoi Henrich avait disparu. Évidemment, Mathias était inquiet. Il attendait le retour de son cadet pour rentrer en Allemagne avec lui. À certains moments, il semblait croire que Henrich finirait par réapparaître, et que tout irait bien au bout du compte ; à d'autres, il n'était plus sûr de rien. D'un tempérament réservé, Mathias préférait l'écoute à la parole, et dans la situation présente il semblait enclin à de soudains accès de mélancolie. Les quatre amis déployaient toute leur énergie pour lui remonter le moral. Éric racontait des histoires drôles, Stacy faisait ses imitations, et Jeff lui montrait des paysages intéressants. Quant à Amy, elle prenait d'innombrables photos, sur lesquelles il fallait impérativement que tout le monde sourie.

Dans la journée, ils prenaient le soleil sur la plage, ruisselant de sueur les uns à côté des autres sur leurs serviettes aux couleurs vives. Ils se baignaient et faisaient de la plongée avec tuba. Ils attrapèrent ainsi des coups de soleil et se mirent à peler. Ils montèrent aussi à cheval, firent du kayak et s'exercèrent à la rame, jouèrent au minigolf. Un après-midi, Éric les persuada de louer un voilier, mais il se révéla moins aguerri qu'il ne l'avait prétendu et ils durent se faire remorquer jusqu'au port. C'était non seulement embarrassant mais surtout fort coûteux. Quant aux soirées, ils les passaient à manger des fruits de mer et à boire trop de bière.

Éric n'était pas au courant pour Stacy et le Grec. Il était parti se coucher après le dîner, laissant les trois autres se promener sur la plage en compagnie de Mathias. On avait allumé un feu de joie derrière l'un des hôtels du voisinage ; un orchestre jouait sur un belvédère. C'est là qu'ils étaient tombés sur les Grecs. Ils buvaient de la tequila et tapaient des mains en cadence. Ils leur avaient proposé de partager leur bouteille. Stacy s'était assise à côté de Don Quichotte : ils avaient beaucoup parlé, chacun s'exprimant dans sa langue, incompréhensible pour l'autre, et ils avaient beaucoup ri tandis que l'on faisait circuler la bouteille. À chaque gorgée, la brûlure de l'alcool ne manquait pas de leur arracher une grimace. C'est alors qu'Amy s'était retournée et avait découvert Stacy dans les bras du Grec.

Ça n'avait pas duré très longtemps. Ils s'étaient embrassés pendant cinq minutes, il lui avait timidement palpé le sein gauche, puis l'orchestre avait cessé de jouer. Don Quichotte voulait que Stacy le raccompagne à sa chambre, mais elle lui avait souri en déclinant d'un signe de tête : tout s'était terminé aussi simplement que ça.

Le lendemain matin, les Grecs avaient étendu leurs serviettes près de Mathias et des quatre Américains. L'après-midi, ils avaient tous fait du jet-ski. À moins d'en avoir été témoin, nul n'aurait pu soupçonner ce baiser. Les Grecs faisaient preuve de beaucoup de respect et de courtoisie. Éric semblait lui aussi apprécier leur compagnie. Il les incitait à lui apprendre des gros mots en grec, mais il ne pouvait dire si c'était bien ceux qu'il voulait connaître et ça le contrariait.

Il s'avéra que Henrich avait laissé un mot. Mathias le montra à Amy et à Jeff un matin de bonne heure, au cours de la deuxième semaine du séjour. Il était écrit à la main, en allemand, et était assorti, au bas de la feuille, d'une carte au trait mal assuré. Ils ne pouvaient bien entendu pas la lire ; Mathias dut leur en faire la traduction. Il n'y était nullement question de drogue ou de police – c'était bien du Éric tout craché, tirant des conclusions hâtives en privilégiant les plus dramatiques. Henrich avait rencontré une fille sur la plage. Elle était arrivée au Mexique le matin même et se rendait à l'intérieur du pays, où elle avait été engagée pour travailler sur un chantier de fouilles archéologiques. Il s'agissait d'une ancienne exploitation minière, d'argent ou d'émeraudes, Mathias n'en était pas très sûr. Henrich et la fille avaient passé la journée ensemble. Il l'avait emmenée déjeuner, ils étaient allés nager, puis il l'avait raccompagnée à sa chambre, où ils avaient pris une douche et fait l'amour. Après quoi, elle était partie en car. Au restaurant, pendant le déjeuner, elle avait griffonné une carte sur une serviette en papier pour lui indiquer l'emplacement des fouilles. Elle l'avait encouragé à venir la retrouver, lui avait dit que son aide serait toujours la bienvenue. Après son départ, Henrich n'avait pas cessé de parler d'elle. Il n'avait rien avalé au dîner et n'avait pu trouver le sommeil. Au milieu de la nuit, il s'était dressé sur son séant et avait fait part à Mathias de son intention : il allait rejoindre le chantier.

Mathias l'avait traité d'imbécile. Il venait à peine de rencontrer cette fille, en plein milieu de leurs vacances, et de toute façon il n'avait pas la moindre notion d'archéologie. Henrich lui avait rétorqué que ce n'était pas ses oignons. Il ne lui demandait pas sa permission, il l'informait simplement de sa décision. Il s'était levé et avait entrepris de faire son sac. Ils s'étaient traités de tous les noms, Henrich lui avait lancé un rasoir électrique et l'avait touché à l'épaule. Mathias s'était ensuite jeté sur lui et l'avait fait tomber à la renverse. Tous deux avaient roulé sur le sol de la chambre d'hôtel, luttant, proférant des insultes, jusqu'à ce que Mathias fende la lèvre de son frère d'un coup de tête accidentel. Henrich avait pris l'incident très au sérieux, et s'était rué dans la salle de bain pour cracher du sang dans le lavabo. Mathias s'était habillé à la hâte, pour aller lui chercher de la glace. Il avait fini par échouer au bar situé à côté de la piscine. Il restait ouvert toute la nuit et il était 3 heures du matin. Mathias avait ressenti le besoin de se calmer, avait pris deux bières, avalant la première d'un trait, buvant la seconde plus lentement. Lorsqu'il était revenu dans la chambre, il avait trouvé le mot posé sur son oreiller. Henrich était parti.

Le texte couvrait les trois quarts de la feuille, même s'il leur avait semblé moins long lorsque Mathias leur en avait fait la traduction en anglais. Peut-être avait-il sauté certains passages, avait pensé Amy, peut-être préférait-il les garder pour lui, mais c'était sans importance : Jeff et elle en avaient compris l'essentiel. Henrich disait que Mathias semblait souvent confondre son statut d'aîné avec celui de père. Même s'il lui pardonnait ce travers, il ne l'acceptait pas pour autant. Mathias avait beau le traiter d'imbécile, lui pensait qu'il avait peut-être bien rencontré l'amour de sa vie ce matin-là ; s'il devait laisser passer cette chance, il ne pourrait jamais se le pardonner – pas plus qu'à Mathias d'ailleurs. Il s'efforcerait d'être de retour à la date prévue pour leur départ, sans toutefois être en mesure de le garantir. Il espérait que Mathias parviendrait à s'amuser en son absence. S'il se sentait trop seul, rien ne l'empêchait de venir le rejoindre sur le chantier de fouilles, qui n'était qu'à une demi-journée de route vers l'ouest. Le plan au bas du billet – une copie manuscrite de celui que la fille avait dessiné pour lui sur une serviette – lui indiquait comment s'y rendre.

Au fur et à mesure qu'elle écoutait Mathias raconter son histoire, Amy comprit qu'il voulait leur avis. Ils étaient installés sur la véranda de l'hôtel, où un buffet était proposé chaque matin pour le petit déjeuner : des œufs, des pancakes et du pain perdu, des jus de fruits, du café et du thé, ainsi que des fruits frais en quantité. Une courte volée de marches conduisait à la plage. Des mouettes voltigeaient au-dessus des têtes, mendiant des restes de nourriture, déversant leurs fientes sur les parasols qui protégeaient les tables. Amy entendait le soupir régulier du ressac, elle voyait le joggeur de service passer en traînant les pieds, un couple âgé chercher des coquillages, trois employés de l'hôtel occupés à ratisser le sable. Il était très tôt, 7 heures à peine passées. Mathias les avait réveillés en leur téléphonant du rez-de-chaussée. Stacy et Éric dormaient encore.

Jeff se pencha pour étudier la carte. Il apparaissait clairement à Amy, sans que rien n'ait été réellement formulé, que c'était l'avis de son ami que Mathias sollicitait. Elle ne s'en offusquait pas ; elle avait l'habitude. Il y avait quelque chose en Jeff qui poussait les gens à se fier à lui, un air compétent et assuré. Elle se cala sur son siège et le regarda défroisser la carte avec la paume de la main. Jeff avait des cheveux noirs et bouclés, et ses yeux changeaient de couleur avec la lumière. Ils pouvaient virer au noisette, au vert comme au brun le plus pâle. Il n'était pas aussi grand que Mathias, ni aussi large d'épaules, mais il paraissait malgré tout le plus costaud des deux. Il y avait de la gravité en lui : il restait calme en toute circonstance. Amy gageait que c'était ce qui ferait un jour de lui un bon médecin – ou tout au moins ce qui porterait les gens à le tenir pour tel.

La jambe de Mathias était secouée de spasmes. Il n'arrêtait pas de bouger le genou. C'était le mercredi matin. Ils avaient prévu de rentrer, son frère et lui, le vendredi après-midi.

– J'y vais, dit-il. Je vais le chercher. Je le ramène à la maison. D'accord ?

Jeff leva les yeux de la carte.

– Tu penses être de retour ce soir ?

Mathias haussa les épaules et montra la lettre. Il ne pouvait se fier qu'à ce qu'avait écrit son frère.

Amy reconnaissait quelques-unes des villes indiquées sur la carte – Tizimín, Valladolid, Cobá –, des noms qu'elle avait découverts dans leur guide. Elle ne l'avait pas vraiment lu. Elle s'était contentée de regarder les photos. Elle se souvint d'une hacienda en ruine figurant sur la page consacrée à Tizimín, d'une rue bordée de bâtiments blanchis à la chaux sur celle de Valladolid et, pour Cobá, d'un gigantesque visage en pierre émergeant de ronces.

Mathias avait tracé un X quelque part à l'ouest de Cobá sur sa carte. C'est là que se trouvait le chantier de fouilles. Il fallait faire le trajet en car de Cancún à Cobá et, de là, prendre un taxi pour parcourir dix-huit kilomètres vers l'ouest. Le reste se faisait à pied, sur trois kilomètres, en suivant un sentier qui partait de la route. Si l'on atteignait le village maya, c'est que l'on était allé trop loin.

À regarder Jeff étudier la carte, Amy devinait ses pensées. Cela n'avait rien à voir avec Mathias ou avec son frère. Il pensait à la jungle, aux ruines, à ce que ce serait de les explorer. Ils en avaient vaguement parlé à leur arrivée : comment se procurer une voiture, louer les services d'un guide et partir à l'aventure. Mais il faisait si chaud. L'idée de devoir se traîner à travers la jungle pour photographier des fleurs géantes, des lézards ou des murs de pierres en ruine leur avait paru de moins en moins séduisante à mesure qu'ils en discutaient. Aussi étaient-ils restés sur la plage. Mais maintenant ? Sous l'effet d'une légère brise de mer, la matinée était d'une fraîcheur trompeuse. Amy savait que Jeff aurait du mal à tenir compte du climat chaud et humide qu'ils allaient devoir subir dans les heures à venir. Il l'avait déjà presque oublié. Oui, c'était facile de deviner ce qu'il avait en tête : *Qui dit que nous n'allons pas nous éclater là-bas ?*

Avec tout ce soleil, toute cette nourriture et toutes ces boissons, ils étaient en train de sombrer dans une douce torpeur. Une petite aventure comme celle-ci tombait à pic pour les réveiller.

Jeff fit glisser la carte sur la table vers Mathias.

– On vient avec toi, annonça-t-il.

Amy ne fit aucun commentaire. Elle était assise, renversée sur son siège. *Non, je ne veux pas y aller,* songeait-elle. Mais elle savait qu'elle ne pourrait pas dire ça. Elle se plaignait trop, tout le monde s'accordait sur ce point. C'était une nature morose, elle n'avait pas reçu le don du bonheur. On l'avait oubliée le jour de la distribution, et à présent tout le monde en subissait les conséquences. La jungle serait étouffante et salissante, les zones ombragées seraient infestées de moustiques ; mais elle s'efforçait de chasser ces pensées, de prendre un peu de recul. Après tout, Mathias était leur ami. Il leur avait prêté sa bouteille d'air comprimé, leur avait montré où plonger. Et maintenant, il avait besoin d'eux. Amy laissa cette pensée faire son chemin, telle une main qui aurait claqué toutes les portes sur son passage jusqu'à ce qu'il ne reste plus qu'une issue possible. Lorsque Mathias se tourna vers elle avec un large sourire, enchanté par la décision de Jeff, attendant qu'elle lui fasse écho, ce fut plus fort qu'elle : elle lui sourit à son tour et acquiesça.

– Évidemment, dit-elle.

Dans son rêve, Éric n'arrivait pas à s'endormir. C'était un rêve récurrent, un rêve de frustration et de lassitude : il essayait de méditer, de compter les moutons, de penser à des choses apaisantes. Il avait un goût de vomi dans la bouche et voulait se lever pour aller se brosser les dents. Il avait aussi besoin de se soulager la vessie ; mais il le sentait : s'il bougeait, ne fût-ce que d'un pouce, ses maigres chances de se rendormir s'évanouiraient. Aussi restait-il immobile, allongé sur son lit, espérant enfin trouver le sommeil, mais en vain. Il restait éveillé. Ce goût de vomi, cette pression sur sa vessie n'étaient pas les fruits de son imagination. C'était une sensation bien réelle. Il avait trop bu la nuit précédente, s'était levé peu avant l'aube pour vomir dans les toilettes, et à présent il rêvait cette envie d'uriner. Tout se passait comme si son inconscient cherchait à l'avertir d'un danger imminent : il pouvait tremper son lit, voire s'étouffer dans son propre vomi.

C'étaient les Grecs qui l'avaient mis dans cet état. Ils avaient tenu à lui apprendre un jeu à boire. Ils lui avaient expliqué les règles en grec, ce qui n'avait rien simplifié... Éric avait donc courageusement lancé les dés puis passé le cornet à son voisin, mais sans jamais parvenir à comprendre pourquoi il avait gagné à certains coups et perdu à d'autres. Au premier abord, il lui avait semblé que plus le score était haut, plus on avait de chances de remporter la manche, mais des scores moindres s'étaient tout à coup mis à gagner. Il lançait les dés, les Grecs l'invitaient parfois à boire d'un geste de la main. Au bout d'un moment, Éric n'y attacha plus d'importance. Ils lui apprenaient des mots nouveaux et se moquaient de la vitesse à laquelle il les oubliait. Ils finirent tous complètement saouls. Éric regagna sa chambre en titubant, et s'endormit.

À la différence de ses compagnons, qui commençaient un troisième cycle à la rentrée, Éric s'apprêtait à entrer dans la vie active. Il avait été recruté pour enseigner l'anglais dans une école secondaire privée de la banlieue chic de Boston. Il partagerait le dortoir des garçons, aiderait à la publication du journal des élèves, entraînerait l'équipe de football à l'automne et celle de base-ball au printemps. Il pensait qu'il excellerait dans toutes ces activités. Il savait s'y prendre avec les gens. Il était drôle, savait faire rire les enfants et s'en faire aimer. Grand et svelte, les cheveux bruns, les yeux noirs, il se trouvait beau. Intelligent aussi. Il avait l'étoffe d'un vainqueur. Stacy serait à Boston elle aussi, pour y suivre des études d'assistante sociale. Ils se verraient tous les week-ends, et dans un an ou deux il la demanderait en mariage. Ils s'établiraient quelque part en Nouvelle-Angleterre, et elle décrocherait un emploi dans le social. Quant à lui, il poursuivrait peut-être dans l'enseignement, ou peut-être pas. Cela n'avait pas grande importance. Il était heureux. Et ça continuerait comme ça. Ils seraient heureux tous les deux.

Éric avait jusqu'alors été préservé des aléas de la vie qui d'ordinaire n'épargnent pas même les mieux lotis. Il était donc de nature optimiste. Bien trop insouciant pour faire un vrai cauchemar. Son inconscient lui offrait à présent un filet de sécurité, une petite voix dans sa tête lui disait : *Ce n'est pas grave, ce n'est qu'un rêve*. Un instant plus tard, on frappa à sa porte. Stacy s'extirpa du lit, tandis qu'Éric ouvrait les yeux pour poser un regard encore embrumé sur la chambre. Les rideaux étaient tirés, les vêtements de Stacy éparpillés un peu partout sur le sol. Elle avait emporté le couvre-lit avec elle en se levant et l'avait enroulé autour de ses épaules pour couvrir sa nudité. Elle restait sur le pas de la porte, parlant avec quelqu'un. Éric finit par comprendre qu'il s'agissait de Jeff. Il voulait soulager sa vessie, se brosser les dents, aller aux nouvelles, mais il ne parvenait pas à bouger, ne serait-ce qu'un orteil. Il replongea dans le sommeil. Lorsqu'il rouvrit les yeux, il vit Stacy debout à côté du lit, vêtue d'un pantalon kaki et d'un tee-shirt, se séchant les cheveux avec une serviette : il devait se dépêcher.

– C'est quoi l'urgence ?, lui demanda-t-il.

Elle jeta un coup d'œil au réveil.

– Il part dans quarante minutes.

– Qui ça ?

– Le car.

– Quel car ?

– Celui de Cobá.

– Cobá...

Il se redressa tant bien que mal et crut bien un instant qu'il allait vomir à nouveau. Le couvre-lit gisait sur le sol près de la porte et il peina à comprendre comment il était arrivé là.

– Jeff, qu'est-ce qu'il voulait au fait ?

– Qu'on se prépare.

– Pourquoi t'es en pantalon ?

– Il a dit qu'il valait mieux en mettre un. À cause des bestioles.

– Des bestioles ?

Éric avait du mal à comprendre. Il était encore un peu ivre.

– Quelles bestioles ? ajouta-t-il.

– Les insectes. Nous partons pour Cobá. Voir une ancienne mine. Visiter les ruines.

Stacy retourna dans la salle de bains. Il entendit l'eau couler, cela lui rappela sa vessie. Il se hissa hors du lit et se traîna jusqu'à la porte ouverte. La lumière allumée au-dessus du lavabo lui fit mal aux yeux. Il se tint un moment sur le seuil. Il regarda Stacy en plissant les yeux. Elle actionna la douche d'un coup sec et le poussa dessous. Il était nu et n'eut qu'à enjamber le rebord de la baignoire. Il se savonna instinctivement et urina entre ses pieds, mais il n'était pas encore réveillé. Stacy lui indiquait la marche à suivre ; avec son aide il prit sa douche, se brossa les dents, se peigna, puis enfila un jean et un tee-shirt. C'est seulement en bas, avalant son petit déjeuner à la hâte qu'il commença enfin à comprendre où ils allaient.

Ils se retrouvèrent tous dans le hall pour attendre la fourgonnette qui les conduirait à la gare routière. Mathias fit circuler le billet laissé par Henrich : ils regardèrent, à tour de rôle, les mots allemands et leurs drôles de majuscules, puis la carte au trait mal assuré dessinée au bas de la feuille. Stacy et Éric étaient descendus les mains vides, Jeff les renvoya dans leur chambre. Ils devaient remplir leur sac : l'eau potable, une bombe insecticide, une crème solaire et de la nourriture. Jeff avait parfois le sentiment d'être le seul à savoir se débrouiller. Éric était encore à moitié saoul, c'était évident. À la fac, Stacy s'était vu affubler du surnom de « Spacy », venue du fin fond de l'espace. Elle était rêveuse et aimait à chantonner, assise dans son coin, le regard perdu dans le vague. Et puis il y avait Amy, avec sa tendance à bouder à la moindre contrariété. Jeff le voyait bien, elle rechignait à partir à la recherche du frère de Mathias. Tout semblait lui prendre un peu plus de temps que nécessaire. Elle avait disparu dans la salle de bains après le petit déjeuner, lui laissant le soin de boucler seul leur sac à dos. Elle en était ressortie pour enfiler un pantalon, mais avait fini à plat ventre sur le lit, toujours en sous-vêtements, jusqu'à ce qu'il la secoue un peu. Elle ne lui adressait pas la parole et ne répondait à ses questions que par monosyllabes ou haussements d'épaules. Il ne la forçait pas à venir. Elle pouvait tout aussi bien passer la journée sur la plage. Mais Amy s'était contentée de le regarder en silence. Ils savaient l'un comme l'autre à quoi s'en tenir : elle préférait encore s'ennuyer au sein du groupe plutôt que de s'amuser seule de son côté.

Tandis qu'ils attendaient le retour d'Éric et Stacy avec leur sac à dos, l'un des Grecs fit irruption dans le hall de l'hôtel, celui qui se faisait appeler Pablo. Il les serra chacun à leur tour dans ses bras. Tous les Grecs aimaient ce genre d'embrassades et ne manquaient aucune occasion de s'y adonner. Jeff eut ensuite une courte explication avec lui ; chacun parlant dans sa langue respective, mimant l'un et l'autre ce qu'ils ne pouvaient exprimer.

– Juan ? Don Quichotte ? interrogea Jeff en levant les mains et en haussant les sourcils.

Pablo répondit en grec tout en faisant semblant de lancer quelque chose avec le bras, puis de ramener un poisson à grand peine. Il indiqua le chiffre 6, puis le 12 sur le cadran de sa montre.

Jeff hocha la tête et sourit, pour signifier qu'il avait compris : les deux autres étaient à la pêche. Ils étaient partis à 6 heures et seraient de retour à midi. Il prit le billet de Henrich et le montra au Grec. Il désigna Amy et Mathias, pointa le plafond du doigt pour inclure Éric et Stacy, puis lui montra Cancún. Il suivit lentement d'un doigt le tracé jusqu'à Cobá, puis jusqu'au X qui marquait le site archéologique. Ne sachant comment expliquer le but de leur expédition, ni comment lui faire comprendre les mots « frère » et « disparu », il se borna à retracer plusieurs fois l'itinéraire du bout de son index.

Pablo devint tout excité. Il sourit, hocha la tête, pointa sa poitrine puis la carte, tout en s'exprimant rapidement en grec. Il voulait visiblement être de la partie. Jeff acquiesça, les deux autres firent de même. Jeff indiqua l'hôtel voisin où logeaient les Grecs, puis désigna tour à tour les jambes nues de Pablo. Pablo le regarda sans comprendre. Jeff se tourna alors vers les autres pour lui montrer leurs pantalons, et le Grec opina du chef. Il était sur le point de partir quand il fit soudain volte-face, s'empara du billet et l'emporta à la réception. Il emprunta un stylo et une feuille de papier, puis se mit à griffonner quelque chose. Quand Éric et Stacy reparurent avec leur sac à dos, Pablo se précipita vers eux pour les serrer dans ses bras. Puis il retourna au comptoir de la réception et se remit au travail.

Lorsqu'il revint vers eux, ils virent qu'il avait recopié la carte, et l'avait assortie d'un paragraphe en grec. Jeff supposa qu'il s'agissait d'un mot à l'attention de Juan et Don Quichotte, les invitant à venir les rejoindre sur le site. Jeff tenta de lui expliquer qu'ils partaient seulement pour la journée, seraient de retour tard dans la soirée, mais en vain. Il ne cessait de lui indiquer le cadran de sa montre et Pablo faisait de même, manifestement persuadé que Jeff lui demandait l'heure à laquelle les deux Grecs rentreraient de leur partie de pêche. Ils indiquaient tous deux le chiffre 12, mais Jeff voulait dire minuit et Pablo, midi. Jeff renonça bientôt : à ce petit jeu, ils allaient rater leur car. Il fit un geste dans la direction de l'hôtel de Pablo pour inviter ce dernier à aller se changer. Le Grec sourit, les étreignit tous encore une fois, puis il sortit, la copie de la carte à la main.

Jeff guettait leur fourgonnette près de la porte d'entrée. Derrière lui, Mathias faisait les cent pas. Il pliait et dépliait le mot de Henrich, le glissant dans sa poche pour l'en ressortir aussitôt. Stacy, Éric et Amy étaient assis sur un canapé au milieu du hall. En les voyant, Jeff fut soudain pris d'une hésitation. Il ne fallait pas y aller, c'était une très mauvaise idée. Éric piquait du nez ; il était ivre, épuisé, et avait peine à rester éveillé. Amy, quant à elle boudait, les bras croisés et les yeux rivés au sol. Stacy portait des sandales : dans quelques heures, elle aurait les pieds couverts de piqûres d'insectes. Jeff ne se voyait pas faire trois kilomètres dans la chaleur torride du Yucatán en compagnie de ces trois-là. Il devait expliquer tout ça à Mathias, lui présenter des excuses, lui demander pardon. Il lui restait à trouver les mots justes, et ils pourraient passer une autre journée à lézarder sur la plage. Jeff se préparait déjà à parler, quand Pablo revint, portant un jean, un sac sur le dos. Il les embrassa tous de nouveau, et ils se mirent à piailler en chœur. La fourgonnette arriva enfin, ils s'y entassèrent. Il était soudain trop tard pour parler à Mathias, trop tard pour changer d'avis. Ils s'engageaient déjà dans la circulation, loin de l'hôtel, de la plage, de tout ce décor qui leur était devenu si familier ces deux dernières semaines. Ils étaient déjà sur la route. Partis, enfin...

Stacy se hâtait derrière les autres, déjà à l'intérieur de la gare routière, quand, soudain, un garçon lui empoigna violemment le sein gauche. Il était arrivé par derrière et lui avait fait mal. Stacy fit volte-face, et tenta de se dégager en se débattant. Mais c'était justement ce qu'il voulait, un deuxième garçon en profita alors pour lui arracher son chapeau et ses lunettes de soleil. Désorientée, elle eut à peine le temps de voir décamper deux gamins d'une douzaine d'années, aux cheveux noirs, qui disparurent aussitôt dans la foule.

Privée de ses lunettes, la luminosité du jour l'aveugla. Stacy restait là à cligner des yeux, un peu hébétée, sentant encore cette main sur sa poitrine. Elle avait poussé un cri, mais personne ne semblait l'avoir entendue. Elle se mit à courir pour rattraper les autres, la main machinalement levée sur sa tête pour retenir un chapeau qui n'y était plus. Celui-ci filait déjà au loin, de plus en plus loin, alors que chaque seconde le rapprochait toujours un peu plus des mains d'un nouveau propriétaire qui l'acquerrait bientôt auprès des deux voleurs, un inconnu n'ayant pas la moindre idée de sa course dans la gare routière de Cancún.

L'intérieur de la gare ressemblait plutôt à un aéroport propre, climatisé et très lumineux. Jeff avait déjà trouvé le bon guichet ; il s'entretenait avec l'employé, lui posant des questions dans un espagnol timide, en détachant bien chaque syllabe. Regroupés derrière lui, les autres sortaient leur portefeuille, réunissant de quoi payer leurs billets.

– Un gosse m'a volé mon chapeau, leur dit Stacy à bout de souffle.

Seul Pablo se retourna. Les autres, tournés vers Jeff, essayaient d'entendre ce que lui racontait le guichetier. Pablo lui sourit puis, d'un geste ample, il l'invita à admirer la gare routière comme s'il lui montrait une vue particulièrement plaisante depuis son balcon.

Stacy retrouvait peu à peu son calme. Dopé à l'adrénaline, son cœur s'était emballé. Elle tremblait encore mais se détendait peu à peu. Elle se sentait un peu gênée, comme si elle était en partie responsable de l'incident. C'était le genre de truc qui lui arrivait souvent. Elle laissait tomber son appareil photo par-dessus le bastingage des ferries, oubliait son sac à main dans l'avion. Les autres ne perdaient ni ne cassaient jamais rien, ne se faisaient pas voler leurs affaires... Pourquoi fallait-il que ça tombe toujours sur elle ? Elle aurait dû faire attention. Elle aurait dû voir venir les deux garçons. Elle était au bord des larmes.

– Et mes lunettes de soleil, ajouta-t-elle.

Pablo hocha la tête. Il semblait très heureux d'être là. Il était troublant de le voir répondre avec tant de béatitude à son évidente détresse. L'espace d'un instant, elle se demanda s'il ne se moquait pas d'elle. Elle jeta un coup d'œil aux autres.

– Éric ! appela-t-elle.

Celui-ci lui fit signe de se taire sans même se retourner.

– Tiens ! Le compte y est ! dit-il en tendant à Jeff le montant de leurs billets.

Mathias se retourna alors et la regarda un instant ; il scruta son visage, puis s'avança vers elle. Il était si grand, et elle si petite, qu'il finit par s'accroupir devant elle, comme si c'était une enfant. Il avait l'air sincèrement préoccupé.

– Qu'est-ce qui ne va pas ? lui demanda-t-il.

La nuit du feu de joie, quand elle avait embrassé le Grec, elle n'avait pas seulement senti le regard d'Amy, mais aussi celui de Mathias. Amy avait eu l'air estomaquée, mais Mathias avait gardé un visage de marbre. Les jours suivants, elle avait surpris plus d'une fois ce même regard. Il ne la jugeait pas ouvertement, mais elle se sentait évaluée, comme si elle ne s'était pas montrée à la hauteur. Au fond, Stacy était la lâcheté même – elle ne se faisait aucune illusion sur ce point. Elle se savait prête à sacrifier beaucoup pour fuir les difficultés ou s'épargner les conflits – et elle faisait de son mieux pour éviter Mathias. Et il était là, accroupi devant elle, le regard plein de compassion, tandis que les autres s'affairaient à acheter leurs billets. C'était si déconcertant qu'elle en resta sans voix.

Mathias la toucha du bout des doigts, un peu comme s'il avait cherché à calmer un petit animal. Sa main reposait à peine sur le bras de la jeune fille.

– Qu'est-ce qu'il y a ? reprit-il.

– Un gamin m'a volé mon chapeau, dit-elle en montrant sa tête. Et puis mes lunettes de soleil.

– À l'instant ?

– Là-bas. Dehors.

Mathias se leva comme prêt à se lancer à la poursuite des deux garçons, mais Stacy l'arrêta d'un geste.

– Ils sont partis. Ils se sont sauvés.

– Qui ça ? demanda Amy qui venait de se matérialiser, comme par magie, à côté de Mathias.

– Les gamins qui m'ont piqué mon chapeau.

Éric arriva à son tour. Il lui tendait un bout de papier. Stacy le prit sans le lire, ne sachant de quoi il s'agissait ni pourquoi Éric le lui donnait.

– Regarde ! lui dit-il. Regarde un peu ton nom.

Stacy baissa les yeux et vit qu'il s'agissait de son billet. Son nom était imprimé dessus : « Spacy Hutchins ».

– Ils nous ont demandé nos noms, ajouta Éric avec un sourire satisfait.

– Elle s'est fait voler son chapeau, dit Mathias.

Stacy acquiesça, gênée : tout le monde la regardait.

– Et mes lunettes de soleil.

– Grouillez-vous ! On va le louper, leur lança Jeff qui se dirigeait déjà vers le quai.

Les autres lui emboîtèrent le pas : Pablo, puis Mathias et enfin Amy. Éric resta en arrière au côté de Stacy.

– Comment est-ce arrivé ?

– Ce n'était pas de ma faute, Éric.

– Je n'ai jamais dit ça. Je voulais juste...

– Ils les ont arrachés. Ils les ont arrachés et puis ils sont partis en courant.

Elle sentait encore la main du garçon sur son sein. Tout comme les doigts étrangement froids de Mathias sur son bras. Elle craignait de ne pas pouvoir tenir le coup. Si jamais Éric lui posait une autre question, elle allait fondre en larmes. Celui-ci jeta un coup d'œil en direction des autres. Ils étaient presque hors de vue.

– On ferait mieux d'y aller, dit-il.

Il attendit son approbation, puis ils se mirent en route. Il prit Stacy par la main et l'entraîna dans la foule.

Le car était bien mieux que ce qu'avait imaginé Amy. Elle avait cru trouver un engin crasseux et délabré, aux vitres branlantes, aux amortisseurs cassés et aux toilettes nauséabondes ; ce n'était pas du tout ça. Il y avait l'air conditionné et même de petites télés fixées au plafond. Son numéro de place figurait sur son billet. Stacy et elle étaient ensemble, vers le milieu du car. Pablo et Éric étaient assis juste devant elles, tandis que Jeff et Mathias se trouvaient de l'autre côté du couloir.

Il fallut peu de temps à Amy pour se sentir suffisamment détendue, prendre la main de Stacy et lui dire :

– T'en fais pas. Si tu veux, je te prêterai mon chapeau.

Stacy lui adressa alors un si beau sourire – si sincère, si spontané, si tendre – que cette journée devint soudain vivable, et même excitante. Elles étaient les meilleures amies du monde et elles se lançaient dans une aventure, une randonnée à travers la jungle, elles allaient voir des ruines. Se tenant par la main, elles regardèrent le feuilleton à l'eau de rose diffusé à la télé. Elles ne parlaient pas l'espagnol, mais c'était à celle qui proposerait le scénario le plus extravagant. Stacy imitait notamment une vieille rombière dont les expressions outrées rappelaient les actrices du cinéma muet, déformées par la cupidité et la méchanceté. Bien calées au fond de leur siège, elles gloussaient et se réconfortaient mutuellement – elles se sentaient plus heureuses, plus en sécurité aussi –, tandis que le car poursuivait sa route le long de la côte.

Pablo sortit une bouteille de tequila de son sac en souriant. Il devait en avoir au moins deux, se dit Éric, en entendant un tintement révélateur. Il avait apparemment l'intention de descendre la bouteille durant le trajet. Il était question aussi d'une pièce de monnaie. Pablo la sortit de sa poche, fit semblant de la lancer en l'air, puis de boire. Encore un autre jeu. D'après ce qu'avait compris Éric, ça semblait extrêmement simple. Ils allaient tirer à pile ou face. Face, Éric boirait ; pile, ce serait au tour du Grec.

Faisant preuve d'une sagesse peu habituelle, Éric déclina l'offre d'un geste de la main. Il inclina son siège en arrière, ferma les yeux et s'endormit aussitôt.

Quelque temps plus tard, Éric se réveilla, le regard encore vague. Le car était garé devant une longue rangée d'étals de souvenirs. Ils n'étaient pas arrivés, mais certains passagers rassemblaient leurs bagages et descendaient, tandis que d'autres attendaient pour monter à bord. Pablo était endormi à ses côtés, la bouche ouverte, ronflant doucement. Amy et

Stacy, tassées sur leur siège, devisaient à voix basse. Jeff lisait leur guide, l'air absorbé, comme s'il l'apprenait par cœur. Mathias avait les yeux clos, mais il ne dormait pas.

De l'autre côté de la vitre, les voyageurs à peine débarqués restaient plantés à côté du car, l'air étonné, comme s'ils hésitaient à partir. Ils semblaient se demander s'ils avaient fait le bon choix en venant ici. Depuis leurs stands, les marchands les hélaient, leur faisaient signe d'approcher. Les touristes souriaient, hochaient la tête, répondaient d'un geste ou faisaient mine d'ignorer leur bruyant accueil. Il y avait des boissons non alcoolisées, de la nourriture, des vêtements, des chapeaux de paille, des bijoux, des statuettes mayas, des ceintures et des sandales en cuir. La plupart des étals affichaient des écriteaux en espagnol et en anglais. À côté de l'un d'eux, on voyait une chèvre attachée à un piquet. Des chiens s'attardaient, la langue pendante, écrasés de chaleur. Ils regardaient le car et ses passagers d'un œil méfiant.

La ville commençait juste derrière ces étals. Éric aperçut le clocher en pierre grise d'une église, les murs blanchis à la chaux des maisons. Il imagina des fontaines nichées dans des cours, des hamacs au doux balancement, des oiseaux en cage, et un instant envisagea de se lever, de presser les autres pour qu'ils descendent, afin de les emmener dans cet endroit qui semblait tellement plus « vrai » que Cancún. Au lieu de jouer les touristes, ils pourraient voyager vraiment pour une fois, partir à l'aventure, faire des découvertes et puis...

Mais il avait la gueule de bois, il était tellement fatigué, et il faisait si lourd dehors. Éric sentait la chaleur derrière la vitre en verre fumé. Et puis il y avait le frère de Mathias. Éric tourna la tête, s'attendant presque à surprendre l'Allemand en train de le regarder, mais Mathias se tenait droit dans le sens de la marche, les paupières toujours closes.

Éric fit de même : il se tourna vers l'avant du car et ferma les yeux. Il était encore conscient lorsqu'ils se remirent en mouvement. Pablo s'affala sur Éric, qui dut le repousser. Le Grec marmonna quelque chose dans sa langue mais ne se réveilla pas. Il y avait pourtant quelque chose d'agressif dans sa voix. Éric repensa aux sourires complices que les Grecs échangeaient parfois. *Qui sont-ils ?* se demanda-t-il. Il était déjà à moitié endormi, ses pensées s'emballaient. Il n'était pas même certain de savoir à qui il faisait référence. Aux Mexicains, peut-être, qui criaient depuis leurs étals. Ou à Pablo et aux autres Grecs, avec leur bavardage incessant, leurs hochements de tête, leurs embrassades et leurs clins d'œil. Ou bien à Mathias et à son frère mystérieusement disparu, à son tatouage inquiétant, à son indéchiffrable regard. Et puis – après tout, pourquoi pas ? – à Jeff, Amy et Stacy. *Qui étaient-ils vraiment ?*

Éric dormit d'un sommeil sans rêves. Le car entrait dans Cobá lorsqu'il rouvrit les yeux. Tout le monde se levait, s'étirait. Éric se sentit soudain mieux que jamais. Il était presque midi. Il avait faim et envie d'uriner ; mais, l'esprit beaucoup moins embrumé, le corps moins flasque, il se sentait désormais prêt à affronter cette journée.

Jeff leur trouva un taxi. C'était une camionnette jaune vif. Il montra la carte de Mathias au chauffeur. Le petit homme costaud l'étudia d'un œil attentif derrière ses épaisses lunettes. Il bredouillait un mélange d'anglais et d'espagnol et portait un tee-shirt qui moulait son corps enveloppé. Il avait d'immenses auréoles sous les aisselles, et le visage luisant de transpiration. Il s'essuyait sans cesse avec un foulard tout en examinant la carte : il semblait contrarié. Il regarda les six jeunes gens les uns après les autres, en fronçant les sourcils, puis la camionnette, et enfin le soleil suspendu dans le ciel au-dessus d'eux.

– Vingt dollars, lâcha-t-il enfin.

Jeff secoua la tête, et déclina la proposition d'un geste. Il n'avait aucune idée du juste prix de la course, mais il sentait la nécessité de marchander.

– Six, fit-il en risquant un chiffre au hasard.

Le chauffeur prit un air consterné. Jeff aurait tout aussi bien pu lui avoir craché sur les sandales. Il lui rendit la carte et fit mine de s'en aller.

– Huit ! lui cria Jeff.

Le chauffeur se retourna, sans rebrousser chemin.

– Quinze.

– Douze.

– Quinze, insista le chauffeur.

Le car redémarra et les autres passagers se perdirent dans la ville. La camionnette jaune était le seul taxi en vue qui fût assez spacieux pour les accueillir tous.

– Va pour quinze, concéda Jeff.

Il avait l'impression de se faire avoir. Il voyait bien que le chauffeur ne pouvait cacher son contentement, mais aucun des autres ne semblait le remarquer. Ils se dirigeaient déjà tous vers la camionnette. C'était seulement une étape de leur voyage, elle serait bientôt derrière eux. D'autant que Mathias apparut soudain à côté de lui, ouvrit son portefeuille et régla la course. Jeff ne proposa pas de participer. Après tout, c'était à cause de lui qu'ils se trouvaient là. Sinon, ils seraient en ce moment même à moitié endormis sur la plage.

À l'arrière de la camionnette, se trouvait un petit chien accroché à un parpaing. À leur approche, l'animal s'élança, tirant sur sa chaîne, grondant, aboyant, tandis que de longs filets de bave coulaient de sa gueule. Il avait la taille d'un gros chat – noir avec des pattes blanches, le poil hirsute et apparemment graisseux –, mais les cordes vocales d'un molosse. Sa colère, son envie de les blesser semblaient presque humaines. Ils s'immobilisèrent, les yeux rivés sur lui.

Le chauffeur leur fit signe d'avancer en riant.

– Pas de problème, dit-il avec un fort accent.

Il abaissa le hayon, fit un geste en direction du chien et leur montra que sa chaîne l'empêchait de dépasser la moitié du plateau. Deux d'entre eux pourraient s'asseoir à l'avant. Les quatre autres se débrouilleraient pour rester hors de portée de l'animal féroce.

– Pas de problème, pas de problème, pas de problème..., répétait-il à grand renfort de gesticulations.

Stacy et Amy se portèrent aussitôt volontaires pour s'asseoir à l'avant. Ouvrant la portière d'un coup sec, elles se précipitèrent sur la banquette avant que quiconque ait eu le temps de protester. Les autres se hissèrent avec méfiance à l'arrière. Les aboiements du chien grimpèrent d'un ton. Il tirait sur sa chaîne avec tant de violence ; on aurait cru qu'il allait se briser le cou. Le chauffeur lui susurra quelques mots en maya pour le calmer, sans succès. Pour finir, l'homme se contenta de sourire en haussant les épaules, puis il rabattit le hayon.

Il dut s'y reprendre à trois fois pour démarrer, mais la camionnette s'ébranla enfin. Ils empruntèrent une route pavée pour sortir de la ville. Après deux ou trois kilomètres, ils tournèrent sur la gauche et s'engagèrent sur une route recouverte de graviers. Des feuillages moites et touffus poussaient en bordure de la route. Le soleil était à son zénith, exactement au-dessus d'eux ; il était donc difficile de savoir dans quelle direction ils roulaient. Jeff supposa qu'ils allaient vers l'ouest. Le chauffeur avait gardé la carte, il restait à espérer qu'il sache la lire.

Adossés au hayon, les jambes ramenées contre le corps, les quatre garçons surveillaient le chien qui continuait à s'élancer vers eux, grondant, aboyant et écumant de plus belle. Il régnait une chaleur étouffante. Une odeur légèrement fétide flottait dans l'air lourd et humide. Le mouvement du véhicule donnait bien l'illusion d'une brise, mais bien insuffisante, et leurs chemises furent bientôt trempées de sueur. De temps à autre, Pablo criait quelque chose en grec au chien, et ils se mettaient tous à rire nerveusement, même s'ils n'avaient pas la moindre idée de ce qu'il disait. Même Mathias, qui n'était pas vraiment du genre rigolard, se joignait à leurs éclats de rire.

Un peu plus loin, les graviers firent place à un chemin de terre complètement défoncé. La camionnette ralentit, bondissant de part et d'autre des ornières, les projetant les uns contre les autres. Les secousses les plus fortes faisaient voler le parpaing qui retombait violemment sur le plateau. Le chien en profitait à chaque fois pour se rapprocher de deux ou trois centimètres. Il leur semblait avoir couvert une plus grande distance que la quinzaine de kilomètres annoncée sur la carte.

La camionnette roulait de plus en plus lentement à mesure qu'empirait l'état de la route, que les arbres balayaient les flancs du véhicule et ployaient au-dessus d'eux comme pour mieux les enserrer. Un nuage d'insectes se forma au-dessus de leurs têtes et suivit leur lente progression, les piquant aux bras et au cou, les forçant à s'administrer de grandes claques. Éric sortit une bombe antimoustiques de son sac, mais elle lui glissa des doigts pour aller taper contre le parpaing dans un bruit métallique. Le chien la renifla brièvement, puis recommença à aboyer. Pablo avait cessé d'invectiver l'animal et les autres ne riaient plus. Le temps s'étirait – ils étaient allés trop loin – et Jeff commençait à se demander s'ils n'avaient pas commis une terrible erreur. Ce type les emmenait dans la jungle pour les dépouiller avant de les assassiner. Il allait violer les filles ; il les abattrait tous, les achèverait à coups de poignard ou leur fracasserait le crâne à coups de pelle. Il jetterait leurs corps en pâture à son chien puis enfouirait leurs os dans la terre humide, et plus personne n'entendrait jamais parler d'eux.

C'est alors qu'apparut sur le côté droit de la route un endroit assez large pour manœuvrer. La camionnette s'y engagea, ralentit puis s'immobilisa. Un sentier s'enfonçait au cœur de la jungle. Ils étaient arrivés. Les quatre garçons, riant à nouveau de bon cœur, s'empressèrent de descendre tant bien que mal, abandonnant l'atomiseur au chien qui tirait de plus belle sur sa chaîne, grognant et aboyant en guise d'adieu.

Stacy était assise du côté de la fenêtre. Elle l'avait gardée fermée en raison de la chaleur qui montait au-dehors. La climatisation était réglée au maximum. À mesure que la sueur séchait sur sa peau, elle s'était peu à peu mise à frissonner au point qu'elle en avait la chair de poule. Le trajet ne lui avait pas paru particulièrement long. Elle y avait à peine prêté attention. Elle avait l'esprit ailleurs. Elle se revoyait quinze ans plus tôt et à trois mille kilomètres de là. La couleur de la camionnette. C'était donc ça. Le jaune des documents de justice. La voiture dans laquelle son oncle Roger avait trouvé la mort était de la même couleur. Il était venu passer quelques jours avec eux le Noël précédant sa disparition. Réveillée en pleine nuit par un épouvantable fracas, elle l'avait trouvé ivre mort, à quatre pattes dans le couloir, cherchant tant bien que mal à se remettre sur pied. Lorsqu'il avait vu Stacy, il lui avait fait un clin d'œil puis s'était mis à lui raconter une histoire.

– Je vais te dire quelque chose d'important... Tu m'écoutes bien ? Si tu fais pas gaffe, tu finis par choisir sans réfléchir. Sans avoir rien prévu. Et tu te retrouves piégé à mener une vie dont t'avais pas voulu. Surtout, réfléchis bien avant d'agir.

Après quoi il s'était tu, et s'était endormi presque aussitôt. Elle n'avait jamais parlé à ses parents de cette conversation qui pourtant avait hanté toute son enfance. Elle se voyait bien prise au piège elle aussi, par négligence ou lassitude, vieille, abandonnée, emmitouflée dans une vieille robe de chambre toute tachée, passant ses nuits devant la télé entourée de ses six chats. Ou bien enfermée dans une grande maison de la banlieue chic, les tétons douloureux, avec à l'étage un bébé braillant pour qu'elle vienne l'allaiter. *Surtout, réfléchis bien avant d'agir.* Il y avait tant de règles à retenir. Pas étonnant que des gens se retrouvent coincés dans des endroits où ils n'avaient jamais eu l'intention d'aller. C'est sur ces pensées peu réjouissantes que Stacy regarda au-dehors et comprit qu'ils étaient enfin arrivés.

Lorsque le véhicule s'immobilisa, le chauffeur fit mine de donner la carte à Amy. Elle tendit la main pour la prendre, mais il ne la lâcha pas. Elle tira, mais il tint bon : la lutte fut brève. Stacy tripotait maladroitement la poignée de la porte, sans remarquer ce qui se passait. La camionnette oscilla légèrement au moment où Jeff et les autres sautèrent au sol. Les vitres étaient fermées, et l'air conditionné à plein régime, mais Amy les entendait rire. Le chien aboyait toujours. Stacy ouvrit la portière et sortit dans la chaleur, la laissant entrouverte pour Amy. Mais l'homme refusait toujours de lâcher la carte.

– Cet endroit, dit-il, en indiquant le sentier d'un signe de tête. Pourquoi vous aller ?

Amy voyait bien que son anglais était limité. Elle chercha la façon de lui décrire l'objet de leur mission en employant les mots les plus simples possible. Elle se pencha en avant ; les autres se rassemblaient à côté de la camionnette, sanglaient leurs sacs à dos, l'attendaient. Elle pointa Mathias du doigt.

– Son frère... dit-elle. Nous devons le retrouver.

Le chauffeur fit volte-face, regarda un moment Mathias, puis se retourna vers elle. Il fronça les sourcils, mais ne dit rien. Ils tenaient toujours tous les deux la carte.

– *Hermano ?* tenta Amy.

Elle ne savait pas d'où lui venait ce mot, ni même si c'était le bon. Son espagnol se limitait à des titres de films, à des noms de restaurants.

– *Perdido*, ajouta-t-elle en désignant de nouveau Mathias. *Hermano perdido.*

Elle n'était pas plus sûre de ce qu'elle disait. Le chien aboyait toujours et cela commençait à lui donner mal à la tête. Elle voulait sortir du véhicule ; mais lorsqu'elle tira encore une fois sur la carte, le chauffeur refusa de la lâcher. Il secoua la tête :

– Cet endroit. Pas bon.

– Pas bon ? demanda-t-elle.

Elle n'avait pas la moindre idée de ce qu'il voulait dire.

Il hocha la tête.

– Pas bon vous aller cet endroit.

Dehors, les autres s'étaient retournés pour regarder la camionnette. Ils s'impatientaient. Le sentier s'étendait derrière eux. Les arbres l'entouraient, formant un tunnel ombragé qui laissait à peine passer la lumière. Le regard ne portait pas très loin dans une telle obscurité.

– Je ne comprends pas, dit Amy.

– Quinze dollars, je vous ramène.

– Nous cherchons son frère.

Le chauffeur secoua la tête avec véhémence.

– Je vous conduis nouvel endroit. Quinze dollars. Tout le monde content.

Il sourit à pleines dents pour appuyer son offre. De grandes dents épaisses, noires à la bordure des gencives.

– C'est bien là, dit Amy. C'est indiqué sur la carte, non ?

Elle tira dessus et il la lui abandonna. Elle montra le X puis fit un geste dans la direction du sentier.

– C'est bien ça, n'est-ce pas ?

Le sourire du chauffeur s'effaça. Il secoua la tête, comme s'il était écœuré, et lui fit signe de descendre.

– Alors, aller. Je vous dis pas bon, mais vous aller quand même.

Amy lui tendit la carte en pointant à nouveau le X.

– Nous cherchons...

– Aller ! dit l'homme en lui coupant la parole.

Il avait haussé le ton comme si cette discussion lui faisait perdre patience, comme s'il sentait la colère monter en lui. Il continuait de lui faire signe de descendre, sans daigner la regarder, ni elle ni sa carte.

– Aller, aller, aller...

Elle s'exécuta donc. Elle descendit, claqua la portière et regarda la camionnette s'éloigner lentement, de nouveau sur la route.

La chaleur l'enveloppa telle une main qui se serait avancée vers elle pour l'accueillir. Au début ce fut agréable, après la fraîcheur glacée de l'air conditionné, mais très vite elle sentit la chaleur resserrer son étreinte. Elle était en nage, et il y avait des moustiques – tournant, vrombissant, piquant. Jeff avait tiré une bombe antimoustiques de son sac et en aspergeait tout le monde. Le chien continuait à s'en prendre à eux, alors même que la camionnette s'éloignait, bringuebalant le long de la route creusée d'ornières. Ils entendirent ses aboiements longtemps encore après le départ du véhicule.

– Qu'est-ce qu'il voulait ? demanda Stacy.

Jeff l'avait déjà aspergée. Elle en avait la peau luisante et sentait le désodorisant. Les moustiques ne cessaient malgré tout de la piquer ; elle s'administrait sans cesse des claques sur les bras.

– Il a dit que nous ne devrions pas y aller.

– Aller où ?

Amy montra le départ du sentier.

– Pourquoi pas ? demanda Stacy.

– Il disait que ce n'est pas bien.

– Qu'est-ce qui n'est pas bien ?

– L'endroit où nous allons.

– Les ruines, c'est pas bien ?

Amy haussa les épaules ; elle n'en savait rien.

– Il proposait de nous ramener pour quinze dollars.

Jeff s'approcha avec sa bombe antimoustiques. Il lui prit la carte des mains et commença à la vaporiser. Elle tendit les bras puis les leva au-dessus de sa tête pour qu'il puisse lui asperger la poitrine. Elle tourna lentement sur elle-même jusqu'à ce qu'elle ait fait un tour complet. Il s'arrêta alors et s'accroupit pour ranger l'atomiseur dans son sac. Les autres étaient debout. Ils l'observaient.

Une question alarmante traversa l'esprit d'Amy.

– Comment on va faire pour rentrer ? demanda-t-elle.

Jeff plissa les yeux.

– Rentrer ?

Elle montra la route que venait d'emprunter la camionnette avant de disparaître.

– À Cobá.

Jeff se retourna pour regarder la route tout en réfléchissant.

– On peut toujours faire signe à un car de s'arrêter. C'est ce qui est écrit dans le guide.

Il haussa les épaules ; il semblait réaliser à quel point c'était ridicule.

– Donc j'ai pensé que...

– Il ne doit pas y avoir de car sur cette route-là, dit Amy.

Jeff acquiesça.

C'était une évidence.

– Un car n'aurait même pas la place de passer.
– Apparemment, on peut aussi faire du stop...
– Jeff, tu vois passer beaucoup de voitures ?

Il soupira, attacha son sac. Il se releva et le posa sur son dos.

– Amy... commença-t-il.
– Au cours du trajet, as-tu vu la moindre...
– Ils doivent bien avoir un moyen de se ravitailler.
– Qui ?
– Les archéologues. Ils doivent avoir une camionnette. Ou avoir accès à une camionnette. Quand nous aurons trouvé le frère de Mathias, nous n'aurons qu'à leur demander de tous nous ramener à Cobá.
– Bon sang, Jeff, tu ne vois pas qu'on est en rade ? C'est trente kilomètres à pied, qu'il va falloir se taper. À travers cette putain de jungle.
– Quinze.
– Quoi ?
– Ça fait quinze kilomètres.
– Impossible que ça n'en fasse que quinze.

Amy se tourna vers les autres pour qu'ils la soutiennent, mais elle ne croisa que le regard de Pablo. Il souriait ; il n'avait aucune idée de ce dont ils parlaient. Mathias fouillait dans son sac. Stacy et Éric regardaient fixement le sol. Amy voyait bien qu'ils pensaient tous la même chose, qu'elle était encore en train de se plaindre, ce qui la mit en rage.

– Je suis donc la seule que ça dérange ?
– Je ne vois pas en quoi je devrais être responsable de ça, protesta Jeff. Pourquoi suis-je censé penser à tout pour tout le monde ?

Amy leva les mains au ciel, comme si la réponse était évidente.

– Parce que...

Mais elle n'alla pas plus loin. Pourquoi Jeff était-il responsable de tout ? Elle était sûre de son fait, mais n'aurait su dire pourquoi.

Jeff se tourna vers les autres, le doigt pointé vers le sentier.

– Prêts ? demanda-t-il.

Ils hochèrent la tête tous en chœur, à l'exception d'Amy. Il se mit en marche, suivi par Mathias, Pablo puis Éric. Stacy posa un regard compatissant sur Amy.

– Suis le mouvement, ma puce, dit-elle. D'accord ? Tu verras, tout va bien se passer.

Stacy la prit par le bras, l'entraînant à sa suite. Amy n'opposa pas de résistance ; elles abordèrent le sentier bras dessus bras dessous alors que Jeff et Mathias avaient déjà disparu dans les ténèbres accompagnés par les cris d'oiseaux qui marquaient leur entrée dans les profondeurs de la jungle.

D'après le plan, il fallait suivre ce sentier sur trois kilomètres jusqu'à un embranchement. Là, il leur faudrait prendre à gauche, et ce nouveau sentier les mènerait jusqu'à une colline qu'il faudrait alors gravir. Une fois arrivés au sommet, ils trouveraient les ruines. Ils marchaient depuis près de vingt minutes lorsque Pablo s'arrêta pour uriner. Éric marqua une pause lui aussi. Il posa son sac à terre et s'assit dessus pour souffler un peu. La végétation occultait les rayons du soleil, mais il n'en faisait pas moins trop chaud pour marcher de la sorte. Sa chemise était trempée de sueur et il avait les cheveux collés au front. Les moustiques pullulaient, ainsi qu'une espèce de mouches, très petites – elles ne piquaient pas, mais semblaient attirées par sa transpiration ; elles tournoyaient autour de lui en un nuage épais, en émettant un bourdonnement aigu. La sueur avait sans doute dilué l'insecticide, ou peut-être le produit ne valait-il rien.

Stacy et Amy les rattrapèrent. Pablo n'avait pas encore fini de se soulager. Éric les entendait discuter, mais elles se turent dès qu'elles furent à proximité. Stacy lui adressa un sourire et lui donna une petite tape sur la tête au passage. Elles ne s'arrêtèrent pas, ne ralentirent même pas. Et elles reprirent leur conversation dès qu'elles se furent un peu éloignées. Il éprouva un petit pincement d'angoisse à l'idée qu'elles parlaient sans doute de lui. Mais peut-être parlaient-elles de Jeff après tout. Elles aimaient les secrets et les messes basses. Éric ne s'était toujours pas habitué à leur complicité. Il se prenait parfois à considérer Amy d'un œil mauvais, sans raison précise, simplement parce qu'il ne l'aimait pas : il était jaloux. Il aurait voulu recevoir les confidences de Stacy, plutôt que d'en faire l'objet, et ça le contrariait vraiment.

Le Grec pissait et pissait et pissait sans fin. Les minuscules mouches noires semblaient trouver la petite mare qui se formait à ses pieds encore plus attirante que la sueur. Quand il eut enfin terminé, il tira de son sac une de ses bouteilles de tequila, la déboucha. Une brève lampée, puis il la passa à Éric. L'alcool lui fit venir les larmes aux yeux. Il toussa, rendit la bouteille à Pablo, qui prit une autre gorgée, puis la rangea dans son sac. Il dit quelque chose en grec, secoua la tête et s'essuya le visage avec sa chemise. Éric hocha la tête. D'après son ton plaintif, Pablo évoquait sans doute la chaleur.

– Un véritable enfer, dit Éric. Vous autres devez avoir une expression du même genre. Oui, forcément. *Hadès* ? *Inferno* ?

Pablo se contenta de sourire.

Éric hissa son sac sur ses épaules et tous se remirent en route. Sur la carte, Henrich avait représenté le chemin par une ligne droite, en réalité, il ne cessait de serpenter. Les deux filles avaient une trentaine de mètres d'avance. Éric ne les apercevait que par intermittence. Jeff et Mathias avaient abordé la marche comme deux boy-scouts. Éric les avait complètement perdus de vue. Cet étroit sentier en terre battue était bordé par une jungle épaisse : des plantes à larges feuilles, des lianes et des ronces, et puis des arbres tout droit sortis d'une bande dessinée de Tarzan. Il faisait sombre sous la canopée et le regard ne portait pas très loin. Éric entendait de temps à autre des bruissements dans les frondaisons. Peut-être des oiseaux surpris à leur approche. C'était un concert de caquetages divers, doublé d'un vrombissement semblable au chant des criquets. Cependant, il arrivait que ce vacarme cesse brusquement, sans raison apparente, pour laisser place à un silence de mort qui lui glaçait les sangs.

Ce chemin paraissait assez fréquenté. Ils dépassèrent une canette de bière vide, un paquet de cigarettes écrasé. Ils virent aussi des empreintes de sabots, plus petites que celles d'un cheval. Un âne, peut-être, ou bien une chèvre. Jeff aurait sans doute pu dire de quel animal il s'agissait ; il savait faire ce genre de trucs – repérer les constellations, identifier les fleurs. Il lisait beaucoup, amassait les informations, avec par moments un petit côté vantard. Il passait ses commandes en espagnol, même lorsque le serveur parlait manifestement anglais et corrigeait la prononciation des autres. Éric ne savait s'il aimait vraiment Jeff, ni d'ailleurs, et peut-être était-ce là tout le problème, si Jeff l'aimait bien.

Ils décrivirent une boucle et descendirent une longue côte en pente douce bordée par un cours d'eau. Soudain, là, devant eux, un disque de lumière aveuglante. La jungle avait cédé sous les coups de pioche de ce qui ressemblait à une tentative avortée d'agriculture. De part et d'autre du chemin, des champs s'étiraient sur une centaine de mètres, vastes étendues de terre retournée, recuite par le soleil. Ces parcelles avaient connu toutes les phases de la culture sur brûlis, du brûlage aux semailles, pour terminer par la récolte. Il restait une seule friche qui attendait le retour de la jungle. Le long des marges, la végétation avait déjà lancé quelques ronces en éclaireurs. Çà et là, de petits buissons touffus s'élevaient à un mètre du sol : au milieu de ces mottes de terre retournée, on aurait dit qu'ils faisaient de la résistance.

Pablo et Éric cherchèrent leurs lunettes de soleil. Au loin, la jungle reprenait ses droits, tel un mur dressé en travers du chemin. Jeff et Mathias avaient déjà disparu dans la pénombre, mais Stacy et Amy étaient encore en vue. Amy avait coiffé son chapeau ; Stacy s'était noué un foulard sur la tête. Éric les appela, criant leurs noms à pleins poumons tout en agitant un bras, mais elles ne l'entendirent pas, ou feignirent de ne pas l'entendre. Les petites mouches noires étaient restées en arrière à l'abri des arbres, mais les moustiques les suivaient, nullement rebutés par le soleil.

Ils se trouvaient au centre de la friche quand ils virent un serpent traverser le sentier pile devant eux. C'était un tout petit serpent de soixante centimètres tout au plus, aux écailles noires mouchetées de fauve, mais Pablo poussa un cri de terreur. Il fit un bond en arrière, renversa Éric, perdit l'équilibre et s'effondra sur lui. Pablo se releva aussitôt, montrant l'endroit où le reptile avait disparu. Il jacassait en grec tout en se dandinant d'un pied sur l'autre. Il semblait terrorisé. Il avait apparemment la phobie des serpents. Éric se releva lentement tout en s'époussetant. Il s'était écorché le coude en tombant et de la terre s'était logée dans sa plaie, qu'il s'efforça de nettoyer tant bien que mal. Pablo continuait à vomir des paroles incompréhensibles, à grand renfort d'exclamations et de gesticulations.

Éric attendit que Pablo ait terminé. Il parut, vers la fin, s'excuser de l'avoir fait tomber. L'Américain hocha la tête en souriant pour montrer qu'il ne lui en tenait pas rigueur. Ils se remirent enfin en route, mais Pablo marchait maintenant bien plus lentement, en surveillant nerveusement les bords du chemin. Éric s'imagina leur arrivée dans les ruines. Les archéologues, leurs méticuleux quadrillages, leurs petites pelles et leurs balayettes, leurs sachets en plastique pleins d'artefacts : les timbales en fer-blanc dont les mineurs se servaient pour boire, les clous en fer qui faisaient tenir jadis les planches de leurs cabanes. Mathias allait retrouver son frère ; cela donnerait lieu à une confrontation, une dispute en allemand, des éclats de voix, des ultimatums. Éric s'en réjouissait à l'avance. Il aimait le drame, le conflit, et il adorait voir les autres en pleine crise. La journée ne se résumerait pas à ce calvaire, à cette marche en pleine chaleur, à ce coude qui l'élançait au rythme de son pouls. Dès qu'ils auraient trouvé les ruines, leur expédition prendrait un autre tour.

Ayant traversé la clairière, ils pénétrèrent à nouveau dans la jungle. Ils furent accueillis par une nuée vrombissante, comme si les petites mouches noires se réjouissaient de leurs retrouvailles. Le ruisseau avait disparu. Le chemin s'incurva sur la droite puis sur la gauche, avant de repartir en ligne droite, long couloir de ténèbres au bout duquel s'ouvrait une nouvelle trouée. La lumière y semblait si intense qu'Éric avait l'impression d'en entendre la vibration sonore, semblable au cri d'un cor de chasse. Il en avait mal aux yeux, mal au crâne même. Il remit ses lunettes de soleil. Alors seulement il aperçut les autres rassemblés là-bas, Jeff, Mathias, Stacy et Amy, accroupis en cercle, juste à la lisière. Ils faisaient circuler une bouteille d'eau et tournaient tous la tête pour les regarder, lui et Pablo, tandis qu'ils se rapprochaient lentement du groupe.

Selon la carte, s'ils atteignaient le village, ils étaient allés trop loin. Or il était là, juste en contrebas. Jeff et Mathias étaient pourtant restés à l'affût de l'embranchement où il fallait bifurquer, mais ils avaient dû passer sans le voir... Il fallait rebrousser chemin, et se montrer plus vigilant. Ils se demandaient à présent s'il ne valait pas mieux se renseigner d'abord dans ce village, et trouver éventuellement une personne disposée à les guider jusqu'aux ruines. Non que ce fameux village ait l'air très accueillant : une trentaine de bâtisses branlantes, presque toutes de la même taille. Des cabanes d'une pièce ou deux, la plupart couvertes d'un toit de chaume, à l'exception de quelques-unes coiffées de tôle ondulée. Elles devaient avoir un sol en terre battue, pensa Jeff. Ne voyant aucun fil, Jeff en conclut qu'ils n'avaient pas l'électricité. Ni l'eau courante sans doute. Il y avait un puits au centre du village, avec un seau attaché à une corde. Jeff observa une vieille femme qui y emplissait sa cruche. La poulie avait besoin d'être graissée : Jeff l'entendait couiner malgré la distance tandis que le seau descendait et descendait encore avant d'entamer une remontée tout aussi dissonante. Jeff regarda la femme poser la cruche en équilibre sur son épaule, puis regagner lentement sa maison qui se trouvait au bas de la rue poussiéreuse.

Les habitants avaient défriché une portion circulaire tout autour du village pour y planter ce qui ressemblait à des haricots et du maïs. Des hommes, des femmes et même des enfants y étaient disséminés, l'échine courbée, en plein désherbage. Il y avait çà et là des chèvres, de la volaille et quelques ânes, ainsi que trois chevaux enfermés dans un corral, mais pas la moindre trace d'équipement mécanique : ni tracteur, ni charrue, ni voiture, ni camionnette. Au moment où Jeff et Mathias avaient émergé de la jungle, un molosse efflanqué s'était élancé à leur rencontre, la queue levée, l'air agressif. Il s'était arrêté à un jet de pierre, puis s'était mis à arpenter la clairière durant quelques minutes sans cesser de grogner ni d'aboyer. Mais sous le soleil trop brûlant, il avait fini par se taire. Il avait regagné le village pour s'affaler à l'ombre d'une cabane.

Ses aboiements devaient avoir averti les gens du village de leur présence, mais aucun n'avait interrompu son travail, poussé son voisin du coude ou pointé le sentier du doigt. Personne ne leva les yeux, et le groupe continua sa lente progression entre les rangs de légumes. Les hommes étaient pour la plupart vêtus de blanc et coiffés d'un chapeau de paille. Les femmes portaient une robe noire et un châle sur la tête. Les enfants allaient nu-pieds. Ils avaient quelque chose de félin. De nombreux garçons étaient torse nu, la peau brunie par le soleil au point qu'ils semblaient se fondre à la terre qu'ils travaillaient, pour ne réapparaître que par intermittence.

Stacy tenait à parcourir ce village. Elle y trouverait peut-être un endroit frais où se reposer un moment – voire, qui sait, un soda bien frappé... Jeff hésitait. L'absence de toute forme d'accueil, cette impression étrange, comme si l'ensemble des habitants refusait de les voir, tout cela l'incitait à la prudence. Et puis, autant oublier les réfrigérateurs et les climatiseurs. Quant aux boissons glacées et aux endroits où ils pourraient se reposer au frais, mieux valait ne pas trop rêver.

– On pourrait peut-être trouver un guide, fit observer Amy.

Elle avait récupéré son appareil dans le sac de Jeff et s'était mise à prendre des photos. Elle en fit quelques-unes du groupe, accroupi en cercle, puis elle immortalisa Éric et Pablo arpentant le sentier, et enfin les paysans qui travaillaient aux champs. Elle cadra longuement Jeff dans son viseur avant d'appuyer sur le déclic, ce qui le mit mal à l'aise. Amy était bien plus enjouée, se dit-il. Stacy lui avait remonté le moral. Amy avait toujours eu des humeurs fluctuantes. Il devait y avoir une logique dans tout ça, mais ça faisait longtemps que Jeff avait cessé de se poser des questions. Il la surnommait sa « méduse » : elle sombrait au fond de l'abîme puis remontait vers la surface, avant de replonger encore, dans un mouvement sans fin. Amy trouvait ce surnom plutôt mignon, mais s'en offusquait parfois...

– On pourrait passer la journée à arpenter ce sentier, dit-elle. Et après, on fait quoi ? Tu veux peut-être aussi nous faire camper là pendant que tu y es ?

– Et puis, ces gens pourront éventuellement nous reconduire à Cobá, ajouta Stacy.

– T'en vois beaucoup des voitures, toi ? Des camions peut-être ? lui demanda Jeff.

Ils regardèrent tous le village en contrebas. Avant que quiconque ait eu le temps d'ajouter quoi que ce soit, Éric et Pablo étaient là. Le Grec les serra dans ses bras les uns après les autres, puis se remit aussitôt à jacasser dans sa langue, tout excité. Il écarta les bras comme pour décrire un poisson qu'il aurait pris. Il sautilla sur place puis fit semblant de renverser Éric, et refit le même geste.

– On a vu un serpent, expliqua Éric. Mais il n'était pas si long. Peut-être la moitié de ça.

Les autres se mirent à rire, ce qui parut inciter Pablo à recommencer le même manège.

– Il en a une peur bleue, précisa Éric.

Ils firent circuler la bouteille d'eau tout en attendant que Pablo ait terminé son histoire. Éric prit une longue gorgée, puis versa un peu d'eau sur son coude blessé. Les autres s'assemblèrent autour de lui pour examiner sa plaie. Elle était sanguinolente, mais pas très profonde, longue d'une petite dizaine de centimètres, en forme de croissant. Elle courait le long de la courbe du coude. Amy la prit en photo.

– On va se dégoter un guide au village, dit-elle.

– Et un endroit pour souffler au frais, ajouta Stacy. Avec des sodas glacés.

– Et peut-être qu'ils auront aussi un citron vert, ajouta Amy. On le pressera sur ta blessure. Ça tuera toutes les saloperies qui ont pu s'y loger.

Les deux amies se retournèrent vers Jeff, et lui adressèrent un sourire comme pour le provoquer. Il ne réagit pas – à quoi bon ? À l'évidence, l'affaire était déjà entendue : on allait descendre au village. Pablo avait fini par se taire. Mathias revissait le bouchon de la bouteille. Jeff reprit son sac à dos.

– Bon, on y va ? dit-il.

Ils s'engagèrent sur le sentier menant au village.

À peine avaient-ils émergé de la jungle que le village tout entier parut se figer. Les hommes, les femmes et les enfants qui travaillaient aux champs s'immobilisèrent pendant une fraction de seconde, le temps de constater l'approche des six étrangers qui descendaient le sentier. Puis plus rien, à croire que cela n'avait jamais eu lieu, même si Stacy en était bien certaine – peut-être pas si sûre que ça, après tout ; elle l'était de moins en moins à chaque pas la rapprochant du village.

Dans les champs, chacun poursuivait son travail, l'échine ployée, arrachant les mauvaises herbes les unes après les autres, mais personne ne les regardait ; personne ne se souciait d'observer leur progression sur le chemin, pas même les enfants. Peut-être rien de tout cela ne s'était-il produit. Stacy avait beaucoup d'imagination, elle le savait ; elle était rêveuse et tirait volontiers des plans sur la comète. Ici, pas d'endroit où se mettre au frais, pas plus que de boisson glacée. Les villageois ne leur avaient sans doute jamais lancé ce coup d'œil furtif, comme pour prendre note de leur présence. Elle avait dû rêver.

Le chien qui les avait accueillis par des aboiements refit son apparition. Il sortit à nouveau du village, mais son comportement avait complètement changé. Il avait la langue pendante et remuait la queue : c'était un ami. Stacy aimait les chiens. Elle s'accroupit pour le cajoler, se laissa lécher le visage. Il battit plus fort de la queue, au point qu'il tortillait désormais de l'arrière-train. Les autres ne s'arrêtèrent pas et poursuivirent leur descente le long du chemin. Stacy remarqua soudain que le chien était couvert de tiques. Des dizaines de tiques, bien grasses, gorgées de sang, pendaient sous son ventre comme autant de raisins secs. Elle en vit d'autres qui se déplaçaient sur son pelage. Stacy se redressa d'un coup, repoussa l'animal loin d'elle, en vain. Cette brève démonstration d'affection lui avait gagné son amour : le clébard l'avait adoptée. Il se pressait contre elle en gémissant sans cesser de remuer la queue, s'insinuait entre ses jambes, manquant la faire tomber. Hâtant le pas pour rattraper les autres, elle dut se retenir pour ne pas lui flanquer un coup de pied ou une claque sur le museau pour le faire déguerpir. Elle avait l'impression d'être infestée par les tiques maintenant. Mais non, ce n'était pas vrai, voilà tout ce qu'elle pouvait se dire. *Ce n'est pas vrai.* Elle aurait voulu se retrouver à Cancún, dans sa chambre d'hôtel, prête à entrer dans la douche. L'eau bien chaude, l'odeur du shampoing, la petite savonnette dans son emballage, la serviette propre à portée de main...

Le sentier s'élargissait à l'entrée du village. On aurait presque pu dire qu'il s'agissait d'une route, bordée de cabanes plantées de part et d'autre de la chaussée. On avait tendu des couvertures aux couleurs vives dans l'embrasure de quelques portes ; on en avait laissé d'autres ouvertes, mais l'intérieur restait invisible, perdu dans la pénombre. Des poules détalèrent en caquetant. Un autre chien surgit pour vénérer à son tour Stacy, échangeant de petits coups de dents avec l'autre, se disputant ses faveurs. Ce chien au pelage gris avait quelque chose du loup, avec ses yeux vairons qui donnaient une inquiétante intensité à son regard. Dans sa tête, Stacy leur avait déjà trouvé un nom : Lugubre et Pouilleux.

Il leur sembla d'abord que le village était désert, que tout le monde se trouvait aux champs. Leurs pas résonnaient sur la terre battue, troublant le calme ambiant. Personne ne parlait, pas même Pablo, qui était d'habitude un vrai moulin à paroles. Puis ils virent une femme, assise sur le seuil de sa maison, un nouveau-né dans les bras. Elle avait quelque chose de fané, avec ses longs cheveux noirs striés de mèches grises. Ils descendaient en plein milieu de la rue, à trois mètres d'elle au plus, mais elle ne leva pas les yeux.

– *¡Holà !*

Rien. Aucune réaction. Elle gardait les yeux baissés.

Le bébé était presque chauve. Il avait le crâne à vif, couvert de plaques qui semblaient douloureuses. On avait du mal à en détacher les yeux ; on aurait dit qu'on lui avait étalé de la confiture sur le front. Stacy ne comprenait pas ce qui le retenait de pleurer et ça l'affectait vraiment, mais elle n'aurait su dire pourquoi. *Comme un poupon*, pensa-t-elle – immobile, silencieux. Puis elle comprit enfin pourquoi cette inertie la troublait tant : ce nouveau-né aurait tout aussi bien pu être mort. Elle détourna le regard, invoquant ces mêmes mots, pour bien s'en imprégner l'esprit : *Tout ça n'est pas vrai.* Ils dépassèrent enfin la femme, et Stacy ne se retourna pas.

Ils firent une halte au puits, au centre du village, regardant de tous côtés, dans l'attente que quelqu'un les aborde, sans toutefois trop savoir que faire ensuite. Le puits était profond et Stacy n'en vit pas le fond lorsqu'elle se pencha par-dessus la margelle. Elle résista à l'envie de cracher dedans ou d'y laisser tomber un caillou, à l'affût d'un lointain floc. Un seau en bois était attaché à une corde visqueuse que Stacy n'aurait touchée pour rien au monde. Une nuée de moustiques tournoyait autour d'eux, comme s'ils attendaient aussi de voir ce qui allait suivre.

Amy prit quelques photos : les bicoques alentour, le puits, les deux chiens. Elle tendit l'appareil à Éric pour qu'il la photographie bras dessus bras dessous avec Stacy. À son retour à la maison, elle en aurait toute une série dans le genre : les deux amies accrochées l'une à l'autre, souriant à l'objectif, pâles au début, bronzées, puis écarlates et, enfin, la chair à vif : elles avaient fini par peler. C'était la première fois qu'elles posaient sans leurs chapeaux assortis. Stacy fut prise d'une légère tristesse. Elle repensait aux deux gamins qui détalaient sur la place, au choc causé par une petite main qui lui avait pressé le sein.

Le chien qu'elle avait baptisé Lugubre, avec son œil marron et son œil bleu, s'accroupit près du puits pour déposer un long colombin sur le sol. L'étron s'agitait : il contenait plus de vers que de matière fécale. Pouilleux vint renifler cet amas avec grand intérêt, ce qui eut raison du silence de Pablo. Il se mit à s'exclamer en grec, à grand renfort de gesticulations, puis s'approcha avec une moue dégoûtée pour observer le tas grouillant. Il leva les yeux au ciel comme pour s'adresser aux dieux, se mit à faire de grands gestes en direction des deux chiens sans cesser de parler pour autant.

– Ce n'était peut-être pas une si bonne idée que ça, déclara Éric.

– Oui, on ferait mieux de partir, acquiesça Jeff. De toute façon, ça ne sert à...

– Quelqu'un vient, dit alors Mathias.

Un homme descendait le chemin de terre. Il revenait apparemment des champs. Il s'essuya les mains sur son pantalon, maculant le tissu blanc de deux grosses traînées marron. Il était petit, large d'épaules, et lorsqu'il ôta son chapeau pour s'éponger le front, Stacy nota qu'il était presque complètement chauve. Il s'immobilisa à six mètres d'eux, puis les dévisagea en prenant son temps. Il remit son chapeau, puis fourra son mouchoir dans sa poche.

– *¡ Holà !* lui lança Jeff.

L'autre répondit en dialecte maya. Une question, semblait-il. Il avait haussé les sourcils.

En toute logique, il leur demandait ce qu'ils voulaient. Jeff tenta de lui répondre tant bien que mal, d'abord en espagnol puis en anglais, enfin par gestes. L'homme ne paraissait pas comprendre quoi que ce soit. Stacy eut l'étrange impression qu'en fait il ne voulait pas comprendre, qu'il faisait tout pour ne pas entendre ce qui les amenait ici. Il écouta ce que lui disait Jeff, esquissa même un sourire lorsque celui-ci s'essaya au mime, mais son attitude laissait transparaître quelque hostilité. Il était poli mais nullement amical. Stacy voyait bien qu'il attendait que le groupe s'en aille. Il aurait préféré qu'ils n'aient jamais mis les pieds ici.

Jeff finit par s'en rendre compte à son tour. Il renonça, puis se tourna vers ses amis en haussant les épaules :

– Rien à faire.

Il n'y eut aucune discussion. Ils repartirent vers la jungle après avoir repris leurs sacs à dos. Le Maya resta debout à côté du puits et les regarda s'éloigner.

Ils repassèrent devant la femme qui avait refusé de leur répondre et, une fois encore, elle se garda bien de lever les yeux vers eux. Elle tenait toujours dans ses bras son bébé inerte, avec sa calotte marbrée de confiture rouge. *Mort,* se dit Stacy, puis elle se força à détourner le regard : *Tout ça n'est pas vrai.*

Les chiens les suivaient. Ainsi que deux enfants, ce qui était surprenant. On entendit un grincement métallique. Stacy vit en se retournant que deux garçons les suivaient à vélo. Le plus grand pédalait, le plus petit était juché sur le guidon. Tout était relatif – *plus grand, plus petit* –, ils n'étaient pas bien gros ni l'un ni l'autre. Ils avaient le torse creusé, les épaules tombantes, les coudes et les genoux cagneux, et cette bicyclette était trop grande pour eux. Elle avait l'air lourde, les pneus étaient épais et boursouflés, elle n'avait pas de selle. Celui qui se tenait à l'arrière était obligé de pédaler en danseuse. Il haletait et suait sous l'effort. La chaîne avait besoin d'être graissée ; c'est de là que venait ce grincement.

Les six amis marquèrent une pause, puis se retournèrent. Ils voulaient demander à ces garçons où se trouvaient les ruines, mais ces derniers s'étaient arrêtés eux aussi, une quinzaine de mètres en arrière, l'œil noir et vigilant, pareils à deux hiboux étiques. Jeff les appela, leur fit signe d'approcher, et brandit même un billet d'un dollar pour les appâter ; mais les deux gamins se contentèrent d'attendre en les regardant fixement, le plus petit toujours perché sur le guidon. Jeff finit par renoncer et le groupe se remit en marche. Un instant plus tard, le vélo reprit son incessant grincement, mais ils n'y prêtèrent plus attention. Dans les champs, les travaux de désherbage se poursuivaient. Seuls l'homme du puits et les deux garçons au vélo s'étaient intéressés à leur départ. Dès qu'ils entrèrent dans la jungle, Lugubre renonça à les suivre, mais Pouilleux ne lâcha pas prise. Il persistait à se frotter contre Stacy qui continuait pourtant à le repousser, mais il semblait croire à un jeu et s'y adonnait avec un enthousiasme grandissant.

Stacy perdit patience. C'était plus fort qu'elle.

– Non ! s'écria-t-elle en lui administrant une bonne claque sur la truffe.

Surpris, le chien couina et fit un bond en arrière, puis s'immobilisa au centre du sentier pour la fixer avec une expression douloureuse.

– Oh, mon pauvre petit ! fit Stacy en s'avançant vers lui, la main tendue.

Mais le mal était fait. Le chien se méfiait à présent, et il se mit à reculer, la queue entre les jambes. Les autres poursuivaient leur route à grandes enjambées le long du sentier ombragé. Ils abordaient déjà la première courbe et elle n'allait pas tarder à les perdre de vue. Stacy frissonna soudain, telle une enfant apeurée qui se serait égarée en pleine forêt. Elle se retourna et se mit à courir pour les rattraper. Lorsqu'elle regarda en arrière, le chien était toujours planté au milieu du sentier. Il la regardait s'éloigner. Les garçons le dépassèrent sur leur vélo grinçant, le frôlèrent presque, mais il ne broncha pas. Au moment où Stacy s'engagea à son tour dans la courbe pour disparaître enfin, il lui sembla que ses yeux tristes étaient encore rivés sur elle.

Tout en suivant le chemin en sens inverse, Amy s'efforça d'imaginer une conclusion heureuse à cette journée, mais ce n'était pas chose facile. Soit ils trouvaient les ruines, soit ils faisaient chou blanc. Dans ce cas, ils se retrouveraient sur le chemin de terre, à une vingtaine de kilomètres de Cobá, et la nuit ne tarderait pas à tomber. Peut-être s'étaient-ils trompés après tout ; peut-être cette route était-elle plus fréquentée qu'ils ne le croyaient. Retourner à Cobá en auto-stop, voilà une conclusion heureuse, pensa-t-elle. Ils pourraient arriver pile au coucher du soleil et se trouver un endroit où passer la nuit, ou encore attraper un car pour Cancún. Pourtant, Amy n'y croyait pas vraiment. Elle les voyait plutôt faire le trajet dans le noir ou camper en plein air, sans tente ni sac de couchage, ni moustiquaire. Elle finit par se rallier à l'idée qu'il valait sans doute mieux trouver les ruines.

Là-bas, ils retrouveraient Henrich, sa nouvelle copine, et puis les archéologues. Ils parleraient sans doute tous anglais, se montreraient accueillants, prêts à les aider. Ils leur trouveraient un moyen de transport pour retourner à Cobá, ou bien, s'il était déjà trop tard, leur offriraient volontiers une place sous leurs tentes. Et – pourquoi pas ? – les archéologues leur feraient même à dîner. Il y aurait un feu de camp, on boirait, on rirait ; elle prendrait plein de photos qu'elle montrerait à son retour à la maison. Ce serait une aventure, le moment le plus marquant du séjour. C'est avec cette idée optimiste en tête qu'Amy tourna le dos au village. La clairière, cercle de lumière aveuglante, se profilait déjà au bout du sentier.

Ils firent halte sous les derniers ombrages. Mathias sortit sa bouteille d'eau et la fit circuler. Tout le monde était en nage. Pablo commençait à sentir le fauve. Derrière eux, le grincement s'interrompit. Amy se retourna et vit les deux gamins qui les observaient, arrêtés à une quinzaine de mètres de là. Le chien galeux, celui qui s'était pris d'affection pour Stacy, était là lui aussi. Il se trouvait encore plus loin, presque mangé par la pénombre. Lui aussi s'était arrêté. Il regardait dans leur direction, l'air hésitant.

– Le sentier débouche peut-être sur les champs, lança Amy, toute fière de son idée, indiquant d'un geste la trouée de soleil.

Les autres se tournèrent vers la clairière. Jeff hocha la tête.

– Ça se pourrait bien, acquiesça-t-il.

Il souriait, l'air satisfait, ce qui fit redoubler la joie d'Amy. Elle empoigna son appareil photo et leur demanda de se regrouper. Après quoi, tournant le dos au soleil, elle les cadra dans le viseur en exigeant qu'ils sourient tous à pleines dents – y compris Mathias le taciturne. Au tout dernier moment, juste avant qu'Amy n'appuie sur le déclencheur, Stacy détourna soudain la tête pour regarder en direction des garçons, du chien et du village silencieux qu'ils avaient laissés derrière eux. Qu'importe, cela ferait une jolie photo. En plus, Amy avait résolu leur problème. Elle avait trouvé la solution, le chemin leur permettant de terminer cette journée sur une conclusion heureuse. Ils allaient bien finir par trouver les ruines.

Après avoir marché sur le sol dur du sentier, la traversée du champ leur sembla bien plus ardue. On avait sans doute labouré la terre peu de temps avant leur passage. Le terrain était inégal, creusé de sillons irréguliers, constellé de soudaines et inexplicables flaques de boue. Elle leur collait aux semelles, s'y accumulant peu à peu, et il fallait sans cesse s'arrêter pour la racler. Éric n'était pas du tout d'attaque pour ce genre d'expédition. Il avait la gueule de bois, manquait de sommeil et commençait à souffrir de la chaleur. Son cœur s'emballait ; il avait mal à la tête. Des nausées lui venaient par vagues. Comprenant qu'il n'allait pas pouvoir aller beaucoup plus loin, il se demandait comment annoncer ça aux autres. Pablo lui épargna cette honte en s'arrêtant brusquement. Sa chaussure était restée plantée dans la boue. Il se tenait là, en équilibre sur une jambe, tel une grue, et il se mit à jurer. Éric reconnut au passage quelques obscénités apprises auprès des Grecs.

Jeff, Mathias et Amy, déjà tirés d'affaire, cheminaient à la lisière de la jungle avec une aisance déconcertante. Stacy, en revanche, était restée en arrière avec les deux autres. Elle se porta au secours de Pablo, le tenant par le coude pour l'aider à garder l'équilibre, pendant qu'Éric arrachait la chaussure à l'emprise de la boue. Sous ses efforts redoublés, le soulier finit par émerger avec un bruit de succion qui les fit rire. Pablo se rechaussa puis, sans un mot, repartit en direction du sentier. Stacy et Éric lancèrent un coup d'œil vers les autres. Ils avaient maintenant une bonne quinzaine de mètres d'avance et progressaient le long des arbres. S'ensuivit un débat silencieux à l'issue duquel Éric tendit une main à Stacy. Elle la prit en souriant et tous deux partirent à la suite de Pablo.

Jeff leur cria quelque chose, mais Éric et Stacy se contentèrent de lui faire un signe de la main sans s'arrêter. Pablo les attendait sur le sentier. Il avait sorti la tequila de son sac et débouché la bouteille qu'il tendit à Éric. Celui-ci savait qu'il faisait une bêtise ; il but néanmoins une longue gorgée qui le fit grimacer, puis passa la bouteille à Stacy. Elle pouvait avoir une descente impressionnante quand lui prenait l'envie de boire. Elle renversa la tête en arrière, inclina la bouteille à la verticale, et fit couler la tequila dans sa gorge. Elle marqua une pause pour reprendre son souffle, le rouge au front, prise d'une quinte de toux qui se mua bientôt en rire. Pablo applaudit, lui donna une tape sur l'épaule et reprit la bouteille.

Les deux jeunes Mayas étaient toujours là. Ils s'étaient un peu rapprochés, sans toutefois quitter l'ombrage de la forêt. Ils avaient mis pied à terre et se tenaient côte à côte. Le plus grand gardait une main posée sur le guidon du vélo. Pablo leva la bouteille, les invitant à boire, mais ils restèrent là sans ciller. Ils observaient la scène. À côté d'eux, le chien faisait de même.

Jeff, Mathias et Amy avaient atteint le bord opposé de la clairière. Ils commençaient à peine à longer la jungle, parallèlement au chemin, en quête du mystérieux sentier. Pablo rangea la bouteille dans son sac et ils restèrent un moment plantés là, à regarder leurs compagnons de l'autre côté du champ de boue. Éric en était sûr, ils ne trouveraient pas les ruines. En fait, il ne croyait pas même à leur existence. Quelqu'un leur avait menti ou leur avait joué un tour, mais il n'aurait su dire si c'était Mathias, le frère de Mathias, ou encore sa copine – peut-être même imaginaire. Il s'était bien amusé, mais il trouvait que cela avait assez duré ; il voulait monter à bord d'un car climatisé qui le ramènerait à Cancún, puis se laisser glisser dans le sommeil. Il ne savait pas encore comment il allait s'y prendre, mais la première chose à faire, c'était de prendre le chemin le plus court pour rejoindre la route. Patauger dans un champ boueux ne faisait pas vraiment partie de son plan.

Main dans la main avec Stacy, ils repartirent sur le sentier. Ils pouvaient bien attendre les autres à l'ombre, de l'autre côté de la clairière ; peut-être même pourraient-ils faire un petit somme.

– Alors... commença Stacy, la fille acheta un piano.

– Mais elle ne savait pas en jouer, répondit Éric du tac au tac.

– Alors, elle prit des cours.

– Mais ne put les payer.

– Alors, elle se trouva un boulot dans une usine.

– Mais fut virée pour cause de retard.

– Alors, elle décida de se prostituer.

– Mais tomba amoureuse de son premier client.

Il s'agissait d'un de leurs jeux, les histoires en alors/mais. C'était absurde, le dernier degré de la futilité. Ils pouvaient passer des heures d'affilée à s'adonner à ce ping-pong verbal. C'était une invention à eux ; personne d'autre n'y trouvait le moindre d'intérêt. Même Amy trouvait ça ennuyeux. Mais ils excellaient tous deux dans ce genre de choses : les sottises, les petits jeux. Au fond de lui-même, Éric avait plus ou moins conscience qu'ils se comportaient comme deux enfants lorsqu'ils étaient ensemble ; un jour, Stacy grandirait, elle avait même déjà commencé à changer. Il ne comprenait pas comment s'y prenaient les gens. Pour sa part, il allait enseigner à des enfants sans jamais grandir tandis que Stacy avancerait inexorablement dans l'âge adulte. Elle le laisserait derrière elle. Il pouvait toujours rêver de se marier un jour avec elle, il s'agissait tout au plus d'une histoire qu'il se racontait, une autre preuve de son immaturité. L'avenir leur réservait des adieux, une lettre de rupture, une dernière entrevue douloureuse. Il s'efforçait de se voiler la face comme par réflexe.

– Alors, elle lui demanda de l'épouser, poursuivit Stacy.

– Mais il était déjà marié.

– Alors, elle le supplia de divorcer.

– Mais il était amoureux de sa femme, ajouta Éric.

– Alors, elle décida de se donner la mort.

Éric sursauta en entendant les aboiements du corniaud. Il se retourna vers la clairière. Les deux garçons et le chien étaient sortis de la forêt ; ils se tenaient maintenant tous trois en pleine lumière. Toutefois, ils ne regardaient pas dans la direction d'Éric mais s'intéressaient à Jeff, Mathias et Amy, là-bas, de l'autre côté de la friche. Mathias était en train de soulever une grande palme pour la lancer dans le champ derrière lui. Alors qu'il se penchait pour en ramasser une autre, Jeff se retourna pour crier aux autres quelque chose d'incompréhensible. Il leur fit signe de venir les rejoindre.

Éric, Stacy et Pablo restèrent immobiles. Ils n'avaient aucune envie de patauger à nouveau dans la boue. Mathias continuait à arracher des palmes. Peu à peu, une trouée apparut à la lisière de la jungle : un départ de sentier.

Avant qu'il ait eu le temps de saisir ce qui se passait, Éric vit quelque chose s'agiter sur le chemin. Il se tourna et vit que le plus grand des deux garçons venait d'enfourcher son vélo et pédalait à toute vitesse, disparaissant dans la jungle, et laissant son cadet derrière lui. Les yeux rivés sur Jeff et les autres, ce dernier se dandinait d'un pied sur l'autre, les mains jointes, calées sous le menton : il était visiblement inquiet. Éric remarqua tout cela sans comprendre. Jeff criait de nouveau tout en leur faisant signe de venir. Éric n'avait guère le choix, semblait-il. Il s'engagea à nouveau dans le champ boueux. Stacy et Pablo l'imitèrent, et tous trois se dirigèrent d'un pas lourd vers l'orée de la forêt.

Derrière eux, le chien ne cessait d'aboyer...

C'est Mathias qui avait remarqué les palmes le premier ; Jeff, lui, les avait dépassées sans les voir. C'est seulement lorsqu'il avait senti Mathias hésiter qu'il s'était retourné et avait vu les frondaisons. Elles étaient encore vertes. On les avait habilement disposées pour masquer l'entrée du sentier. On en avait même fiché les tiges dans le sol, ce qui leur donnait l'apparence d'un buisson poussant là, à la lisière de la jungle. L'une des palmes était légèrement inclinée, le pied à demi déterré ; voilà ce qui avait attiré le regard de Mathias. Il s'était avancé, en avait arraché une autre et, en un instant, tout avait été révélé. Jeff avait alors appelé les autres en leur faisant signe de venir.

Après avoir dégagé les feuillages, le tracé du sentier leur apparut, parfaitement net. Il était étroit et serpentait à travers la jungle en s'élevant progressivement. Mathias, Amy et Jeff s'accroupirent à l'ombre, en bordure du chemin. Mathias fit de nouveau circuler sa bouteille d'eau. Ils restèrent là un moment à regarder Éric, Pablo et Stacy qui avançaient lentement vers eux. Amy fut la première à dire ce que les autres pensaient sans doute tout bas.

– Pourquoi l'entrée était-elle dissimulée ? demanda-t-elle.

Mathias était en train de remettre la bouteille dans son sac. Il fallait l'interroger directement si l'on voulait obtenir une réponse de sa part ; dès que l'on s'adressait au groupe, il faisait la sourde oreille. Jeff estimait que cela pouvait se comprendre : après tout, il ne faisait pas partie de la bande.

Jeff haussa les épaules, feignant l'indifférence. Il essaya de détourner l'attention d'Amy, mais, ne sachant comment, il garda le silence. Il craignait qu'elle refuse de s'aventurer sur ce sentier si l'on continuait à en discuter. Mais il voyait bien qu'elle n'allait pas lâcher prise, ce qu'elle ne tarda pas à confirmer.

– Un des garçons est reparti avec le vélo, dit-elle. Tu as remarqué ?

Jeff hocha la tête. Il ne la regardait pas, il observait Éric et les deux autres qui progressaient d'un pas lourd ; mais il sentait son regard posé sur lui. Il ne voulait pas qu'elle pense à tout ça, au gamin qui avait filé sur son vélo, au sentier camouflé. Cela ne ferait que l'effrayer et la peur la rendrait butée et ombrageuse ; cela n'allait certainement pas arranger les choses. Il se passait bien quelque chose d'étrange par ici, mais Jeff espérait que cela n'aurait guère d'importance au final, pour peu qu'on ne s'attarde pas sur la question. Il le savait, ce n'était sans doute pas le parti le plus judicieux, mais il n'avait rien de mieux à proposer pour le moment. Aussi faudrait-il s'en contenter.

– Quelqu'un a essayé de cacher l'entrée de ce sentier, dit Amy.

– On dirait bien, en effet.

– On a coupé des palmes, puis on les a plantées dans le sol pour que ça fasse naturel.

Jeff ne répondit pas. Il aurait bien voulu qu'elle se taise.

– Ça représente beaucoup de travail, insista Amy.

– Oui, sans doute.

– Tu ne trouves pas ça étrange, toi ?

– Un peu.

– Ce n'est peut-être pas le sentier que nous cherchons.

– On verra bien.

– Et si cela avait quelque chose à voir avec la drogue ? Peut-être ce chemin mène-t-il à une plantation de marijuana. Les gens du village cultivent de l'herbe, le gamin est parti les avertir et ils vont débarquer avec des fusils et nous...

Jeff finit par céder, il se retourna et la regarda droit dans les yeux.

– Amy ! l'interrompit-il. C'est le bon chemin, d'accord ?

Bien sûr, il n'allait pas s'en tirer aussi facilement.

– Et tu sais ça comment, au juste ? fit-elle en lui lançant un regard incrédule.

– Il figure sur la carte, lui répondit-il en faisant un geste en direction de Mathias.

– On a dessiné cette carte à la main, Jeff.

– Écoute, elle...

Il bredouilla, à court d'arguments, puis fit un geste vague.

– Dis-moi pourquoi on a dissimulé l'entrée de ce sentier.

Donne-moi une raison plausible pour expliquer ce camouflage.

Jeff réfléchit un instant. Éric et les autres les avaient presque rejoints. À l'autre extrémité du champ, le jeune Maya, parfaitement immobile, les observait toujours. Le chien avait fini par se taire.

– D'accord, fit Jeff. Qu'est-ce que tu dis de ça ? Les archéologues se sont mis à trouver des choses de valeur. La mine n'est pas épuisée. Ils sont tombés sur une veine d'argent. Ou bien sur des émeraudes, qui sait ? Enfin... ce que l'on extrayait dans cette mine autrefois. Ils craignaient de se faire voler. Du coup, ils ont camouflé le départ du sentier.

Amy passa ce scénario en revue avant de revenir à la charge.

– Et le gamin à vélo ?

– Ils ont embauché les Mayas pour les aider à tenir les intrus à distance. Ils les paient pour ça.

Jeff lui sourit. Il était content de lui, même s'il ne croyait pas vraiment à toute cette histoire ; en fait, il ne savait que penser.

Amy réfléchissait. Jeff voyait bien qu'elle n'y croyait pas non plus, mais c'était sans importance. Les autres venaient d'arriver. Ils étaient tous en nage, surtout Éric. Il avait le teint un peu trop pâle et les traits un peu trop tirés. Le Grec éprouva, bien sûr, le besoin de les serrer un à un dans ses bras moites de transpiration. Et c'est ainsi que la discussion prit fin. Tout simplement. Mais, au bout du compte, avaient-ils le choix ?

Encore quelques minutes de repos, puis ils s'enfoncèrent dans la jungle.

Le sentier était assez étroit, ce qui les obligeait à marcher en file indienne. Jeff allait en tête, puis venaient Mathias, Amy, Pablo et Éric, Stacy fermant la marche.

– Mais son amant prévint la police, lança Éric.

Stacy fixa sa nuque. Il portait une casquette des Red Sox de Boston, placée à l'envers. Elle essayait d'imaginer que c'était son visage qu'elle regardait ainsi, un visage couvert de cheveux bruns masquant ses yeux, sa bouche et son nez. Elle sourit à la vue de cette face velue. Voilà qu'il reprenait leur jeu, et elle pensa en silence : *Alors, elle s'enfuit dans une autre ville*. Amy s'était assez souvent moquée d'eux avec leur « Alors » et leur « Mais », si bien que Stacy se gardait désormais d'y jouer en sa présence. Elle resta donc muette. Éric continua de marcher comme si de rien n'était. Cela se passait parfois ainsi : on lançait un « Alors » ou un « Mais » et si l'autre ne réagissait pas, cela ne posait pas de problème. Ça faisait aussi partie du jeu, ça participait de leur entente tacite.

Elle n'aurait pas dû boire autant de tequila. Une idée stupide. Elle avait sans doute voulu impressionner Pablo. À présent, elle avait des vertiges et l'estomac un peu dérangé. Et puis il y avait tout ce vert autour d'elle, trop abondant à son goût : cela n'arrangeait rien ; de chaque côté, un feuillage dense et des arbres poussaient si près du sentier qu'il était difficile de ne pas les effleurer au passage. Elle sentait parfois la caresse d'un souffle d'air qui agitait les feuilles dans un murmure. Stacy chercha à saisir ce qu'elles disaient, à mettre des mots sur ces sons, mais son esprit ne l'entendait pas ainsi ; elle ne parvenait pas à se concentrer. Elle était un peu ivre, et il y avait décidément beaucoup trop de vert autour d'elle. Elle sentait poindre une migraine n'attendant que l'occasion de prendre toute son ampleur. Il y avait également du vert à ses pieds, de la mousse qui rendait le chemin glissant par endroits, et lorsque le sentier plongea dans une minuscule cuvette, elle faillit bien déraper. Elle se rattrapa en poussant un cri strident, déçue de voir que personne ne s'était retourné pour vérifier si tout allait bien. Et si elle était tombée, qu'elle s'était cogné la tête, voire assommée ? Combien de temps leur aurait-il fallu pour s'apercevoir qu'elle ne suivait plus ? Sans doute auraient-ils fini par revenir sur leurs pas ; ils l'auraient retrouvée et ranimée. Et si, entre-temps, une créature avait émergé de la jungle pour l'emporter entre ses mâchoires ? Car il devait forcément y avoir des bêtes de cette sorte... Stacy sentait leur présence, à l'affût. Elles guettaient sa progression.

Elle ne croyait pas vraiment à tout cela, évidemment. Elle aimait se faire peur, à la manière d'un enfant qui sait de bout en bout que c'est pour de rire. Elle n'avait pas vu le garçon filer sur son vélo, ni qu'on avait camouflé le départ du sentier. Personne n'abordait ce sujet un peu trop sensible. Mettre un pied devant l'autre et avancer, voilà tout ce qui leur restait à faire. Pour se distraire, Stacy ne pouvait que s'inventer de nouvelles menaces, et les garder pour elle.

Pourquoi avoir mis des sandales ? C'était stupide. Elle avait maintenant les pieds dans un état épouvantable et de la boue entre les orteils. Lorsqu'ils avaient traversé le champ, elle avait apprécié le contact étrangement rassurant de cette substance tiède et spongieuse. À présent, ce n'était plus qu'une terre à l'odeur vaguement fécale. Elle avait l'impression de s'être trempé les pieds dans un bain d'excréments.

Le vert était la couleur de l'envie, de la nausée. Stacy avait été scout. Elle avait fait sa part de randonnées dans les bois verdoyants, vêtue d'un uniforme tout aussi vert. Elle avait encore quelques souvenirs des chansons de cette époque. Elle voulut s'en remémorer une entière, mais elle avait trop mal au crâne.

Ils franchirent un ruisseau, sautant de pierre en pierre. Ce cours d'eau était vert, lui aussi, encombré d'herbes. Les rochers étaient encore plus glissants que le sentier, mais elle évita la chute cette fois encore. Un bond, un autre puis un autre, et elle fut enfin sur l'autre rive.

Les petites mouches noires et les moustiques étaient si nombreux et si obstinés qu'elle ne cherchait même plus à les écraser depuis un bon moment déjà. Mais, juste après avoir traversé, elle s'aperçut qu'ils avaient subitement disparu. L'instant d'avant, ils tournoyaient encore autour d'elle en vrombissant, puis ils s'étaient évanouis, comme par magie. Sans les bestioles, cette chaleur de plomb, ce vert implacable, cette odeur d'excréments qui montait de ses pieds lui parurent moins pénibles. Pendant un moment, elle trouva même ça presque plaisant, de cheminer ainsi en file indienne, accompagnée par le murmure des arbres. Ses idées s'éclaircirent un peu et elle put enfin mettre des mots sur le bruissement des feuilles.

Emmène-moi avec toi, semblait lui susurrer à l'oreille un arbre. Et ensuite : *Sais-tu qui je suis ?*

Le sentier décrivit une courbe et, soudain, ils virent une autre clairière, là, devant eux, à une trentaine de mètres en contrebas. On aurait dit un cercle de lumière liquide palpitant sous l'effet de la chaleur.

Un arbre, sur sa gauche, lui sembla murmurer son nom. *Stacy...* Cet appel était si distinct qu'elle tourna la tête, le dos parcouru d'un frisson. *Es-tu perdue ?* entendit-elle dans un nouveau bruissement. L'instant d'après, elle rejoignait les autres dans la clairière inondée de lumière.

Ce n'était pas un champ. Ça ressemblait à une route sans en être vraiment une. À croire qu'une équipe de terrassiers avait projeté le tracé, puis défriché la jungle et nivelé le terrain avant de changer brusquement d'avis. Devant eux, la clairière s'étendait sur une vingtaine de mètres et s'étirait de part et d'autre aussi loin que portait le regard, avant de disparaître derrière la courbe d'un virage. De l'autre côté se dressait une petite colline, rocailleuse, étrangement dépourvue d'arbres, couverte d'un tapis végétal : des ronces d'un vert acide, constellées de minuscules fleurs perdues entre des feuilles dont la forme évoquait des mains. La colline en était entièrement recouverte. Les ronces s'agrippaient à la terre avec tant de vigueur qu'on eut dit qu'elles cherchaient à l'étouffer. Les fleurs avaient la même taille et la même couleur que des coquelicots et brillaient d'un rouge vif semblable à celui d'un vitrail.

Ils restèrent tous un moment figés, la main en visière à cause de la luminosité, à regarder ce gros mamelon piqué de fleurs rouges. C'était magnifique. Amy sortit son appareil et se mit à prendre des photos.

La partie défrichée n'avait pas la même couleur que les champs qu'ils venaient de traverser. Ceux-ci étaient d'un brun rougeâtre, tirant par endroits sur l'orange, alors qu'ici la terre était d'un noir profond moucheté de petites taches blanches qui rappelaient du givre. En face, le sentier reprenait, serpentant à flanc de colline. Stacy se rendit soudain compte que tout était devenu étrangement silencieux ; les oiseaux s'étaient tus, et même les criquets avaient interrompu leur incessante stridulation. Un lieu d'une grande quiétude. Gagnée par la fatigue, Stacy inspira profondément, puis elle s'assit par terre. Éric l'imita, ainsi que Pablo. Ils étaient maintenant tous trois assis les uns à côté des autres. Mathias faisait de nouveau circuler sa bouteille d'eau. Amy prenait toujours des photos – de la colline, des jolies fleurs, puis, l'un après l'autre, de ses compagnons. Elle demanda à Mathias de sourire, mais il observait le coteau.

– Ce ne serait pas une tente ? demanda-t-il.

Tous suivirent son regard. On distinguait un carré de tissu orange qui se gonflait au vent comme une voile, à peine visible, tout en haut de la colline. À cette distance, avec l'épaulement de la colline faisant partiellement écran, il était difficile de se prononcer. Stacy trouvait que cela ressemblait à un cerf-volant piégé dans les ronces en fleur, mais une tente aurait été plus vraisemblable. Alors qu'ils regardaient encore la colline, les yeux mi-clos pour se protéger du soleil, et avant que quiconque ait pu dire quoi que ce soit, ils entendirent un bruit étrange venant de la jungle. Ils le perçurent tous en même temps, encore assez lointain, et se retournèrent presque de conserve, l'oreille dressée et la tête légèrement inclinée. Ce bruit leur était familier, mais il leur fallut quelques instants avant de l'identifier.

Jeff finit par trouver.

– C'est un cheval, dit-il.

À présent, Stacy l'entendait elle aussi : le martèlement des sabots d'un cheval lancé au galop. Il arrivait par le sentier qu'ils venaient de quitter.

Amy avait toujours son appareil photo à la main. L'œil collé au viseur, elle guetta l'arrivée du cheval. Elle le prit sur le vif, à l'instant même où il surgit de la jungle et bondit dans la clairière. C'était un grand cheval brun. Il s'arrêta net en se cabrant devant eux. Il était monté par le Maya qu'ils avaient vu près du puits. Même s'il s'agissait du même homme, il semblait différent à présent. Au village, il s'était montré calme et distant, presque hautain. Il y avait dans sa manière de les aborder quelque chose comme de la condescendance. Il se comportait comme un adulte las face à des enfants mal élevés. À présent, l'homme semblait inquiet, voire paniqué. Après cette course folle à travers la forêt, sa chemise et son pantalon blancs étaient maculés de mouchetures vertes. Il avait perdu son chapeau et son crâne chauve luisait de transpiration.

Le cheval était agité lui aussi. Il écumait, s'ébrouait, roulait des yeux blancs. Il se cabra à deux reprises, ce qui effraya et fit reculer les jeunes gens, pénétrant plus avant dans la clairière. L'homme se mit à vociférer en agitant les bras. Le cheval avait des rênes, mais pas de selle ; son cavalier montait à cru, enserrant les flancs du grand animal entre ses jambes. La bête se cabra une fois encore et l'homme faillit bien tomber, mais il sauta à terre sans lâcher les rênes. Le cheval recula néanmoins et s'écarta de son maître en s'ébrouant : il cherchait à se libérer.

Amy prit une photo de cette scène de lutte : l'homme s'efforçait de calmer la bête, tandis que l'animal l'attirait pas à pas vers l'entrée du sentier. Lorsqu'elle cessa de regarder dans le viseur, elle remarqua l'arme qu'il portait à la ceinture, un pistolet noir logé dans un étui brun. Il ne l'avait pas au village, elle en était certaine. Il s'en était muni avant de se lancer à leur poursuite. Le cheval était comme fou ; incapable de le calmer, l'homme finit par lâcher les rênes. Aussitôt, la bête fit volte-face et repartit dans la jungle au galop. Ils l'écoutèrent se frayer un passage entre les arbres, le bruit de ses sabots décroissant peu à peu. Puis l'homme se remit à hurler dans sa langue, agitant les bras tout en pointant du doigt le sentier. Difficile de savoir ce qu'il essayait de leur dire. Amy se demanda si cela n'avait pas quelque chose à voir avec le cheval, s'il ne leur reprochait pas d'une certaine façon la frénésie de sa monture.

– Qu'est-ce qu'il veut ? interrogea Stacy.

On aurait cru entendre une petite fille apeurée. Amy se tourna pour la regarder. Stacy s'accrochait au bras d'Éric. Elle se tenait un peu en retrait. Éric, lui, souriait au Maya, comme s'il pensait que tout cela n'était qu'une bonne blague et que l'homme n'allait pas tarder à tout avouer.

– Il veut qu'on rebrousse chemin, dit Jeff.

– Mais pourquoi ? demanda Stacy.

– Peut-être qu'il veut de l'argent. Un genre de péage ou quelque chose comme ça. Ou bien il veut qu'on l'engage comme guide.

Il tira son portefeuille de sa poche de pantalon. L'homme hurlait toujours en montrant le sentier avec véhémence. Jeff sortit un billet de dix dollars et le lui tendit.

– *¿ Dinero ?*

L'autre ne lui prêta aucune attention. D'un geste de la main, il leur fit comprendre qu'ils devaient déguerpir. Tous se tenaient là, indécis, immobiles. Jeff replia soigneusement le billet, le remit en place et rempocha son portefeuille. Encore quelques secondes et l'homme cessa de hurler : il était hors d'haleine.

Mathias se retourna vers la colline constellée de fleurs, mit ses mains en cornet et cria :

– Henrich !

Aucune réaction, pas un mouvement sur le coteau, hormis l'ondulation de la pièce de tissu orange. On entendit de nouveau un martèlement de sabots dans le lointain. Le bruit se rapprochait. Soit le cheval du Maya avait rebroussé chemin, soit un autre villageois ne tarderait pas à se joindre à eux.

– Pourquoi tu ne grimpes pas là-haut, histoire de voir si tu le trouves ? dit Jeff à Mathias. On t'attend ici et on essaie de tirer cette histoire au clair.

Mathias hocha la tête. Il tourna les talons et se mit à traverser la clairière. Le Maya se remit à hurler puis, voyant que Mathias ne s'arrêtait pas, il sortit son pistolet, le leva au-dessus de sa tête et tira en l'air.

Stacy poussa un hurlement en se plaquant la main sur la bouche. Elle recula de plusieurs pas. Les autres avaient tressailli et, instinctivement, s'étaient à moitié accroupis. Mathias se retourna et se figea lorsqu'il vit l'homme pointer son arme sur sa poitrine. L'autre, criant quelques mots dans sa langue, lui fit signe de revenir. L'Allemand obtempéra, les mains en l'air, et vint rejoindre le groupe. Pablo avait lui aussi levé les mains ; constatant que les autres ne l'imitaient pas, il les rabaissa lentement.

Le martèlement des sabots se rapprochait toujours plus. Soudain, deux autres cavaliers firent irruption dans la clairière. Leurs montures étaient tout aussi agitées que l'avait été celle du premier : s'ébrouant, roulant des yeux fous, les flancs luisants de sueur. L'un des chevaux était gris pâle, l'autre noir. Les cavaliers mirent pied à terre, ne se souciant ni l'un ni l'autre de garder les rênes en main, si bien que les deux bêtes détalèrent au galop pour s'enfoncer dans la jungle. Les nouveaux arrivants étaient beaucoup plus jeunes que le chauve. Ils avaient les cheveux noirs, des corps minces et musclés. Ils portaient chacun un arc en bandoulière et un carquois de flèches fines et d'apparence fragile. L'un d'eux était moustachu. Ils commencèrent par s'adresser à leur aîné. Ils parlaient très vite, le mitraillant de questions. Le chauve tenait toujours son pistolet braqué en direction de Mathias. Sans interrompre leur discussion, les deux autres se saisirent de leur arc et y encochèrent une flèche.

– Mais qu'est-ce qu'ils fou... commença Éric, d'un ton outré.

– Tais-toi ! lui intima Jeff.

– Ils...

– Attends ! fit encore Jeff. Attendons de voir.

Amy braqua son appareil sur les trois hommes, prit une autre photo. Elle savait qu'elle n'avait pas saisi toute la tension du moment ; pour bien faire, elle devait reculer. Ainsi, elle pourrait non seulement prendre les Indiens avec leurs armes, mais aussi Jeff et les autres qui se tenaient face à eux. Ils avaient l'air tellement effrayés maintenant. L'œil toujours collé à l'objectif, elle fit quelques pas en arrière. Elle se sentait plus en sécurité ainsi, plus lointaine, comme extérieure à cette scène insolite. Quatre pas de plus, et Jeff apparut dans le cadre, puis Pablo et aussi Mathias, les mains toujours levées. Elle allait reculer encore un peu : elle aurait alors Stacy et Éric, et pourrait faire la photo qu'elle avait en tête. Elle fit encore un pas en arrière, puis un autre. Tout à coup, les trois Mayas se remirent à pousser des hurlements. Ils en avaient après elle maintenant. Le plus vieux l'ajustait avec son pistolet, les deux autres la visaient de leurs flèches, prêts à tirer. Alors même que Jeff et les autres se retournaient, surpris de la voir si loin – oui, Stacy apparaissait enfin à droite, à la limite du cadre –, Amy fit encore un pas en arrière.

– Amy ! lança Jeff et elle s'immobilisa.

Elle hésita un instant, commença d'abaisser son appareil. Mais elle y était presque, elle fit donc un dernier pas et ce fut parfait. Éric était dans le cadre à présent. Elle appuya sur le déclencheur, entendit son déclic. Contente d'elle, elle se sentait toujours étrangement extérieure à la scène et trouvait ce sentiment très agréable. Au moment où elle décollait l'œil du viseur, elle sentit une étrange pression autour de sa cheville, comme si une main l'avait agrippée. En baissant les yeux, elle vit qu'elle avait traversé toute la clairière. Elle sentait l'emprise d'une ronce dont une longue vrille verte s'était enroulée autour de sa cheville. Elle avait posé le pied juste au centre d'un lacet qui s'était resserré quand elle avait voulu repartir en avant.

Il y eut un moment de flottement. Les Mayas avaient cessé de hurler. Les deux arcs étaient toujours bandés, mais l'homme au pistolet abaissait lentement le bras. Amy sentait que les autres avaient les yeux braqués sur elle, et suivaient son regard, scrutant son pied droit, enfoncé jusqu'à la cheville dans la végétation, comme englouti par les ronces. Elle s'accroupit pour le libérer ; comme elle se relevait, elle entendit les Mayas qui se remettaient à crier. C'est à elle qu'ils s'adressaient, mais, l'instant d'après, ils commencèrent à se quereller. Ils se disputaient, semblait-il, et les deux plus jeunes s'en prenaient au chauve.

– Jeff ! appela-t-elle.

Sans la regarder, Jeff leva la main pour la faire taire.

– Ne bouge pas ! lui lança-t-il.

Elle obéit. Le chauve se triturait l'oreille droite, tout en fronçant les sourcils et en secouant la tête. Il tenait de la main gauche son pistolet appuyé contre sa cuisse. Il paraissait ne pas vouloir entendre ce que les autres avaient à dire. Il désigna Amy puis le reste de la bande et, enfin, leur indiqua le sentier. Mais ses gestes manquaient déjà de conviction, comme s'il savait par avance que tout cela était vain. Amy comprit que les choses n'allaient pas se passer comme il l'aurait souhaité, et qu'il le savait. Elle le vit céder, abdiquer peu à peu. Il finit par se taire et les deux autres l'imitèrent. À présent immobiles, ils regardaient tous trois fixement Jeff et Mathias, Éric, Stacy et le Grec. Et elle aussi. Puis le chauve leva son pistolet, le pointa sur Jeff, visant la poitrine. De l'autre main, il les chassa d'un geste, mais cette fois dans la direction opposée, vers Amy, vers la colline.

Personne ne bougea.

Le chauve se remit à vociférer en leur désignant la colline. Il abaissa son arme et tira une balle dans la terre aux pieds de Jeff. Tous sursautèrent, puis reculèrent peu à peu. Pablo avait de nouveau levé les mains. Les deux autres Indiens criaient aussi, braquant leur arc de-ci de-là, visant d'abord l'un puis l'autre, les repoussant tous pas à pas vers Amy. Jeff et les autres marchaient à reculons, sans regarder où ils posaient les pieds. Parvenus de l'autre côté de la clairière, ils hésitèrent tous un instant au moment où ils sentirent les ronces leur frôler les jambes et les pieds. Ils baissèrent les yeux, s'immobilisèrent. Éric se trouvait à côté d'Amy, sur sa gauche. Pablo à sa droite. Puis les autres : Stacy, Mathias, Jeff. Et derrière Jeff, le sentier. C'est cette direction que montrait maintenant le chauve, leur indiquant par gestes qu'ils devaient s'y engager et gravir la colline. Il avait l'air étrangement accablé, au bord des larmes – non, il s'était vraiment mis à pleurer. Tout en leur faisant signe d'avancer, il s'essuya le visage d'un revers de manche. Tout cela était si singulier, si incompréhensible que personne ne rompait le silence. Ils se dirigèrent vers le sentier, Jeff ouvrant la marche, les autres lui emboîtant le pas.

En silence, en file indienne, ils entamèrent la lente ascension de la colline.

Éric était en bout de file. Il jetait des coups d'œil incessants par-dessus son épaule tout en continuant son ascension. Les Mayas les regardaient gravir la colline. Le chauve avait mis une main en visière pour se protéger de la lumière. Il n'y avait pas un seul arbre autour d'eux. Les ronces recouvraient tout. Elles formaient un entrelacs de feuilles vert sombre parsemées de fleurs écarlates sous un soleil de plomb – pas la moindre zone d'ombre à l'horizon. Un peu plus loin en contrebas, trois hommes armés attendaient. Tout cela n'avait aucun sens. D'abord, le chauve avait tenté de les faire revenir, puis il leur avait soudain donné l'ordre d'avancer. Les archers y étaient pour quelque chose. C'était clair. Ils l'avaient fait changer d'avis. Quoi qu'il en soit, c'était incompréhensible. Ils remontaient le sentier tous les six. Suant sous l'effort, ils ne disaient mot, terrorisés. À quoi bon parler ? Ils étaient redescendus, avaient traversé la clairière, suivi l'étroit chemin qui menait aux champs avant d'en rejoindre un autre, plus large, jusqu'à la route. Comment y étaient-ils parvenus ? Mystère. Peut-être, se disait Éric, les archéologues pourraient-ils leur expliquer ce qui s'était passé. C'était sans doute bien plus simple que ça... Ils en riraient dans quelques instants. Un léger désaccord, voilà tout. Un différend. Ou peut-être les avaient-ils déçus, qui sait ? Éric essayait de trouver d'autres expressions semblables commençant par la lettre « d ». Dans quelques semaines, il enseignerait cette langue. Il aurait dû savoir ça par cœur. Il cherchait des mots qui pourraient exprimer à la fois l'erreur, le mal, voire la tromperie...

Il ne savait pas vraiment que choisir. Il devait pourtant se décider, car il y aurait bien deux ou trois élèves dans sa classe qui, eux, connaîtraient les termes adéquats. Il y en avait toujours qui étaient à l'affût de la moindre erreur et attendaient de pouvoir prendre leur prof en flagrant délit d'ignorance. Éric comptait bien lire quelques livres cet été. Il avait même juré à son proviseur les avoir déjà lus. Mais l'été tirait déjà à sa fin et il n'en avait pas ouvert un seul.

Déraper, déplacer, déformer...

Le dernier mot était le bon. Éric aurait aimé en connaître davantage, des mots comme ça. Il aurait aimé être le genre de professeur qui les emploie naturellement, tandis que ses étudiants s'efforcent de le comprendre et apprennent en l'écoutant, mais il savait qu'il ne serait jamais à la hauteur. Il serait l'éternel homme-enfant, l'entraîneur de base-ball, celui qui fermait les yeux sur les farces de ses élèves ou se contentait d'en sourire. Ils l'adoreraient, sans doute, mais il ne serait pas vraiment un prof digne de ce nom. Il ne leur apprendrait rien d'essentiel.

Dévoyé, dédaigné, diffamé.

À mesure qu'il avançait, Éric sentait son malaise se dissiper lentement. La balle du chauve avait touché le sol, pile entre les pieds de Jeff. Éric avait été à deux doigts de défaillir. Il avait tourné rapidement la tête vers Stacy pour s'assurer qu'elle n'avait rien. Il n'avait pas vu que l'homme avait baissé son arme ; il avait entendu partir le coup et, pendant une fraction de seconde, avait bien cru que le chauve avait abattu Jeff, qu'il l'avait atteint en pleine poitrine. Tout était allé si vite ensuite. Il leur avait fait rebrousser chemin, les avait forcés à avancer sur le sentier. Son rythme cardiaque commençait à peine à ralentir. Quelqu'un trouverait bien une solution. Les archéologues les aideraient sans doute. Tout rentrerait alors dans l'ordre.

Désinformer, dérouter, duper.

– Henrich ! appela Mathias.

Le groupe marqua une pause. Ils fixèrent tous la colline dans l'attente d'une réponse.

Rien. Ils hésitèrent encore quelques secondes, puis reprirent leur marche.

Une tente, c'était bien ça. Maintenant qu'ils étaient un peu plus haut, Éric la distinguait mieux : un cône orange vif, quelque peu abîmé par l'usure. Cela devait faire un bout de temps qu'elle était là, car les ronces avaient déjà réussi à grimper autour des piquets en aluminium, comme sur un treillis. Une tente pour quatre, se dit Éric. L'entrée se trouvait de l'autre côté.

– Y a quelqu'un ? lança Jeff.

Ils s'arrêtèrent de nouveau pour écouter.

Ils étaient assez proches pour entendre la brise qui faisait claquer la toile comme la voile d'un navire. Sinon, pas un bruit, pas le moindre signe de vie. Éric prit enfin conscience du silence régnant sur la colline. Stacy s'en était déjà rendu compte : les moustiques avaient disparu, tout comme les minuscules mouches noires. Voilà qui aurait dû le réconforter un peu, mais il n'en était rien. Bien au contraire, ce silence l'angoissait terriblement. La même peur indéfinissable qu'il avait éprouvée dans la clairière l'assaillait de nouveau. Il revivait l'instant précis où il s'était retourné, s'attendant à voir le corps de Jeff étendu sur le sol, tandis que retentissait dans la forêt l'écho de la détonation. Se retrouver là, à flanc de colline, perdu au beau milieu de la jungle, dégoulinant de sueur, mais sans le harcèlement constant de ces petits insectes, c'était vraiment bizarre. Éric se serait bien passé de toutes ces émotions. Il aurait voulu comprendre, qu'on lui explique enfin pourquoi ces bestioles avaient disparu, pourquoi ces hommes les avaient contraints à gravir la colline, et surtout pourquoi ils attendaient là-bas, immobiles, sans jamais les quitter des yeux, les armes à la main.

Déchéance ne comptait pas. Ni *dèche* d'ailleurs. Éric se demanda si ces deux mots avaient bien la même origine. Latine selon sa déduction. Encore une chose qu'il aurait dû savoir, pourtant.

Sa blessure au coude commençait à le tirailler. Il sentait toujours les battements de son pouls au creux de la plaie. Ils avaient un peu ralenti, mais pas assez. Il essaya d'imaginer les archéologues riant de cette situation cocasse. Quand on lui en aurait exposé tous les détails, il comprendrait que tout cela n'avait rien d'extraordinaire. Il trouverait une trousse de secours dans la tente orange. On nettoierait sa blessure avant de la panser. Puis, de retour à Cancún (cette pensée le fit sourire), il achèterait un serpent en plastique et le cacherait sous la serviette de Pablo.

Des ronces. À perte de vue. Seuls le sentier et la toile orange de la tente émergeaient du tapis végétal. Le couvert clairsemé laissait voir dans ses déchirures un sol plus rocailleux qu'Éric ne l'aurait imaginé : une terre aride, presque désertique. Les plantes arrivaient à hauteur de la taille et semblaient s'enrouler sur elles-mêmes pour former une masse compacte de verdure, jungle étoilée de fleurs luisantes de la couleur du sang.

Éric regarda de nouveau par-dessus son épaule, juste au moment où arrivait un quatrième homme, à bicyclette. Comme les autres, il était vêtu de blanc. Il portait un chapeau de paille.

– En voilà encore un, dit-il.

Le groupe s'arrêta net pour observer la scène. Un cinquième homme apparut alors, puis un sixième. Tous deux à bicyclette, avec leur arc en bandoulière. Il y eut une brève discussion. Le chauve semblait être le chef. Il parla assez brièvement en faisant de grands gestes. Les hommes l'écoutèrent. Puis il indiqua la colline. Ils se tournèrent pour lever les yeux vers eux. D'instinct, Éric aurait voulu détourner le regard. *Ne dévisage pas les gens ainsi ! C'est très mal élevé*, pensa-t-il. Mais la politesse n'avait vraiment rien à faire ici. Quelle idiotie ! Il regarda le chauve indiquer la droite, puis la gauche. Il avait les gestes saccadés d'un militaire. Les archers se mirent en marche. Ils longeaient la clairière et se déplaçaient rapidement, deux d'un côté, trois de l'autre. Le chauve, quant à lui, resta planté au pied de la colline, au départ du sentier.

– Qu'est-ce qu'ils font ? demanda Amy.

Personne ne répondit. Personne n'en avait la moindre idée.

Un enfant émergea soudain de la jungle. C'était le plus petit des deux garçons qui les avaient suivis, celui qu'ils avaient laissé derrière eux après avoir traversé le champ. Il se plaça à côté du chauve qui posa la main sur son épaule. Sans ciller, ils observèrent le groupe. On aurait pu croire qu'ils posaient pour une photo.

– On pourrait peut-être dévaler la pente ? dit Éric. Vite. Tant qu'il n'y a que le gosse et le chauve. Suffirait de donner la charge.

– Tu oublies qu'il est armé, lui fit remarquer Stacy.

Amy acquiesça.

– Il pourrait appeler les autres à la rescousse, ajouta-t-elle.

Ils se turent, les yeux rivés sur l'extrémité du sentier. Chacun s'efforçait en silence de trouver une issue. Mais s'il y en avait une, personne ne semblait capable de la trouver.

Mathias mit ses mains en cornet pour hurler une fois encore en direction de la tente : « Henrich ! »

La toile se gonflait doucement dans la brise. Le sentier ne devait pas faire plus de cent cinquante mètres de long. Ils étaient déjà à mi-parcours. Assez près en tout cas pour que leurs appels soient entendus. Mais personne ne se montrait. Pas la moindre réaction non plus. Les secondes s'égrenaient dans un silence de mort. Éric finit par admettre qu'il n'y avait personne. Ils étaient donc seuls. Ils devaient tous penser la même chose, mais aucun n'avait le courage de le dire haut et fort.

– Allons, dit Jeff en leur faisant signe d'avancer.

Le groupe reprit son ascension.

Le sommet de la colline formait un vaste plateau. On eût dit qu'une main de géant s'était abattue sur sa crête pour l'aplatir d'une simple tape dans les instants qui avaient suivi sa genèse, alors que la terre était encore malléable. Jeff n'aurait jamais imaginé que la colline puisse être aussi massive. Le sentier longeait la tente orange avant de déboucher, quelque quinze mètres plus haut, sur une petite clairière au sol rocailleux. Une seconde tente, bleue celle-là, avait été plantée en son milieu. Comme l'autre, elle accusait les rigueurs du climat.

Il n'y avait évidemment personne. Jeff comprit au premier coup d'œil que cet endroit était désert depuis longtemps.

– Y a quelqu'un ? cria-t-il de nouveau.

Ils restèrent plantés là, à quelques mètres de la tente orange, comme attendant une réponse, sans grand espoir cependant.

La montée n'avait pas été très ardue, mais ils étaient un peu essoufflés. Ils restèrent un moment immobiles, silencieux. La chaleur les accablait. Ils étaient inondés de sueur et submergés par la peur. Mathias sortit sa bouteille d'eau. On la fit circuler jusqu'à ce qu'il n'y reste plus une seule goutte d'eau. Éric, Stacy et Amy étaient assis à même le sol, serrés les uns contre les autres. Mathias enjamba la tente dont la fermeture Éclair était remontée jusqu'en haut. Il lui fallut un moment avant de pouvoir l'ouvrir. Jeff le rejoignit pour l'aider. Zzzzzzzzip. Ils passèrent la tête à l'intérieur : trois sacs de couchage gisaient là, déroulés sur le sol. Une lampe à huile. Deux sacs à dos. Un objet ressemblant à une boîte à outils en plastique. Une grande cruche à moitié pleine d'eau. Une paire de chaussures de randonnée. Malgré toutes ces traces d'occupation, personne n'avait séjourné là depuis un bon moment, comme en témoignait l'atmosphère confinée régnant sous la tente. Mais la présence d'une ronce en fleur, au centre de l'habitacle, avait quelque chose de bien plus troublant. Elle était parvenue à s'insinuer à l'intérieur de la tente pourtant fermée, et y avait pris racine. Elle avait déjà recouvert certains objets, comme les chaussures, désormais à peine visibles sous la masse des vrilles. L'un des sacs à dos pendait la gueule ouverte et vomissait des épines.

Jeff et Mathias sortirent la tête de la tente puis se regardèrent un instant sans mot dire.

– Qu'est-ce qu'il y a à l'intérieur ? demanda Éric.

– Rien, répondit Jeff. Des sacs de couchage.

Mathias se fraya un chemin jusqu'au sommet de la colline. Il se dirigea vers la tente bleue. Jeff lui emboîta le pas, s'efforçant de comprendre ce qui se passait. Il était forcément arrivé quelque chose aux archéologues. Peut-être s'étaient-ils querellés avec les Mayas et ces derniers les avaient-ils attaqués... Mais alors, pourquoi leur avoir donné l'ordre de gravir la colline ? N'auraient-ils pas mieux fait de les renvoyer d'où ils venaient ? Peut-être pensaient-ils que les jeunes gens en avaient déjà trop vu ? Pourquoi ne pas les tuer sur-le-champ dans ce cas ? Il eût été assez facile de dissimuler les traces du massacre, pensa Jeff. Personne ne savait où ils se trouvaient, mis à part les Grecs peut-être, mais rien n'était moins sûr. Encore fallait-il que Pablo leur ait laissé un mot avant de partir. Quand bien même... Il leur suffisait de les tuer, de les enterrer dans la jungle et de prétendre ne jamais les avoir vus, si toutefois quelqu'un venait à leur recherche. Jeff se rappela l'angoisse indéfinissable qu'il avait ressentie en présence du chauffeur de taxi. Tout à fait injustifiée au demeurant. Pourquoi fallait-il qu'il imagine le pire maintenant ?

Mathias baissa la fermeture Éclair du rabat, puis passa la tête à l'intérieur de la tente bleue. Jeff se pencha en avant pour jeter un coup d'œil lui aussi. Même scène : des sacs de couchage, des sacs à dos, des ustensiles de camping. Et puis cette même puanteur caractéristique, ces mêmes ronces qui ne semblaient envahir qu'une partie de l'espace. Ils sortirent, puis refermèrent le rabat derrière eux.

Derrière la tente, ils virent un trou creusé dans la terre, à dix mètres de là. On avait construit un treuil de fortune juste à côté. C'était un tonneau couché, à la base duquel on avait soudé une manivelle. On avait enroulé plusieurs épaisseurs de corde autour du baril. La corde coulissait sur une petite roue suspendue à une sorte de chevalet qui surplombait le trou béant ; elle plongeait ensuite dans les entrailles de la terre. Jeff et Mathias s'avancèrent prudemment. C'était un trou rectangulaire – de trois mètres cinquante sur deux. Il était si profond que Jeff n'en voyait pas le fond. Le puits de mine sans doute, se dit-il. Un étrange courant d'air s'en échappait, souffle glacial venu du fond de l'abîme.

Les autres s'étaient levés pour les rejoindre au sommet de la colline. Ils jetèrent un coup d'œil vers le fond du gouffre.

– Il n'y a personne, dit Stacy.

Jeff acquiesça. Il cherchait encore à comprendre. Peut-être cela avait-il quelque chose à voir avec les ruines ? Peut-être était-ce religieux ? Tribal ? Peut-être avaient-ils profané les lieux ? Pourtant, ces ruines-là n'avaient rien de sacré, non ? Ce n'était qu'un ancien campement de mineurs, un puits creusé dans la terre.

– Si vous voulez mon avis, ça fait un moment que personne n'a mis les pieds ici, ajouta Amy.

– Alors, qu'est-ce qu'on fait ?

Ils se tournèrent tous vers Jeff, y compris Mathias. Jeff haussa les épaules.

– Le sentier ne s'arrête pas là, remarqua-t-il en désignant la fosse.

La clairière s'étendait encore sur quelques mètres devant eux, puis les ronces reprenaient leurs droits. Au milieu de ce fouillis végétal, le chemin serpentait jusqu'à l'extrémité du plateau avant de plonger brusquement dans le vide.

– Tu crois qu'on devrait le suivre ? demanda Stacy.

– En tout cas, moi, je ne rebrousse pas chemin, ajouta Amy.

Ils se mirent en route, Jeff en tête. Il lui fallut un moment avant d'entrevoir le pied de la colline. Ce versant était plus abrupt que l'autre. Soudain, Jeff vit très exactement ce qu'il craignait de voir. Les yeux écarquillés, frémissant de terreur, ils s'arrêtèrent net. Mais Jeff avait compris dès qu'il avait entendu le chauve donner l'ordre aux autres archers de longer la clairière. L'un d'eux restait planté en bas du sentier, les yeux fixés sur le groupe, guettant leur approche.

– Merde ! s'exclama Éric.

– Qu'est-ce qu'on fait maintenant ? demanda Stacy.

Personne ne lui répondit. De là où ils se trouvaient, on eut dit que le pied de la colline avait été défriché à la machette comme si on avait voulu l'emprisonner dans une enceinte stérile. Les Mayas s'étaient déployés le long de cette ligne et les avaient encerclés. Jeff savait qu'il était désormais inutile de chercher à poursuivre leur descente. Cet homme n'allait certainement pas les laisser passer. Mais il ne voyait pas d'autre issue. Il haussa les épaules et fit signe aux autres d'avancer.

– On verra bien, dit-il.

La pente se faisait bien plus raide maintenant. Certains endroits étaient tellement escarpés qu'ils n'avaient d'autre choix que de se laisser glisser sur les fesses, l'un à la suite de l'autre. La remontée ne serait que plus ardue, mais Jeff s'efforçait de chasser cette pensée. À mesure qu'ils approchaient, ils virent le Maya prendre lentement son arc, puis l'armer d'une flèche. Il criait dans leur direction en agitant la tête et les bras pour leur intimer l'ordre de rebrousser chemin. Puis il se tourna vers la gauche et hurla ce qui ressemblait à un nom. Quelques secondes plus tard, ils purent distinguer un autre archer longeant la clairière au pas de course.

À présent, les deux hommes les attendaient en bas de la colline. Ils avaient bandé leur arc.

Ils s'arrêtèrent tous au bord de la clairière, essuyèrent leurs visages dégoulinants de sueur. Pablo dit alors quelque chose en grec. Son intonation laissait supposer qu'il s'agissait d'une question, que personne, évidemment, ne comprit. Il répéta la même phrase, en vain. Il finit donc par abandonner.

– Et alors ? On fait quoi maintenant ? demanda Amy.

Jeff n'en avait pas la moindre idée. Il était convaincu qu'entre mettre un homme en joue et l'abattre, il y avait une différence. Et même une sacrée ! Il hésita un moment. Pourquoi ne pas mettre sa théorie à l'épreuve ? Pourquoi ne pas avancer d'un pas dans la clairière, puis d'un autre, et d'un autre encore et ainsi de suite jusqu'à ce que les deux hommes se décident enfin à agir ? Après tout, ce n'était peut-être qu'une question de courage. Il se préparait tant bien que mal à tenter sa chance. Il y était presque quand, soudain, il vit arriver un autre archer courant vers lui. Trop tard. Jeff sortit son portefeuille. Il savait son geste inutile. Il jouait simplement une scène dont il connaissait l'issue : sortir les billets, les tendre aux Mayas...

Aucune réaction.

– Donnons l'assaut, suggéra encore Éric. Tous ensemble.

– La ferme, Éric ! lança Stacy.

Mais il ne l'écouta pas.

– Ou alors, on pourrait se fabriquer des boucliers. Si seulement on avait des boucliers, on pourrait...

Un autre homme arriva en courant le long de la clairière. Il était plus massif que les autres et portait la barbe. Ils ne l'avaient jamais vu. Il était armé d'une carabine.

– Oh, mon Dieu ! laissa échapper Stacy.

Jeff remit l'argent dans son portefeuille avant de le ranger dans sa poche. Les ronces avaient envahi la clairière comme pour y établir un premier avant-poste. À dix mètres du sentier poussait un buisson noueux. Plus petit que les autres, il arrivait à hauteur du genou. Il était couvert de fleurs. Les Mayas s'étaient déployés de l'autre côté du champ de ronces, prêts à tirer. Et voilà que l'homme à la carabine se joignait à eux maintenant.

– Remontons là-haut, suggéra Stacy.

Mais Jeff avait les yeux rivés sur les ronces, sur ce petit îlot isolé au beau milieu de la clairière. Au fond de lui-même, il savait déjà de quoi il s'agissait, même s'il n'en avait pas encore pleinement conscience.

– Je veux remonter, insista Stacy.

Jeff fit un pas en avant. Dix mètres à faire. Il franchit la distance en quatre enjambées, les mains levées pour apaiser les hommes. Il voulait leur faire comprendre qu'il n'avait nulle intention de les attaquer. Ils ne tirèrent pas. Jeff savait qu'ils n'allaient pas l'abattre, qu'ils le laisseraient voir ce que cachaient les ronces. Il avait déjà deviné, mais il refusait encore de le croire. Oui, ils voulaient qu'il voie ça.

– Jeff ?

Il ignora l'appel d'Amy, et s'accroupit près du massif. Il tendit le bras, écartant les ronces pour se frayer un chemin.

Il saisit une tige, tira jusqu'à ce qu'elle cède enfin. Alors il aperçut une tennis, une chaussette, un tibia humain.

– Qu'est-ce que c'est ? demanda Amy.

Jeff se retourna pour regarder Mathias. Il savait lui aussi. Jeff le lisait dans son regard. L'Allemand s'avança à son tour, s'accroupit à ses côtés, se mit à tirer sur les ronces, doucement d'abord, puis plus violemment. Il finit par les mettre en pièces, alors que s'élevait de sa poitrine un long gémissement sourd. À vingt mètres de là, les Mayas observaient la scène. Les jeunes gens découvrirent une autre chaussure, une autre jambe. Une paire de jeans, une ceinture, une boucle, un tee-shirt noir. Enfin, le visage d'un jeune homme. On eût dit le visage de Mathias : il avait les mêmes traits. Étrangement, Henrich n'avait pas perdu cet air de famille qui les unissait, alors même qu'une partie de la chair de son visage avait été dévorée. L'os de la pommette perçait sous la peau. Au-dessus, luisait l'orbite blanche de son œil gauche.

– Oh, mon Dieu, non ! s'exclama Amy.

Jeff lui fit signe de se taire. Mathias se pencha sur le cadavre de son frère. Il se balançait légèrement en gémissant de temps à autre. En voyant les trois flèches qui avaient transpercé le torse d'Henrich, Jeff comprit que le tee-shirt avait la couleur du sang séché. Il posa la main sur l'épaule de Mathias.

– Allons, allons... murmura-t-il. Ça va aller ? Tout doux. On va se relever lentement et revenir sur nos pas. On va remonter au sommet de la colline.

– C'est mon frère, dit Mathias.

– Je sais.

– Ils l'ont tué.

Jeff acquiesça. Il avait toujours la main posée sur l'épaule de Mathias. Il sentait ses muscles tressaillir sous sa paume.

– Allons, dit-il de nouveau.

– Mais pourquoi ?...

– Je ne sais pas.

– C'était...

– Chuuut, fit Jeff. Pas ici. Là-haut, d'accord ?

Mathias semblait avoir du mal à respirer. Il s'efforçait de faire fonctionner ses poumons, en vain. Jeff ne lui avait pas lâché l'épaule. Enfin, le jeune Allemand lui fit un signe de la tête. Ils se levèrent. Stacy et Amy se tenaient par la main. On eût dit qu'elles avaient été foudroyées sur place. Elles ne pouvaient détacher leur regard du cadavre d'Henrich. Stacy s'était mise à pleurer, tout doucement. Éric lui avait enlacé la taille.

Les Mayas n'avaient pas baissé leurs armes. Arcs bandés, carabine en joue, ils les regardaient en silence tandis que les jeunes gens rebroussaient chemin.

L'ascension fit du bien à certains. Grâce à l'effort physique, à la concentration indispensable pour franchir les endroits les plus escarpés où ils étaient presque obligés de ramper contre la paroi et de se hisser en tirant sur leurs mains. Stacy parvint peu à peu à sécher ses larmes. Elle se retournait sans cesse vers la clairière. Elle s'efforçait de regarder droit devant elle, en vain. C'était plus fort qu'elle. Elle craignait que les hommes les prennent en chasse. Ils avaient assassiné le frère de Mathias. Il lui semblait logique qu'ils la tuent, elle aussi. Qu'ils les massacrent tous les six, qu'ils laissent leurs cadavres se faire dévorer par les ronces. Mais non, les hommes attendaient au centre de la clairière, les yeux rivés sur le groupe.

L'ascension avait été plus ardue à mesure qu'ils se rapprochaient du sommet. En voyant Amy se mettre à pleurer, Stacy se laissa aller à son tour. Elles étaient assises sur le sol, sanglotant main dans la main. Éric s'accroupit à côté de Stacy. Il lui chuchota à l'oreille « Ça va aller », « Il ne nous arrivera rien », ou encore « Chuuut... Allons... ». Des mots, des petits riens pour la réconforter un peu. Mais la peur qu'elle lisait sur le visage du jeune homme faisait redoubler ses sanglots. Le soleil commençait à taper et il n'y avait pas la moindre zone d'ombre aux alentours. L'escalade l'avait épuisée. La fatigue l'avait assommée, si bien qu'elle n'eut bientôt même plus la force de pleurer. Amy cessa elle aussi.

Jeff et Mathias s'étaient quelque peu éloignés. Ils attendaient maintenant de l'autre côté du plateau. Ils observaient la clairière en contrebas tout en discutant. Pablo avait disparu dans la tente bleue.

– Il reste encore de l'eau ? demanda Amy.

Éric fouilla dans son sac et en extirpa une bouteille. Chacun but à son tour.

– Ça va aller, dit-il de nouveau.

– Comment ça ? rétorqua Stacy, regrettant aussitôt sa question. Elle aurait mieux fait de se taire, elle le savait. Elle devait rester tranquille et laisser à son compagnon le soin de tisser la trame de ce rêve.

Éric réfléchit un instant. Il avait du mal à mettre de l'ordre dans ses pensées.

– Peut-être qu'à la nuit tombée nous pourrons redescendre et nous faufiler dans le noir.

Ils burent encore quelques gorgées tout en réfléchissant. Il faisait trop chaud pour penser. Stacy sentait ses oreilles bourdonner sans cesse. C'était comme un bruit de parasites, en plus aigu. Elle comprit qu'elle devait se mettre à l'ombre, ramper jusqu'à l'une des tentes et s'y allonger. Mais ces tentes l'effrayaient. Elle le savait, ceux qui les avaient montées avec tant de soin étaient sans doute morts maintenant. Henrich était mort, les archéologues devaient donc l'être eux aussi. C'était d'une logique implacable.

Éric risqua une autre suggestion.

– Nous pourrions attendre qu'ils se lassent. Les Grecs viendront bien nous chercher au bout du compte.

– Qu'est-ce que t'en sais ? demanda Amy.

– Pablo leur a laissé un mot.

– Comment peux-tu en être certain ?

– Il a recopié la carte, non ?

Amy ne dit rien. Stacy restait assise, muette. Elle espérait qu'Amy allait reprendre la parole, qu'elle parviendrait à clarifier ce point, soit en réfutant le raisonnement d'Éric, soit en l'acceptant d'un bloc. Mais Amy se contenait de regarder Jeff et Mathias à l'autre bout du plateau. Impossible de répondre à cette question. Évidemment. Pablo leur avait peut-être laissé un mot, mais le contraire était tout aussi plausible. Seule l'arrivée des Grecs leur permettrait de trancher.

– Je n'avais jamais vu de cadavre avant, dit Éric.

Amy et Stacy étaient toujours aussi silencieuses. Que répondre à ça ?

– On aurait pu croire qu'il aurait été bouffé par une bestiole, non ? Ça serait sorti de la jungle et puis...

– Assez ! s'exclama Stacy.

– Mais c'est quand même bizarre, non ? Il est resté étendu là assez longtemps pour que ces ronces...

– Je t'en prie, Éric. Stop !

– Et puis, où sont passés les autres ? Où sont les archéologues ?

Stacy tendit le bras pour lui toucher le genou.

– T'arrêtes, maintenant, d'accord ? La ferme !

Jeff et Mathias revenaient sur leurs pas. Mathias avait les mains tendues vers eux, comme s'il les avait plongées dans un pot de peinture et voulait éviter de tacher ses vêtements. À mesure que les deux garçons approchaient, Stacy vit que Mathias avait la chair à vif. On eut dit qu'il avait les mains et les poignets couverts de cicatrices.

– Qu'est-ce qui s'est passé ? s'enquit Éric.

Jeff et Mathias s'accroupirent à côté d'eux. Jeff prit la bouteille d'eau pour en verser un mince filet sur les mains de Mathias. Ce dernier les frotta ensuite avec un pan de sa chemise en grimaçant de douleur.

– Les ronces. Il y a quelque chose dans ces plantes, dit Jeff. Il s'est mis de la sève sur les mains en les arrachant. C'est acide et ça lui a brûlé la peau.

Ils regardèrent tous ses mains. Jeff rendit l'eau à Stacy. Elle enleva son bandana puis l'humecta avant de s'en ceindre le front. Le tissu humide la rafraîchirait sans doute un peu.

– Stop ! l'arrêta Jeff. Il faut l'économiser.

– L'économiser ? demanda-t-elle.

La chaleur l'avait assommée. Elle ne comprenait pas ce qu'il voulait dire.

Jeff fit un signe de la tête.

– Nous n'en avons pas tant que ça. Il nous faudra deux litres par jour. C'est un minimum. Cela fait six litres d'eau par jour au total. Il va falloir trouver un moyen de récupérer l'eau de pluie.

Il scruta le ciel, à la recherche du moindre petit nuage, en vain. Il avait plu tous les après-midi depuis leur arrivée au Mexique ; maintenant qu'ils avaient justement besoin d'eau, le ciel était limpide.

– Nous devons nous organiser, dit Jeff. Maintenant. Tant que nous sommes encore à peu près frais.

Les autres se contentèrent de le regarder sans ciller.

– Nous pouvons tenir sans manger. Ce qui compte, c'est l'eau. Il faut se protéger du soleil et passer le plus de temps possible sous les tentes.

Stacy eut soudain la nausée en l'écoutant. Il faisait comme s'ils allaient devoir rester là un bon moment, comme s'ils étaient pris au piège, et cette idée la fit paniquer. Elle avait une irrépressible envie de se boucher les oreilles. Qu'il se taise enfin !

– On ne pourrait pas filer en douce lorsqu'il fera nuit ? demanda-t-elle. Éric a dit que c'était faisable.

Jeff secoua la tête. D'un geste, il indiqua l'endroit d'où ils étaient revenus, Mathias et lui.

– Ils continuent d'arriver, dit-il. Ils sont de plus en plus nombreux. Ils sont tous armés, et le chauve les déploie au fur et à mesure autour de la clairière. Nous sommes encerclés.

– Pourquoi ne nous tuent-ils pas, tout simplement ? demanda Éric.

– Je ne sais pas. On dirait que ça a quelque chose à voir avec la colline. Une fois qu'on a mis le pied sur la colline, on n'a plus le droit d'en redescendre. Un truc comme ça. Ils ne dépasseront pas cette limite ; mais, maintenant que nous l'avons franchie, ils ne nous laisseront plus partir. Ils nous abattront à la moindre tentative de fuite. Nous devons survivre jusqu'à ce que quelqu'un vienne à notre secours.

– Qui ? demanda Amy.

Jeff haussa les épaules.

– Les Grecs, par exemple... Ça irait sans doute plus vite. Ou alors... En ne nous voyant pas revenir, nos parents...

– Nous avons encore une semaine devant nous, rappela Amy.

Jeff acquiesça.

– Ça veut dire quoi ? Un mois ?

Il haussa à nouveau les épaules.

– Qui sait ?

Amy semblait atterrée.

– On ne va pas passer un mois ici quand même, Jeff ! reprit-elle, la voix toujours plus aiguë.

– Si on cherche à s'enfuir, ils nous abattront. C'est à peu près la seule certitude que nous ayons.

– Mais on va manger quoi ? Comment allons-nous...

– Les Grecs viendront peut-être, dit Jeff. Pourquoi pas demain d'ailleurs ?

– Et alors, quoi ? Ils se retrouveront piégés ici, comme nous.

Jeff fit non de la tête.

– L'un de nous restera posté au pied de la colline pour les avertir.

– Mais ces hommes ne nous laisseront jamais faire. Ils les forceront à...

De nouveau, Jeff fit non de la tête.

– Je ne crois pas, dit-il. Rappelle-toi. C'est seulement quand nous avons posé le pied dans la clairière qu'ils nous ont forcés à monter sur la colline. Au départ, ils cherchaient à nous en éloigner. Je pense qu'ils tenteront d'en dissuader les Grecs aussi. Il faut trouver un moyen de communiquer avec eux, de leur faire savoir ce qui s'est passé pour qu'ils aillent chercher de l'aide, voilà ce qui nous reste à faire.

– Pablo... dit Éric.

Jeff acquiesça.

– Si nous parvenons à lui faire comprendre nos intentions, il pourra les avertir.

Ils se tournèrent tous vers Pablo qui venait de sortir de la tente bleue pour arpenter le plateau. Il semblait se parler à lui-même, tout bas. Les mains dans les poches et l'échine courbée, il n'avait pas conscience de tous ces regards posés sur lui.

– Des avions survoleront peut-être la zone, dit Jeff. On peut leur signaler notre présence en nous servant d'un objet réfléchissant. On pourrait aussi arracher des ronces, les faire sécher puis brûler. Trois feux disposés en triangle... En principe, c'est un signal de détresse.

Jeff se tut. Il était à court d'idées. Les autres restaient assis en silence, incapables de réfléchir. Stacy entendit un bruit étrange, comme un gazouillis lancinant, à peine audible. Un oiseau, pensa-t-elle, mais elle se ravisa immédiatement. Personne ne semblait l'avoir remarqué. Elle se tourna pour localiser l'origine de ce nouveau bruit quand elle entendit les hurlements de Pablo. Il sautillait au bord du puits de mine, le doigt pointé vers le gouffre.

– Qu'est-ce qu'il fait ? demanda Amy.

Stacy le regarda se toucher le visage, puis l'oreille. Comme s'il faisait semblant de téléphoner. Elle se leva d'un bond et s'élança vers lui.

– Vite ! cria-t-elle aux autres en leur faisant signe de la suivre.

Elle comprit soudain de quoi il s'agissait. Miracle ! Chose inexplicable, un téléphone portable semblait sonner au fond de l'abîme.

Amy ne parvenait pas à y croire. Elle entendait le son remontant du gouffre. Elle devait bien admettre, comme les autres, que ça ressemblait à la sonnerie d'un téléphone, mais elle restait dubitative. Avant le départ, Jeff lui avait dit de ne pas emporter le sien. Cela aurait coûté trop cher de s'en servir au Mexique. Mais cela ne voulait pas dire qu'il n'y avait pas de réseaux locaux. Après tout, pourquoi n'entendraient-ils pas la sonnerie d'un téléphone mexicain ? C'était possible. Amy s'efforçait de s'en convaincre mais n'y parvenait pas. Au fond d'elle-même, elle avait perdu tout espoir de retour. Et ce son plaintif montant du fin fond des ténèbres ne suffisait pas à la rassurer. Lorsqu'elle scrutait l'abîme, elle imaginait un oisillon, le bec grand ouvert, suppliant qu'on le nourrisse – *Cui-cui... Cui-cui... Cui-cui...* C'était un appel de détresse, et non la sirène des pompiers.

Les autres, eux, débordaient d'enthousiasme. D'ailleurs, de quel droit remettait-elle en question leur jugement ? Elle se tut et feignit l'espoir.

Pablo avait déjà déroulé un peu de corde pour se la nouer autour des reins. Apparemment, il voulait que les autres le descendent à l'aide du treuil jusqu'au fond du gouffre.

– Il ne pourra pas répondre, dit Éric. Il faut envoyer quelqu'un qui parle espagnol.

Jeff fit mine de prendre la corde, mais Pablo refusa de la lui céder. Il faisait sans cesse de nouveaux nœuds. À voir ces grosses masses de chanvre barbu, il ne semblait pas vraiment savoir ce qu'il faisait.

– Aucune importance, dit Jeff. Il pourra toujours le rapporter et nous essaierons de passer un coup de fil d'ici.

Le gazouillis cessa soudain. Ils restèrent penchés au-dessus du gouffre, à l'affût du moindre son. Après un long moment, la sonnerie retentit à nouveau. Ils échangèrent des sourires. Pablo avança jusqu'au bord du puits, impatient d'amorcer sa descente. Les ronces en fleur s'étaient enroulées autour du treuil, enserrant dans leurs anneaux la corde, l'essieu, la manivelle... jusqu'au chevalet et sa petite roue. Jeff arracha la plupart des ronces, en prenant garde à leur sève. Mathias avait disparu dans la tente bleue. Il en ressortit muni d'une lampe à huile et d'une boîte d'allumettes. Il posa la lampe sur le sol juste à côté du trou, craqua une allumette et embrasa prudemment la mèche. Puis il tendit la lampe à Pablo.

Le treuil était un outil primitif : construit avec les moyens du bord, il n'avait pas l'air très solide. Il avait été installé juste à côté du puits sur une plaque en acier, fixée dans la terre dure comme de la roche. Et la poulie avait été montée sur un essieu rouillé par endroits, lequel avait visiblement besoin d'un peu d'huile. La manivelle ne comportait aucun cran de sécurité. Pour en stopper le mouvement en cas d'urgence, il faudrait recourir à la force. Amy ne pensait pas que pareil équipement puisse supporter le poids de Pablo ; elle le voyait déjà s'élançant dans le vide, entraînant l'ensemble avec lui. Il s'abîmerait dans les ténèbres – sa chute serait interminable. Il disparaîtrait à jamais. Cependant, après avoir échangé quelques tapes et autres gestes d'encouragement, Pablo amorça enfin sa descente. Le treuil gémit sous le poids de la charge, puis la manivelle se mit enfin à tourner dans un grincement sonore. Éric et Jeff luttaient pour ralentir la descente du jeune Grec au fond du puits.

Ça marchait ! Amy reprit un peu espoir. Peut-être était-ce vraiment un téléphone portable ? Pablo le trouverait au cœur des ténèbres ; ils le hisseraient jusqu'en haut et appelleraient alors à l'aide : la police, l'ambassade américaine, leurs parents. Le tintement venait à nouveau de cesser, et cette fois pour de bon. Aucune importance ! Le téléphone était là, en bas. Amy commençait à y croire. Elle s'était autorisé cette pensée. Ils seraient bientôt sains et saufs. Elle resta au bord du gouffre, à scruter l'obscurité, Stacy à sa droite et Mathias juste en face, de l'autre côté du trou. Il regardait Pablo s'enfoncer petit à petit dans les entrailles de la terre. Sa lampe à huile éclairait les parois du puits : elles étaient noires. Quelques roches affleuraient non loin de la surface, la terre virait au brun, puis au fauve et au jaune orangé. Trois, cinq, sept, neuf mètres... Le fond restait invisible. Pablo leva la tête pour leur sourire tout en se balançant au bout de la corde. Il tendit le bras pour se stabiliser en prenant appui sur l'une des parois. Amy et Stacy lui répondirent d'un signe de la main. Pas Mathias qui regardait fixement la corde se dérouler lentement.

– Stop ! hurla-t-il soudain, faisant sursauter tous les autres.

Jeff et Éric luttaient pour retenir la manivelle. Ils étaient déjà trempés de sueur et avaient les cheveux collés au front. Amy regardait Jeff : les muscles de son cou étaient tendus à se rompre, ce qui donnait une idée de l'énorme tension subie par la corde. C'était comme si le jeune Grec avait été happé par la gravité qui l'entraînait dans l'abîme.

Mathias, maintenant hors de lui, hurlait.

– Remontez-le ! Remontez-le !

Jeff et Éric hésitèrent, ne sachant trop que faire.

– Quoi ? demanda Éric en clignant des yeux.

– Les ronces ! cria Mathias avec véhémence tandis qu'il leur faisait signe d'actionner la manivelle en sens inverse. La corde !

À ce moment, ils comprirent. Jeff avait débarrassé le treuil de la plus grande partie des ronces, mais il en restait quelques-unes. Leurs vrilles s'étaient insinuées au cœur du rouleau de corde, et le mouvement du treuil broyait les fibres dont suintait un liquide blanchâtre. La sève imbibait peu à peu le chanvre comme pour mieux le désintégrer.

Pablo hurla quelques mots en grec. Une question. Amy l'aperçut un instant : il se balançait au fond du puits, environ huit mètres plus bas, la lampe à huile à la main. Elle se précipita soudain vers la manivelle pour aider Mathias et Stacy. Ils se battaient presque pour accéder à la manivelle au point de se gêner les uns les autres. Ils pesaient de tout leur poids, mais la sève consumait déjà la corde, implacable, trop rapide, beaucoup trop rapide pour eux. Pablo commençait à peine à remonter, se cognant de temps à autre contre les parois ; ils sentirent soudain une secousse brutale, vertigineuse. Ils s'effondrèrent d'un coup, tombant les uns sur les autres tandis que le treuil dévidait à toute allure le reste de corde. Il n'y avait plus personne au bout. Un long silence s'ensuivit. Long, beaucoup trop long. Ils perçurent alors un bruit sourd. Ils n'entendirent pas vraiment le choc, mais ressentirent la vibration du sol, suivie par l'écho du verre qui se brise – la lampe venait de se fracasser contre le sol. Ils rampèrent à quatre pattes jusqu'au bord du gouffre, mais il n'y avait plus rien à voir.

Les ténèbres. Le silence.

– Pablo ! appela Éric.

L'écho de sa voix retentit contre les parois du puits.

Alors, le Grec hurla de douleur. Son cri semblait à la fois étrangement lointain et très proche... Trop proche... Amy l'entendait résonner au plus profond de sa chair.

À ces hurlements, Éric fut pris d'une panique soudaine. Pablo était au fond du trou, dans les ténèbres, en proie à d'atroces souffrances. Éric ne savait quelle conduite adopter, ni vers qui se tourner, ni que faire pour que les choses aillent mieux. Il fallait l'aider, et vite. Il fallait agir immédiatement, mais personne ne bougeait d'un pouce. Qu'auraient-ils pu faire, de toute façon ? Ils devaient commencer par élaborer un plan de bataille, et aucun d'eux n'en semblait capable. Stacy se tenait debout à côté du treuil, les yeux écarquillés. Elle se mordait les doigts tandis qu'Amy scrutait le fond du gouffre.

– Pablo ? criait-elle sans arrêt. Pablo ?

Amy avait beau hurler : entre les cris incessants de Pablo, on avait peine à distinguer sa voix. On eût dit qu'il ne s'arrêterait jamais.

Mathias se précipita vers la tente orange, et disparut à l'intérieur. Jeff remontait la corde du puits. Il l'ôta du treuil pour la déployer en dessinant de grandes boucles sur le sol de la petite clairière. Puis il la passa en revue sur toute sa longueur, centimètre par centimètre, afin d'éliminer toute trace de ronces et d'isoler les segments affaiblis par la sève. Il procédait lentement, méthodiquement, comme s'il disposait de tout son temps, comme s'il était devenu sourd aux hurlements du Grec. C'était insoutenable. À ses côtés, Éric était bien trop abasourdi pour lui être d'une aide quelconque. Il restait là, immobile. Il avait néanmoins l'impression que son cœur battait si vite qu'il allait soudain s'arracher à sa cage thoracique pour prendre son envol. Les hurlements n'avaient pas cessé.

– Essaie de trouver un couteau, lui dit Jeff.

Éric le regarda, interloqué. Un *couteau ?* Le mot flotta au milieu de ses pensées, inerte, comme s'il appartenait à une langue étrangère. Comment allait-il s'y prendre pour trouver un couteau ?

– Regarde dans les tentes, dit Jeff sans relever la tête.

Il avait les yeux rivés sur la corde, à l'affût de la moindre trace de brûlure.

Éric alla jusqu'à la tente bleue, ouvrit le rabat, puis y pénétra. Ça sentait le moisi, comme dans un grenier. L'air y était chaud et stagnant. La toile de Nylon filtrait les rayons du soleil et en atténuait l'intensité ; cela donnait une teinte étrangement bleutée, presque aquatique, à tous les objets se trouvant là. On se serait cru dans un rêve. Il y avait quatre sacs de couchage, dont trois déroulés sur le sol, comme s'ils venaient à peine de régurgiter les corps de leurs occupants. *Morts à présent*, pensa Éric. Il chassa cette pensée. Il y avait aussi une radio. Pourquoi ne pas l'allumer pour voir si elle fonctionnait ? Peut-être pourrait-il capter quelque chose ? De la musique ? Pour couvrir les hurlements de Pablo. Mais il parvint à réfréner cette envie soudaine. Il y avait deux sacs à dos, un vert et un noir. Il s'accroupit à côté du premier, se mit à fouiller dedans. Il avait l'impression d'être un voleur. C'était un curieux sentiment : il était en train de transgresser quelque règle inconnue en touchant ainsi aux affaires d'un étranger. *Morts à présent*, pensa-t-il de nouveau. Il cherchait à se donner du courage cette fois, mais cette idée n'arrangeait rien. Ce n'était qu'une autre forme de violation. Le sac à dos vert appartenait sans doute à un homme, le noir à une femme. D'autres vêtements. Il sentait l'odeur du tabac sur les tee-shirts de l'homme, celle d'un parfum sur ceux de la femme. Il se demandait s'ils appartenaient à la femme que le frère de Mathias avait rencontrée sur la plage. Celle-là même qui l'avait attiré ici, et le groupe à sa suite. Celle qui les avait condamnés... Qui sait ?

Les ronces avaient recouvert certains objets : de fines vrilles vertes couvertes de minuscules fleurs rouge pâle, presque roses. Elles avaient envahi plus volontiers le sac de la femme, se lovant dans ses chemisiers de coton, ses chaussettes, ses jeans souillés de terre. Dans le sac de l'homme, il découvrit un coupe-vent gris, aux manches rayées de bleu, semblable à celui qu'il avait laissé chez ses parents, hors d'atteinte. Un couteau. Ne pas oublier ce pour quoi il était là. Il se détourna de l'amas de vêtements, fouilla dans d'autres poches, et en déversa le contenu sur le sol. Un appareil photo. La pellicule se trouvait encore à l'intérieur. Six cahiers à spirales. Des journaux sans doute, couverts d'une écriture hérissée, masculine. Des passages entiers à l'encre bleue, parfois rouge, dans une langue qu'Éric ne parvenait pas à déchiffrer, ni même à identifier. Du flamand peut-être, ou quelque langue scandinave. Un jeu de cartes. Une trousse de secours. Un Frisbee. Un tube de crème solaire. Une paire de lunettes de soleil aux montures argentées. Une fiole de vitamines. Une cantine vide. Une lampe torche. Mais pas de *couteau.*

Éric sortit de la tente, la lampe torche à la main, plissant les yeux pour se réhabituer à la luminosité du soleil, à l'immensité du plateau qui s'étendait soudain devant lui, contrastant avec l'espace confiné de la tente. Il alluma la lampe. Elle ne fonctionnait pas. Il la secoua, essaya encore. Rien. Pablo avait cessé de hurler, le temps de reprendre son souffle. Mais il recommençait déjà. Son silence était presque aussi intenable que ses cris. Non, c'était pire en fait. Éric laissa tomber la lampe sur le sol, vit que Mathias avait apporté une autre lampe à huile qu'il avait trouvée dans la tente orange, ainsi qu'un grand couteau et une autre trousse de secours. Avec l'aide de Jeff, il coupait les segments consumés de la corde. Silencieux et efficace, Mathias se chargeait d'en trancher les parties affaiblies tandis que Jeff nouait ensemble les deux bouts de corde dégagés. Les traits de son visage se contractaient à chaque nouveau nœud. Éric, debout à côté d'eux, les observait. Il se sentait stupide : il aurait dû emporter la trousse de secours qu'il avait vue dans la tente bleue. Il aurait au moins pu vérifier ce qu'il y avait dedans. Il était incapable de réfléchir. Il voulait les aider, faire cesser les cris de Pablo, mais il restait hébété, inutile. Il n'y pouvait rien. Stacy et Amy avaient l'air tout aussi perturbées que lui : frénétiques, impatientes, et pourtant immobiles. Ils regardaient tous Jeff et Mathias s'affairer sur la corde, coupant, nouant, tirant... C'était interminable.

– J'y vais, dit Éric.

Il n'avait pas réfléchi avant de parler. Sa panique, son besoin d'accélérer les choses l'avaient poussé à prendre la parole.

– Je vais descendre et le remonter, ajouta-t-il.

Jeff le regarda. Il avait l'air surpris.

– Ça va. Je peux le faire, dit-il.

Jeff avait une voix si calme, si posée qu'il lui fallut un instant pour le comprendre. Comme s'il devait d'abord adapter ses paroles à sa propre terreur. Éric fit non de la tête.

– Je suis moins lourd que toi. Et puis, je connais Pablo mieux que toi.

Jeff considéra ces deux points. Éric avait sans doute raison. Il haussa les épaules.

– Nous allons lui fabriquer un anneau de corde. Il faudra peut-être que tu l'aides à le passer. Puis nous le remonterons. Quand il sera sorti, nous te jetterons la corde et ce sera à ton tour de remonter.

Éric acquiesça. Ça avait l'air si simple. Il s'efforçait de croire que tout irait pour le mieux. Il eut à nouveau des fourmis dans les jambes, mais il serra les mâchoires et resta immobile.

Pablo cessa de crier pour reprendre son souffle. Une, deux, trois inspirations... les hurlements reprirent de plus belle.

– Parle-lui, Amy, dit Jeff.

Cette idée semblait angoisser Amy.

– Que je lui parle ? demanda-t-elle.

Jeff lui fit signe d'avancer vers le trou.

– Passe juste la tête au-dessus du gouffre. Il faut qu'il te voie, qu'il sache que nous ne l'avons pas abandonné.

– Qu'est-ce que je dois dire ? demanda-t-elle, apeurée.

– Ce qui te passera par la tête. Réconforte-le. Il ne te comprendra pas de toute façon. C'est juste pour qu'il entende le son de ta voix.

Amy s'approcha. Elle se mit à quatre pattes, se pencha en avant pour appeler.

– Pablo ? Nous venons te chercher. Nous réparons la corde. Éric va bientôt descendre.

Elle continua ainsi. Elle lui décrivit ce qui allait se passer, n'omettant aucune étape. Comment ils allaient l'aider à passer l'anneau de corde pour le remonter ensuite à la surface. Pablo cessa bientôt de hurler. Jeff et Mathias avaient presque fini. Ils en étaient au dernier segment. Après avoir fait un dernier nœud, Jeff se mit à tirer d'un côté de la corde tandis que Mathias résistait à l'autre bout. Ils jetaient tout leur poids dans la lutte, resserrant les nœuds, testant la solidité de l'ensemble. La corde était maintenant composée de cinq segments. Les nœuds ne semblaient pas très solides, mais Éric fit semblant de l'ignorer. Ça lui faisait du bien de se dire qu'il était celui qui descendrait, celui qui allait agir. Mais s'il s'attardait un peu trop longtemps sur les nœuds, sur leur fragilité apparente, il changerait d'avis – il le savait.

Mathias enroulait la corde sur le treuil, vérifiant une fois encore s'il ne restait pas quelque zone brûlée par l'acide. Puis il enfila l'extrémité de la corde sur la petite roue en métal du chevalet. Jeff fabriqua ensuite un anneau pour Éric, puis l'aida à le passer sous ses aisselles.

– Tout va bien, Pablo ! hurlait Amy. Il arrive. Il y est presque !

Stacy s'accroupit pour allumer l'autre lampe à huile puis la tendit à Éric. La flamme vacillait faiblement sous son globe de verre.

Éric se tenait au bord du gouffre maintenant. Il scrutait les ténèbres. Mathias et Jeff se placèrent derrière la manivelle et commencèrent à appuyer sur la poignée de toutes leurs forces. La corde se tendit : ils étaient parés. Éric se demanda s'il aurait assez de courage pour sauter dans le vide. Le plus difficile, c'était de franchir le pas sans savoir si la corde allait tenir. Il comprit qu'il n'avait pas le choix. Il avait enclenché le processus en passant l'anneau sous ses aisselles, et ne pouvait plus reculer. Il avança puis se lança dans le vide, suspendu au chevalet. La corde lui entaillait les chairs. Ils le firent descendre tandis que le treuil grinçait et vacillait à chaque tour de manivelle.

À peine eut-il franchi trois mètres que la température commença à chuter. Il sentait le froid sur sa peau... Et ça lui glaçait le sang. Il ne voulait pas aller plus loin mais poursuivit sa descente, mètre après mètre, terrorisé. Il aurait voulu céder sa place à Jeff. Pour stabiliser la terre des parois, on avait planté des étais en bois tout au long du puits, au hasard, selon des angles bizarres – on aurait dit d'anciennes traverses de chemin de fer nappées de créosote. Éric ne parvenait pas à comprendre la logique présidant à leur agencement. À sept mètres de profondeur, et à son plus grand étonnement, il vit un passage ouvert dans la paroi devant lui. C'était un autre puits, perpendiculaire à celui dans lequel il se trouvait à présent. Il leva la lampe à huile pour mieux voir : deux rails en fer couverts de rouille couraient en son milieu. Un seau cabossé était posé tout contre, à l'extrême limite du halo de lumière projeté par la lampe. Le puits s'incurvait vers la gauche pour disparaître dans les entrailles de la terre. Éric sentit soudain un souffle glacé, humide et dense, qui fit vaciller la flamme de sa lampe. La lumière se fit un instant plus vive avant de faiblir à nouveau.

– Il y a un autre puits ! lança-t-il aux autres.

Personne ne réagit. Il n'entendait que le grincement incessant du treuil qui rythmait sa descente. Il y avait des pierres incrustées dans les parois : lisses, grisâtres, presque polies, de la taille d'un crâne humain. Les ronces étaient parvenues à s'établir jusque-là en s'accrochant aux étais de bois. Elles portaient des fleurs et des feuilles presque translucides, bien plus pâles que celles couvrant les flancs de la colline. En levant la tête, il vit Stacy et Amy qui le regardaient, encadrées dans un rectangle de ciel. Elles semblaient s'éloigner à mesure qu'il descendait toujours plus bas. La corde s'était mise à se balancer légèrement. Sous la lumière vacillante de la lampe, on eût dit que les parois du puits penchaient dangereusement. Éric, pris de nausée, dut baisser les yeux pour se calmer. Il entendait Pablo gémissant quelque part en bas. Mais pendant un long moment encore, le Grec resta perdu dans la pénombre. Éric avait du mal à évaluer la hauteur de sa chute. Quinze mètres sans doute. Alors même qu'il commençait à distinguer le fond du puits, surgit une masse informe d'un noir plus profond – le corps recroquevillé de Pablo, ses tennis blanches, son tee-shirt bleu pâle... La descente s'arrêta net.

Éric se balançait au bout de la corde. Il leva les yeux vers le rectangle de ciel bleu loin au-dessus de lui. Il voyait les visages d'Amy et de Stacy, celui de Jeff aussi.

– Éric ? appela Jeff.

– Quoi ?

– On est au bout du rouleau.

– Je ne suis pas encore au fond.

– Tu le vois ?

– Plus ou moins.

– Est-ce qu'il va bien ?

– J'en sais rien.

– T'es encore loin ?

Éric regarda sous ses pieds, essayant d'évaluer la distance le séparant du fond. Il n'était pas très doué pour ce genre de choses. Il pouvait seulement lancer un chiffre au hasard. C'était aussi inutile que d'essayer de deviner combien de pièces de monnaie quelqu'un pouvait bien avoir dans sa poche. S'il tombait juste, ce serait pure chance.

– Sept mètres ? répondit-il, incertain.

– Est-ce qu'il bouge ?

Éric regarda la silhouette indistincte de Pablo. Plus il la fixait, mieux il en distinguait les contours. Pas seulement ses tennis et son tee-shirt, mais aussi son visage et son cou qui luisaient d'une pâleur insolite dans l'obscurité. La lampe d'Éric éclairait quelques morceaux de verre brisé autour du corps du Grec.

– Non, répondit Éric. Il est juste étendu là.

Pas de réaction. Éric leva les yeux. Leurs visages avaient disparu. Il les entendait discuter sans pouvoir distinguer leurs paroles. C'était un simple murmure, une étrange partie de ping-pong verbal jouée au ralenti. Ils semblaient encore plus loin qu'ils ne l'étaient en réalité. Éric sentit soudain la panique l'envahir. Peut-être étaient-ils en train de s'éloigner, peut-être allaient-ils le laisser là ?...

Il jeta un coup d'œil vers le fond et vit Pablo lever une main vers lui. Un geste lent, pénible. Comme s'il se trouvait sous l'eau.

– Il a levé une main ! cria Éric.

– Quoi ?

C'était la voix de Jeff. Il venait de réapparaître dans la lucarne, ainsi que Stacy, Amy puis Mathias. Personne ne s'occupait plus du treuil. C'était inutile. *Je suis au bout du rouleau*, pensa Éric malgré lui. Ces mots résonnaient dans sa tête, telle une plaisanterie ne prêtant guère à rire.

– Il a levé une main ! hurla-t-il à nouveau.

– Nous te remontons, lança Jeff.

Les quatre têtes disparurent.

– Attendez ! cria Éric.

Le visage de Jeff réapparut, puis celui de Stacy et, enfin, celui d'Amy. Ils avaient l'air si petits sur ce fond de ciel bleu. Il ne distinguait pas leurs traits mais pouvait malgré tout les identifier.

– Nous devons trouver un moyen de rallonger la corde, dit Jeff.

Éric secoua la tête.

– Je veux rester avec lui. Je vais sauter.

Une fois encore, le même murmure, la même discussion au-dessus de sa tête. Puis il entendit l'écho de la voix de Jeff retentir contre les parois du puits.

– Non ! Nous te remontons.

– Pourquoi ?

– Nous ne sommes pas sûrs d'en être encore longtemps capables, tu te retrouverais piégé en bas.

Éric ne savait quoi répondre. Pablo y était déjà, en bas. S'ils ne parvenaient pas à rallonger la corde... Eh bien, cela voudrait dire que... Il devinait la suite, refusant pourtant de regarder les choses en face.

– Éric ? appela Jeff.

– Quoi ?

– Nous te remontons.

Les têtes disparurent de nouveau. Une seconde plus tard, Éric sentit une secousse le long de la corde tandis qu'ils actionnaient le treuil. Il scrutait le sol. La flamme de sa lampe s'était remise à vaciller... C'était difficile à dire, mais il lui semblait voir Pablo le regarder fixement. Il avait laissé retomber sa main. Éric se mit à tirer sur l'anneau en se débattant sans réfléchir. C'était stupide, il en avait conscience... mais comment pouvait-il abandonner Pablo en bas ? Non, il ne pouvait pas le laisser seul, blessé, dans le noir. Il leva le bras gauche. L'anneau lui écorcha la peau en glissant sur son bras. Il était encore attaché par l'autre bras et continuait à remonter lentement. Le fond du gouffre disparaissait peu à peu dans les ténèbres. Il devait maintenant changer de main pour pouvoir tenir la lampe à huile et se libérer enfin. Il laissa alors filer la corde et tomba dans le vide. La flamme s'éteignit dans sa chute.

Il était bien plus haut qu'il ne l'avait cru, même s'il se rapprochait à toute allure du sol qui semblait monter des ténèbres pour venir à sa rencontre. L'atterrissage fut brutal. Il n'avait pas eu le temps de s'y préparer et ses jambes se dérobèrent sous lui, chassant d'un coup l'air que contenaient ses poumons. Il tomba à la gauche de Pablo. Il avait eu la présence d'esprit de viser ce point précis avant que ne s'éteigne sa lampe. Une fois au sol, il fut incapable de tenir sur ses pieds. Il s'effondra, rebondit contre la paroi du puits pour retomber sur le torse du Grec. Pablo se cabra sous son poids, puis se remit à hurler. Éric s'écarta tant bien que mal, mais il était difficile de trouver ses repères dans le noir. Rien ne semblait à sa place. Il avait beau tendre les bras, s'attendant à rencontrer le sol ou bien l'une des parois, il ne brassait que du vent.

– Je suis désolé, dit-il. Oh, mon Dieu, je suis vraiment désolé.

Pablo hurlait toujours, battant l'air d'un bras, tandis que ses membres inférieurs demeuraient inertes. Éric s'inquiétait de son immobilité, car il savait ce qu'elle signifiait.

Éric parvint à se mettre à genoux, puis s'accroupit un peu plus loin. Il y avait une paroi derrière lui, une autre sur sa gauche, encore une autre à droite. Face à lui en revanche, de l'autre côté du corps de Pablo, il n'y avait que du vide. Un autre puits, creusé sous la colline. Là encore, il sentit un courant d'air froid, mais aussi quelque chose d'autre, comme une pression, une présence... aux aguets. Éric tenta de percer les ténèbres pour distinguer la forme tapie dans l'ombre. Évidemment, il n'y avait rien. Son imagination devait lui jouer des tours. La peur certainement.

Éric entendit Jeff lui crier quelque chose. Il renversa la tête en arrière pour regarder l'entrée du puits. Ce n'était plus qu'une minuscule lucarne maintenant, très loin au-dessus de lui. La corde se balançait doucement dans le vide. Jeff hurla encore, mais Éric ne parvenait pas à comprendre ses paroles. Les cris de Pablo couvraient tout : ils s'amplifiaient en résonnant contre les parois du puits. Éric avait l'impression d'être prisonnier d'une caverne peuplée de hurleurs.

– Ça va ! lança-t-il, sans grande conviction.

Comment pourraient-ils l'entendre ?

Est-ce que ça allait si bien que ça ? Il réfléchit un moment et se mit à compter ses plaies. Il avait dû se cogner le menton, car il avait l'impression d'avoir encaissé un uppercut. Ses reins avaient manifestement accusé le coup, mais c'était sa jambe droite qui le faisait le plus souffrir. Une douleur lancinante, juste en dessous de la rotule, doublée d'une étrange sensation d'humidité. Éric se palpa le genou et découvrit qu'un gros morceau de verre s'y était fiché. Il avait la taille d'une carte à jouer, mais la forme d'un pétale un peu incurvé. Le tesson avait tranché le tissu de son jean et entaillé sa chair. La plaie ne faisait pas deux centimètres de profondeur. *Le verre de la lampe de Pablo, c'était ça*, se dit Éric. Il avait dû tomber dessus. Il se prépara, serra les dents... Il y était parvenu : il avait extrait le morceau de verre ; il sentait maintenant du sang lui couler le long du tibia, étrangement frais – une sacrée quantité de sang. Il en avait la chaussette trempée.

– Je me suis coupé à la jambe ! cria-t-il.

Il attendit une réponse, sans savoir s'ils l'avaient entendu.

Ce n'est pas grave, pensa-t-il. *Ça va aller.* C'était le genre de futilités qu'un enfant se serait dit pour se rassurer, Éric le savait. Cela ne l'empêchait pas de continuer à se répéter les mêmes mots. Il faisait si noir, et il y avait cet air froid qui sortait du puits, cette présence aux aguets, sa chaussure qui s'emplissait lentement de son sang. Pablo n'avait pas cessé de hurler. *Je suis au bout du rouleau*, pensa Éric. Puis : *Ce n'est pas grave. Ça va aller.* Des mots, il avait la tête pleine de mots.

Il tenait encore la lampe dans sa main gauche. Il avait réussi à la garder intacte. Il la posa sur le sol non loin de lui, tendit le bras, trouva le poignet du Grec et l'enserra entre ses doigts. Puis il s'accroupit dans le noir en attendant que Pablo cesse enfin de crier.

– Chuuut, je suis là. Chuuut. Je suis à côté de toi.

Ils entendaient les cris d'Éric, sans pouvoir distinguer ce qu'il disait entre les hurlements de Pablo. Jeff savait que le Grec allait s'arrêter : il se fatiguerait, se tairait enfin. Ils pourraient alors comprendre ce qui s'était passé en bas, si Éric avait sauté ou s'il était tombé, et surtout s'il était blessé lui aussi. Pour le moment, cela n'avait pas grande importance. Une chose comptait, la corde. Jusqu'à ce qu'ils trouvent un moyen de la rallonger, ils ne pourraient rien faire pour eux.

Jeff pensa d'abord aux vêtements. Il eut l'idée de vider les sacs à dos abandonnés par les archéologues et de les nouer tous ensemble – pantalons, chemises et vestes – pour en faire une corde de fortune. Ce n'était pas une très bonne idée, mais rien d'autre ne lui venait à l'esprit pour le moment. Il lui fallait six mètres de corde, peut-être plus par sécurité, neuf mètres même... Cela faisait pas mal de vêtements... Il se demandait s'ils pourraient supporter le poids d'une personne, et si les nœuds allaient tenir.

Neuf mètres.

Jeff et Mathias se tenaient debout à côté du treuil, s'efforçant l'un et l'autre de trouver quelque chose. Ni l'un ni l'autre ne parlaient. Il n'y avait en effet rien à dire pour l'instant, aucune solution dont ils auraient pu faire part. Amy et Stacy s'étaient agenouillées à côté du trou et en scrutaient le fond. De temps à autre, Stacy criait le nom d'Éric. Il lui arrivait de répondre, mais c'était incompréhensible. Pablo n'avait cessé de hurler.

– L'une des tentes, dit enfin Jeff. Nous pouvons la démonter, découper le Nylon en bandes.

Mathias se retourna, regarda la tente bleue, et réfléchit.

– Ça sera assez solide, tu crois ? demanda-t-il.

– Nous pouvons les tresser, trois bandes pour chaque segment de corde, puis nous les nouerons ensemble.

Jeff eut un frisson de plaisir en s'entendant. Il avait le sentiment d'avoir accompli quelque chose au beau milieu de ce chaos. Ils étaient piégés sur cette colline, avec peu d'eau, peu de nourriture ; deux d'entre eux se trouvaient hors d'atteinte, au fond d'un puits de mine, dont au moins un blessé. Mais, pour un instant, rien de tout cela ne semblait compter. Ils avaient un plan, un plan solide. Jeff pouvait assigner des tâches à chacun, et cela lui redonnait un peu d'espoir et d'énergie. Avec l'aide de Mathias, il se mit à vider la tente bleue, sortant les sacs de couchage, pour les poser dans la petite clairière, puis les sacs à dos, les cahiers, la radio, l'appareil photo, la trousse de secours, le Frisbee, la cantine vide : ils mettaient le tout en tas. Puis ils se mirent à arracher les pieux, à démonter les fins piquets d'aluminium et la tente. Mathias se chargeait de découper la toile. Ils discutèrent brièvement de la largeur souhaitée puis s'accordèrent sur dix centimètres. Le couteau tranchait facilement dans le Nylon. Mathias, les gestes puissants et rapides, découpait des bandes que Jeff tressait ensuite. Il en avait presque fini avec le premier segment – Jeff prenait son temps pour faire des tresses bien serrées – lorsque Pablo cessa soudain de hurler.

– Éric ? appela Stacy.

Ils entendirent alors l'écho de sa voix.

– Je suis là ! criait-il.

– T'es tombé ?

– J'ai sauté.

– Ça va ?

– Je me suis entaillé le genou.

– C'est grave ?

– J'ai les chaussures pleines de sang.

Jeff posa les tresses de Nylon et s'approcha du puits.

– Comprime la blessure ! lança-t-il.

– Quoi ?

– Enlève ta chemise. Plie-la en quatre et appuie-la contre ta blessure. Appuie fort.

– Il fait trop froid.

– Froid ? demanda Jeff.

Il crut avoir mal entendu. Lui dégoulinait de sueur.

– Il y a un autre puits, lança Éric. Sur le côté. Il en vient de l'air froid.

– Attends ! cria Jeff.

Il alla jusqu'au tas d'objets sortis de la tente bleue, fouilla, trouva la trousse de secours et l'ouvrit : il y avait peu de choses. Jeff n'aurait su dire ce qu'il cherchait au juste, mais ce n'était pas là. Il y avait une boîte de pansements adhésifs, probablement de trop petite taille pour la blessure d'Éric, le tube de pommade antibiotique dont ils pourraient l'enduire après avoir remonté leur ami, des flacons d'aspirine et un sirop contre les remontées gastriques, quelques cachets de sel, un thermomètre et une minuscule paire de ciseaux.

Jeff rapporta le flacon d'aspirine, puis ôta sa chemise.

– Qu'est-il arrivé à ta lampe ? cria-t-il.

– Elle s'est éteinte.

– Je vais laisser tomber ma chemise. J'y attache un flacon d'aspirine et une boîte d'allumettes. D'accord ?

– Ça marche.

– Sers-toi de la chemise pour comprimer la blessure. Donne trois cachets à Pablo et prends-en autant.

Jeff mit le tout dans sa chemise, puis se pencha au bord du gouffre.

– Prêt ?

– Prêt !

Jeff laissa tomber la chemise et la regarda disparaître dans les ténèbres. Elle mit un moment avant d'atterrir, il entendit enfin l'écho d'un bruit sourd.

– Je l'ai ! cria Éric.

Mathias avait fini de découper les bandes, et repris le tressage abandonné par Jeff, qui se tourna vers Amy et Stacy regardant encore au fond du trou.

– Allez l'aider, dit-il en désignant Mathias d'un signe de tête.

Elles allèrent vers les restes de la tente et s'accroupirent à côté de l'Allemand. Mathias leur montra comment faire et elles commencèrent à tresser chacune un segment.

Au fond du puits, Jeff vit luire une faible flamme qui crût peu à peu. Éric avait réussi à allumer la lampe. Jeff le voyait à présent, penché sur Pablo : deux corps minuscules.

– Il va bien ? lança Jeff.

Éric marqua une pause avant de répondre. Jeff le vit examiner le Grec, la lampe à la main, penché tout près du corps. Puis il releva la tête, et cria dans sa direction :

– Je crois qu'il s'est brisé la colonne !

Jeff se retourna vers les autres. Ils avaient cessé de travailler et le regardaient fixement. Stacy, une main posée sur la bouche, semblait sur le point de pleurer. Amy se releva et vint le rejoindre. Ils regardèrent tous deux au fond du trou.

– Il bouge les bras, lança Éric, mais pas les jambes.

Jeff et Amy échangèrent un regard.

– Vérifie ses pieds... murmura Amy.

– Je crois qu'il a peut-être... Vous savez...

Éric resta un temps silencieux. Il semblait chercher les mots appropriés.

– On dirait qu'il s'est chié dessus.

– Ses pieds, murmura de nouveau Amy, en poussant Jeff du coude.

Elle ne parvenait pas à le lui dire en criant, sans vraiment savoir pourquoi.

– Éric ? hurla Jeff.

– Quoi.

– Défais l'une de ses chaussures.

– Ses chaussures ?

– Enlève-la... Sa chaussette aussi. Ensuite, tu lui grattes la plante du pied du bout de l'ongle. Fort ! Vois s'il réagit.

Amy et Jeff se penchèrent au bord du gouffre pour regarder Éric s'accroupir aux pieds de Pablo, lui ôter une basket, retirer sa chaussette. Stacy les rejoignit pour regarder elle aussi. Mathias avait repris ses tresses.

Éric releva la tête vers eux.

– Rien ! lança-t-il.

– Oh ! mon Dieu, murmura Amy. Oh ! Seigneur.

– Il faut lui faire un brancard, lui dit Jeff. Comment on va fabriquer ça ?

Amy secoua la tête.

– Non, Jeff. Impossible. On ne peut pas le bouger.

– Il le faut... On ne peut pas le laisser en bas non plus.

– Nous ne ferons qu'aggraver les choses. Nous allons le bousculer et...

– On se servira des piquets de tente, dit Jeff. Nous allons le sangler sur les piquets et puis...

– Jeff !

Il s'arrêta, la regarda fixement. Il pensait aux piquets, les imaginait formant un brancard. Impossible de savoir si ça allait marcher, mais que pouvaient-ils utiliser d'autre ? Puis il se souvint des armatures en métal des sacs à dos.

– Il faut l'emmener à l'hôpital, dit Amy.

Jeff ne répondit même pas. Il se contenta de la regarder, démontant mentalement les sacs ; il se servirait des piquets pour renforcer l'ensemble. Comment pensait-elle pouvoir l'emmener à l'hôpital ?

– C'est grave, dit Amy. C'est carrément grave.

Elle pleurait maintenant, tout en s'efforçant de retenir des larmes qu'elle essuyait du revers de la main tout en secouant la tête.

– Si nous le déplaçons...

Elle ne finit pas sa phrase.

– Nous ne pouvons pas le laisser en bas, Amy, dit-il. Tu le sais, non ? Ce n'est pas possible.

Elle réfléchit un long moment, puis acquiesça.

Jeff se pencha au-dessus du trou pour crier :

– Éric ?

– Quoi ?

– Nous devons fabriquer un brancard pour pouvoir le remonter.

– D'accord.

– On va faire aussi vite que possible, mais ça risque de prendre un peu de temps. Continue à lui parler.

– Il ne reste plus beaucoup d'huile dans la lampe. Juste un peu.

– Alors, éteins-la.

– Que je l'éteigne ? dit Éric dont la voix trahissait la peur.

– On en aura besoin après. Quand on reviendra vous chercher. Pour le placer sur le brancard.

Éric ne répondit pas.

– Ça marche ? cria Jeff.

Éric hocha peut-être la tête... difficile à dire. Ils le regardèrent se pencher au-dessus de la lampe, puis, tout à coup, plus rien. Le fond du puits venait de replonger dans les ténèbres.

Stacy et Amy recommencèrent à tresser les bandes de Nylon, tandis que Jeff et Mathias fabriquaient tant bien que mal un brancard. Ils marmonnaient dans leur coin, se disputaient quant à la manière de s'y prendre. Ils disposaient des piquets de tente, de l'armature d'un sac à dos, et d'un rouleau de ruban adhésif déniché par Mathias dans les fournitures des archéologues. Ils essayaient différents assemblages, les démontaient, recommençaient... Stacy et Amy travaillaient en silence. Cette tâche si simple aurait dû les apaiser ; elle ne demandait aucune réflexion. Leurs mains se déplaçaient de gauche à droite, puis de droite à gauche et ainsi de suite, mais Stacy se sentait de plus en plus mal à force de travailler. La tequila lui donnait des aigreurs d'estomac, elle avait la bouche pâteuse et la chaleur provoquait des démangeaisons. Elle avait aussi mal à la tête. Elle voulait demander de l'eau, mais craignait que Jeff la lui refuse. Elle commençait à avoir faim aussi ; elle en avait presque des vertiges. Si seulement elle avait pu manger un snack, boire quelque chose de frais, s'allonger à l'ombre... Elle le savait, rien de tout cela n'était possible. Prise d'un sentiment proche de la panique, elle avait le souffle court et la poitrine serrée. Elle essaya de se rappeler ce qu'ils avaient emporté dans leur sac avec Éric : une petite bouteille d'eau, un sachet de bretzels, une boîte de fruits secs, deux bananes trop mûres. Ils devraient partager, évidemment. Comme tout le monde. Il faudrait tout mettre en commun, puis rationner les vivres autant que possible.

De gauche à droite, de droite à gauche, de gauche à droite...

– Merde ! s'exclama Jeff avant de mettre en pièces le dernier brancard qu'il venait de fabriquer avec Mathias.

En s'entrechoquant, les piquets d'aluminium émirent un tintement sourd. Stacy n'avait pas même la force de les regarder. Pablo s'était brisé la colonne ; elle ne parvenait pas à l'accepter. Ils avaient besoin d'aide. D'une équipe d'infirmiers héliportée qui les transporterait jusqu'à un hôpital. Au lieu de ça, ils allaient le remonter eux-mêmes hors du trou, et Pablo irait se cogner contre les parois du puits. Et puis, quand ils l'auraient sorti de là, qu'en feraient-ils ? Ils le mettraient dans la tente orange, pensa-t-elle, où il gémirait et hurlerait sans qu'ils puissent faire quoi que ce soit pour lui.

De l'aspirine. Il s'était brisé la colonne, et Jeff lui avait envoyé un flacon d'aspirine.

Jeff marqua une pause, traversa la clairière pour jeter un coup d'œil en contrebas. Ils s'arrêtèrent tous pour l'observer.

Ils sont partis, pensa Stacy avec un sursaut d'espoir. Jeff se retourna et s'avança vers eux sans un mot. Il s'accroupit à côté de Mathias. Elle entendit à nouveau le tintement métallique des piquets, puis le son du ruban adhésif que l'on déchire. Les Mayas étaient toujours là, évidemment. Elle s'en doutait bien. Elle les imaginait encerclant le pied de la colline, scrutant les coteaux, le visage inexpressif. C'était terrifiant. Ils avaient tué le frère de Mathias, l'avaient abattu de leurs flèches. Et maintenant Mathias était agenouillé là, à maintenir les piquets d'aluminium pendant que Jeff les assemblait avec du ruban adhésif, absorbé par cette tâche compliquée, cherchant à résoudre ce problème. Elle ne comprenait pas comment Mathias et les autres parvenaient à surmonter tout ça. Éric était au fond du puits, dans les ténèbres, la chaussure pleine de sang, pendant qu'elle tressait des bandes de Nylon, une main passant pardessus l'autre, resserrant les bandes au fur et à mesure.

De gauche à droite, de droite à gauche, de gauche à droite...

Le soleil amorçait sa descente implacable vers l'ouest. Quand avait-il commencé à décroître ? Stacy n'en savait rien, n'avait aucune idée de l'heure. Sa montre était restée dans sa chambre, à l'hôtel, sur la table de nuit. À cette pensée, elle sentit monter en elle un frisson d'angoisse. La femme de chambre en train de la lui voler, un cadeau offert par ses parents après son bac. Elle s'imaginait toujours que les femmes de chambre allaient lui voler ses affaires, même si ça n'était encore jamais arrivé. Peut-être n'était-ce pas si facile après tout, ou les gens étaient-ils tout simplement plus honnêtes qu'elle ne le croyait. Elle entendait le tic-tac de sa montre, la voyait sur la table en verre, égrenant patiemment les secondes, les minutes, les heures, dans l'attente de son retour. Chaque soir, les femmes de chambre venaient découvrir leurs lits, déposaient de petits chocolats sur leurs oreillers, et laissaient la radio allumée – le volume était si bas que parfois Stacy ne s'en rendait compte qu'après avoir éteint la lumière.

– Quelle heure est-il ? demanda-t-elle.

Amy marqua une pause, consulta sa montre.

– Dix-sept heures trente-cinq.

Lorsqu'elles en auraient terminé avec les tresses, il faudrait remonter la corde et puis nouer les segments de Nylon à chaque extrémité. Alors, quelqu'un d'autre descendrait dans le gouffre avec leur brancard improvisé, pour aider Éric à sangler Pablo sur l'armature de métal avant de le remonter en toute sécurité. Après ça, ils lanceraient à nouveau la corde pour remonter les deux autres, l'un après l'autre, jusqu'en haut du puits.

Stacy essayait de s'imaginer combien de temps tout cela allait prendre. Trop de temps, quoi qu'il en soit. Le temps leur manquait. Il était déjà 17 h 35. On approchait lentement de 17 h 40, il ne leur restait donc plus qu'une heure et demie avant la tombée de la nuit.

Ils avaient tressé cinq bandes, attaché les trois premières à la corde, qu'ils avaient jetée au fond du puits pour en vérifier la longueur. Puis Éric avait crié qu'il ne pouvait toujours pas l'attraper. Ils avaient donc tressé un quatrième segment, mais au moment d'attacher leur brancard improvisé ils s'étaient aperçus qu'il leur fallait encore une bande de Nylon. Il en fallait une à chaque extrémité de l'armature en aluminium.

Tandis que Mathias tressait rapidement cette dernière bande, Jeff prit Amy à part.

– Tu penses pouvoir le faire ? lui demanda-t-il.

Ils se tenaient côte à côte sur le carré de terre où se trouvait la tente bleue. Le soleil avait presque atteint l'horizon, mais le ciel était encore clair. Il faisait chaud. Il n'y avait aucune transition entre le jour et la nuit dans ce pays, pensa Amy. Le soleil se levait pour atteindre presque aussitôt le maximum de son intensité jusqu'au moment où il s'abîmait enfin à l'ouest. La tombée de la nuit était si rapide qu'on pouvait compter les secondes. Ils n'avaient qu'une lampe, celle d'Éric, et se trouvaient presque à court d'huile. Quinze minutes encore, estima-t-elle, et ils travailleraient dans le noir.

– Faire quoi au juste ? demanda-t-elle.

– Descendre, répondit Jeff.

– En bas ?

– Oui, au fond du puits.

Amy se contenta de le regarder fixement, trop abasourdie pour répondre. Il avait pris l'une des chemises des archéologues pour remplacer celle qu'il avait lancée à Éric. Ça lui donnait une drôle d'allure. On aurait dit quelqu'un d'autre. Il y avait des boutons jusqu'en haut du col et de grandes poches au niveau de la poitrine ; le tissu était un peu brillant, d'une couleur vaguement kaki, une sorte de Polyester. Une chemise qu'un chasseur aurait portée lors d'un safari, pensa Amy. Ou peut-être un photographe, avec des rouleaux de pellicule fourrés dans ces drôles de poches. Un soldat, qui sait ? Ça vieillissait Jeff en tout cas ; il avait même l'air plus épais. Son nez avait rosi, il pelait. Même s'il avait l'air fatigué, la peau brûlée par le soleil, il semblait incapable de tenir en place, comme sur le qui-vive.

– Mathias et moi, on devra actionner la manivelle, dit-il. Donc, c'est soit toi, soit Stacy. Et tu sais que Stacy... ajouta-t-il sans terminer sa phrase. Il semble que tu sois la candidate toute désignée. Voilà.

Amy n'avait toujours rien dit. Elle ne voulait pas y aller, évidemment. Descendre dans les entrailles de la terre, dans les ténèbres, ça la terrorisait. Elle n'avait même pas voulu venir, elle aurait bien aimé le lui faire remarquer. Si ça n'avait tenu qu'à elle, ils n'auraient jamais quitté la plage. Et quand ils avaient découvert le sentier camouflé, n'avait-elle pas cherché à le mettre en garde ? Elle avait essayé de lui dire de ne pas y aller, il n'avait rien voulu savoir. Du coup, c'était de sa faute à lui, non ? Alors même qu'elle s'interrogeait, Amy se rappela ce qui s'était passé au pied de la colline, comment elle avait traversé la clairière à reculons, l'œil collé à son viseur, et comment elle avait fini par plonger le pied dans un enchevêtrement de ronces. Si elle n'avait pas fait ça, les Mayas ne les auraient peut-être pas forcés à grimper sur la colline. Ils ne se trouveraient pas là en ce moment même, Pablo ne serait pas étendu au fond du gouffre, la colonne brisée, la chaussure d'Éric ne serait pas remplie de sang. Ils se promèneraient, à des kilomètres de là. Cette colline serait déjà loin derrière eux, et il leur semblerait normal de se plaindre des piqûres infligées par les mouches noires et les moustiques, et des boursouflures qui s'ensuivaient.

– Tu as été secouriste, n'est-ce pas ? lui demanda Jeff. Tu devrais savoir gérer la situation.

Secouriste, si l'on peut dire. Amy avait passé un été au bord d'une piscine dans un complexe locatif. Un minuscule bassin ovale, profond de deux mètres au plus. Plongeons interdits. Elle était restée assise dans un transat à se faire dorer au soleil de 10 heures du matin à 6 heures du soir, cinq jours par semaine, ordonnant aux enfants de ne pas courir, de ne pas éclabousser ni couler leurs camarades, rappelant aux adultes l'interdiction d'apporter de l'alcool dans cette zone. Les uns et les autres l'ignoraient souverainement. C'était un petit complexe, au bord de la faillite, fréquenté par les cadres sur le déclin de sa ville natale – des types alcooliques et des divorcées. Un endroit des plus déprimant. Il y avait peu d'enfants et, certains jours, il ne venait personne à la piscine. Amy restait assise, à lire. Lorsque l'endroit était particulièrement calme, elle se laissait flotter sur le dos dans la partie la moins profonde du bassin, l'esprit vide. Évidemment, elle avait dû suivre un cours de secourisme avant son embauche. Il avait fallu aborder les blessures vertébrales et apprendre comment sangler un blessé sur un brancard. Mais elle n'en gardait aucun souvenir.

– Tu te serviras de nos ceintures, dit Jeff.

Amy voulait surtout dévaler la colline. Elle se voyait déjà tentant sa chance, surgissant dans la clairière, face aux guetteurs qui l'attendaient en bas. Elle leur dirait ce qui s'était passé, trouverait un moyen de communiquer pour tout leur raconter. Au besoin, elle mimerait tout. Bien sûr, ce ne serait pas facile, mais elle parviendrait à leur faire comprendre sa peur, et même à la leur faire ressentir. Alors, ils cèderaient, iraient chercher de l'aide et les laisseraient tous partir. Le cadavre du frère de Mathias gisait pourtant de l'autre côté de la colline, criblé de flèches, mais Amy parvint à croire, au moins un instant, à tout ce film. Elle ne voulait pas descendre au fond du gouffre.

Jeff lui prit la main. Il s'apprêtait à lui parler pour la convaincre, ou lui préciser qu'elle n'avait pas le choix, quand soudain le gazouillis reprit au fond du gouffre.

Ils accoururent tous pour scruter les ténèbres, à l'exception de Mathias : il avait presque fini de tresser les bandes de Nylon et ne voulait pas s'arrêter.

– Éric ? hurla Jeff. Tu l'as trouvé ?

Éric ne répondit pas immédiatement. Ils l'entendaient s'agiter en bas : il cherchait l'origine de ce gazouillis.

– Ça n'arrête pas de se déplacer, lança-t-il. Ça vient parfois de la gauche, parfois de la droite.

– Il devrait s'allumer quand il sonne, non ? demanda Amy à Jeff à mi-voix.

– Est-ce qu'il y a de la lumière ? Cherche une source lumineuse ! cria Jeff.

Ils perçurent une fois encore les mouvements d'Éric au fond du puits.

– Je ne vois rien, lança-t-il avant de marquer une courte pause. Ça s'est arrêté, ajouta-t-il, mais ils s'en étaient aperçus sans même qu'il ait besoin de le leur dire.

Ils restèrent tous là à attendre que ça recommence, en vain. Le soleil toucha l'horizon et le ciel s'embrasa. Dans quelques minutes, il ferait noir. Mathias en avait fini avec ses tresses. Ils le regardèrent attacher un dernier segment aux autres, puis nouer la corde à leur brancard de fortune. Il termina son ouvrage juste au moment où la nuit tombait. Jeff bloqua la manivelle tandis que Mathias et Stacy soulevaient le brancard pour le placer juste au-dessus du gouffre. Ils le regardèrent un moment se balancer dans le vide : Mathias avait placé l'un des sacs de couchage des archéologues sur le cadre en aluminium pour le rendre un peu plus confortable. Ils avaient posé leurs quatre ceintures dessus. Amy n'avait pas encore accepté la proposition de Jeff, mais savait la question déjà tranchée. Tout était prêt, et ils pensaient sans doute qu'elle l'était aussi. Mathias rejoignit Jeff debout à côté du treuil, puis il empoigna la manivelle. Stacy regardait la scène, les bras croisés.

– Monte dessus, dit Jeff.

Amy s'exécuta. Prenant son courage à deux mains, elle s'avança dans le vide, s'accroupit sur le brancard en s'agrippant aux bandes de Nylon tressées. Le brancard grinça sous son poids et se mit à osciller d'avant en arrière, mais il ne céda pas. Puis, avant même qu'Amy ait eu le temps de se reprendre, ou même de revenir sur sa décision, le treuil se mit à tourner, la plongeant peu à peu dans des ténèbres plus épaisses encore que le crépuscule enveloppant la colline.

Ils arrivaient enfin. Éric ne savait pas combien de temps il avait attendu, mais ça lui avait paru bien assez long comme ça. Même dans des situations moins extrêmes, il ne savait pas évaluer les durées – il lui manquait une horloge intérieure. Ici, au fond de ce trou, au cœur des ténèbres, après tout ce qui leur était arrivé, c'était encore plus difficile. Une seule certitude : le soleil venait de se coucher. Le rectangle de ciel bleu s'était brièvement teinté de rouge avant de virer au gris bleu, au bleu ardoise et, enfin, au gris noir. Ils avaient fabriqué un brancard sur lequel était désormais accroupie Amy. Elle descendait le rejoindre.

Des heures, pensa Éric. Cela avait dû prendre des heures. Pablo avait hurlé puis avait fini par se taire. Stacy l'avait appelé, ils avaient parlé, puis Jeff lui avait dit de souffler sa lampe. Ensuite, ils avaient disparu pendant qu'ils fabriquaient le brancard et rallongeaient la corde. Ça leur avait pris longtemps, beaucoup trop longtemps. Au départ, il s'était simplement accroupi ; puis il s'était assis à côté de Pablo et lui avait tenu le poignet. Il lui avait parlé aussi, de temps en temps, histoire de lui tenir compagnie, de le distraire et lui faire croire – leur faire croire à tous deux sans doute – que tout allait bien se passer.

Mais non, ça n'allait pas bien se passer. Éric avait beau tenter de garder un ton optimiste, les choses n'allaient pas s'arranger. Il entendait résonner sa voix tel un lointain écho aux plaisanteries des Grecs, mais ne parvenait pas à oublier la situation. D'abord, il y avait l'odeur. Une odeur de merde, d'urine aussi. Pablo s'était brisé la colonne, avait perdu le contrôle de son côlon, de sa vessie. Il fallait lui poser un cathéter et une poche. Elle pendrait à côté de son lit, il faudrait des infirmières pour la vider, lui faire sa toilette. Il fallait l'opérer, et vite, maintenant, hier si possible ! Il lui fallait des médecins, des kinésithérapeutes pour s'affairer à son chevet, noter l'évolution de son état. Éric ne voyait pas comment y arriver ! Ils avaient passé l'après-midi à fabriquer un brancard, ils allaient enfin le sortir de ce trou... mais à quoi bon ? Une fois là-haut, entre les tentes et les ronces en fleur, sa colonne n'en serait pas moins brisée. Il serait tout aussi incapable de contenir sa vessie ou ses intestins. Il souillerait encore un peu plus son pantalon. Non, ils ne pouvaient rien y faire, rien du tout.

Le genou d'Éric avait enfin cessé de saigner. La douleur, lancinante, devenait plus aiguë dès qu'il déportait son poids sur sa jambe blessée. La chemise de Jeff était empesée de sang séché. Éric la posa sur le sol à côté de lui. Sa chaussure était toujours aussi humide.

Éric cherchait à rassurer Pablo, lui disait qu'on finissait toujours par guérir, c'était sûr. Le pire, c'est l'accident, mais après ça le corps se met au travail, mobilise toute son énergie, s'autorépare. Alors même qu'il lui parlait, le processus était déjà en marche. Il lui décrivit les fractures de son enfance, comment il s'était cassé le bras en glissant sur un trottoir mouillé. Il ne savait plus très bien quel os – le radius peut-être, ou bien le cubitus. Aucune importance ! Il était resté plâtré pendant six semaines, à la fin de l'été. Il se souvenait encore de la puanteur qui en avait émané lorsqu'on le lui avait enlevé. Une odeur de sueur et de moisissure. Son bras était tout pâle, et tellement maigre, et puis la scie électrique l'avait terrorisé. Il s'était aussi brisé la clavicule en jouant à Superman : il avait plongé la tête la première sur un toboggan. Il s'était cassé le nez en tombant d'une échasse sauteuse. Éric racontait à Pablo tous ses accidents par le menu, le temps de la douleur, puis celui de la convalescence. C'était implacable, inexorable.

Pablo n'en comprenait pas un mot, évidemment. Il gémissait et marmonnait. Il levait parfois le bras, comme s'il cherchait à atteindre quelque chose, mais Éric n'aurait su dire de quoi il s'agissait. Ils étaient plongés dans les ténèbres. Éric ignorait ses gestes, les sons qu'il émettait : il poursuivait son récit, sur le même ton faussement enjoué, comme si de rien n'était. Que pouvait-il faire d'autre ?

Éric lui raconta encore d'autres accidents dont il avait été le témoin : un garçon en skateboard s'était retrouvé en plein milieu de la circulation (un traumatisme crânien et quelques côtes brisées), un voisin tombé de son toit en nettoyant les gouttières (une épaule démise, deux doigts cassés), une fille ayant sauté d'une balançoire sans avoir bien jaugé les distances et atterri non pas dans l'eau qu'elle visait, mais sur les berges rocailleuses du fleuve (fracture de la cheville, trois dents cassées). Il lui parla de la ville où il avait grandi, une toute petite ville, laide et provinciale, pittoresque malgré tout, avec quelque chose de mondain dans son provincialisme. Dès qu'une sirène hurlait, les gens accouraient sur le seuil de leur maison, la main en visière pour mieux voir la scène ; les enfants enfourchaient leurs bicyclettes et se lançaient à la poursuite de l'ambulance, du camion des pompiers ou de la voiture de police. Par curiosité, mais aussi par compassion. Lorsque Éric s'était cassé le bras, les voisins lui avaient rendu visite, lui apportant des cadeaux : des bandes dessinées, des vidéos.

Éric continuait à raconter ses histoires à Pablo, sans jamais lui lâcher le poignet. Il appuyait parfois ses propos d'une légère pression, tandis qu'il faisait faire des va-et-vient incessants à sa main gauche, de la lampe à huile à la boîte d'allumettes et inversement, effleurant l'une puis l'autre, comme s'il s'agissait des perles d'un rosaire. Et son geste ressemblait à une prière : mentalement, Éric se répétait sans cesse les mêmes mots tout en continuant son récit sur un ton plein de confiance et d'optimisme. *Toujours là, toujours là, toujours là...*

Puis il se mit à décrire à Pablo ses impressions lorsqu'il s'était lancé sur son vélo à la poursuite des sirènes, des gyrophares. Son excitation – cet incroyable vertige éprouvé face au désastre. Il lui raconta des histoires où « tout est bien qui finit bien », comme celle de Mary Kelly. Âgée de sept ans à peine, elle savait grimper aux arbres, mais pas à en redescendre : prise de panique, elle était montée toujours plus haut, en pleurs, hissant son corps frêle jusqu'à la couronne d'un vieux chêne, à douze mètres du sol. La foule, assemblée au pied de l'arbre, la pressait de redescendre tandis que le vent se levait, soufflant de plus en plus fort, agitant les branches et faisant osciller le tronc. Le chêne semblait vouloir toucher le sol. Éric imita le cri de stupeur émis par la foule au moment où Mary dérapa, manquant de tomber, et se retrouva suspendue dans le vide pendant d'interminables secondes avant de poser enfin le pied sur une branche, toujours en pleurs, tandis qu'approchaient les sirènes. La voiture des pompiers avait lentement déployé son échelle vers le ciel : lorsqu'un secouriste avait écarté le feuillage pour saisir la petite fille, l'attirer à lui et la mettre sur son épaule, la foule avait acclamé son sauveur.

Dans le noir, Éric eut soudain l'impression qu'une main lui caressait le bas du dos. Il sursauta, glapit presque mais se retint. Ce n'était que les ronces. Elles avaient réussi à prendre racine là, au fond du puits. Il avait dû s'appuyer contre les plantes sans s'en rendre compte, voilà pourquoi il avait eu l'impression qu'elles s'étaient avancées pour le toucher, se lovant au creux de ses reins, le caressant presque. Impossible de s'orienter, il avait l'impression d'être aveugle. Le poignet de Pablo était son seul point de repère, et aussi la fameuse ritournelle de la lampe à huile et de la boîte d'allumettes – *toujours là, toujours là, toujours là*. Il s'avança un peu pour s'éloigner des ronces – ce contact l'effrayait, lui donnait des frissons – jusqu'à se retrouver tout contre le corps brisé de Pablo. En se déplaçant, il sentit une douleur vive dans son genou ; la blessure s'était rouverte et saignait de nouveau. Il palpa le sol, chercha la chemise de Jeff pour la presser une fois encore contre sa blessure.

Puis Éric reprit l'histoire de la jeune fille à la balançoire. Elle s'appelait Marci Brand. Elle avait treize ans, un appareil dentaire et une longue queue-de-cheval châtain. Lorsqu'ils l'avaient vue tomber ainsi, lui et les autres enfants, ils avaient éclaté de rire. Ça avait quelque chose de comique, comme dans un dessin animé. Ils avaient regardé sa chute, entendu le bruit terrible de sa chair s'écrasant sur les rochers. Ils avaient tous compris qu'elle s'était blessée. Mais ils avaient ri, tous en chœur, comme pour nier l'évidence, et cessé seulement lorsqu'elle avait tenté de se relever, s'effondrant maladroitement sur le côté avant de glisser jusque dans l'eau du fleuve. Elle avait les lèvres entaillées – elle s'était cogné le visage contre les pierres. Un nuage de sang trouble se formait lentement tout autour d'elle alors qu'elle flottait au milieu du fleuve en agitant les bras. Elle fermait les yeux, le visage grimaçant, mais ne pleurait pas. Elle ne faisait pas un bruit. Elle ne gémit même pas lorsqu'ils la tirèrent hors de l'eau pour la laisser sur la berge pendant que l'un deux filait chercher des secours sur son vélo. Ils s'étaient tous sentis coupables d'avoir ri ainsi. On aurait pu croire en effet qu'elle ne remarcherait plus jamais. Mais au bout du compte – *implacablement, inexorablement* –, il n'en fut rien. Elle boitait peut-être un peu, mais ça se voyait à peine, à moins de connaître son histoire, à moins d'observer attentivement sa démarche.

De temps à autre, Éric croyait voir quelque chose dans les ténèbres – des formes flottant tels des ballons luminescents. Elles semblaient s'approcher, planer juste au-dessus de lui avant de se retirer lentement. Certaines étaient d'un vert bleuté, d'autres jaune pâle, presque blanches. Ses yeux lui jouaient des tours, à n'en pas douter... sans doute une réaction physiologique à l'obscurité. Mais il cherchait malgré tout à les toucher et lâchait le poignet de Pablo dès qu'elles lui semblaient assez proches. Cependant, à peine avait-il levé la main que les formes disparaissaient pour resurgir ailleurs, plus loin, puis elles reprenaient leur lente approche. Il retira la chemise qu'il gardait pressée contre son genou. La blessure avait cessé de saigner. Il tendit aussitôt la main pour vérifier que la lampe et les allumettes étaient toujours là : *toujours là, toujours là...*

Éric raconta d'autres histoires à Pablo, des contes moins réjouissants – *implacablement, inexorablement* – dont il modifiait la fin pour lui. Le petit Stevie Stahl aspiré par un égout alors qu'il jouait dans un champ inondé, n'avait plus été découvert par un plongeur volontaire, à moitié enseveli sous la vase, le corps méconnaissable tant il était enflé. Non, il était réapparu cinq minutes plus tard, à près d'un kilomètre de là, dans le fleuve, avec quelques égratignures sans gravité ; en pleurs, certes, mais miraculeusement indemne. Et puis Ginger Ruby, qui avait mis le feu au garage de son oncle en jouant avec une boîte d'allumettes et, désorientée par la fumée, s'était enfuie, prise de panique, tournant le dos à la porte par laquelle elle aurait pu facilement s'enfuir. Elle était morte accroupie derrière les poubelles. Dans la nouvelle version d'Éric, un pompier l'avait tirée des flammes. Elle avait été accueillie par les acclamations de la foule assemblée, toussant, noire de suie, le chemisier et les cheveux brûlés, mais à part cela (oui, *miraculeusement*) indemne.

Le courant d'air frais émanant du puits situé de l'autre côté de Pablo n'était pas continu. Il s'interrompait parfois, comme s'il retenait son souffle, et la température au fond du trou semblait augmenter aussitôt. Éric suait alors à grosses gouttes, la chemise trempée ; tout à coup, l'air frais se remettait à souffler. Ces fluctuations incessantes le mettaient mal à l'aise. On aurait pu croire que les ténèbres étaient douées de vie, qu'elles le menaçaient. À chaque pause, il avait l'impression que quelqu'un, quelque chose, une présence, avait bloqué le passage du vent, hésitant, là, juste devant lui, l'examinant, le jaugeant. Il lui sembla même un instant avoir entendu renifler, comme si « on » avait humé son odeur. Ses sens lui jouaient encore des tours, sûrement. Mais il lui fallait néanmoins résister au besoin d'allumer la lampe. Il marquait alors une pause, hésitait, puis reprenait le va-et-vient incessant de sa main gauche : *toujours là, toujours là, toujours là...*

Éric raconta à Pablo l'histoire de son ami Gary Holmes qui rêvait de devenir pilote. Gary avait harcelé, cajolé, supplié ses parents jusqu'à ce qu'ils lui offrent des cours de pilotage pour ses seize ans. Il les avait eus à l'usure : chaque samedi, il enfourchait son vélo, se rendait à l'aéroport local et y passait l'après-midi, découvrant ainsi un autre monde. Trois mois plus tard, alors qu'Éric jouait au foot – au sein d'une ligue de jeunes joueurs disputant quatre matches en parallèle –, un petit avion passa juste au-dessus de leurs têtes en klaxonnant. Les joueurs marquèrent une pause, le temps de réfléchir, puis s'accroupirent soudain, tandis que l'ombre de l'appareil glissait sur eux. L'avion poursuivit sa course, fit un autre passage, et les jeux cessèrent peu à peu. Les arbitres donnèrent du sifflet en agitant les bras, s'efforçant de remettre un peu d'ordre. Lorsque l'avion fit un nouveau virage, le moteur crachota, avant de se taire. Quelques secondes plus tard, le temps de reprendre leur souffle, ils entendirent le crash de l'appareil, le fracas de la carlingue volant en éclats. L'avion s'était écrasé non loin d'une zone boisée, à l'ouest des terrains de foot. Éric en donna toutefois une autre version à Pablo : quelqu'un avait compris ce qui se passait lors de son premier survol en rase-mottes. Un entraîneur puis un autre avaient hurlé en pointant l'avion du doigt. Les arbitres avaient enchaîné à coups de sifflet, et soudain tout le monde avait couru en hurlant. L'avion était en détresse, il allait tenter un atterrissage forcé. Ils devaient dégager le terrain, et c'est ce qu'ils firent. Avant même que l'avion les survole à nouveau, ils s'étaient tous rangés sur la touche. L'atterrissage avait été brutal : l'appareil avait rebondi puis foncé droit dans l'un des buts en bois tandis que ses roues s'enfonçaient dans la terre molle, au point qu'il avait bien failli se retourner. Il s'était pourtant arrêté, le nez planté dans la boue, l'hélice tordue et le pare-brise fendu. À cet instant, Éric hésita. Il s'efforçait d'imaginer de quelles blessures avaient pu souffrir Gary et son instructeur. Dans quel état un atterrissage pareil avait-il pu laisser leurs corps prisonniers du cockpit ? Fracture de la rotule, décida Éric. Une épaule démise, une fracture du pelvis, un léger traumatisme crânien. Ils s'étaient remis de toutes leurs blessures, assura-t-il à Pablo, comme c'est toujours le cas – oui, une fois encore, de façon *implacable, inexorable.*

Sur la colline, les autres continuaient à tresser les bandes de Nylon bleu qu'ils avaient découpées dans la toile de tente, à fabriquer leur brancard. Ils n'avaient pas le temps de réfléchir. Éric était coincé en bas dans le noir, avec pour seule compagnie cette odeur d'excréments et d'urine, les gémissements de Pablo, les quelques mots qu'il marmonnait. Il était donc normal qu'il soit le premier à penser que le Grec ne survivrait probablement pas à cette aventure, que son corps avait largement dépassé le stade de *l'implacable* et de *l'inexorable*, qu'il allait sans doute mourir dans les prochaines heures, les prochains jours, tandis qu'ils s'affaireraient en vain autour de lui.

Pablo semblait s'être endormi – peut-être avait-il perdu connaissance. Il avait cessé de marmonner, de gémir, de tendre le bras pour attraper cette chose invisible dans le noir qu'il pensait pouvoir saisir. Éric se tut, lui aussi, resta assis à ses côtés, lui tenant toujours le poignet, effleurant tour à tour la lampe et la boîte d'allumettes de l'autre main. Le temps paraissait s'écouler encore plus lentement maintenant qu'il n'entendait plus l'écho de sa propre voix résonner contre les parois du puits. Il se remit à penser à Gary Holmes, à l'épave de son appareil à la une du journal du coin, au service funéraire dans l'auditorium de son lycée. Ils avaient été amis, pas très proches, mais Gary était plus qu'une simple connaissance...

Soudain, Éric sursauta. Il avait l'impression qu'une main venait de lui toucher le dos. Ce n'étaient que les ronces, se dit-il pour se rassurer. Il avait encore dû se laisser aller sans s'en rendre compte. Il voulut se rapprocher de Pablo mais se rendit compte qu'il ne bougeait pas d'un pouce et ne pouvait aller plus loin. Les ronces s'étaient déplacées, avaient rampé jusqu'à lui, attirées par sa chaleur, qui sait ? Cette idée le mettait mal à l'aise, l'effrayait même un peu. Il s'agissait de ronces après tout, mais capables d'un acte de volonté, presque douées de raison. Il n'avait plus qu'une idée en tête : sortir de ce trou, vite. Il voulut appeler les autres mais se ravisa au dernier moment, craignant de réveiller Pablo.

Éric avait envie d'uriner, mais s'il se levait pour se soulager contre la paroi du puits, le Grec, la lampe ou les allumettes n'allaient-ils pas disparaître en son absence ? C'était une peur irrationnelle. Il défit sa ceinture pour relâcher la pression sur sa vessie, essaya de se distraire en jouant avec les mots, élabora un test de vocabulaire pour ses futurs élèves. Dix mots commençant par A, un petit quiz pour commencer la semaine, cinq points pour les définitions, cinq pour l'orthographe.

Albatros, pensa-t-il. *Avarice. Annonciation. Alacrité. Armement. Adjacent. Ardu. Accentuer. Accommoder. Allégation.*

Il venait à peine de passer à la lettre B – *Badin, Bravoure, Bandoulière, Botaniste...* – lorsque le gazouillis électronique retentit soudain. Pablo se réveilla, tout aussi surpris qu'Éric qui lui lâcha le poignet, se leva, vacillant sur sa jambe blessée comme sur un pied-bot. Ça semblait venir de la droite. Mais non, comprit-il en avançant dans cette direction, c'était derrière lui maintenant. Il se retourna, sans en être vraiment sûr. Le son semblait se déplacer tout autour du puits.

– Éric ? hurla Jeff. Tu l'as trouvé ?

Éric renversa la tête et les vit apparaître dans la lucarne de ciel. Il leur répondit que le son se déplaçait, d'un côté puis de l'autre.

– Tu vois de la lumière ? lança Jeff. Essaie de repérer de la lumière.

Le son semblait provenir de l'ouverture située derrière le corps de Pablo, juste à l'entrée du puits. Éric s'en rapprocha en boitant. Il sentit l'air devenir bien plus frais tandis que le gazouillis semblait s'éloigner à mesure qu'il progressait, comme pour l'attirer à l'intérieur du puits. Éric hésita, pris d'une frayeur subite.

– Je ne vois rien, cria-t-il.

Le gazouillis s'interrompit alors.

– Ça s'est arrêté, ajouta-t-il.

Il compta alors jusqu'à dix, mentalement. Il attendait que le son retentisse à nouveau. En vain. Lorsqu'il releva les yeux vers la lucarne, les têtes avaient disparu et le ciel s'était teinté de rouge. Le soleil avait commencé sa descente.

Éric revint vers le corps de Pablo. Il percevait ses mouvements dans le noir : il bougeait la tête, mais ne disait rien. Aucun gémissement, pas un bruit. Éric trouvait cela inquiétant.

– Pablo, dit Éric. Tout va bien ?

Il voulait que le Grec lui parle de nouveau, mais il restait étendu là, immobile. Éric tendit la main pour attraper la lampe, la trouva, chercha les allumettes et... Rien. Il palpa le sol rocheux du puits, décrivant des cercles concentriques de plus en plus larges, pris d'une panique grandissante, ne trouvant toujours rien. Elles avaient disparu.

Éric entendit un grincement au-dessus de lui, et il leva les yeux. Le ciel s'obscurcissait rapidement, il voyait néanmoins la silhouette d'une forme oblongue obstruant presque entièrement la lucarne. Ils avaient terminé la fabrication du brancard et s'apprêtaient à le faire descendre. Éric continuait de palper le sol, s'éloignant de plus en plus de son point de départ, avant de repartir vers la lampe : les allumettes n'étaient plus là.

Le grincement se fit plus sonore et plus régulier. Il leva les yeux. Voilà ! Le brancard descendait enfin.

– Éric ?

C'était la voix d'Amy.

– Quoi ? hurla-t-il.

– Allume la lampe !

Amy, sur le brancard, progressait lentement vers lui.

Il se releva, fit un pas en boitant. Peut-être tenait-il les allumettes à la main au moment où le gazouillis avait repris, peut-être les avait-il emportées alors qu'il tentait d'en localiser la source. Il les avait sans doute reposées sans faire attention. C'était absurde, il n'y croyait pas vraiment. Il fit encore un pas en avant quand son pied heurta quelque chose : la boîte d'allumettes. Il se mit à quatre pattes, puis commença à palper le sol.

Le grincement continuait. Le ciel était noir maintenant, il ne voyait plus le brancard mais en percevait l'approche.

– Allume la lampe, Éric, hurla encore Amy.

Elle était plus proche maintenant, et semblait effrayée.

Éric poursuivait ses recherches. Il se trouvait dans un coin du puits entièrement colonisé par les ronces. Il s'empêtrait les mains dans les vrilles, comme si la plante avait voulu l'empêcher d'avancer. C'était une impression bizarre. Il finit par trouver la boîte d'allumettes, enfouie sous les ronces, presque entièrement recouverte. Éric dut tirer sur la boîte pour la libérer de l'emprise de la plante, déchirant les tiges dont s'écoula une sève d'abord collante et humide, puis soudain brûlante.

– Éric ? cria encore Amy.

Elle était presque arrivée.

– Deux secondes, répondit-il.

Clopin-clopant, il retourna jusqu'à la lampe, s'accroupit et retira enfin le globe de verre. Sa main tremblait si fort que la première allumette craquée s'éteignit presque aussitôt. Il dut marquer une pause, inspirer profondément, une fois puis deux, s'efforçant de se calmer avant de réessayer. Cette fois fut la bonne. Il alluma la lampe et Amy apparut, à cinq mètres à peine, scrutant le fond du puits avec angoisse, descendant toujours plus bas.

Après tant d'heures passées dans le noir, Éric dut détourner les yeux de la lampe ; malgré tout, la flamme lui parut plus faible que dans son souvenir, peut-être avait-il simplement espéré qu'elle serait plus intense : le puits resta enveloppé dans des ténèbres quasi impénétrables. Il sentait la brûlure de la sève sur ses mains. Il les essuya sur son pantalon, en vain.

Une fois le brancard à portée de main, Éric l'attrapa puis l'orienta légèrement vers la droite pour pouvoir le déposer juste à côté de Pablo. Plus qu'un mètre et... Amy faillit tomber lorsque la corde se tendit tout à coup.

– Amy ? appela Jeff.

– Quoi ?

– Tu y es ?

– Presque. Encore quelques dizaines de centimètres, Jeff.

Leur échange fut suivi d'un court silence.

– Combien ?

– Je ne sais pas. Un mètre peut-être, répondit Amy après s'être penchée pour regarder le corps brisé de Pablo.

– On est au bout du rouleau, lança Jeff. Tu peux y arriver quand même ?

Amy et Éric échangèrent un regard. Le brancard était censé maintenir la colonne de Pablo bien droite pendant la remontée. Sinon, il subirait des torsions, cela risquait d'aggraver ses blessures. S'ils décidaient d'attendre, il faudrait remonter le brancard, dénouer la corde, tresser un nouveau segment, l'attacher au brancard, le redescendre une fois encore au fond du puits, le tout dans l'obscurité la plus totale.

– Qu'est-ce que t'en penses, Éric ? demanda Amy.

Encore accroupie sur le brancard, elle aurait pu facilement se laisser glisser à terre. Mais c'était comme si elle s'y refusait, comme si elle cherchait à échapper à une corvée qu'elle pouvait peut-être encore éviter.

Éric s'efforça de réfléchir. Il remarqua une pelle posée contre la paroi du puits – une pelle de campeur, pliable, à ranger dans un sac à dos. Il l'observa longuement, cherchant comment ils pourraient l'utiliser. En vain. Lorsque le mot *fossoyeur* lui vint à l'esprit, il eut presque un mouvement de recul, comme s'il venait de toucher quelque chose de brûlant.

– On peut toujours détacher le brancard, dit-il. On met Pablo dessus, puis on lève le tout et on refait les nœuds.

– Sans aide ? demanda Amy.

Elle n'y croyait pas, c'était clair.

Éric fit non de la tête.

– Il faudrait qu'ils descendent quelqu'un d'autre pour nous aider. Stacy, j'imagine. On le soulève à deux et le troisième fait les nœuds.

Ils réfléchirent à cette idée pendant un temps, passèrent en revue toutes les étapes, évaluèrent le temps nécessaire pour y parvenir.

– Nous devons souffler la lampe, ajouta Éric. Attendre ici, dans le noir.

Amy se déplaça un peu sur le brancard qui commença à osciller. Éric étendit le bras pour l'immobiliser. Il pensait qu'Amy allait en descendre, mais non.

– Nous pouvons aussi le porter nous-mêmes, dit-il.

Amy restait silencieuse. Elle regardait Pablo. Éric aurait voulu qu'elle parle. Il n'y parviendrait pas seul.

– À peine un mètre.

– Et s'il se retourne...

– Je pourrai l'attraper par les épaules, Amy. Tu prendrais les pieds. Un, deux, trois... Simple comme bonjour.

Amy fronça les sourcils d'un air dubitatif.

Éric leva la lampe, l'inclina légèrement, en examina le réservoir. Le niveau d'huile diminuait peu à peu.

– Faut se décider, dit-il. Nous n'aurons bientôt plus de lumière.

– Amy ? lança Jeff.

Ils tendirent tous deux le cou pour regarder, mais le ciel était si noir qu'ils ne virent rien du tout.

– On va tenter le coup ! hurla Amy.

Éric stabilisa le brancard pendant qu'elle en descendait, puis il posa la lampe à huile sur le sol. Amy récupéra les ceintures posées sur le sac de couchage et les laissa tomber à côté de la lampe. Pablo les regardait tour à tour.

– On va te soulever, lui dit Amy en mimant l'opération d'un geste des mains, paumes vers le haut, puis lui indiquant le brancard.

– On va te placer dessus, et puis on te remontera à la surface.

Pablo la regarda fixement.

Éric se plaça derrière sa tête, Amy l'attrapa par les pieds.

– Le bassin, dit Éric.

– T'es sûr ?

– Si tu le soulèves par les pieds, il va se plier en deux à la taille.

– D'accord, mais si je le tiens par le bassin, tu ne crois pas qu'il va finir par se casser le dos ?

Ils regardèrent tous deux Pablo, pensant à ces deux scénarios. C'était une mauvaise idée, Éric le savait. Ils devraient renvoyer le brancard en haut, attendre que les autres aient rallongé la corde, ou au moins que Stacy les ait rejoints. Il jeta un coup d'œil à la lampe : presque plus d'huile.

– Par les genoux, conclut Éric.

Amy réfléchit à cette suggestion, quelques secondes à peine, puis se baissa pour attraper Pablo par les genoux. Éric se pencha, glissa les mains sous les épaules du Grec. Il sentait s'élargir sa blessure, sa peau se déchirer, le sang couler à nouveau. Pablo émit un grognement. Amy recula, mais Éric lui fit signe de rester immobile.

– Vite ! dit-il. À trois.

– Un... deux... trois...

Ils comptèrent ensemble puis le soulevèrent enfin. Ce fut un vrai désastre, bien pire que ce qu'avait imaginé Éric. La manœuvre lui sembla prendre une éternité, tout arriva pourtant très vite. À peine l'avaient-ils soulevé de terre que Pablo se mit à pousser des cris stridents, plus forts que jamais. Il hurlait de douleur. Amy fut tentée d'abandonner, de le reposer sur le sol. Éric cria : « Non ! », et elle poursuivit la manœuvre. Pablo, le corps plié au niveau de la taille, agitait les bras, criant sans cesse. Il était trop lourd pour Amy, incapable de suivre le mouvement. Le Grec avait désormais les épaules à l'horizontale du brancard, et les pieds une trentaine de centimètres plus bas. Amy semblait incapable de les hisser plus haut, et son corps s'affaissait toujours plus. Pablo frappa le brancard de son bras droit, le faisant vaciller dangereusement.

– Soulève-le ! cria Éric.

Amy essaya de lever les jambes de Pablo un peu plus haut, tandis que son torse se tordait progressivement. Les cris du Grec redoublèrent.

Éric ne savait plus comment ils s'en étaient sortis ensuite. C'est comme s'ils avaient été frappés d'amnésie dans ces derniers instants. Il lui semblait qu'ils en avaient été réduits à balancer le corps du Grec sur le brancard qui continuait d'osciller tel un pendule. Une chose était certaine : il avait honte de lui, comme s'il avait mis le pied sur un nouveau-né sans faire attention. Amy s'était mise à pleurer. Elle restait là, debout, traumatisée.

– Ça va...Ça va aller, dit Éric.

Il pensait qu'elle ne pouvait l'entendre, car Pablo hurlait toujours. Éric eut soudain envie de vomir : il sentit sa langue devenir pâteuse, la bile remonter jusqu'à sa gorge. Il se força à respirer. Sa jambe saignait à nouveau, le sang coulait dans sa chaussure. Il reprit soudain conscience de la pression qui s'exerçait sur sa vessie.

– Faut que je pisse, déclara-t-il.

Amy ne lui jeta pas même un coup d'œil. Elle se tenait là, une main sur la bouche, à regarder Pablo qui hurlait. Il agitait les bras en tous sens, les membres inférieurs parfaitement immobiles, ce qui contrastait avec le mouvement de balancier du brancard. Éric boita jusqu'à la paroi la plus proche, défit sa braguette, urina enfin. Pablo commençait à se calmer. Il avait les yeux fermés. Des gouttes de sueur lui perlaient au front.

– Il faut que nous l'attachions, dit Amy.

Elle avait cessé de pleurer et s'essuya le visage d'un revers de manche.

Il y avait quatre ceintures sur le sol, à côté de la lampe à huile. Éric enleva la sienne pour l'ajouter au tas. Amy en ramassa deux, les attacha ensemble pour en faire une longue sangle. Elle la plaça sur le torse de Pablo, à hauteur du sternum, serra fermement puis termina par un nœud. Le Grec garda les yeux fermés. Éric fit de même avec deux autres ceintures avant de les tendre à Amy, qui sangla les cuisses du Grec.

– Il nous en faut une autre, fit remarquer Éric en lui présentant la cinquième et dernière ceinture.

Amy se pencha sur Pablo, défit sa ceinture avec soin puis se mit à tirer. Le Grec n'ouvrit pas les yeux. Éric tendit à Amy la ceinture qu'il tenait à la main : elle se servit des deux dernières ceintures pour lui ceindre le front. Puis ils firent tous deux un pas en arrière pour contempler leur œuvre.

– Ça va, répéta Éric. Ça va aller.

Il se sentait misérable pourtant. Il aurait voulu que Pablo ouvre enfin les yeux, qu'il se remette à marmonner, mais il restait étendu là, à se balancer lentement sur le brancard. Des perles de sueur continuaient de se former sur son front, de plus en plus grosses, et s'écoulaient le long de sa nuque. Éric sentait le sang dans sa chaussure. Il avait mal au coude et la main en feu, une ecchymose au menton, des démangeaisons dans le dos : les insectes l'avaient dévoré pendant leur longue marche à travers la jungle. Il avait soif, il avait faim. Il voulait rentrer chez lui – pas simplement à l'hôtel où il serait enfin en sécurité, non, chez lui. Mais c'était impossible. Ça n'allait pas du tout, et ça ne s'arrangerait certainement pas. Pablo était grièvement blessé, et ils étaient en partie responsables de ses souffrances. Éric eut envie de pleurer.

Amy leva les yeux vers la lucarne noire. Le treuil avait recommencé à grincer, le brancard s'élevait lentement au-dessus de la tête d'Éric. Il était déjà hors de portée quand la lumière de la lampe faiblit, vacilla puis mourut.

– Jeff... dit Stacy dans un murmure.

Elle était de plus en plus tendue. Le ton de sa voix trahissait son inquiétude.

Avec l'aide de Mathias, Jeff actionnait la manivelle du treuil, s'efforçant de garder un rythme constant.

– Quoi ? répondit Jeff sans tourner la tête.

– La lampe s'est éteinte.

Il se retourna enfin, s'arrêta un instant et regarda l'entrée du puits. Mathias fit de même. Elle était noire maintenant, comme tout ce qui les entourait. Le ciel était clair. Les étoiles brillaient au firmament, mais la lune ne s'était pas encore levée. Jeff fouilla dans sa mémoire. Avait-il vu la lune les nuits précédentes ? À quelle phase en était-elle ? À quelle heure apparaîtrait-elle ? Mais la seule image qui lui venait à l'esprit était celle d'une tranche de melon espagnol suspendue juste au-dessus de l'horizon, sur la plage, par une belle soirée. Il ne savait plus si la lune était croissante ou décroissante, ni même si elle allait se lever.

– Appelle-les, lui dit-il.

Stacy se pencha au bord du gouffre, mit ses mains en cornet et cria :

– Qu'est-ce qui s'est passé ?

– Il n'y a plus d'huile.

La voix d'Éric retentit contre les parois du puits.

Jeff essayait de tout mémoriser, mais ça ne marchait pas. Il aurait voulu avoir un morceau de papier, du temps pour écrire tout ça, faire une liste, organiser un peu le chaos dans lequel ils venaient d'échouer. Le lendemain matin, il prendrait l'un des cahiers des archéologues, mais pour l'instant il devait tout faire de tête. Il avait néanmoins l'impression d'oublier systématiquement un ou deux points essentiels. Il fallait penser à l'eau, à la nourriture, à un lieu où se réfugier. Il y avait les Mayas au pied de la colline, et le cadavre d'Henrich hérissé de flèches. Pablo, la colonne brisée. Les autres Grecs qui viendraient peut-être à leur secours. Et puis aussi la lampe et plus du tout d'huile pour la faire fonctionner.

Il recommença à actionner la manivelle avec l'aide de Mathias.

– Dis-nous quand tu le verras, demanda Jeff à Stacy.

Inutile de réfléchir maintenant, se dit-il. Ça ne ferait que rendre les choses un peu plus confuses. Il hésiterait et ça le ralentirait. Ça pouvait attendre le lendemain matin, lorsqu'il ferait jour. Il devait faire sortir tout le monde du puits, les installer dans la tente orange, et lui devrait dormir enfin, ou tout au moins essayer.

Le treuil grinçait à mesure que la corde s'enroulait autour du tonneau. Stacy restait silencieuse. Pablo était toujours invisible dans le noir, Jeff sentait pourtant sa présence. Une odeur de latrines, ses excréments, son urine. Pendant qu'ils découpaient et tressaient les bandes de Nylon, qu'ils assemblaient les piquets d'aluminium avec du ruban adhésif, Jeff n'avait cessé de se dire qu'Éric avait peut-être tort, qu'après tout Pablo ne s'était pas brisé les reins. Ils en riraient plus tard – demain matin, lorsque le Grec se relèverait et boiterait peut-être un peu. Oui, ils riraient bien d'avoir tout de suite envisagé le pire. Mais maintenant qu'il sentait cette puanteur montant du puits, il savait qu'il avait eu tort.

Stop, se dit-il. *Contente-toi de sortir tout le monde de là. De les ramener à la tente et puis de mettre tout le monde au lit.*

– Je le vois, murmura Stacy.

– Au moment où il émergera du trou, il faudra que vous attrapiez le brancard et le tiriez vers le sol, dit Jeff.

Ils continuaient à actionner la manivelle.

– C'est bon, dit Stacy.

Ils marquèrent une pause et se tournèrent pour regarder : le brancard était suspendu au-dessus du puits, juste en dessous du treuil. Pablo n'était plus qu'une masse sombre, inerte, semblable à une momie. Stacy agrippa le sac de couchage, puis l'un des piquets en aluminium.

– Abaissez-le un peu, leur dit-elle.

Ils firent tourner la manivelle en sens inverse puis, à mesure que le brancard redescendait, Stacy le tira vers elle pour l'amener plus près du bord.

– Attention, dit-elle. Tout doucement.

Ils le déposèrent sur le sol. Mathias et Jeff s'avancèrent vers lui, et tous s'accroupirent autour du brancard. Peut-être était-ce l'obscurité, ou bien la fatigue, mais Pablo avait l'air plus mal en point encore que ne l'avait redouté Jeff. Il avait les joues creusées, le visage cave, d'une étonnante pâleur, presque phosphorescente dans les ténèbres. Son corps semblait plus menu, comme si sa blessure l'avait fait rétrécir, comme s'il avait déjà commencé à s'atrophier. Il avait les yeux clos.

– Pablo ? dit Jeff en lui touchant l'épaule.

Les paupières du Grec se soulevèrent dans un tressaillement. Il regarda Jeff, puis Stacy et Mathias. Il ne dit rien. Il referma bientôt les yeux.

– C'est grave, n'est-ce pas ?

– Je ne sais pas, dit Jeff. Difficile à dire.

Sa réponse sonnait faux, il se sentit obligé d'ajouter :

– Je crois bien que oui.

Mathias restait silencieux. Il regardait Pablo d'un air grave. Une brise s'était levée. Maintenant que le soleil s'était couché, il commençait à faire plus frais et Jeff sentait la sueur sécher sur sa peau. Il en avait la chair de poule.

– Et on fait quoi maintenant ? demanda Stacy.

– Nous allons le traîner jusqu'à la tente. Tu peux rester assise à côté de lui pendant qu'on sort les autres de là.

Jeff lui jeta un coup d'œil en se demandant si elle allait protester. Mais non. Elle regardait encore Pablo. Jeff se pencha au-dessus du trou et hurla :

– Nous le transportons dans la tente. Puis nous reviendrons. D'accord ?

– Dépêchez-vous ! cria Amy.

Ils avaient du mal à défaire les nœuds qui liaient le brancard aux tresses de Nylon. Mathias finit par prendre le couteau pour trancher les liens. Puis il transporta Pablo, avec l'aide de Jeff, jusqu'à la tente orange. Ils se déplaçaient lentement, s'efforçant de ne pas le secouer tandis que Stacy les suivait en chuchotant :

– Doucement... Doux... Tout doux...

Ils le déposèrent à l'extérieur de la tente. Jeff ouvrit le rabat, entra et se mit à faire de la place pour le brancard, mais la première bouffée d'air confiné le fit changer d'avis. Il se retourna, ressortit.

– Nous ne pouvons pas le laisser là, dit-il. Sa vessie. Il ne va pas pouvoir se contenir.

Mathias et Stacy regardèrent Pablo.

– Nous ne pouvons tout de même pas le laisser dehors, dit Stacy.

– Il faudra que nous fabriquions un abri de fortune, dit

Jeff en montrant le reste du plateau. Nous pouvons toujours utiliser ce qui reste de la tente bleue.

Les deux autres réfléchirent en silence à son idée. Pablo avait les yeux fermés. Sa respiration était rauque, comme un râle chargé de mucus.

– Nous allons remonter Éric et Amy, puis nous trouverons un moyen.

Stacy acquiesça. Jeff et Mathias retournèrent à la hâte vers le puits.

Pablo frissonna. Il avait suffi d'un instant. Il était étendu là, les yeux fermés. Il ne dormait pas, Stacy en était certaine. Puis son corps avait été secoué de spasmes si violents qu'elle en était venue à se demander s'il ne s'agissait pas d'une attaque, ou quelque chose dans le genre. Elle ne savait quoi faire. Elle voulait appeler Jeff, mais elle entendait le grincement du treuil. Ils remontaient Amy, ou bien Éric. Elle savait bien qu'elle ne pouvait pas les interrompre. Ils n'avaient pas détaché les ceintures qui sanglaient le corps de Pablo, au niveau des cuisses, du torse, du front ; elle aurait voulu pouvoir les desserrer un peu, mais elle n'était pas certaine d'y être autorisée. Elle toucha la main de Pablo. Il ouvrit les yeux et la regarda fixement. Il dit quelque chose en grec, la voix faible et enrouée. Il tremblait toujours. Il faisait visiblement des efforts pour rester calme, en vain.

– T'as froid ? demanda Stacy.

Elle s'étreignit le torse, rentra la tête dans les épaules et fit mine de frissonner.

Pablo ferma les yeux.

Stacy se leva, fonça jusqu'à la tente. Il faisait encore plus sombre à l'intérieur, mais elle finit par trouver l'un des sacs de couchage en cherchant à tâtons. Elle se releva avec l'intention de retourner voir Pablo le plus vite possible pour le couvrir, mais eut subitement un moment d'hésitation. Elle éprouvait le besoin de s'allonger, de se recroqueviller dans le silence de cet air confiné, de se cacher là. Ça ne dura qu'un instant. Stacy savait que c'était inutile – inutile d'essayer de se cacher ici. Elle abandonna donc cette idée. Lorsqu'elle ressortit, le Grec frissonnait encore. Stacy étendit le sac de couchage sur son corps puis s'assit à côté de lui et lui prit la main. Elle devait lui parler, trouver les mots justes pour l'apaiser... mais elle ne savait quoi dire. Il était étendu sur son brancard, la colonne brisée, marinant dans ses propres excréments, entouré d'étrangers qui ne parlaient même pas sa langue. Comment pouvait-elle espérer améliorer les choses ?

Une légère brise se leva, gonflant la toile de la tente. Les ronces semblaient se déplacer elles aussi, comme si elles rampaient en murmurant. Il faisait trop sombre pour voir quoi que ce soit. Elle était seule avec Pablo et la tente. Elle entendait le grincement continu du treuil, quelque part sur le plateau. Amy et Éric émergeraient bientôt des ténèbres pour s'asseoir à leurs côtés, les choses seraient alors plus faciles. Voilà ce que Stacy se disait : *Tu vis le plus dur, ici et maintenant, toute seule avec lui.*

Elle n'aimait pas le bruissement des feuilles. Il lui semblait que le vent seul ne pouvait faire autant de bruit. Quelque chose se déplaçait, se rapprochait peu à peu. Stacy, pensant aux Mexicains armés de leurs arcs et de leurs flèches, dut se faire violence pour ne pas prendre la fuite, lâcher la main de Pablo et partir en courant sur le plateau pour rejoindre Jeff et les autres. Mais c'était idiot, évidemment, tout aussi idiot que l'idée de se cacher dans la tente. Elle n'avait nulle part où aller. À quoi bon fuir, si les bruits qu'elle entendait correspondaient bien à ce qu'elle imaginait ? Cela ne ferait que prolonger sa terreur, ses souffrances. Mieux valait en finir maintenant, vite. Une flèche surgirait des ténèbres, et tout serait terminé. Elle resta assise, les poings fermés. Elle attendait la mort, à l'affût de la vibration sourde d'une corde qui se détend. Elle entendait encore le bruissement furtif des ronces, mais la flèche n'arrivait toujours pas. Enfin, n'y tenant plus – toute cette tension, cette attente dans l'angoisse –, elle finit par demander d'une voix forte :

– Y'a quelqu'un ?

– Quoi ?

C'était la voix de Jeff. Il était encore de l'autre côté du plateau. Le treuil avait cessé de grincer.

– Rien ! cria-t-elle.

Puis, tandis que le treuil se remettait à tourner, elle répéta le mot dans un murmure : « Rien, rien, rien. »

Pablo s'agita, leva les yeux vers elle. Il avait la main glacée, étrangement humide. On aurait dit une charogne trouvée dans un grenier. Il s'humecta les lèvres.

– Rien ? dit-il d'une voix caverneuse.

Stacy acquiesça, lui sourit.

– C'est ça, dit-elle. Ce n'est rien.

Puis elle attendit le retour des autres, s'efforçant de croire qu'en effet ce n'était rien, rien du tout – le vent, son imagination –, qu'elle inventait des monstres tapis dans les ténèbres.

– Ce n'est rien, murmurait-elle sans cesse. Ce n'est rien, ce n'est rien, ce n'est rien.

Amy avait demandé à Éric s'il voulait bien lui tenir la main. Elle était effrayée, lui avait-elle expliqué. Il faisait si sombre au fond du puits, et elle avait besoin de toucher quelqu'un, d'entendre le son d'une voix, de sentir une présence rassurante à ses côtés. Éric avait bien sûr accepté ; même si au début Amy avait trouvé ça un peu bizarre de se retrouver là, à tenir la main du copain de sa meilleure amie, son malaise s'était vite dissipé.

Ils attendaient que Jeff et Matthias reviennent et descendent à nouveau la corde au fond du puits. Amy passa tout ce temps à parler avec Éric, avec application, comme si le moindre silence représentait une menace. Il fallait éviter de penser, se disait Amy, s'arrêter un instant pour considérer l'endroit où ils se trouvaient, ce à quoi ils devaient faire face. Elle avait l'impression d'être assise au bord d'un précipice, de percevoir l'immensité du gouffre à ses pieds tout en essayant de garder les yeux rivés sur l'horizon. Elle préférait continuer à parler. Même s'ils allaient finir par évoquer ce qui les hantait, cette conversation leur donnait au moins l'occasion de se réconforter, de s'épauler et de s'encourager l'un l'autre. Ils n'y seraient pas parvenus seuls. Et puis ils pouvaient toujours se mentir. Ils parlèrent du genou d'Éric qui le faisait souffrir dès qu'il posait le pied à terre, mais l'hémorragie avait cessé. Amy l'assurait que tout irait bien. Ils parlèrent de leur soif terrible, de leurs réserves d'eau – ils n'en pouvaient plus et il restait de quoi tenir un jour ou deux, mais ils s'accordaient pour dire qu'ils arriveraient bien à récolter de l'eau de pluie. Ils se demandèrent aussi si les autres Grecs allaient venir le lendemain matin – selon Éric, c'était probable, et Amy acquiesça, même si elle savait bien qu'ils ne pouvaient qu'espérer que ça soit vrai. Ils évoquèrent plusieurs autres éventualités : signaler leur présence à un avion qui aurait survolé la zone, s'évader au milieu de la nuit, attendre que les Mayas finissent par se lasser, par disparaître dans la jungle. La voie serait libre et eux pourraient enfin s'en aller.

Le seul sujet qu'ils n'abordèrent pas, c'était Pablo. Pablo et sa colonne brisée.

Ils parlèrent de ce qu'ils feraient dès leur retour à l'hôtel, débattirent des mérites de leurs choix respectifs, jusqu'à ce que ces pensées deviennent trop pénibles : les repas dont ils rêvaient tous deux accentuaient leur faim, tandis que l'idée d'une bière bien fraîche ne faisait qu'accroître leur soif, et ils se sentaient d'autant plus crasseux qu'ils s'imaginaient sous la douche.

Le courant d'air frais allait et venait, sans dissiper pour autant l'odeur des excréments de Pablo. Amy avait beau respirer par la bouche, elle percevait la puanteur. Elle avait l'impression d'en être imprégnée, comme si on lui avait badigeonné le corps d'une peinture indélébile et nauséabonde. Éric lui demanda si elle voyait des formes dans le noir, des lueurs flottantes dérivant lentement vers eux.

– Regarde ! Là ! s'exclama-t-il.

Il chercha le menton d'Amy d'un geste maladroit, lui fit pivoter la tête vers la gauche, puis s'immobilisa.

– Une sphère bleutée. On dirait un ballon. Tu la vois, Amy ?

Non, elle ne voyait rien. Il n'y avait rien à voir.

Jeff leur fit savoir qu'ils étaient de retour. Ils n'avaient plus qu'à nouer les cordes pour former un anneau et ils les remonteraient alors, leur cria-t-il depuis l'entrée du puits.

Amy et Éric se firent des politesses pour savoir lequel remonterait le premier, chacun voulant laisser sa place à l'autre. Amy insista pour que ce soit Éric. Après tout, il était blessé, et il avait déjà passé tant d'heures seul au fond du trou. Elle lui jura qu'elle n'avait pas peur, et puis ça ne prendrait qu'une minute ou deux, ça ne la dérangeait pas du tout. Éric ne voulut rien entendre, il refusa tout net. Amy finit par accepter, secrètement soulagée : contrairement à ce qu'elle prétendait, elle était bel et bien terrorisée.

Le treuil se mit à gémir. Jeff et Mathias descendaient la corde.

Il faisait trop sombre pour distinguer l'anneau. Éric et Amy restèrent donc assis à regarder le ciel comme deux aveugles. Le grincement cessa enfin.

– Vous l'avez ? cria Jeff.

Éric et Amy se remirent debout sans se lâcher la main, puis agitèrent lentement leur autre bras jusqu'à ce qu'Amy sente enfin le contact froid du Nylon. Elle eut l'impression que l'anneau venait de se matérialiser dans le noir.

– Le voilà, dit-elle en guidant la main d'Éric.

Ils restèrent un instant immobiles, tous deux agrippés à l'anneau.

– Je l'ai ! hurla Amy.

– À ton signal, répondit Jeff.

Amy entendait la respiration d'Éric à côté d'elle.

– Tu es bien sûr ? lui demanda-t-elle.

– Certain, rétorqua Éric qui se mit à rire, ou tout au moins fit semblant. N'oublie pas de me renvoyer la corde, Amy, c'est tout.

– Comment on fait ?

– Tu passes l'anneau sous tes aisselles.

Elle lui lâcha la main, passa les bras dans l'anneau, puis la tête. Éric l'aida à ajuster la corde sous ses bras.

– Tu es sûr qu'il n'y a pas de problème ? demanda-t-elle encore.

Elle percevait les mouvements de sa tête dans l'obscurité, il acquiesçait.

– Tu veux que je donne le signal ? l'interrompit-il.

– Je peux le faire, dit-elle.

Éric ne répondit pas. Il resta à côté d'elle, le bras posé sur son épaule, attendant qu'elle appelle les autres. Elle renversa la tête, puis hurla : « Prête ! »

Le treuil recommença alors à grincer, et elle s'élevait déjà dans les airs, les pieds balançant dans le vide tandis que la main d'Éric glissait de son épaule pour disparaître dans les ténèbres.

Le gazouillis reprit. Au départ, Éric crut que ça venait d'au-dessus de lui, puis il l'entendit juste devant lui, presque à ses pieds. Il tendit le bras, palpa le sol de ses mains pour ne trouver que des ronces aux feuilles humides, voire gluantes, comme la peau d'un amphibien vivant dans les ténèbres.

Le treuil marqua une pause. Amy se balançait dans le vide au-dessus de lui.

– Tu le vois ? cria Jeff.

Éric ne répondit pas. Le carillon s'était éloigné maintenant. Il s'était déplacé vers le puits face à lui, s'était engouffré dedans pour s'enfoncer dans les profondeurs de la terre. Le son se faisait de plus en plus faible.

– Éric ? cria Amy.

Sur sa gauche flottait un ballon jaune pâle. Une illusion, bien sûr. Ses yeux lui jouaient des tours. Alors, pourquoi ce gazouillis aurait-il été plus réel ? Éric n'allait pas suivre ce son jusque dans l'autre puits. Non, il ne bougerait pas. Il était déterminé à rester accroupi là, une main posée sur la lampe, l'autre sur la boîte d'allumettes, à attendre le retour de l'anneau de corde.

– Je ne le vois pas ! hurla-t-il.

Le treuil se remit à grincer.

Son genou blessé le lançait. Il avait mal à la tête, il avait faim, il avait soif. Il était fatigué aussi. Il essayait de ne pas penser à tout ce dont il avait parlé avec Amy, de se vider l'esprit. Maintenant qu'il se trouvait seul au fond du puits, il était beaucoup plus difficile de croire aux scénarios optimistes qu'ils avaient élaborés. Les Mayas n'allaient pas partir – lequel d'entre eux avait eu cette idée saugrenue ? Comment pensaient-ils pouvoir signaler leur présence à un avion, qui volait si haut, si vite, minuscule point dans le ciel ? *Chiropracteur*, pensa-t-il, s'efforçant de faire taire cette voix intérieure qui posait tant de questions. *Crédits. Collision. Cadavre. Circonstanciel. Courbe. Cumulatif. Cavalier. Contourner.*

Le gazouillis cessa. Un instant plus tard, le grincement du treuil s'interrompit à son tour. Éric entendait les autres aider Amy à se dégager de l'anneau.

Et si les Grecs ne venaient pas ? Ou s'ils se retrouvaient piégés comme eux sur la colline ? *Dérision*, pensa-t-il. *Dilapidé. Décadent.* Et s'il ne pleuvait pas ? Comment feraient-ils pour l'eau ? *Délectable. Divinité. Druide.* Jeff lui avait dit de surveiller son coude écorché. Sous un climat aussi chaud, même une simple égratignure pouvait s'infecter rapidement. Sa blessure au genou était bien plus profonde, et il ne pouvait pas la nettoyer non plus. Sa jambe pouvait se gangrener. Il pouvait la perdre. *Damasser. Désastreux. Déviant.*

Et Pablo... Qu'allait-il lui arriver, maintenant qu'il avait la colonne brisée ?

Le grincement reprit, Éric se releva. *Effervescent*, pensa-t-il. *Eunuque.* Il tenait les allumettes dans une main, la lampe dans l'autre. Il leva les bras, à l'aveuglette, attendant que l'anneau descende enfin.

Stacy et Amy étaient assises l'une à côté de l'autre sur le sol, à moins d'un mètre du brancard de Pablo. Elles se tenaient par la main tout en observant Jeff qui examinait le genou d'Éric. Il avait baissé son pantalon d'un coup, grimaçant en décollant le tissu de sa plaie. Jeff était penché sur lui. Il essayait en vain d'évaluer la gravité de la blessure, mais il ne voyait rien et finit par abandonner. Cela devrait attendre le lendemain matin.

L'hémorragie s'était arrêtée. Voilà tout ce qui comptait pour l'instant.

Mathias bricolait un abri de fortune pour Pablo : un appentis pas très solide qu'il fabriquait avec de la toile de Nylon et des piquets en aluminium – les restes de la tente bleue – en faisant tenir le tout ensemble avec du ruban adhésif.

– L'un d'entre nous devrait sans doute monter la garde pendant que les autres dorment, dit Jeff.

– Pourquoi avons-nous besoin de monter la garde ? demanda Amy.

Jeff fit un signe de la tête en direction de Pablo, étendu sur le brancard, les yeux fermés.

– Au cas où il voudrait quelque chose, dit Jeff. Ou bien si...

Jeff haussa les épaules, regarda au loin, de l'autre côté du plateau, en direction du sentier conduisant au pied de la colline. *Les Mayas,* pensait-il... mais il ne voulait pas le dire à voix haute.

– Je ne sais pas. Ça me paraît pertinent. C'est tout.

Personne ne parlait. Mathias déchira un morceau de ruban adhésif avec les dents.

– Des tours de garde de deux heures, dit Jeff. Éric peut passer le sien.

Éric était assis là, l'air hébété, le pantalon sur les talons. Jeff n'aurait su dire s'il écoutait.

– Je crois aussi que nous devrions nous mettre à collecter notre urine. Juste par sécurité.

– Notre urine ? demanda Amy.

Jeff acquiesça.

– Juste au cas où la pluie ne viendrait pas assez vite et où nous viendrions à manquer d'eau. Nous pouvons tenir un petit bout de temps en...

– Jeff, je ne boirai pas mon urine.

Stacy appuya la remarque d'Amy d'un mouvement de la tête.

– C'est hors de question, ajouta-t-elle.

– Stacy, si nous ne parvenons pas à nous échapper assez vite, c'est soit ça, soit la mort assurée...

– T'as dit que les Grecs arriveraient demain, protesta Amy. Tu nous as dit que...

– Je cherche juste à être prudent, Amy. À faire les choses intelligemment. Et pour ça, il faut justement imaginer le pire. Car si nous en arrivons là, nous regretterons de pas avoir fait plus attention. D'accord ?

Elle ne répondit pas.

– Notre urine va se concentrer à mesure que nous nous déshydratons, poursuivit Jeff. Voilà pourquoi il faut commencer à la collecter dès maintenant.

Éric secoua la tête, puis se frotta le visage.

– Nom de Dieu ! dit-il, putain de Dieu !

Jeff poursuivit sans lui prêter attention.

– Demain, lorsqu'il fera jour, nous évaluerons ce qu'il nous reste d'eau et déciderons comment la rationner. Idem pour la nourriture. Pour l'instant, nous devrions boire une petite gorgée chacun, puis essayer de dormir.

Jeff se tourna vers Mathias qui travaillait encore à la fabrication de l'appentis.

– Tu as encore cette bouteille vide, Mathias ?

Mathias s'avança vers la tente orange. Son sac à dos se trouvait juste à côté. Il l'ouvrit, fouilla à l'intérieur avant d'en sortir une bouteille vide qu'il tendit à Jeff.

Jeff la montra aux autres. C'était une bouteille de deux litres.

– Si vous devez faire pipi, utilisez ça. D'accord ?

Personne ne broncha.

Jeff déposa la bouteille à l'entrée de la tente.

– Mathias et moi, on va finir l'abri de Pablo. Puis je prendrai le premier tour de garde. Quant à vous, essayez de dormir un peu.

Allongés dans le noir sous la tente, ils discutèrent juste assez pour s'accorder sur le fait qu'il valait mieux éviter de parler : cela ne ferait que les énerver. Stacy était étendue sur le dos, entre Éric et Amy. Elle les tenait tous les deux par la main. Éric avait laissé de la place pour Mathias à côté d'Amy. Il y avait encore deux sacs de couchage dans la tente, mais il faisait trop chaud pour les utiliser. Ils les avaient entassés dans un coin, tout au fond de la tente, avec tout le reste, les sacs, la boîte à outils en plastique, les chaussures de randonnée, la gourde. Ils avaient brièvement évoqué l'idée de boire un peu d'eau, chuchotant comme des conspirateurs, penchés au-dessus de la gourde. C'est Amy qui avait eu cette idée. Elle l'avait présentée comme une plaisanterie, la main posée sur le goulot. Difficile de dire si elle pensait ce qu'elle disait. Peut-être aurait-elle avalé goulûment une grosse gorgée si les autres avaient été d'accord. Lorsqu'ils avaient tous fait non de la tête, car ç'aurait été injuste vis-à-vis des autres, elle avait ri et rangé la gourde sans se faire prier. Stacy et Éric avaient ri, mais leurs rires ne lui avaient pas semblé naturels dans cet air confiné, sous cette tente plongée dans les ténèbres. Ils s'étaient d'ailleurs presque aussitôt tus.

Éric ôta ses chaussures, puis Stacy l'aida à retirer son pantalon. Amy et elle restèrent habillées. Stacy ne se sentait pas assez en sécurité pour se dévêtir. Elle voulait être prête à s'enfuir. Elle supposait qu'Amy ressentait la même chose, même si ni l'une ni l'autre ne l'auraient admis. Évidemment, elles n'avaient nulle part où aller.

Stacy restait étendue sans bouger. Elle écoutait la respiration des autres, essayant de deviner s'ils allaient bientôt sombrer dans le sommeil. Elle n'arrivait pas à dormir. Elle était pourtant tellement fatiguée qu'elle en aurait pleuré, mais elle pensait ne jamais trouver le repos. Elle entendait Jeff et

Mathias parler doucement à l'extérieur, sans pouvoir distinguer leurs paroles. Un moment plus tard, Amy laissa aller sa main, se tourna de l'autre côté. Stacy faillit crier pour la rappeler vers elle ; elle se contenta de se rapprocher d'Éric. Il tourna la tête vers elle, se mit à lui parler, mais elle l'interrompit en posant un doigt sur ses lèvres. Elle posa sa tête sur son épaule et se blottit contre lui. Elle sentait l'odeur de sa sueur, et lui lécha la peau pour en goûter le sel. Une de ses mains était posée sur son ventre ; sans vraiment y penser, elle la laissa glisser vers son pubis et s'insinua sous son caleçon. Elle lui toucha le pénis, hésitante, en palpa la chair molle et endormie avant de le couvrir de ses doigts. Elle n'avait pas envie de sexe – elle était trop fatiguée, trop effrayée. Elle voulait juste être rassurée. Ne sachant trop comment faire, elle était allée dans cette direction, faute d'en connaître une autre. Elle voulait que son sexe durcisse, qu'il éjacule dans ses doigts, que son corps se cambre au moment de l'orgasme. Elle pensait trouver là une sorte de réconfort, une sécurité illusoire.

Éric ne fut pas long à jouir. Son pénis se mit à durcir lentement sous ses doigts. Elle le caressa, toujours plus vite, grimaçant sous l'effort. Sa respiration se fit plus forte, plus caverneuse, quand soudain, alors qu'elle commençait à avoir des crampes dans le poignet, Éric émit un gémissement de plaisir. Stacy entendit le premier jet de sa semence retombant mollement sur le sol de la tente. Elle sentit son corps se détendre, s'endormir peu à peu, à mesure que la tension se dissipait. C'était contagieux, un soulagement subit, un apaisement brutal, comme si tout son corps se dégonflait d'un coup. Il lui sembla que sa peur s'atténuait, ne serait-ce que pour un temps. C'était tout ce dont elle avait besoin : durant ce bref instant – miraculeusement –, alors qu'elle avait encore le pénis gluant d'Éric dans la main, Stacy glissa dans le sommeil.

Amy avait tout entendu. Elle était restée étendue là, à l'écoute du bruissement furtif de la main de Stacy, ce va-et-vient à la cadence de plus en plus rapide entraînant la respiration de plus en plus sonore d'Éric, le tout suivi d'un gémissement étouffé puis d'un long silence. Dans un tout autre contexte, elle aurait trouvé ça amusant. Elle aurait même taquiné Stacy le lendemain matin, peut-être aurait-elle même ponctué cet orgasme d'une remarque, applaudi en criant : « Bravo ! Bravo ! » Mais là, dans l'obscurité confinée de la tente, elle s'était contentée de subir en fermant les yeux. À présent, les deux amants étaient endormis et Amy les envia un peu. Jeff lui manquait. Elle aurait voulu qu'il soit là, qu'il l'étreigne et qu'elle s'endorme entre ses bras, apaisée. Le rabat se releva, Mathias entra pieds nus. Il l'enjamba pour aller s'allonger à côté d'elle. Au grand étonnement d'Amy, il s'endormit très vite, comme les deux autres. Ça semblait aussi simple que d'enfiler une chemise. Il suffisait de l'ajuster, de la rentrer dans son pantalon, d'en lisser les plis puis de s'endormir, les paupières closes. Amy commença à compter les ronflements de Mathias, parfois si profonds qu'ils résonnaient dans la tente, tandis que d'autres se perdaient en un murmure à peine audible. Arrivée à cent, elle se releva, marcha à quatre pattes jusqu'au rabat, l'ouvrit, et se faufila au-dehors, dans la nuit.

Il faisait moins noir à l'extérieur. Amy vit la silhouette de Jeff à côté de la forme plus imposante de l'appentis et perçut le mouvement de sa tête lorsqu'il se tourna pour la regarder. Il ne dit rien, sans doute pour ne pas réveiller Pablo. Elle ramassa la bouteille en plastique, défit son pantalon, s'accroupit devant la tente tandis que Jeff l'observait dans l'obscurité, puis elle se mit à uriner. Il lui fallut un instant avant de guider le jet jusqu'au goulot, elle s'aspergea même la main. La bouteille était déjà lourde de l'urine d'un autre – Mathias, pensa Amy. Il y avait quelque chose de troublant à entendre le bruit de son jet rencontrant l'urine d'un autre, éclaboussant les parois de la bouteille avant de se mêler au liquide. Elle n'allait pas boire ça. Ils n'en arriveraient jamais là. Elle le faisait juste pour montrer à Jeff qu'elle n'était pas mauvaise joueuse. Il voulait qu'elle fasse pipi dans la bouteille ? Pas de problème ! Mais le lendemain matin, les Grecs allaient arriver, et rien de tout ça n'aurait plus d'importance. Ils les enverraient chercher de l'aide ; à la tombée de la nuit tout serait réglé. Elle referma la bouteille, la replaça à côté de l'entrée de la tente, remonta son pantalon puis se dirigea vers Jeff tout en reboutonnant sa braguette.

La lune s'était levée, enfin – une lune minuscule, fin croissant argenté suspendu au-dessus de l'horizon. Elle ne diffusait guère de lumière. Amy parvenait à voir quelques formes, sans distinguer aucun détail. Jeff était assis en tailleur, l'air étrangement apaisé, satisfait même. Amy s'assit à côté de lui, tendit la main pour prendre la sienne comme si ce contact avait pu l'aider à atteindre la même sérénité. Elle s'efforçait de ne pas regarder le corps sous l'appentis. *Il dort*, se dit elle. *Tout va bien.*

– Jeff ? Qu'est-ce que tu fais ? murmura-t-elle.

– Je réfléchis.

– À quoi ?

– J'essaie de me rappeler des choses.

Amy se sentit soudain comme aspirée. Elle éprouva une sensation de vertige, comme si elle avait touché le visage de quelqu'un dans le noir en tâtonnant pour trouver l'interrupteur. Le souvenir d'une visite rendue au père de sa mère lui revint. Étendu sur son lit de mort, couvert d'électrodes, intubé et sous perfusion, le vieil homme toussait comme le font les fumeurs. On lui injectait des fluides transparents au goutte-à-goutte tandis que l'on débarrassait son corps d'autres liquides brunâtres. Amy avait alors six ans, peut-être sept. Elle n'avait pas lâché la main de sa mère, pas une seule fois au cours de la visite, pas même lorsqu'elle s'était avancée d'un pas hésitant vers le mourant pour déposer un dernier baiser sur sa joue barbue.

– Qu'est-ce que tu fais, Papa ? avait demandé sa mère au vieil homme en arrivant.

– J'essaie de me rappeler des choses, avait-il répondu.

Voilà ce que faisaient les gens en attendant la mort. Ils restaient étendus là en s'efforçant de se souvenir des détails de leur vie, des événements qui leur semblaient inoubliables au moment où ils les avaient vécus, tout ce qu'ils avaient goûté, humé et entendu, les idées qui leur étaient venues comme des révélations. Et c'est ce que Jeff faisait en ce moment. Il avait abandonné. Ils n'allaient pas survivre dans cet endroit. Ils connaîtraient la même fin qu'Henrich, criblé de flèches, les os enveloppés dans des ronces en fleur.

Mais non ! Elle avait tort. Jeff n'abandonnait jamais. Pas lui. Elle aurait dû le savoir.

– Il y a un moyen de distiller l'urine, dit-il. Tu creuses un trou, tu verses l'urine dans un récipient ouvert que tu places dans le trou. Ensuite, tu recouvres le trou d'une bâche imperméable, tu la fixes avec des poids pour qu'elle reste bien en place. Puis tu poses une pierre au milieu pour que le tissu s'affaisse un peu à cet endroit. Et puis, juste en dessous, dans le trou, tu installes un bol vide. Le soleil réchauffe l'air du trou. L'urine s'évapore, puis se condense sur la bâche. Les gouttelettes glissent jusqu'au centre et tombent dans le bol. Ça te semble juste ?

Amy se contenta de le regarder fixement. Elle avait cessé d'écouter dès le commencement de sa démonstration.

Cela n'avait pas d'importance. Jeff ne s'adressait pas vraiment à elle, elle le savait : il réfléchissait à voix haute. Sans doute ne l'aurait-il même pas entendue si elle s'était donné la peine de lui répondre.

– Je suis pratiquement sûr que c'est juste, dit-il. Mais j'ai l'impression d'avoir oublié quelque chose.

Amy ne voyait pas son visage dans la pénombre, mais elle l'imaginait facilement : le sourcil légèrement froncé, le front barré d'une ride, les yeux plissés comme s'il scrutait son visage. Pure illusion toutefois, car son regard la traversait, se perdait dans le lointain.

– Nous ne sommes pas obligés d'utiliser de l'urine, dit-il enfin. Nous pourrions couper les ronces et les mettre dans le trou. La chaleur en extrairait l'eau de la même façon.

Amy ne savait que répondre. Depuis leur arrivée, Jeff s'était montré nerveux. Il avait la voix plus sonore et les gestes un peu trop amples. Elle avait pensé que ce devait être un symptôme de son angoisse. Il ressentait la même peur, la même nervosité que les autres. Mais peut-être n'était-ce pas vraiment le cas, après tout. Peut-être était-ce quelque chose de plus étonnant. Peut-être était-ce de l'excitation. Amy eut soudain le sentiment que Jeff s'était préparé toute sa vie à une situation de ce genre – une crise, une catastrophe. Il s'était entraîné, avait étudié, lu des ouvrages, mémorisé des faits. Dans le sillage de ses pensées se fit jour une autre idée : si quelqu'un devait les sortir de là, ce serait Jeff. Cela aurait dû la rassurer, mais ce n'était pas le cas. Cette idée la troublait. Elle voulait se détacher de lui, retourner dans la tente. Il semblait heureux d'être là. Et cette simple idée lui donnait envie de fondre en larmes.

Je ne vais pas boire de l'urine, avait-elle envie de dire. *Même distillée, je n'en boirai pas.*

Au lieu de cela, elle releva la tête, renifla. Il flottait dans l'air une odeur de bois, légèrement musquée, une odeur de feu de camp. Son estomac ne tarda pas à réagir. Elle avait faim. Ils n'avaient rien mangé depuis le matin.

– Est-ce que c'est de la fumée ? murmura-t-elle.

– Ils ont fait du feu, dit Jeff en faisant un geste circulaire. Il y a des feux tout autour de la colline.

– Pour faire la cuisine ? demanda-t-elle encore.

– Non, pour nous voir. Ils veulent s'assurer que nous n'allons pas profiter de la nuit pour nous évader.

Amy réfléchit à cette réponse, et à tout ce qu'elle impliquait. Ils étaient assiégés.

Elle le savait, elle aurait dû poser certaines questions à Jeff. Elle voyait de nouvelles portes s'ouvrir le long du couloir devant elle : elles menaient à des pièces qu'il fallait explorer. Elle ne pensait pas avoir le courage d'entendre les réponses qu'il pourrait lui donner. Elle garda donc le silence, la peur chassant la faim, tandis que son estomac palpitant se serrait peu à peu.

– Il y aura de la rosée demain matin, dit Jeff. Nous pourrions nouer des haillons à nos chevilles, traverser les ronces et recueillir l'humidité ainsi. Nous pourrions ensuite tordre ces linges pour en extraire l'eau. Ce ne serait pas grand-chose, mais si...

– Arrête, dit-elle malgré elle. S'il te plaît, Jeff.

Il se tut, puis l'observa en silence dans l'obscurité.

– Tu nous as dit que les Grecs allaient venir.

Jeff marqua une pause, comme s'il hésitait entre plusieurs réponses. Puis, très calmement, il dit :

– C'est vrai.

– Alors, ça n'a pas d'importance.

– J'imagine que non.

– Et puis il va pleuvoir. Il pleut tout le temps.

Jeff acquiesça en silence. Il essayait de la rassurer, c'était clair. Amy voulait qu'il la rassure, qu'il lui dise que tout allait bien, qu'on viendrait à leur secours le lendemain, qu'ils n'auraient pas besoin de creuser un trou pour distiller leur urine ni de nouer des haillons autour de leurs chevilles pour arpenter la colline en traînant des pieds afin de recueillir la rosée. Une gorgée de rosée, extraite de linges sales – comment avaient-il pu en arriver là ?

Ils restèrent assis tous les deux en silence, se tenant toujours par la main. Amy se rappelait le jour où elle était sortie du ciné au beau milieu d'un film. C'était leur second rendez-vous. Jeff avait glissé son bras au creux de son coude. Il pleuvait ce jour-là. Ils avaient partagé un parapluie, serrés l'un contre l'autre. Il était plus timide qu'elle ne l'aurait cru. Même ce soir-là, si près l'un de l'autre, tandis que la pluie crépitait quelques centimètres au-dessus de leurs têtes, Jeff n'avait pas osé l'embrasser pour lui dire au revoir. Cela devait arriver une ou deux semaines plus tard, et c'était bien ainsi. Le reste n'en avait que plus de poids : tous ces petits gestes, son bras crochetant le sien au moment où ils quittaient l'abri de la marquise illuminée pour battre le pavé luisant de pluie. Elle faillit évoquer ce moment mais se ravisa, inquiète. Jeff avait peut-être tout oublié. Ce qui l'avait tant touchée, tant réjouie, n'avait peut-être été qu'un geste machinal de sa part, un réflexe face au temps peu clément, et non un premier pas hésitant sur le chemin menant à son cœur.

Le vent se leva et Amy eut presque froid, mais la brise ne dura guère et la chaleur revint bientôt. Elle transpirait. Elle n'avait cessé de transpirer depuis sa descente du bus. Cela faisait des heures déjà. Une autre époque, en quelque sorte. Pablo remua la tête, marmonna quelques mots puis se tut. Amy avait du mal à résister à la tentation de le regarder, elle dut même fermer les yeux.

– Tu devrais être en train de dormir, dit Jeff.

– Je n'y arrive pas.

– Tu vas en avoir besoin.

– Je n'y arrive pas, je te dis !

Amy avait conscience qu'elle venait de se montrer colérique, grognon. Et voilà ! Elle recommençait à se plaindre. Elle venait de gâcher ce moment de quiétude qu'ils partageaient enfin, cette fausse impression de paix. Elle aurait voulu pouvoir revenir sur ce qu'elle avait dit, adoucir ses propos, puis s'allonger en posant la tête sur les genoux de Jeff pour qu'il la réconforte et l'aide à s'endormir. Sa main gauche était encore poisseuse d'urine. Elle la porta à ses narines pour la renifler. Puis, sans le vouloir, elle ouvrit les yeux et regarda Pablo. Ils avaient enlevé le sac de couchage. Il était allongé sur le dos, sous l'appentis, les bras croisés sur la poitrine, les yeux clos. *Il dort,* se dit-elle pour se rassurer, *il se repose*. Les dégâts étaient invisibles, bien cachés à l'intérieur, mais il était facile d'imaginer... Des vertèbres brisées, une colonne écrasée. Il avait l'air diminué, plus âgé aussi, comme fané. Amy ne comprenait pas comment il avait pu changer aussi vite. Elle se souvenait encore de lui debout au bord du gouffre, portant ce téléphone imaginaire à son oreille, leur faisant signe d'approcher. Il lui semblait impossible que cette silhouette en haillons puisse appartenir à la même personne. Son pantalon avait disparu et il était nu, à l'exception du torse. Ses jambes avaient l'air bizarres, comme de travers, comme si on l'avait laissé choir là sans faire attention. Amy vit soudain son pénis, presque enfoui sous la masse sombre de ses poils pubiens. Elle détourna le regard.

– Tu lui as retiré son pantalon, dit-elle.

– Nous l'avons découpé.

Amy les imaginait tous les deux, Jeff et Mathias, penchés sur le brancard, l'un coupant le tissu avec un couteau tandis que l'autre tenait les jambes de Pablo. Mais c'était inutile. Pas besoin de lui tenir les jambes, évidemment. Mathias était comme Jeff, pensa Amy : fonçant toujours tête baissée, l'œil rivé sur son objectif, un survivant en somme. Son frère était mort, mais il était bien trop discipliné pour se laisser aller au désespoir. C'est lui qui avait dû manier le couteau tandis que Jeff, accroupi à ses côtés, se chargeait de mettre à part les bandes de tissu, songeant déjà à ce qu'il pourrait en faire. Ils pourraient utiliser les tissus les moins souillés pour les nouer autour de ses chevilles le matin et collecter la rosée pour la boire ensuite. Amy savait qu'à la place de Mathias, elle serait restée au pied de la colline, s'agrippant à son corps putréfié, sanglotant, hurlant de douleur. Mais cela ne servait à rien, n'est-ce pas ?

– Il faut que nous puissions le garder propre, dit Jeff. C'est comme ça que ça risque d'arriver, je crois. Enfin si ça arrive...

Le vent se leva de nouveau. Amy frissonna. Elle respirait par la bouche, s'efforçant de ne pas sentir l'odeur des feux brûlant au pied de la colline.

– S'il arrive quoi au juste, Jeff ?

– S'il meurt ici. Ce sera d'une infection, j'imagine. Une septicémie, peut-être. Un truc dans le genre. Nous ne pouvons rien faire, vraiment rien, pour enrayer une infection.

Amy se déplaça légèrement et lâcha la main de Jeff. On n'était pas censé dire ces choses-là, mais Jeff l'avait fait, malgré tout, et avec une telle nonchalance, comme s'il avait chassé une mouche d'un geste de la main. *S'il meurt ici.* Amy avait envie de dire quelque chose, d'évoquer une autre possibilité – plus optimiste. Les Grecs allaient arriver le lendemain matin, voilà ce qu'elle voulait lui dire. Demain, à la même heure, ils seraient tous sains et saufs. Personne n'aurait à boire d'urine, ni de rosée. Pablo n'allait pas mourir. Mais elle ne dit rien. Elle avait peur que Jeff ne la contredise.

Jeff bâilla, s'étira, étendant les bras au-dessus de sa tête.

– T'es fatigué ? demanda Amy.

Il fit un geste vague dans le noir.

– Pourquoi tu ne vas pas te coucher ? Je peux rester à côté de lui. Ça ne me dérange pas, dit-elle en montrant la tente.

Jeff jeta un œil à sa montre, appuya sur un bouton pour l'éclairer brièvement. Vert pâle. Si elle avait cligné des yeux un instant, elle n'aurait rien vu. Il resta silencieux.

– T'en as pour combien de temps encore, Jeff.

– Quarante minutes.

– Je les ajouterai à mes heures. Je n'arrive pas à dormir de toute façon.

– Ça va, Amy.

– Vraiment, insista-t-elle. Nous n'avons pas besoin d'être deux à rester éveillés.

Jeff jeta encore un coup d'œil à sa montre. Le même vert phosphorescent. Amy voyait presque son visage, la pointe de son menton. Il se tourna vers elle.

– Je crois que je vais descendre au pied de la colline, dit-il.

Amy savait de quoi il parlait, mais elle ne voulait pas l'admettre.

– Pourquoi ?

Il fit un geste en direction de l'horizon.

– Il y a un coin où les feux sont plus espacés. On pourrait peut-être se faufiler...

Amy revit alors le frère de Mathias, le corps criblé de flèches. *Non*, pensa-t-elle. *N'y va pas.* Mais elle ne dit rien. Elle voulait croire qu'il pouvait y arriver, qu'il pourrait traverser la clairière tel un fantôme, lentement, sans un bruit, invisible pour les Mayas qui montaient la garde. Puis il filerait dans la jungle, courrait à travers bois.

– Je suppose qu'ils surveillent les sentiers. Si je descends à travers les ronces...

Il marqua une pause. Il attendait la réaction d'Amy.

– Il faut que tu sois prudent, dit-elle.

Elle ne pouvait faire mieux.

– Je vais juste repérer les lieux. Je ne tenterai ma chance que si la voie est libre.

Elle acquiesça sans savoir s'il la voyait. Il se leva, puis se baissa pour renouer l'un de ses lacets.

– Si je ne reviens pas, dit-il, tu sauras où je suis.

Il serait en fuite, voilà ce qu'il voulait dire. Parti chercher des secours. Mais la seule image qui vint à l'esprit d'Amy fut celle du cadavre d'Henrich, les os de ses pommettes affleurant sous la chair décomposée de son visage.

– D'accord, dit-elle, tout en pensant : *Non, n'y va pas. Arrête.*

Mais elle resta assiste à côté de Pablo, le regarda s'éloigner, sans rien ajouter, et Jeff disparut dans les ténèbres.

Eric se réveilla brièvement lorsque Jeff longea la tente. Il était allongé sur le dos et se demandait où il se trouvait. Il avait soif. Il avait mal à la jambe, et il faisait plus noir que d'ordinaire. Tout lui revint d'un coup. Toute la journée qu'il venait de vivre défila en un éclair. Les Mayas armés de leurs arcs, sa descente dans le puits, la manière dont il avait jeté le corps de Pablo sur le brancard avec l'aide d'Amy. Cette dernière scène lui était insupportable. Trop horrible... Il chassa cette image de son esprit. Il se sentait misérable.

Stacy s'était tournée sur le côté. Quelqu'un ronflait à l'autre bout de la tente. Mathias, sans doute. Éric se demandait quelle heure il pouvait bien être, et comment allait Pablo. Il pensa se relever pour vérifier son état, mais il était trop fatigué. L'envie se dissipa peu à peu tandis que ses yeux se refermaient lentement. Il passa la main dans son caleçon pour se gratter le pubis. C'était poisseux. Il se rappela alors que Stacy l'avait branlé. Mais il y avait autre chose aussi, là, dans le noir, quelque chose de doux, qui hésitait, persistant néanmoins, comme si une toile d'araignée lui frôlait la jambe. Il essaya de s'en débarrasser en agitant la jambe, roula sur le côté, et finit par s'endormir.

Jeff se frayait un chemin à travers les ronces, fonçant droit devant lui vers le pied de la colline. Les Mayas avaient placé des feux à intervalles réguliers à la lisière de la clairière, assez rapprochés pour éclairer toute la zone. Mais il y en avait deux un peu plus espacés, laissant une étroite bande d'ombre au milieu. Ce n'était pas grand-chose. Jeff le savait, cela ne suffirait pas. Il faudrait autre chose, un moment d'inattention, que l'un des Mayas s'assoupisse ou encore que deux d'entre eux se racontent une histoire à voix basse. Dix secondes, c'est tout ce dont il avait besoin, peut-être vingt, juste assez pour s'approcher de la clairière, la traverser, et disparaître dans la jungle.

Il était plus difficile de franchir les ronces qu'il ne l'avait d'abord pensé. Elles lui arrivaient à hauteur de genou, parfois presque à la taille. Elles s'accrochaient à lui sur son passage, lui enlaçaient les jambes de leurs vrilles. Il avançait lentement, le chemin était ardu. Il devait sans cesse s'arrêter pour reprendre son souffle. Il savait qu'il devait économiser ses forces pour la suite, au cas où il devrait foncer droit dans la jungle sous les cris des Mayas. Ils le mettraient alors en joue, il entendrait le sifflement de leurs flèches.

C'est après l'une de ces pauses, alors qu'il était à peine arrivé à mi-pente, que les oiseaux se mirent à corner. Ils poussaient des cris stridents, indiquant son passage à travers les ronces. Jeff ne les voyait pas dans le noir. Il s'arrêta, et ils se turent. Mais à peine eut-il fait un pas en avant qu'ils recommencèrent leur tapage de plus belle. Des cris puissants, dissonants. Jeff avait l'impression qu'il y en avait toute une colonie à flanc de coteau. Il se souvint soudain d'une scène de son enfance, alors qu'il visitait la volière du zoo. Il avait eu si peur du bruit, des échos, des battements d'aile subits. Son père lui avait montré le filet de métal juste au-dessus d'eux, tentant de le calmer, mais cela n'avait pas suffi. Jeff s'était mis à pleurer et les avait obligés à partir. *Inutile de poursuivre*, pensa Jeff. Les Mayas savaient maintenant qu'il approchait. Mais il continua néanmoins sa descente, accompagné dans les ténèbres par les cris suraigus des oiseaux.

Approchant du pied de la colline, il vit les Mayas qui l'attendaient. Sur sa gauche, trois hommes se tenaient debout, à côté du feu, et deux autres à sa droite. L'un d'eux tenait un fusil, les autres bandaient leurs arcs. Tous étaient prêts à tirer. Jeff hésita, puis posa un pied dans la zone défrichée. La douce lumière des feux dansait sur son corps. Les archers ne semblaient pas le regarder. Ils scrutaient le coteau comme s'ils s'attendaient à voir arriver les autres à sa suite. L'homme au fusil leva son arme et visa la poitrine de Jeff. Au même instant, les oiseaux se turent.

Les Mayas se tenaient là, le dos tourné aux feux – pour ne pas troubler leur vision nocturne, pensa Jeff. Leurs visages étaient noyés dans l'ombre, et Jeff ne pouvait dire s'il s'agissait des hommes rencontrés en arrivant à la colline, ou de nouveaux venus. À sa droite, il vit une grosse marmite suspendue à un trépied au-dessus du feu. Il en émanait une épaisse vapeur : le fumet du ragoût de poulet, de tomates. Jeff sentit son estomac se réveiller. Il avait faim. Quelqu'un chantait doucement dans l'ombre, un peu plus loin. Une voix de femme. Mais l'un des archers émit un sifflement aigu et elle s'interrompit. Personne ne dit mot. Les Mayas l'observaient pour voir ce qu'il allait faire.

Jeff aurait voulu pouvoir leur parler, leur demander ce qu'ils voulaient, pourquoi ils les gardaient prisonniers sur cette colline, et ce qu'ils devaient faire pour regagner leur liberté. Mais il ne connaissait pas leur langue, évidemment, et de toute façon il ne pensait pas qu'ils daigneraient lui répondre. Non, ils continueraient à le regarder fixement, les armes levées, à l'affût. Jeff avait le choix : s'avancer courageusement vers eux et se laisser abattre comme le frère de Mathias, ou bien tourner les talons et rebrousser chemin, lentement, à travers les ronces, accompagné par les cris des oiseaux, perdu dans les ténèbres. Aucune autre option.

Jeff remonta donc la colline.

De manière inexplicable, le retour fut bien plus aisé que l'aller. Il fallait bien sûr gravir la colline, et son poids le tirait en arrière, mais les ronces semblaient s'écarter sur son passage au lieu de s'agripper à ses mollets comme pour le prendre au piège de leurs lacets. Plus surprenant encore, les oiseaux restaient muets. Jeff s'en étonnait à mesure qu'il remontait. Peut-être s'étaient-ils envolés au loin durant son face-à-face muet avec les Mayas. Dans ce cas, pourquoi n'avait-il pas entendu leurs battements d'ailes ? Et pourquoi n'avait-il pas remarqué les oiseaux plus tôt, pendant qu'il faisait encore jour ? Il devait y en avoir un grand nombre, à en juger par leur vacarme lorsqu'il avait descendu la colline. Il lui semblait étrange de ne pas avoir perçu leur présence plus tôt. Ils avaient dû arriver au crépuscule, c'était la seule explication plausible. Mathias et lui étaient alors bien trop occupés à remonter Pablo du fond du puits pour les remarquer. Les oiseaux passaient donc la nuit là ; cela signifiait qu'il devrait pouvoir trouver leurs nids le matin venu, peut-être aussi leurs œufs. Il pourrait au moins fabriquer quelques lacets pour prendre au piège les adultes. À cette pensée, Jeff se sentit soulagé. Ils pourraient distiller leur urine, récolter la rosée et attendre la pluie, mais rien de tout cela ne les nourrirait. Il avait repoussé ce problème, refusé d'y réfléchir car il pressentait qu'il ne trouverait pas de solution. Mais maintenant, tel un cadeau inattendu, il semblait bien qu'il eût fini par trouver.

Il devraient utiliser quelque chose de fin, pensa-t-il, mais d'assez solide, aussi, comme du fil de pêche. Il était trop fatigué pour y réfléchir plus avant. Aucune importance. Ils avaient du temps devant eux. Il devait maintenant retourner à la tente et s'endormir, c'est tout. Le lendemain matin, lorsqu'il ferait jour, tout deviendrait clair : ce qui restait à faire et la façon de s'y prendre pour y parvenir.

Le troisième tour de garde revenait à Stacy. Amy lui toucha l'épaule pour la réveiller, murmurant qu'il était l'heure. Stacy avait soif. Les yeux ouverts, elle n'était pas encore tout à fait réveillée. Il faisait trop sombre à l'intérieur de la tente pour voir quoi que ce soit. Elle sentait la présence d'Éric, étendu là, le dos tourné, celle d'Amy, accroupie au-dessus d'elle, tâchant de l'éveiller, et puis Jeff et Mathias. Les garçons étaient tous endormis. Mathias ronflait légèrement.

Amy continuait à lui murmurer qu'il était l'heure. Stacy ne comprit pas tout de suite ce qu'elle disait, puis ses paroles firent sens, enfin. Elle était réveillée. Elle se leva et quitta la tente, en prenant soin de refermer le rabat derrière elle.

Réveillée, mais encore hébétée. Elle devait y retourner pour emprunter la montre d'Amy. Elle enjamba prudemment Jeff tandis qu'Amy sombrait doucement dans le sommeil. Amy marmonna quelque chose en lui tendant le bras. Stacy dut s'y prendre à plusieurs reprises avant de parvenir à défaire le bracelet de sa montre. Elle ressortit enfin, seule avec Pablo, assise à côté de lui, de mieux en mieux réveillée. Elle passa la montre d'Amy autour de son poignet. Elle était chaude, un peu humide sur sa peau.

Pablo dormait. Elle entendait sa respiration, qui n'avait pas l'air normale. Trop de fluides accumulés, un son trop rauque. Stacy se mit à imaginer ses poumons, ce qui se passait à l'intérieur de lui, les crises latentes, les systèmes défaillants. Elle le regarda d'un air songeur sans vraiment le voir. Plusieurs minutes s'écoulèrent avant qu'elle remarque ses jambes dans le noir, son entrejambe, découvert. Elle eut soudain envie – c'était absurde, inapproprié, et elle se reprit aussitôt – de tendre la main pour toucher son pénis. Le sac de couchage était étendu sur le sol à côté du brancard. Elle se leva pour couvrir Pablo. Elle le fit tout doucement, pour ne pas le réveiller.

Il remua, tourna la tête, mais garda les yeux fermés.

Stacy aurait dû profiter de ce moment pour évaluer la situation, se remémorer la journée passée, ou imaginer les heures à venir. Mais elle ne pouvait s'y résoudre. Elle restait assise là, à écouter la respiration lourde de Pablo, l'esprit vide de toute pensée, à demi éveillée. Elle avait les yeux ouverts, consciente de ce qui l'entourait ; elle aurait remarqué un changement dans la respiration de Pablo, ou même un appel, mais elle ne se sentait pas pleinement présente. Elle imagina un mannequin dans un magasin, regardant fixement la rue derrière la vitrine. Voilà ce qu'elle ressentait.

Elle consultait sans cesse la montre d'Amy, plissant les yeux pour lire l'heure dans le noir. Sept minutes venaient de s'écouler, puis trois, puis six, puis deux... et elle cessa ce manège. Son tour de garde ne lui semblerait que plus long à force de le décomposer ainsi.

Elle essaya de chanter en pensée pour passer le temps, mais il ne lui venait que des chants de Noël. *Petit Papa Noël*, *Mon beau sapin*, *Il est né le divin enfant*... Elle ne connaissait pas toutes les paroles, et n'aimait guère le son de sa voix, la modulation des mots dans sa tête. Elle cessa, regardant Pablo d'un œil vide.

Involontairement, elle vérifia encore une fois l'heure. Elle était debout depuis vingt-neuf minutes. Encore une heure et demie à tenir. Elle eut un instant de panique : qui devait-elle réveiller après ? Elle finit par s'en souvenir, et cela l'emplit de fierté. Amy lui avait touché l'épaule pour la réveiller, et Jeff était le premier à y être allé, donc Mathias était le suivant. Elle jeta un autre coup d'œil à la montre. Une minute venait de s'écouler.

J'espère seulement que Pablo ne se réveillera pas, pensa-t-elle, et à cet instant même il ouvrit l'œil, comme si ses pensées l'avaient tiré de son sommeil.

Il resta allongé, parfaitement immobile, scrutant le visage de Stacy. Puis il toussa en détournant la tête. Il leva la main, comme pour se couvrir la bouche, mais il n'en avait apparemment pas la force. Sa main resta suspendue en l'air quelques secondes, juste au-dessus de sa pomme d'Adam, puis retomba mollement sur son torse. Il s'humecta les lèvres, se tourna à nouveau vers elle, dit quelques mots en grec. Une question sans doute. Stacy lui sourit, sans grande sincérité. Il devait le percevoir, lui aussi. Il devinait tout ce qu'elle cherchait à cacher derrière son sourire... à quel point la situation était désespérée. Elle ne pouvait s'en empêcher. Impossible de l'effacer de son visage.

– Ça va aller, dit-elle, mais, évidemment, cela ne suffisait pas.

Pablo prononça encore quelques mots, lui posa la même question. Il fit une pause, puis recommença. Il se mit à remuer les bras pour appuyer ses mots tandis que ses mains palpaient le vide. Tous ses gestes ne faisaient qu'attirer son attention sur ses jambes immobiles sous le sac de couchage. Stacy sentit peu à peu la panique l'envahir. Elle ne savait pas ce qu'elle était censée faire.

Pablo continua à parler. Toujours la même question, encore et encore, frappant l'air de ses mains.

Stacy fit mine d'acquiescer, se reprit, inquiète... Lui demandait-il s'il allait mourir ? Elle essaya de secouer la tête, mais se ravisa. Et s'il lui demandait s'il avait une chance de s'en sortir ? Elle souriait encore – elle ne pouvait faire autrement. Elle était assise là, à le regarder fixement. Elle sentait les larmes lui monter aux yeux, mais elle ne voulait pas pleurer, non, surtout pas. Elle devait se montrer forte, le rassurer, ne serait-ce que parce qu'elle était à ses côtés à présent, que c'était son ami, et qu'elle l'aurait aidé si elle l'avait pu. Elle se demandait ce que Pablo avait compris... Qu'il avait les reins brisés ? Qu'il ne marcherait sans doute plus jamais ? Qu'il pouvait tout aussi bien mourir ici, avant même qu'ils ne parviennent à alerter les secours ?

Pablo agitait toujours les bras, continuait à lui poser sa sempiternelle question, d'une voix plus forte, comme pour signifier son impatience ou sa contrariété. Six ou sept mots, devina Stacy, même si c'était difficile à dire. Tout semblait s'entrelacer. Les consonnes avaient une sonorité presque liquide qui en brouillait les contours, et chaque mot écoulait sa substance dans le suivant. Elle essayait de deviner ce que cela signifiait, en vain. « Est-ce que je vais mourir ? », « Est-ce que je vais m'en sortir ? »... Voilà les seules pensées qui lui venaient à l'esprit. Elle restait donc assise à ses côtés, se demandant s'il fallait acquiescer ou réfuter, incapable de se décider, de bouger même, tandis que son sourire hypocrite se figeait lentement sur son visage. Elle voulait regarder l'heure de nouveau, elle voulait que quelqu'un sorte de la tente pour l'aider, que Pablo se taise enfin, qu'il se rendorme, que ses paupières se fassent lourdes, que ses bras cessent de s'agiter ainsi. Elle lui prit la main, la serra fort. Il sembla se calmer un peu. Puis, sans y penser, elle se mit à entonner des chants de Noël, tout doucement, fredonnant des paroles oubliées. *La Marche des rois*, *Petit Papa Noël* et *Vive le vent*. Pablo s'apaisa. Il lui sourit, comme s'il avait reconnu les chansons. Il lui sembla même qu'il voulait reprendre en chœur *Douce Nuit*, marmonnant les paroles en grec. Il ferma enfin les yeux. Elle sentit sa main se détendre dans la sienne. Il se rendormit, reprit cette même respiration lourde, presque liquide.

Stacy cessa de chanter. Elle voulait se relever pour se détendre un peu les jambes, mais craignait de réveiller Pablo en lui lâchant la main. Elle ferma les yeux – *je me repose juste un peu*, se dit-elle. Elle écouta sa respiration. Si seulement elle avait eu un son un peu plus normal. Elle comptait ses inspirations, adoptait son rythme : *un, deux, trois, quatre...*

Soudain, Mathias fut à son côté, accroupi dans l'ombre, la main posée sur son avant-bras, glaciale. Elle le regarda d'un air hébété, confuse, un peu inquiète. Elle ne le reconnaissait pas, se demandait ce qu'il lui voulait, puis tout lui revint à l'esprit : elle comprit alors qu'elle s'était endormie. Elle était troublée, embarrassée... Elle avait failli à sa tâche. Elle s'assit avec peine.

– Je suis désolée, dit-elle.

Mathias sembla surpris.

– De quoi ? demanda-t-il.

– Je me suis endormie.

– C'est bon.

– Je n'en avais pas l'intention, dit-elle. Je lui chantais des airs de Noël et puis il...

– Chuuut... dit Mathias en lui tapotant le bras.

Lorsqu'il retira sa main, Stacy bascula vers l'avant, légèrement déséquilibrée. Elle sentit qu'elle se penchait vers lui, elle devait se retenir.

– Il va bien, dit Mathias. Regarde.

Il fit un signe de tête en direction de Pablo qui dormait encore, la bouche entrouverte, la tête tournée de l'autre côté. Il n'avait pas l'air bien, pourtant. Plutôt dévasté, comme si quelque chose lui comprimait la cage thoracique, absorbant lentement ses forces vitales.

– Ça fait deux heures, dit Mathias.

Stacy leva le bras, jeta un coup d'œil à la montre d'Amy. Il avait raison. Elle pouvait désormais rentrer dans la tente et dormir jusqu'au matin. Mais elle avait encore honte d'elle-même. Elle ne bougea pas.

– Comment t'as réussi à te réveiller ?

Mathias haussa les épaules, s'assit à côté d'elle.

– Je peux faire ça. Me dire quand je dois me réveiller. Henrich pouvait faire ça, lui aussi. Et puis notre père. Je ne sais pas comment.

Stacy se tourna. Elle contempla son profil un moment.

– Écoute, dit-elle enfin, butant un peu sur les mots.

Personne ne lui avait appris comment s'y prendre.

– Au sujet de ton frère. Je voulais, tu sais... Je voulais te dire que... combien...

Mathias lui fit signe de se taire.

– Ça va, ça va, dit-il.

– Je veux dire que ça doit être...

– Ça va, je te dis. Vraiment.

Stacy ne savait quoi ajouter. Elle voulait lui témoigner sa sympathie, qu'il lui dise ce qu'il ressentait, mais elle ne parvenait pas à trouver les mots justes. Elle le connaissait depuis une semaine, et lui avait à peine parlé. Elle l'avait vu la dévisager la nuit où elle était sortie avec Don Quichotte. Son regard l'avait effrayée. Elle avait peur d'être jugée. Puis sa gentillesse l'avait surprise à la station de bus, quand on lui avait volé son chapeau et ses lunettes de soleil. Il s'était accroupi et l'avait prise par le bras. Elle n'avait aucune idée de son identité, de son tempérament, de ce qu'il pensait d'elle, mais son frère gisait mort au pied de la colline. Elle voulait lui tendre la main, qu'il pleure enfin pour qu'elle puisse le consoler... Le prendre dans ses bras, peut-être le bercer. Mais Mathias n'allait pas pleurer. Elle le voyait bien, c'était impossible. Il était assis juste à côté d'elle, pourtant elle avait l'impression qu'il était hors d'atteinte. Elle n'avait pas la moindre idée de ce qu'il ressentait.

– Stacy, tu devrais aller te coucher.

Elle acquiesça, mais ne bougea pas.

– Pourquoi crois-tu qu'ils ont fait ça ? demanda-t-elle.

– Qui ?

Elle fit un geste en direction de la clairière.

– Les Mayas.

Pendant un long moment, Mathias se tut. Il réfléchissait. Puis il haussa les épaules.

– J'imagine qu'ils ne voulaient pas qu'il s'en aille.

– Comme nous, dit-elle.

– Exact. Comme nous.

Pablo remua, puis tourna la tête. Ils baissèrent les yeux vers lui.

Mathias étendit à nouveau la main, lui tapota le bras. Ses doigts étaient toujours aussi glacés.

– Ne fais pas ça, dit-il.

– Ne fais pas quoi ?

Il fit mine de se tordre les mains.

– Ne te ronge pas les sangs. Essaie de te comporter comme un animal. Comme un chien. Repose-toi tant que tu peux. Mange et bois lorsque tu trouves de l'eau et de la nourriture. L'instinct de survie, à chaque instant. C'est tout. Henrich... Il était impulsif. Il ressassait les choses, puis il bondissait. Il réfléchissait à la fois trop et trop peu. Nous ne pouvons pas nous le permettre.

Stacy restait silencieuse. Il avait haussé le ton vers la fin. Il avait l'air en colère, et ça l'avait fait tressaillir.

Mathias fit un geste brusque comme pour tout balayer d'un revers de la main.

– Je suis désolé. Je parle, je parle, je ne sais même pas ce que je raconte.

– Pas de problème, dit Stacy, songeuse. *Voilà comment il pleure.*

Elle s'apprêtait à tendre les bras vers lui quand il l'arrêta soudain en secouant la tête.

– Si, au contraire. Bien au contraire, Stacy.

Une minute s'écoula, tandis que Stacy fouillait en vain sa mémoire pour y trouver le mot juste. Seule la respiration lourde de Pablo troublait le silence. Enfin, Mathias lui fit signe d'aller vers sa tente.

– Tu devrais vraiment te rendormir.

Stacy acquiesça, se leva, encore un peu engourdie, un peu patraque. Elle lui toucha l'épaule, y posant la main un instant, la serra, puis repartit vers la tente.

Amy se réveilla en sursaut, la gorge nouée. Elle se mit sur son séant, s'efforçant de retrouver ses repères, de comprendre ce qui l'avait tirée si brutalement de son sommeil. Un bruit sans doute, pensa-t-elle, mais dans ce cas elle était apparemment la seule à l'avoir entendu. Les autres étaient toujours allongés, immobiles, les yeux fermés, la respiration profonde et le souffle régulier. Elle pouvait dénombrer les corps étendus là dans le noir : Éric, Stacy et Jeff. Mathias était dehors. Il veillait sur Pablo. Tout le monde était donc présent.

Elle se releva, à l'affût d'un bruit, tandis que son pouls se calmait peu à peu.

Silence.

Un rêve, sans doute, même si Amy ne s'en souvenait pas. Elle avait juste eu ce moment de panique au moment où elle s'était relevée d'un coup, les tempes prêtes à exploser, au bord de l'arrêt cardiaque. Elle se rallongea, ferma les yeux. Mais elle était réveillée maintenant. Elle guettait toujours, effrayée – sans savoir vraiment pourquoi. Elle avait soif, les lèvres collées, la bouche pâteuse, la peau craquelée, et un goût infect sur la langue.

Tandis qu'elle attendait un sommeil se refusant à venir, sa soif triompha peu à peu de sa peur, tel un gros chien réduisant au silence un roquet. Telle une ballerine, elle étendit une jambe puis le pied, et du bout des orteils tâta la gourde en plastique placée à l'arrière de la tente. Si seulement elle pouvait prendre une petite gorgée d'eau, une toute petite, juste pour se rincer la bouche et se débarrasser de ce goût épouvantable, elle pourrait se rendormir. Et n'était-ce pas important ? Ils auraient besoin de toutes leurs forces le lendemain matin. Ils devaient être prêts à faire tout ce que Jeff estimerait nécessaire à leur survie. Traverser les ronces avec des haillons noués autour des chevilles. Creuser un trou pour distiller leur urine. Une toute toute petite gorgée – était-ce trop demander ? D'accord, ils avaient décidé de ne rien boire jusqu'au lendemain matin. Lorsqu'ils seraient tous réveillés et reposés, ils se réuniraient et partageraient la nourriture et l'eau. Mais à quoi est-ce que ça lui servait à elle, maintenant, alors qu'elle avait les lèvres collantes et la bouche fétide et que les autres dormaient paisiblement à côté d'elle ?

Elle se rassit, plissant les yeux pour distinguer la gourde dans le noir tout au fond de la tente. Elle ne la voyait pas. Elle discernait un tas informe perdu dans la pénombre, sans parvenir à différencier les éléments qui le composaient : les sacs à dos, la boîte à outils, les chaussures de randonnée, la gourde en plastique. Elle l'avait touchée du pied pourtant. Elle savait où elle se trouvait. Il lui suffisait de ramper sur quelques dizaines de centimètres en tâtonnant, et elle mettrait la main dessus. Elle n'aurait plus qu'à dévisser le bouchon, la porter à ses lèvres en renversant la tête. Une petite gorgée – qui pourrait lui en vouloir ? Par exemple, si Éric se réveillait maintenant et la suppliait de lui donner à boire, Amy lui offrirait bien volontiers de l'eau. Elle en était certaine, les autres agiraient de même et témoigneraient de la même générosité à son égard. Elle pourrait tous les réveiller maintenant, leur demander leur permission, et ils diraient : « Oui, bien sûr. » Pourquoi les déranger alors qu'ils semblaient si profondément endormis ?

Amy s'avança prudemment, un peu plus près et sans un bruit, cherchant toujours à entrevoir la gourde.

Non, elle n'allait pas voler de l'eau, bien sûr que non. Pas même une petite gorgée. Elle n'en prendrait pas plus de toute façon, n'est-ce pas ? Un vol. Ils n'avaient plus beaucoup d'eau et, malgré les plans élaborés par Jeff, ils n'avaient aucune certitude d'en récolter plus. Donc, si elle avalait une gorgée maintenant, alors que les autres étaient endormis, même la plus petite, la plus infime gorgée, ce serait autant de moins à partager avec eux. Amy avait vu assez de films où il était question de survie – les accidents d'avion, les naufragés, les voyageurs de l'espace échoués sur de lointaines planètes – pour le savoir : il y avait toujours quelqu'un pour s'emparer de la dernière ration par la force, le regard fou et la bouche emplie d'injures, buvant goulûment tandis que les autres se privaient. Mais non, elle ne serait pas comme ça. Égoïste, ne pensant qu'à ses propres besoins. Ils avaient tous bu la quantité qui leur avait été allouée avant d'aller se coucher. La gourde avait circulé de main en main, et ils s'étaient mis d'accord : ce serait tout jusqu'au matin. Si les autres pouvaient attendre, pourquoi pas elle ?

Elle se rapprocha encore : elle voulait seulement voir la gourde, peut-être la toucher, la soupeser pour se rassurer. Quel mal y avait-il à cela ? Surtout si cela lui permettait de trouver enfin le sommeil ?

Mais ils n'en avaient pas vraiment discuté, voilà le problème. Ce n'était pas comme s'ils en avaient débattu, puis voté. Jeff avait simplement pris cette décision, l'avait imposée aux autres. Ils étaient trop fatigués pour protester. Ils avaient donc incliné la tête et accepté. Un peu plus reposée, ou moins effrayée, Amy aurait peut-être pris la parole, exigé une ration plus importante à ce moment-là. Et les autres auraient pu ajouter leurs voix à la sienne. Non, on ne pouvait pas vraiment dire qu'ils aient passé un accord.

Et puis qu'allait-il se passer le lendemain matin ? Ils feraient encore circuler la gourde, pas vrai ? Ils prendraient tous la goulée qui leur revenait. Puisque Amy avait soif maintenant, pourquoi ne prendrait-elle pas sa ration quelques heures avant les autres ? Ce ne serait pas un vol dans ce cas, plutôt une avance sur salaire. Quand on lui tendrait la gourde le lendemain matin, elle expliquerait qu'elle avait déjà consommé sa ration durant la nuit, voilà tout.

Amy se rapprocha encore. Elle voyait la gourde maintenant, en distinguait les contours au milieu du fatras entassé contre la paroi de la tente. Il lui suffisait de basculer vers l'avant pour se mettre à quatre pattes, tendre le bras et saisir la poignée de la gourde. Elle resta assise un long moment. Elle hésitait encore. Elle avait presque abandonné l'idée, se disant qu'elle ferait mieux d'attendre jusqu'au lendemain matin, comme tous les autres, qu'elle se comportait comme une enfant. Soudain, alors même que ces pensées lui traversaient l'esprit, son corps se rapprocha de la gourde ; elle tendit la main, l'attira vers elle, et voilà qu'elle en dévissait déjà le bouchon. Tout alla si vite ensuite, comme si elle craignait d'entendre quelqu'un élever la voix pour l'arrêter. Elle porta la gourde à ses lèvres, but une petite gorgée... mais ce n'était pas assez, loin de là. Elle renversa la gourde et laissa s'écouler l'eau au fond de sa gorge : longuement, goulûment, une fois, puis une autre encore. L'eau lui dégoulinait sur le menton.

Amy abaissa la gourde, s'essuya la bouche du revers de la main. Elle revissa le bouchon, puis lança un regard coupable en direction des formes allongées dans la pénombre, Éric et Stacy plongés dans le sommeil... et Jeff qui la regardait dans le noir. Ils s'observèrent longtemps. Elle pensait qu'il allait dire quelque chose, la réprimander d'une manière ou d'une autre. Non. Il faisait assez sombre pour qu'elle se persuade qu'il avait les yeux fermés, que ce n'était qu'une illusion, le fruit de son imagination coupable, mais Jeff agita la tête en signe de dégoût et non de colère. Tout au moins, Amy interpréta son geste ainsi. Puis il lui tourna le dos.

Amy reposa la gourde là où elle l'avait trouvée, tout contre la paroi de la tente, puis rampa jusqu'à sa couche.

– J'avais soif, murmura-t-elle.

Elle avait envie de pleurer, mais elle se sentait en colère aussi, en proie à de terribles émotions, furieuse et honteuse à la fois. Soulagée aussi. Cette sensation que procurait l'eau coulant dans sa bouche, sa gorge, son ventre...

Jeff ne réagit pas. Il resta silencieux, parfaitement immobile ; cela troubla bien plus Amy que n'importe quelle remarque. Elle ne valait même pas la peine qu'il lui réponde – voilà ce qu'il lui signifiait.

– Va te faire foutre ! dit Amy, pas très fort, mais assez pour qu'il l'entende. D'accord, Jeff ? Va te faire foutre, c'est tout !

Amy sentait les larmes lui monter aux yeux. Elle ne les retint pas.

– Quoi ? demanda Stacy, l'esprit embrumé, à moitié endormie.

Amy ne répondit pas. Elle resta allongée, recroquevillée sur elle-même, pleurant en silence.

Elle avait envie d'insulter Jeff, de le frapper, de lui donner des coups de poings sur les épaules pour qu'il se tourne enfin et lui dise qu'il n'y avait pas de problème, qu'elle n'avait rien fait de mal, qu'il la comprenait, lui pardonnait... que ce n'était rien, rien du tout. Mais il continuait à lui tourner le dos. Il dormait sans doute maintenant, comme Stacy et Éric. Ils l'avaient laissée toute seule dans le noir, éveillée, le visage noyé de larmes.

Le soleil s'était levé, remarqua Éric en ouvrant les yeux. La lumière filtrait à travers le Nylon orange de la tente. Il faisait déjà chaud, se dit-il ensuite. Il était en sueur. Il avait la bouche sèche. Il leva la tête, jeta un coup d'œil autour de lui. Stacy dormait à son côté. Puis il vit Amy, un peu plus loin, allongée derrière Stacy, recroquevillée sur elle-même. Mathias était parti. Jeff aussi.

Éric voulut s'asseoir, mais il était encore fatigué et il avait le corps tout endolori. Il reposa sa tête sur le sol, ferma les yeux, puis passa en revue les douleurs qu'il ressentait, en commençant par le haut. Il avait sans doute le menton tuméfié. Il souffrait dès qu'il ouvrait ou refermait la bouche. Son coude lui faisait mal et sa plaie était en feu. Il sentait une raideur au creux des reins, une douleur irradiant jusque dans sa jambe gauche à chaque mouvement. Et son genou... mais la douleur était moins forte qu'il ne l'aurait cru. Il avait même la jambe un peu engourdie. Il essaya de plier le genou, mais sa jambe resta immobile, comme si on avait posé quelque chose dessus pour la maintenir rivée au sol. Il leva la tête. Quelle ne fut pas sa surprise lorsqu'il vit les ronces ! Elles avaient poussé de façon spectaculaire pendant la nuit, s'étaient déroulées depuis le tas d'affaires au fond de la tente pour venir s'enrouler autour de sa jambe gauche. Ayant remonté le long de sa cuisse, elles lui arrivaient presque à la taille.

– Mon Dieu ! dit Éric.

La peur ne s'était pas encore emparée de lui, plutôt une réaction de dégoût. Il se redressa, et, tandis qu'il s'apprêtait à arracher la plante, Pablo se mit soudain à pousser des cris stridents.

Jeff se trouvait au pied de la colline, bien trop loin pour pouvoir entendre les cris. Il avait quitté la tente peu après l'aube et uriné dans la bouteille en plastique. Il en avait rempli plus de la moitié. Lorsque le soleil serait levé, ils pourraient creuser un trou et tenter de distiller ce qu'ils avaient pu récolter. Jeff n'était pas sûr que ça marcherait – il avait encore l'impression d'oublier quelques points essentiels –, mais ça les occuperait au moins quelques heures ; ça leur ferait oublier pour un temps la soif et la faim.

Il referma la bouteille, la reposa sur le sol, puis se rendit au petit appentis. Mathias était assis en tailleur juste à côté. Il salua Jeff de la tête en le voyant approcher. Il ne faisait pas encore jour, mais l'obscurité s'était quelque peu dissipée.

Jeff regarda le visage de Mathias : il avait une barbe de plusieurs jours. Il vit aussi Pablo, étendu sur son brancard, inconscient, couvert jusqu'à la taille d'un sac de couchage. Il avait le visage abîmé, les joues creusées, le tour des orbites cerné de noir et la lèvre pendante. Jeff s'assit à côté de Mathias. Ils restèrent ainsi un moment sans rien dire. Jeff aimait ce trait de caractère chez l'Allemand, sa façon de se tenir à part, d'attendre qu'on lui adresse la parole. Mathias était facile à vivre. Pas de faux-semblants avec lui : les choses étaient bien telles qu'elles paraissaient.

– Il a l'air vraiment mal en point, n'est-ce pas ? dit Jeff.

Mathias parcourut lentement du regard le corps de Pablo puis s'arrêta sur son visage. Il acquiesça.

Jeff lui passa la main dans les cheveux. Ils étaient gras, il en avait les doigts gluants. De son corps émanait une odeur âcre. On aurait dit de la levure. Il aurait voulu pouvoir se doucher. C'était un besoin pressant, brutal, presque triste, proche d'un désir d'enfant, ou plutôt de la frustration de savoir qu'il n'allait pas obtenir ce qu'il voulait, quelle que soit l'énergie qu'il y mettrait. Il se détacha de cette émotion, réprima cette irrésistible envie, et s'efforça de jouer le personnage qu'il voulait incarner, ici et maintenant, dans cette situation d'extrême souffrance. Il avait la bouche sèche, la langue enflée. Il songea au broc plein d'eau. Il savait qu'il fallait attendre qu'ils soient tous réveillés ; cela lui rappela inévitablement le larcin d'Amy, en douce, au beau milieu de la nuit. Il avait besoin de lui parler. Elle ne pouvait pas continuer ainsi. Peut-être que non, après tout, peut-être fallait-il passer l'éponge. Il essaya de trouver un moyen d'aborder indirectement le sujet, mais il se sentait sale, fatigué et assoiffé. Il ne parvenait pas à réfléchir. Son père savait bien faire ce genre de choses, raconter une histoire plutôt qu'infliger un sermon. On comprenait le message après coup : *Ne mens pas.* Ou : *Ce n'est pas grave d'avoir peur.* Ou encore *: Agis comme il se doit, même si ça fait mal.* Mais, évidemment, il n'était pas là, et Jeff ne lui ressemblait pas. Il ne savait pas se montrer aussi subtil. L'émotion le submergea soudain. Son père, ses parents lui manquaient, bien plus que cette douche inaccessible. Il avait vingt-deux ans. Il avait passé les neuf dixièmes de sa vie dans une enfance dont il venait à peine de sortir. C'était effrayant d'ailleurs : dire que tout ça était encore si proche ! Il pouvait choisir de faire l'enfant maintenant, d'attendre qu'on vienne à son secours. Ce serait une mort comme une autre, après tout.

Il décida de ne rien dire. Il ne parlerait que si Amy recommençait.

Il exposa son plan à Mathias. Il fallait creuser un trou, puis le recouvrir d'une bâche pour distiller leur urine. Il décrivit aussi la manière dont ils pourraient récupérer la rosée, au moyen de chiffons noués à leurs chevilles.

– Ce serait d'ailleurs le moment idéal, maintenant, dit-il. Juste avant le lever du soleil.

Mathias se tourna, regarda vers l'est. On racontait n'importe quoi : l'instant qui précédait l'aube n'était pas le plus sombre de la nuit. Il faisait déjà plus clair et le ciel se teintait de gris, même si le soleil ne pointait pas encore à l'horizon.

– Ou peut-être que non, poursuivit Jeff. Peut-être qu'on devrait attendre. Laissons les autres récupérer. Nous avons encore assez d'eau pour aujourd'hui et puis il pleuvra peut-être...

Mathias eut une réaction ambiguë. Il hocha la tête tout en haussant les épaules. Ils restèrent assis en silence pendant une minute. Jeff écoutait la respiration de Pablo. Elle était trop lourde, gluante de mucus. À l'hôpital, on l'aurait bourré d'antibiotiques, on lui aurait siphonné la trachée. Il était vraiment dans un état très grave.

– Nous devrions planter une pancarte, dit Jeff. Juste par sécurité. Au cas où les Grecs arriveraient au moment où il n'y a personne au poste. Une tête de mort, quelque chose dans le genre.

Mathias rit, tout doucement.

– On croirait entendre un Allemand.

– C'est-à-dire ?

– Toujours pragmatique, même quand ça ne sert à rien.

– Tu penses qu'une pancarte ne servirait à rien ?

– Tu crois vraiment que si t'avais vu une tête de mort hier, ça t'aurait empêché de monter jusqu'ici ?

Jeff réfléchit un instant en plissant le front.

– Mais ça vaut le coup d'essayer, non ? Je veux dire... Tu ne crois pas que ça pourrait arrêter quelqu'un d'autre, même si ça n'a pas marché pour nous ?

Mathias rit à nouveau.

– *Ja, Herr* Jeff. Surtout, ne te prive pas. Vas-y, fabrique ta pancarte.

Il lui fit signe de s'en aller.

– *Geh !* ajouta-t-il. Vas-y !

Jeff se releva, puis s'en alla. Ils n'avaient toujours pas rangé le contenu de la tente bleue, laissé en tas à côté du puits – les sacs à dos, la radio, la caméra, la trousse de secours, le Frisbee, la cantine vide, les cahiers à spirale. Jeff fouilla dans le premier sac puis dans l'autre, jusqu'à ce qu'il trouve un stylo-bille noir qu'il prit, ainsi qu'un cahier. Il les transporta jusqu'au fatras que Mathias avait laissé derrière lui après avoir construit l'appentis. Il récupéra un rouleau de ruban adhésif et un piquet d'aluminium d'un mètre de long. Mathias l'observait. Il agitait la tête en souriant, mais ne dit rien. À mesure que se dissipait l'obscurité, les feux des Mayas à l'autre bout de la clairière se faisaient plus pâles.

À mi-pente, Jeff eut soudain envie de se soulager : un besoin urgent, impératif. Il posa sur le sol tout ce qu'il transportait, s'avança dans les ronces, puis baissa son pantalon sans tarder. Il n'avait pas encore la diarrhée, mais il n'en était plus très loin. Il expulsait une merde liquide et serpentine qui s'amassait entre ses pieds. L'odeur était puissante, nauséabonde au point de lui donner envie de vomir. Il avait besoin de s'essuyer, mais avec quoi ? Les ronces poussaient tout autour de lui. Elles avaient des feuilles plates et lustrées, mais il savait qu'il s'exposerait à la morsure acide de leur sève si par malheur il les entaillait. Il traîna des pieds jusqu'au sentier, encore à moitié accroupi, le bas du pantalon sur les chevilles, puis déchira une feuille du cahier. Il la froissa et s'essuya grossièrement. Ils devraient sans doute creuser des latrines, se dit-il, quelque part en contrebas non loin de la tente. Sous le vent aussi. Ils pourraient laisser un cahier à côté. Ça servirait de papier hygiénique.

L'aube commençait à poindre, enfin. C'était magnifique : une bande rose tendre s'étalait juste au-dessus d'une ligne de vert. Jeff s'accroupit pour contempler la vue, la feuille de papier souillée encore à la main. Puis le soleil sembla soudain bondir par-dessus la ligne d'horizon, jaune pâle, étincelant. La lumière était éblouissante.

C'est en repartant dans les ronces pour recouvrir de terre ses excréments – remontant son pantalon, cherchant sa braguette – qu'il sentit une brûlure sur ses doigts. Dans la lumière, il vit un léger duvet vert pâle qui couvrait son jean, et même ses chaussures. Des ronces, des vrilles avaient pris racine sur ses vêtements pendant la nuit, si petites qu'elles ressemblaient à des lichens plutôt qu'à des plantes, diaphanes, tel un voile invisible. Jeff s'en était débarrassé d'un revers de la main et leur sève acide lui avait brûlé la peau. Il contempla le duvet vert, ne sachant trop que penser. Il lui semblait extraordinaire que les ronces puissent pousser aussi vite. C'était un nouveau paramètre, et d'importance, mais qu'est-ce que ça signifiait au juste ? Impossible de réfléchir, de prendre une décision. Il finit par abandonner. Il s'efforça d'ignorer ce nouvel événement, de poursuivre sa journée comme si de rien n'était. Il jeta la feuille de papier par-dessus ses déchets. La terre était trop compacte, trop sèche pour qu'il puisse l'entamer à coups de pied. Il lui fallut s'accroupir et l'attaquer avec une roche. Il dégoulinait de sueur sous l'effort. Il parvint enfin à détacher un peu de terre jaune pâle, puis un peu plus, l'éparpilla sur ses déchets pour les enterrer partiellement et ensevelir leur puanteur. Ça irait bien comme ça.

Il repartit sur le sentier. Il se baissa pour récupérer le stylo et le ruban adhésif, le cahier et le piquet en aluminium. Alors qu'il s'apprêtait à poursuivre sa descente, il hésita soudain. *Il devrait y avoir des mouches. Pourquoi donc n'y a-t-il aucune mouche ?* Il s'accroupit à nouveau, méditant sur la question, retraçant ses pas, comme s'il attendait l'apparition tardive des insectes bourdonnants, tourbillonnant autour de ses excréments. Mais non, rien. Les idées affluaient. Un flot ininterrompu, trop rapide, semblable aux gestes d'un cambrioleur qui passe un bureau en revue et ouvre chaque tiroir l'un après l'autre pour en déverser le contenu sur le sol.

Pas seulement ici, mais sur Pablo aussi. Des mouches tournoyant autour de son corps nauséabond, grouillant sur sa peau nue..

Et puis des moustiques.

Et des moucherons.

Où sont-ils ?

Le soleil continuait à monter dans le ciel. La chaleur aussi. Si vite.

Peut-être les oiseaux... pensa Jeff, *peut-être les oiseaux ont-ils mangé tous les insectes.*

Il se releva, parcourut le coteau du regard, scrutant l'horizon en quête d'oiseaux, l'oreille attentive. Ils devraient être éveillés maintenant. On devrait les voir voleter, accueillir l'aube de leurs chants. Mais il n'y avait rien. Pas un mouvement, pas un son. Aucune mouche, aucun moustique, aucun moucheron, aucun oiseau.

Des fientes, pensa-t-il. Il explora du regard les ronces alentour, entre les fleurs rouge vif, et vit leurs feuilles plates ressemblant à la paume d'une main. Rien. Pas la moindre éclaboussure de guano ambre ou blanc.

Peut-être vivent-ils dans des trous, des terriers qu'ils creusent dans la terre à coups de bec.

Il se souvint avoir lu quelque chose là-dessus. Il parvenait presque à se les imaginer, créatures couleur de terre, pourvues de serres et de becs crochus. Mais il ne voyait nulle trace de terre remuée, pas la moindre ouverture dissimulée.

Il remarqua un galet à ses pieds. Il était parfaitement rond, de la taille d'une myrtille. Il s'accroupit, le ramassa et le porta à sa bouche. Il avait aussi lu ça quelque part au sujet de gens perdus dans le désert, qui suçaient parfois de petites pierres pour calmer leur soif. Le galet avait un goût âcre, bien plus prononcé qu'il ne l'aurait cru. Il le recracha presque, mais se retint. Il plaça la petite pierre derrière sa lèvre inférieure, comme une prise de tabac.

Il fallait respirer par le nez, pas par la bouche. On perdait moins d'eau ainsi.

Il fallait s'abstenir de parler, sauf en cas d'extrême nécessité.

Il fallait rationner la nourriture et éviter l'alcool.

Il fallait rester à l'ombre, à au moins trente centimètres du sol, car la terre avait l'effet d'un radiateur. Elle pompait toute votre énergie.

Quoi d'autre ? Il y avait tant à retenir, tant de choses dont il fallait garder la trace, et personne pour vous aider.

Il avait entendu les oiseaux la nuit précédente. Jeff était certain de les avoir entendus. Il était tenté de partir arpenter tout le coteau pour débusquer leurs terriers, mais il savait que cela pouvait attendre, que ce n'était pas important. Installer la pancarte d'abord. Remonter ensuite à la tente pour distribuer les rations d'eau et de nourriture. Le trou pour pouvoir distiller leur urine, et enfin les latrines : ils devaient avoir fini de creuser avant qu'il ne fasse trop chaud. Une fois tout ça terminé, il pourrait partir en chasse, dénicher les œufs, installer des pièges. Il ne fallait pas précipiter les choses, c'était crucial pour ne pas se laisser dépasser par les événements. Une tâche après l'autre. C'est ainsi qu'ils y parviendraient.

Il redescendit le sentier.

Les Mayas l'attendaient en bas. Ils étaient quatre. Trois hommes et une femme. Ils étaient accroupis à côté des restes encore fumants de leur feu de camp. Les hommes se levèrent un à un à mesure que Jeff s'approchait du pied de la colline, et tendirent la main vers leurs armes. Parmi eux se trouvait l'homme qui avait tenté de les arrêter, le chauve qui portait un revolver à la ceinture. Il l'avait à la main à présent, prêt à tirer à tout moment. Prêt à viser, prêt à l'abattre. Ses deux compagnons avaient un arc. Ils avaient déjà préparé leurs flèches. Six autres Mayas se tenaient plus loin derrière, à l'orée de la forêt, enroulés dans des couvertures blanches, le visage masqué par un chapeau de paille, endormis. L'un d'eux remua, comme s'il avait senti Jeff approcher. Il secoua l'homme qui se tenait à côté de lui. Ils se mirent tous deux sur leur séant pour l'observer.

Jeff s'arrêta au départ du sentier pour déposer tout son attirail. Il s'accroupit en tournant le dos aux Mayas, ce qui l'emplit d'un sentiment de panique fugace. Il imaginait sans cesse les arcs bandés, prêts à décocher leurs flèches. Il pensait toutefois que cette attitude lui donnerait un air moins menaçant. Il arracha une page blanche à la fin du cahier, ôta le capuchon du stylo et se mit à dessiner le premier signe, une tête de mort, sans apprêts, mais menaçante comme il se doit. Il repassa plusieurs fois les traits pour foncer le plus possible son dessin.

Il déchira une autre page pour y écrire : « SOS »...

Puis une autre : « AU SECOURS ».

Une quatrième, enfin : « DANGER ».

Il saisit une pierre de la taille d'une balle de base-ball pour enfoncer le piquet en aluminium dans le sol, juste à la bordure de la clairière, en plein milieu du sentier. Puis il y accrocha ses panneaux, l'un après l'autre. Il se retourna pour voir la réaction des Mayas. Ceux postés à l'orée de la forêt s'étaient à nouveau allongés et avaient remis leur chapeau sur leur visage. La femme avait le dos tourné à présent. Elle remuait les braises de la main gauche tandis qu'elle plaçait une petite casserole sur un trépied en fer : le petit déjeuner, songea Jeff. Les trois autres le regardaient encore, mais ils avaient l'air beaucoup plus détendus. Ils semblaient presque sourire, de bonne grâce lui semblait-il. Ou bien décelait-il aussi quelque ironie ? Jeff se retourna, donna encore un ou deux coups sur le piquet. Quelqu'un devrait se poster là pendant la journée, juste après l'arrivée du bus à Cobá, mais pour l'heure ces panneaux feraient l'affaire. Pure précaution, au cas où les Grecs arriveraient plus tôt que prévu. Si jamais ils faisaient du stop, par exemple. Ou ils louaient une voiture.

Jeff ramassa le stylo, le cahier et le rouleau de ruban adhésif. Il s'apprêtait à remonter le long du sentier quand il changea soudain d'avis. Il reposa le tout par terre, puis s'avança dans la clairière, très prudemment, tout doucement, les mains en l'air en signe de paix. Les Mayas levèrent leurs armes. Jeff fit un signe vers la droite pour leur faire comprendre qu'il voulait simplement longer la clairière, au bord des ronces : il n'allait pas tenter de s'enfuir. Les Mayas continuèrent à l'observer. Ils avaient bandé leurs arcs et le chauve pointait son revolver sur lui, mais ils restaient silencieux, sans chercher ouvertement à l'arrêter. Jeff en conclut qu'ils lui donnaient la permission de poursuivre et se mit à arpenter le pied de la colline.

Les Mayas le suivirent, laissant le sentier sans surveillance. Au bout d'une dizaine de mètres, l'homme au revolver cria quelque chose à la femme. Elle se leva, donna un coup de pied à l'un des hommes endormis à la lisière de la forêt. Ce dernier se mit sur son séant tout en se frottant les yeux. Il suivit Jeff du regard pendant un long moment, puis réveilla l'un de ses compagnons. Ils s'emparèrent de leurs arcs, puis se dirigèrent vers le feu de camp, encore ivres de sommeil.

Jeff poursuivit sa route le long de la clairière, suivi par les Mayas, armes en joue. Il était à nouveau hanté par les mêmes pensées : les latrines, le trou pour distiller leur urine, Amy en train de voler de l'eau. Il se demandait si les pancartes auraient un sens pour les Grecs, ou bien s'ils franchiraient la frontière invisible sans même les voir. Il scruta le ciel : il était bleu pâle, limpide. Allait-il s'assombrir au cours de l'après-midi, les averses habituelles viendraient-elles les arroser, courtes mais intenses, contrairement à la veille où il n'y en avait eu aucune ? C'était inexplicable. Il s'efforça de réfléchir à la façon dont ils pourraient récupérer l'eau de pluie si elle venait à tomber. Ils pourraient se servir de ce qui restait de la tente bleue pour la transformer en un entonnoir géant... Mais à quoi allait-on pouvoir le relier ? À quoi bon récupérer toute cette eau s'ils ne pouvaient pas la stocker ? Il leur fallait des récipients, des bouteilles, des urnes. Voilà ce qui préoccupait Jeff lorsqu'il aperçut le premier massif de ronces : il lui arrivait à la taille. Il comprit enfin pourquoi il avait longé ainsi la clairière sans vraiment se l'avouer... Il savait sur quoi il finirait par tomber.

Le massif formait une langue de trois mètres, petit îlot de vert au centre du sol noir et stérile de la clairière. Jeff s'arrêta à quelques mètres, un peu effrayé, prêt à rebrousser chemin. Mais non : même s'il savait déjà de quoi il s'agissait – il en était certain –, il fallait qu'il le voie. Il s'avança, s'accroupit, se mit à écarter les ronces sans prendre gare à leur sève jusqu'à ce qu'il commence à en sentir la brûlure sur ses paumes. Il avait à moitié découvert la chose ; il pouvait s'arrêter pour s'essuyer les mains avec de la terre.

C'était un autre corps.

Jeff se leva, écarta du pied le reste des ronces. Une femme. Peut-être était-ce celle qu'Henrich avait rencontrée sur la plage, celle-là même dont la beauté l'avait attiré jusqu'ici, jusqu'à sa mort. Elle avait les cheveux blond foncé, mi-longs. Quant au reste, difficile à dire. La plus grande partie de sa chair avait déjà été dévorée. Son visage n'était plus qu'un crâne aux orbites vides. Ses vêtements avaient disparu eux aussi. Ce n'était plus qu'un squelette avec quelques cheveux, des lambeaux de chair momifiée, un bracelet en argent terni autour du poignet, une boucle de ceinture, une fermeture Éclair, un bouton en cuivre au creux du bassin. Non, elle ne pouvait être celle qu'avait aimée Heinrich. Il fallait des mois, même sous ce climat, pour parvenir à un tel état de décomposition. Peut-être que non, après tout, pensa Jeff en se penchant pour ôter encore quelques ronces, tout doucement cette fois. Peut-être la plante avait-elle dévoré ses chairs, s'était-elle nourrie de ses nutriments.

Les Mayas attendaient à sept mètres de là. Ils l'observaient.

Jeff arracha encore des ronces, et le bras gauche du squelette se détacha, quitta son logement pour tomber sur le sol avec fracas. Les ronces ne sortaient pas du sol, remarqua-t-il. Elles s'accrochaient directement aux os. Jeff médita un instant. Comment les Mayas avaient-ils réussi à débarrasser la clairière de toute végétation ? Les ronces poussaient si vite. Il avait suffi d'une seule nuit pour qu'elles prennent racine sur ses vêtements, ses chaussures. Pourtant, le sol sur lequel il se tenait était totalement stérile. Il ramassa une poignée de terre pour l'examiner de près. Un terreau noir, apparemment fertile, constellé de cristaux blancs. *Du sel*, pensa-t-il tout en goûtant la terre du bout de la langue pour s'en assurer. *Ils l'ont salée.*

C'est à cet instant que Pablo se mit à hurler, en haut sur la colline. Loin, beaucoup trop loin pour que Jeff puisse entendre ses cris.

Il se releva, jeta la poignée de terre, poursuivit son chemin. Ses trois compagnons le suivaient toujours, s'interposant entre lui et la lisière de la forêt. Il passa à côté d'un autre feu de camp. Tout autour, sept Mayas prenaient leur petit déjeuner. Ils marquèrent une pause en le voyant approcher et reposèrent leurs assiettes en fer-blanc sur leurs genoux. Il sentait l'odeur de leur nourriture, la voyait aussi. C'était une sorte de ragoût : du poulet, des tomates, du riz. Des restes de la veille, qui sait ? Jeff sentit la faim lui tirailler le ventre. Il mourait d'envie de les supplier, de tomber à genoux et de tendre les mains vers eux, mais il se retint. C'eut été un geste inutile. Il continua à avancer tout en suçotant son galet, la bouche sèche.

Il voyait déjà le massif suivant.

Lorsqu'il l'atteignit, il s'accroupit puis écarta prudemment quelques ronces.

Un autre cadavre.

On aurait dit un homme, mais c'était difficile à dire. Il était encore plus décomposé que celui de la femme blonde. Les os s'étaient effondrés pour former un tas branlant qui n'avait plus rien d'un squelette. D'après la taille imposante de la boîte crânienne, Jeff devina qu'il s'agissait d'un homme. L'une des ronces en fleur s'était insinuée par le trou des orbites : elle était entrée par l'œil droit pour ressortir par le gauche. Encore des boutons, une fine fermeture Éclair, serpent métallique tombé du pantalon. Une paire de lunettes à grosses montures, un peigne en plastique, un trousseau de clés. Jeff dénombra trois pointes de flèches dont les tiges avaient disparu. Un peu plus loin, gisant sur le sol, il entrevit des cartes de crédit et un passeport, presque invisibles sous les ossements. Le contenu d'un portefeuille, évidemment. En cuir, se dit Jeff, puisqu'il avait désormais disparu. Rien de ce qui restait n'était organique : des matières synthétiques, du métal, du plastique, du verre... Tout le reste avait été dévoré. C'était le mot juste : *dévoré.* Car les ronces en fleur avaient tout consommé, comprit-il. Rien n'avait pourri ici. Il ne s'agissait pas de quelque évolution passive, mais bien d'un processus actif.

Jeff s'accroupit au-dessus du corps pour examiner le passeport. Il appartenait à un Hollandais du nom de Cees Steenkamp. À l'intérieur, on voyait sur la photo un homme au front large, aux cheveux blonds et clairsemés. On aurait pu interpréter l'expression de son visage comme de la mélancolie ou de la vanité. Il était né le 11 novembre 1951 dans une ville du nom de Lochem. En relevant la tête, Jeff vit les trois Mayas qui le regardaient. Il était possible que ce soit eux les meurtriers. Jeff eut envie de leur tendre le passeport, de leur montrer la photo de Cees Steenkamp, les deux gros yeux tristes et légèrement bovins qu'il présentait au monde. Un regard à présent éteint. On l'avait assassiné. Mais il savait que cela n'aurait aucune importance, que cela ne changerait rien. Il commençait à comprendre ce qui se passait ici, les pourquoi et les comment, tout ce qui était en jeu. La culpabilité, l'empathie, la pitié : rien de tout cela n'avait sa place en ces lieux. Cette photo n'aurait aucun sens pour ces hommes. Jeff les comprenait de mieux en mieux. Il compatissait presque. À six mètres de l'endroit où se tenaient les Mayas, une nuée de moucherons tournoyait à l'orée de la jungle, comme si une force invisible empêchait les insectes de venir plus près. Ça aussi, Jeff le comprenait.

Il glissa le passeport dans sa poche, poursuivit sa route tandis que les trois Mayas le suivaient toujours en silence. Il dépassa d'autres feux de camp. Là encore, on marqua une pause en le voyant approcher. Les Mayas le regardaient tous fixement. Il lui fallut près d'une heure pour faire le tour de la colline et il rencontra cinq autres massifs en chemin. Toujours la même chose : des ossements, des boutons, des fermetures Éclair. Deux paires de lunettes. Trois passeports : un américain, un espagnol, un belge. Quatre alliances, des boucles d'oreille, un collier. Des pointes de flèche, quelques balles aplaties au moment de l'impact sur les os. Et puis, bien sûr, bien que méconnaissable, le cadavre d'Henrich. Il se trouvait bien au bon endroit, mais il s'était transformé de façon spectaculaire en une nuit. Plus une trace de chair, presque plus de vêtements. Les ronces avaient tout dévoré.

Oui, Jeff comprenait maintenant, ou commençait à comprendre. Mais c'est seulement après avoir fait tout le tour de la colline qu'il put jauger la situation.

Ses pancartes avaient disparu.

Jeff pensa d'abord que les Mayas les avaient décrochées, mais cela ne correspondait pas vraiment à l'idée qui commençait à germer dans son esprit. Il resta là un long moment, réfléchissant à ce qui avait bien pu se passer. Il voyait le trou où il avait enfoncé le piquet dans la terre, tout comme la pierre, marteau improvisé, dont il s'était servi, le cahier, le stylo, le rouleau de ruban adhésif. Mais aucune trace des pancartes.

Au moment même où il allait abandonner, il remarqua l'éclat d'un morceau de métal à environ un mètre du sentier, recouvert par les ronces. Il s'avança, s'accroupit, et se mit à fouiller entre les plantes qui lui arrivaient aux genoux. C'était le piquet en aluminium, encore chaud au toucher. L'emprise des ronces était si ferme que Jeff eut du mal à l'arracher. On avait détaché le ruban adhésif des feuilles sur lesquelles il avait dessiné, et les ronces avaient déjà commencé à dissoudre le papier. Elles le consumaient. Même à présent, même après avoir vu ce qu'il venait de voir, Jeff ne parvenait pas à abandonner la bonne vieille logique, celle qui gouvernait le monde s'étendant au-delà de cette colline couverte de ronces. Les Mayas avaient peut-être lancé des pierres contre le piquet, pensa-t-il. C'est alors qu'il remarqua autre chose dans le fouillis végétal : une feuille de métal noircie. Il écarta les ronces à coups de pied puis tendit le bras pour l'en extirper. C'était une casserole d'environ trente centimètres carrés, d'une profondeur de huit centimètres. Quelqu'un en avait gratté le fond incrusté de suie pour y inscrire un seul mot : *¡PELIGRO !*

Jeff resta là un long moment à regarder la casserole.

DANGER.

Il faisait de plus en plus chaud. Il avait laissé son chapeau dans la tente et commençait à sentir la brûlure du soleil sur sa nuque, sur son visage. Il avait de plus en plus soif. Il ne s'agissait plus d'une simple envie, mais d'une véritable douleur, d'une souffrance infligée à son corps. Le galet qu'il suçotait était désormais inutile, il le recracha. Il tressaillit en constatant le mouvement soudain que produisit la chute du galet au milieu des ronces. Quelque chose semblait avoir bondi sur le galet, tel un serpent, trop rapide pour que Jeff puisse distinguer de quoi il s'agissait.

Les oiseaux, pensa-t-il.

Mais non, bien que sûr non, ce n'était pas des oiseaux, il le savait bien. Même s'il n'avait toujours pas compris d'où venait le son entendu durant la nuit, il savait déjà qu'il n'y avait pas d'oiseaux sur cette colline. Il se pencha pour ramasser un autre galet et le lança dans la masse de ronces devant lui. Une fois encore, le même mouvement, presque trop rapide pour être perçu. Jeff savait maintenant ce que c'était, savait ce qui avait fait tomber son piquet... Il en avait presque la nausée.

Il jeta un autre galet. Aucune réaction cette fois. Quoi de plus normal ? Il ne s'attendait pas à autre chose. Si le même mouvement s'était répété encore et encore, ce n'eût été qu'un simple réflexe. Or, ce n'était pas le cas.

Il se retourna vers les Mayas qui attendaient au centre de la clairière. Ils le regardaient toujours, mais ils avaient baissé leurs armes maintenant. Ils semblaient un peu las d'observer cette scène. Jeff se dit que ça aussi, il pouvait le comprendre. Après tout, qu'avait-il fait qu'ils n'aient déjà vu en maintes autres occasions ? Le piquet, le tour de la colline, la découverte des corps, la prise de conscience du monde dans lequel il se trouvait maintenant piégé : ils avaient déjà tout vu. Pire encore, ils savaient sans doute ce qui allait suivre. Ils auraient même pu le lui dire si seulement ils avaient parlé la même langue, lui décrire le déroulement des jours suivants, du début à la fin. C'est l'esprit hanté par ces pensées que Jeff commença sa lente ascension le long du sentier. Il allait devoir informer les autres de tout ce qu'il avait découvert.

Stacy avait été réveillée par des cris stridents. Éric se tordait de douleur à ses côtés. Il avait l'air en détresse, et il lui fallut un moment avant de comprendre que ce n'était pas ses cris qui résonnaient dans la tente. Ça venait de dehors. C'était Pablo, et il hurlait. Éric avait néanmoins un problème : appuyé sur un coude, il regardait fixement ses jambes tout en donnant des coups de pieds ponctués de « Putain de merde ! putain de Dieu ! putain de putain de merde ! ». Il répétait ça sans cesse, tandis que Pablo continuait à hurler. Stacy ne comprenait pas ce qui se passait. À côté d'elle, Amy s'éveillait à peine. Elle avait l'air encore plus déconcertée, encore plus perdue que Stacy.

Ils n'étaient plus que trois sous la tente. Aucun signe de Jeff ou de Mathias.

La jambe gauche d'Éric était couverte de ronces.

– Qu'est-ce que c'est ? demanda Stacy. Qu'est-ce qui se passe ?

Éric ne semblait pas l'entendre. Il s'assit, se pencha en avant, et se mit à arracher les ronces, luttant pour libérer son corps de leur emprise. Les feuilles de la plante se déchiraient et se froissaient à mesure qu'il tirait dessus, déversant leur sève sur sa peau qui commençait à brûler. Lorsque Stacy étendit le bras pour l'aider, elle ne fut pas épargnée par les éclaboussures brûlantes. Les ronces s'étaient enroulées tout autour de sa jambe gauche, grimpant jusqu'à son entrejambe. *Son sperme*, songea Stacy en repensant à la façon dont elle l'avait astiqué durant la nuit. *Elle est attirée par son sperme*. Et c'était vrai : les ronces s'étaient enroulées non seulement autour de sa jambe, mais aussi autour de son pénis, de ses testicules. Éric luttait pour échapper à leur étreinte. Il tirait plus doucement maintenant, tout en répétant la même litanie : « Putain de merde ! putain de Dieu ! putain de putain de merde... »

Les cris de Pablo s'intensifièrent, ce qu'on aurait pu croire impossible, au point d'en faire vibrer la tente. Stacy entendit alors Mathias hurler à son tour. Il les appelait, pensa-t-elle, mais elle ne parvenait pas à se concentrer sur cette idée. Elle en était seulement consciente, restant comme extérieure à la situation, alors qu'elle continuait d'arracher les ronces, les mains brûlées, abrasées, lacérées. Elle avait le bout des doigts en sang.

Amy se leva enfin, se précipita vers l'entrée, défit le rabat et sortit. Elle n'avait pas pris la peine de refermer le rabat derrière elle. La lumière du soleil inonda l'intérieur de la tente, aussitôt envahie par une vague de chaleur. Malgré le chaos ambiant, Stacy se rendit soudain compte qu'elle mourait de soif. Elle en avait la bouche empâtée, la gorge enflée, les muqueuses craquelées.

Ce n'était pas seulement le sperme d'Éric, mais aussi son sang. Les ronces semblaient s'être accrochées telles des sangsues à son genou blessé.

Dehors, Pablo cessa brusquement de hurler.

– C'est en moi, dit Éric. Oh, mon Dieu ! ce putain de truc est à l'intérieur de moi.

C'était bien le cas. Les ronces avaient réussi à s'insinuer dans sa blessure, l'avaient élargie pour glisser une vrille sous sa peau. Stacy en voyait le cheminement. Ça formait une crête boursouflée, longue de huit centimètres environ, semblable à un gros doigt qui aurait exploré la chair d'Éric. Il tenta de l'arracher, mais, pris de panique, il agit trop rapidement et la tige se rompit, écoulant sa sève brûlante alors que la vrille restait bien ancrée sous la peau.

Éric hurla. Un cri inarticulé. Puis il cria à Stacy :

– Va me chercher le couteau !

Stacy ne bougea pas, trop abasourdie. Elle resta assise, le regard fixe. Les ronces avaient pénétré dans son corps, sous sa peau. Est-ce qu'elles bougeaient ?

– Trouve-moi un putain de couteau, merde ! hurla Éric.

Stacy se leva enfin et se précipita vers la sortie.

Amy s'était réveillée quelques secondes après Stacy. Elle n'avait pas compris ce qui arrivait à Éric. Les cris de Pablo, bien trop forts, l'empêchaient de remarquer quoi que ce soit d'autre. Puis Mathias les avait appelés. Éric et Stacy ne réagissaient pas. Ils s'agitaient en tous sens. On aurait dit qu'ils se battaient. Amy n'y comprenait rien, encore à moitié endormie, l'esprit embrumé. Pablo poussait des cris stridents : cela seul comptait. Elle se leva d'un bond et se précipita pour voir ce qui se passait. Il criait fort. Il souffrait, c'était manifeste. On aurait dit qu'il n'allait jamais s'arrêter, mais ce n'était pas ce qui l'inquiétait le plus. Après tout, Pablo avait la colonne brisée – comment n'aurait-il pas hurlé ? Il faudrait du temps, mais ils parviendraient à le calmer, comme la nuit précédente, et il se rendormirait.

Une fois au-dehors, elle resta debout, immobile, clignant des yeux, désorientée. Elle faillit même rentrer dans la tente pour y chercher ses lunettes de soleil, mais Mathias se tourna soudain vers elle. Il avait l'air paniqué. Amy eut l'impression qu'une main venait de l'agripper pour la secouer sans ménagement. Elle sentit la peur monter en elle.

– À l'aide ! appela Mathias.

Accroupi à côté du brancard, penché sur les jambes du Grec, il hurlait pour faire entendre sa voix dans le vacarme général.

Amy se précipita vers lui. Elle voyait sans voir. Le sac de couchage était roulé en boule à côté de Pablo nu de la taille jusqu'aux pieds. Mais non, il n'était pas nu... Ses jambes étaient entièrement recouvertes de ronces en fleur, une masse si dense qu'on aurait dit qu'il venait d'enfiler un pantalon végétal. Plus un seul centimètre de peau n'était visible. Mathias tirait dessus, arrachant de longues vrilles pour les jeter sur le côté. La sève luisait sur ses mains et ses poignets. Pablo avait relevé la tête pour regarder la scène. Il tentait inlassablement de s'appuyer sur ses coudes, sans y parvenir. Les muscles de son cou étaient tendus sous l'effort. Il avait la bouche ouverte, toute ronde, laissant échapper des hurlements si sonores, si terribles, qu'Amy avait l'impression de traverser une zone où la gravité aurait été inexplicablement plus forte. Elle tomba elle aussi à genoux, puis arracha les ronces sans prêter attention à la sève coulant sur ses mains. Leur contact était froid au départ, un peu huileux, puis la brûlure devenait cuisante : elle se serait arrêtée si Pablo n'avait pas crié ainsi. Amy sentait résonner ses hurlements jusque dans sa chair maintenant. De plus en plus forts, jusqu'à atteindre un volume incroyable, assourdissant au point que la douleur infligée à ses tympans était bien plus atroce que la morsure de la sève. Elle devait les faire cesser, les réduire au silence. Elle n'y parviendrait qu'en continuant à arracher les ronces – tirant sur les plantes, les déchirant de plus belle, recommençant sans cesse –, pour libérer le corps de Pablo de leur emprise. Elle voyait sans voir ses jambes affleurant enfin, du blanc, un blanc éclatant, juste en dessous du genou. Pas la blancheur de la peau, non, plus profonde, plus intense : brillante, humide, couleur ivoire. Elle continuait d'arracher les ronces, aveuglée par les cris de Pablo, voyant toujours sans voir ce blanc, ces os nettoyés de toute chair, et le sang commençant à former une mare, ce sang qui gouttait à mesure qu'ils arrachaient les ronces, encore et encore. Du blanc, toujours du blanc, et de l'os encore, sa jambe réduite à un tas d'os – la peau, les muscles, la graisse, disparus, consumés... et tout ce sang s'écoulant du genou de Pablo, gouttant toujours et encore, formant une mare alors qu'une longue vrille s'enroulait tout autour de son tibia, s'y agrippait, refusait de céder. Au bout de la tige pendait un bouquet de trois fleurs rouges, écarlates, couleur sang.

– Oh, mon Dieu, s'exclama Mathias.

Il cessa d'arracher les ronces. Il était accroupi maintenant, les yeux rivés sur les jambes mutilées de Pablo, horrifié. Soudain, Amy dut faire face à la réalité. Elle voyait les os, les fleurs, la mare de sang, et les cris stridents n'avaient plus d'importance, ni ses brûlures. Il n'y avait plus que ces os luisants, si blancs, là, sous ses yeux. Elle avait la poitrine serrée, l'estomac contracté et le cœur au bord des lèvres. Elle se leva d'un bond, s'éloigna en toute hâte de l'appentis pour vomir à trois pas de là. Pablo avait cessé de hurler. Il pleurait à présent – elle l'entendait gémir et sangloter. Elle ne se retourna pas. Elle resta là, pliée en deux, les mains sur les genoux, un long filet de salive s'écoulant de ses lèvres, suspendu au-dessus du sol, se balançant légèrement tandis qu'une petite mare de bile s'étalait déjà entre ses pieds. Toute cette précieuse eau volée durant la nuit, partie, disparue, lentement absorbée par la terre. Elle n'avait pas encore fini. Elle sentait monter un autre hoquet. Elle ferma donc les yeux et attendit.

– Il s'est réveillé et s'est mis à hurler, dit Mathias.

Amy ne bougea pas, ne lui jeta pas même un coup d'œil. Elle toussa puis cracha, les yeux toujours fermés.

– J'ai ôté le sac de couchage. Je ne... ajouta-t-il.

Amy fut prise d'un nouveau haut-le-cœur, plus violent. Elle se plia en deux tandis qu'un épais torrent jaillissait de ses lèvres. C'était douloureux. Elle avait l'impression de vomir une partie d'elle-même, de sa chair. Mathias se tut, observant la scène. Un très court instant plus tard, ils entendirent les cris d'Éric. Inarticulés tout d'abord, puis ponctués par des paroles.

– Va me chercher le couteau ! hurlait-il.

Amy leva la tête. Elle avait la bouche, le menton, le chemisier encore dégoulinants de vomi. Elle se tourna vers la tente. Mathias suivit son regard. Pablo marqua même une pause, cessa de geindre, et releva la tête pour voir ce qui se passait.

– Trouve-moi ce putain de couteau, merde !

Stacy émergea de la tente. Elle hésita un instant sur le seuil, regarda fixement Amy, les yeux rivés sur le filet de salive pendu à ses lèvres, sur la mare de vomi s'étalant entre ses pieds. Stacy plissait les yeux, éblouie par le soleil. *Elle voit sans voir*, pensa Amy. Puis elle se tourna vers l'appentis, vers Mathias.

– J'ai besoin du couteau, dit-elle.

– Pourquoi ? demanda Mathias.

– C'est à l'intérieur de lui. Je ne sais pas comment... C'est entré dedans.

– Quoi ?

– Ces ronces. Cette plante. Par le genou. C'est entré à l'intérieur de lui.

Alors même qu'elle parlait, son regard dériva lentement vers Pablo : il avait recommencé à sangloter, plus doucement maintenant. *Elle voyait sans voir* : les os mis à nu, la mare de sang, les ronces recouvrant encore la moitié de ses jambes.

On entendait toujours les cris d'Éric. Il avait l'air terrorisé :

– Dépêche-toi ! hurlait-il.

Stacy tourna les yeux vers l'entrée de la tente, puis regarda à nouveau Pablo, puis à nouveau Mathias. Amy le savait : elle ne comprenait pas ce qui se passait, rien du tout. Elle avait le visage de marbre et la voix monocorde. *Le choc*, pensa Amy.

– Je crois qu'il veut couper les ronces, dit Stacy.

Mathias se tourna, fouilla un moment dans le tas de débris empilés à côté de l'appentis – les bandes de Nylon bleu, les piquets d'aluminium. Il se releva, le couteau à la main. Il s'apprêtait à rejoindre la tente, mais s'arrêta brusquement, les yeux fixés sur Amy, sur ses pieds, sur le sol devant elle. Stacy se tourna aussi pour regarder. Elle se figea brusquement. Ils avaient la même expression de stupeur mêlée d'horreur. Avant même de faire volte-face pour voir ce que c'était, Stacy avait senti son pouls s'accélérer, le flot d'adrénaline battant dans ses veines. Elle ne voulait pas voir ça, mais elle n'avait pas le choix. Elle ne pouvait plus faire comme si elle ne voyait rien. Quelque chose bougeait derrière elle. Un bruissement. Stacy plaqua sa main droite sur sa bouche. Elle avait les yeux écarquillés.

Amy se retourna enfin.

Pour regarder.

Pour *voir.*

Elle se trouvait au centre de la petite clairière, juste devant la tente. Sur un rayon de cinq mètres autour d'elle s'étendait une terre aride et rocailleuse, et au-delà les ronces, mur végétal lui arrivant à hauteur du genou. De cette masse de verdure, juste devant elle, émergeait ce qu'Amy prit tout d'abord pour un gigantesque serpent, d'une longueur impossible, la peau vert foncé et constellée d'innombrables petits points rouges. Rouge sang. Ce n'était pas des points, mais des fleurs. Même si ça s'avançait vers elle en rampant tel un reptile ondulant ses anneaux, ce n'était pas un animal. Non, il s'agissait des ronces.

Amy fit un pas en arrière, s'écarta brusquement de la petite mare de vomi. Elle recula jusqu'à se retrouver derrière Mathias, le couteau à la main.

Pablo regardait depuis son brancard. Il s'était tu.

Éric appela encore une fois depuis la tente, mais Amy l'entendit à peine. Elle regardait les ronces serpenter au milieu de la clairière jusqu'à la flaque de vomi. La plante hésita un instant, comme si elle reniflait ce cloaque avant de s'y lover. Puis ils l'entendirent absorber bruyamment le liquide, par ses feuilles, semblait-il. La plante les étala sur toute la surface de la mare et siphonna le liquide jusqu'à la dernière goutte. Amy n'aurait pu dire combien de temps il lui avait fallu. Quelques secondes, trente tout au plus. Une fois la mare asséchée au point de ne former qu'une tache sombre sur le sol rocailleux, les ronces reculèrent. On aurait dit qu'elles rampaient.

Stacy hurla. Elle les regardait tous les uns après les autres, pointant les ronces du doigt, s'égosillant, horrifiée. Amy fit un pas vers elle, la prit dans ses bras, l'enlaça, la caressa, s'efforçant de l'apaiser tandis qu'elles regardaient toutes deux Mathias se diriger vers la tente, le couteau à la main.

Éric avait cessé de hurler lorsqu'il entendit les cris stridents de Stacy. Il avait les mains, les jambes et les pieds brûlés par la sève des ronces, et toujours cette vrille de huit centimètres à l'intérieur de lui, sous sa peau, longeant son tibia sur la gauche. *Elle se déplace,* pensa-t-il. Mais peut-être était-ce un mouvement interne de son corps, un spasme musculaire. Il voulait s'en débarrasser, c'est tout ! Il lui fallait le couteau pour le faire, pour trancher les liens la reliant à sa chair.

Mais qu'est-ce qui se passait là-bas ? Pourquoi Stacy hurlait-elle ?

Il l'appela : « Stacy ? »

Un instant plus tard, Mathias franchissait le seuil de la tente, un couteau à la main, le visage crispé. Il avait peur.

– Qu'est-ce que c'était ? demanda Éric. Qu'est-ce qui se passe ?

Mathias ne répondit pas. Il scrutait le corps d'Éric.

– Montre-moi, dit-il.

Éric lui désigna sa blessure. Mathias s'accroupit à ses côtés, l'examina, vit la bosse oblongue lui déformant la peau. Elle s'était remise à bouger, comme un ver tentant de se frayer un chemin dans le corps d'Éric. Dehors, Stacy s'était enfin tue.

Mathias tendit le couteau à Éric.

– Tu veux le faire ? Ou bien c'est moi ? demanda-t-il.

– Toi.

– Ça va faire mal.

– Je sais.

– Il n'est pas stérilisé.

– S'il te plaît, Mathias, fais-le.

– On ne pourra peut-être pas arrêter l'hémorragie.

Non, ce n'étaient pas ses muscles, comprit Éric. C'étaient bien les ronces. Elles bougeaient de leur propre volonté, s'enfonçant toujours plus profondément dans sa jambe, comme si elles avaient senti l'approche du couteau. Il eut envie de hurler, mais se mordit la lèvre. Il était en sueur, le corps luisant.

– Dépêche-toi, gémit-il.

Mathias se planta de part et d'autre de la jambe d'Éric, puis s'assit sur sa cuisse pour la maintenir au sol. Éric ne voyait rien : le dos de Mathias lui masquait la vue. Il ne savait pas ce qu'il était en train de faire. Il sentit la morsure du couteau, glapit, tenta de se dégager, mais Mathias résista de tout son poids. Éric ferma les yeux. Le couteau trancha plus profondément, puis la lame se déplaça le long de sa jambe. Éric avait l'étrange sensation que le couteau ouvrait une boutonnière dans sa chair. Puis il sentit les doigts de Mathias qui fouillaient, attrapaient les ronces, les arrachaient enfin pour les jeter au loin, tout au fond de la tente, à côté du tas d'ustensiles de camping. Éric entendit le bruit sourd de la plante encore humide de son sang retombant mollement contre la bâche.

– Oh, mon Dieu ! dit-il. Oh, putain !

Il sentait la pression appliquée sur sa blessure par Mathias, qui s'efforçait de contenir le flot de sang. Éric ouvrit les yeux et vit que Mathias était dos nu. Il avait enlevé sa chemise pour en faire un bandage de fortune.

– Ça va, dit Mathias. Je l'ai eue.

Ils restèrent ainsi quelques minutes, immobiles, tentant l'un et l'autre de reprendre leur souffle tandis que Mathias appuyait de tout son poids sur l'entaille.

Éric pensait que Stacy viendrait voir comment il allait... Il entendait les pleurs de Pablo, mais les filles ne faisaient pas un bruit.

– Qu'est-ce qui s'est passé, demanda-t-il enfin ? Qu'est-ce qui s'est passé dehors ?

Mathias ne répondit pas.

Éric essaya encore.

– Pourquoi Stacy hurlait-elle comme ça ?

– C'est pas beau à voir.

– Quoi ?

– Faut que tu voies par toi-même. Je ne peux pas... dit Mathias en agitant la tête. Je ne sais pas comment décrire ça.

Éric se tut, essayant de comprendre ses paroles.

– C'est Pablo ?

Mathias hocha la tête.

– Qu'est-ce qu'il a ?

Mathias fit un vague geste de la main, Éric sentit son cœur se serrer. Il aurait voulu voir le visage de l'Allemand.

– Mais, dis-moi ! insista-t-il.

Mathias se leva, le tee-shirt à la main, roulé en boule, couvert du sang d'Éric.

– Tu peux te mettre debout ? demanda-t-il.

Éric essaya de se lever. Sa jambe saignait encore, et il avait du mal à peser dessus. Il parvint à se mettre debout malgré tout, mais faillit bien tomber. Mathias le rattrapa par le coude, le releva et l'aida ensuite à rejoindre l'entrée de la tente à cloche-pied.

Jeff les trouva tous les quatre assemblés dans la petite clairière, assis à côté de la tente orange. Lorsqu'ils le virent approcher, ils se mirent à parler tous ensemble.

Amy semblait au bord des larmes.

– Qu'est-ce que tu fais là ? répétait-elle sans cesse.

Jeff était parti si longtemps... Ils avaient fini par penser qu'il avait peut-être trouvé le moyen de s'enfuir, s'était faufilé entre les gardes au pied de la colline puis avait filé droit dans la jungle, se trouvait sur le chemin de Cobá... alors, les secours allaient bientôt arriver. Ils avaient évoqué ce scénario tant de fois, passé en revue chaque étape de son voyage, imaginé le déroulement des événements. Une fois sur la route, parviendrait-il à arrêter un bus, ou devrait-il faire du stop pour couvrir les dix-huit kilomètres le séparant de la ville ? Dix-huit, peut-être même plus... La police viendrait-elle immédiatement, ou prendrait-elle le temps de rassembler ses forces avant d'assaillir les Mayas ? Du domaine de l'incertain, le scénario était devenu possible pour Amy. La fuite de Jeff ne relevait plus de l'improbable, mais du *réel*.

Amy répétait la même question de façon lancinante : « Qu'est-ce que tu fais là ? »

Quand Jeff lui dit s'être rendu au pied de la colline, en avoir fait tout le tour, elle le regarda fixement, interloquée.

Il aurait pu tout aussi bien lui dire qu'il avait passé la matinée à jouer au tennis avec les Mayas.

Éric ne se sentait pas bien. Il resta assis parmi eux, se balançant d'avant en arrière, les yeux rivés sur le sang séché couvrant son genou et son tibia, puis se releva d'un bond, arpentant la clairière en boitant, interrompant les conversations. Il se rassit, la jambe étendue devant lui. Il se mettait parfois à parler, parler, parler sans cesse, puis cessait un instant. Il portait un short à présent – pris dans l'un des sacs à dos, pensa Jeff. Les ronces étaient en lui : il répétait cela sans s'adresser à quiconque en particulier. Il n'attendait pas de réponse, n'en espérait probablement pas. Ils avaient extirpé la plante de sa chair, mais il la sentait encore là, en lui.

Stacy expliqua à Jeff ce qui était arrivé à Éric, comment les ronces s'étaient insinuées dans sa blessure pendant son sommeil, comment Mathias les avait arrachées à sa chair à l'aide d'un couteau. Chose étonnante, elle parut d'abord beaucoup plus calme que les deux autres. Puis, au beau milieu d'une phrase, elle changea soudain de sujet :

– Ils vont venir aujourd'hui, dit-elle à voix basse, visiblement anxieuse. Tu ne crois pas, Jeff ?

– Qui ?

– Les Grecs.

– J'en sais rien. Je...

Jeff vit soudain qu'elle avait le visage parcouru de spasmes – elle était *terrorisée.*

– Ça se peut, dit-il. Cet après-midi même, qui sait ? ajouta-t-il.

– Il le faut.

– Si ce n'est pas aujourd'hui, alors ce sera...

Stacy lui coupa la parole, élevant la voix.

– Nous ne pouvons pas passer une nuit de plus ici, Jeff. Il faut qu'ils viennent aujourd'hui.

Jeff se tut, la regarda fixement, surpris.

Elle observa Éric un moment. Il continuait à faire les cent pas en marmonnant. Elle se pencha vers Jeff, lui toucha le bras :

– Les ronces se déplacent, dit-elle dans un murmure, jetant un coup d'œil en direction de la masse végétale qui encerclait la petite clairière, comme si elle avait peur qu'on surprenne ses paroles. Amy a vomi et les ronces se sont approchées, ajouta-t-elle en imitant avec son bras la reptation d'un serpent. Elles se sont approchées et ont tout absorbé.

Jeff sentait tous les regards posés sur lui, comme si tous attendaient qu'il nie les faits, qu'il leur dise que c'était impossible. Il se contenta d'acquiescer. Il savait que la plante pouvait se déplacer – ça et bien d'autres choses encore...

Jeff réussit à calmer Éric un moment et put examiner sa jambe. Sa plaie au genou s'était refermée ; la croûte était brun-rouge. Tout autour, la peau était enflammée, brûlante au toucher. Sous cette blessure, une autre, perpendiculaire, courait le long de son tibia. On aurait dit que quelqu'un avait gravé un grand T dans sa chair.

– Ça a l'air d'aller, dit-il.

Jeff tentait seulement d'apaiser Éric. Non, ça n'avait pas l'air d'aller du tout. Mathias avait badigeonné un peu de pommade antiseptique sur ses plaies – Éric en avait la jambe luisante –, mais il restait des fragments terreux collés sur sa peau.

– Pourquoi ne lui avez-vous pas fait un bandage ? demanda Jeff.

– Nous avons essayé, répondit Stacy. Mais il n'arrêtait pas de l'arracher. Il dit qu'il veut voir sa blessure.

– Pourquoi ?

– Ça va repousser si nous ne gardons pas un œil dessus, intervint Éric.

– Mais tu l'as enlevée. Comment est-ce qu'elle pourrait...

– Nous n'avons eu que la partie principale. Le reste est encore à l'intérieur. Je le sens. Regarde comme c'est boursouflé. Tu vois ? dit-il en montrant son tibia.

– C'est juste un peu enflé, Éric. C'est normal, quand on se blesse, ajouta Jeff.

Éric balaya cette dernière remarque d'un geste de la main, la voix soudain plus tendue.

– Conneries ! Putain, tu vois pas que ça pousse à l'intérieur ?

Il se releva en s'aidant des mains, puis traversa la clairière en boitant.

– Faut que je me tire d'ici. Faut que j'aille à l'hôpital.

Jeff le regarda arpenter la clairière, surpris par tant d'agitation. Amy paraissait au bord des larmes. Stacy se tordait les mains.

Mathias portait une chemise vert foncé, trouvée sans doute dans l'un des sacs à dos. Il n'avait pas dit un mot pendant tout ce temps. Il prit enfin la parole, de sa voix calme, avec son accent presque imperceptible :

– Ce n'est pas le pire, dit-il en se tournant vers Pablo.

Pablo. Jeff l'avait oublié. Il lui avait jeté un rapide coup d'œil à son retour dans la clairière, l'avait vu, immobile, étendu sous son appentis, les yeux fermés. *C'est bien*, avait-il pensé. *Il dort.* Voilà tout. Puis Amy s'était mise à répéter cette étrange question : « Qu'est-ce que tu fais là ? » Et puis Stacy s'inquiétait de l'arrivée des Grecs, et Éric prétendait que les ronces poussaient en lui. Toutes ces absurdités avaient détourné son attention. Il aurait dû s'intéresser à Pablo d'abord.

Le pire.

Jeff fit un pas vers l'appentis. Mathias le suivit. Les autres restèrent à l'autre bout de la clairière pour l'observer, comme s'ils craignaient d'approcher. Pablo était étendu sur son brancard, les jambes et les cuisses recouvertes par le sac de couchage. Rien ne semblait avoir changé. Jeff ne comprenait donc pas pourquoi il sentait l'imminence d'un danger ni pourquoi son cœur se serrait soudain.

– Quoi ? demanda-t-il.

Mathias s'accroupit puis tira lentement le sac de couchage.

Un long moment, Jeff regarda sans comprendre. Il avait les yeux rivés sur Pablo, sans pouvoir admettre l'image sous ses yeux.

Le pire.

Ce n'était pas possible. Comment cela aurait-il pu l'être ?

La chair des deux jambes avait été presque entièrement arrachée du genou jusqu'aux pieds. De l'os, des tendons, des nerfs, des caillots de sang noircis et filandreux : voilà tout ce qui restait. Mathias et les autres avaient posé un garrot de fortune aux cuisses pour pincer les artères fémorales, avec des bandes de Nylon découpées dans la toile de tente bleue. Jeff se baissa pour les examiner, ne plus penser, ne plus devoir regarder les os mis à nu. Il devait s'occuper l'esprit un moment, se distraire, se donner le temps de s'adapter à cette nouvelle horreur. Il n'avait jamais posé de garrot auparavant, mais se souvenait de trucs lus sur le sujet. Il savait, au moins de façon abstraite, comment procéder. Il fallait le desserrer à intervalles réguliers, puis le resserrer, mais Jeff ne se rappelait plus la chronologie à suivre, ni même pourquoi on procédait ainsi.

Aucune importance, pensa-t-il.

Non. Il *savait* que c'était sans importance.

– Les ronces ? demanda-t-il.

Mathias acquiesça.

– Quand on les a arrachées, le sang a giclé. Elles contenaient le flux, mais après...

D'un geste de la main, il fit mine de vaporiser quelque chose.

Pablo avait les yeux fermés, comme s'il dormait, mais ses poings étaient si serrés qu'il en avait les doigts exsangues.

– Est-ce qu'il est conscient ? demanda Jeff.

Mathias haussa les épaules.

– Difficile à dire. Il s'est d'abord mis à hurler puis s'est arrêté et a fermé les yeux. Il a roulé la tête d'un côté, puis de l'autre. Il a aussi poussé un cri. Mais il n'a pas rouvert les yeux depuis.

Une odeur étrangement douceâtre émanait du corps de Pablo. À peine l'avait-on remarquée qu'elle devenait écœurante. De la pourriture, pensa Jeff. Les jambes du Grec commençaient à se décomposer. Il devait être opéré, transporté à l'hôpital, et le plus tôt possible. Les secours devaient arriver le soir même pour qu'il ait une chance de survivre. Sinon, ils allaient passer les prochains jours à regarder agoniser Pablo.

Peut-être y avait-il une troisième solution.

Jeff était à peu près certain que les secours allaient arriver avant la tombée de la nuit. Il ne voulait pas attendre en regardant mourir Pablo. Mais cette troisième solution... Il le savait, les autres ne seraient pas prêts pour ça. Ni en théorie ni en pratique. Mais si jamais il devait tenter le coup, il ne pourrait évidemment se passer de leur aide.

Il se détourna donc du corps mutilé de Pablo avec l'intention de les préparer, de les endurcir, et commença à leur raconter ce qu'il avait découvert le matin même.

Étant donné ce que pouvaient faire les ronces et après tout ce que Stacy avait vu depuis l'aube – la manière dont elles s'étaient insinuées dans la jambe d'Éric, avaient dépouillé Pablo de sa chair, s'étaient faufilées tel un serpent à travers la clairière pour absorber le vomi d'Amy jusqu'à plus soif –, elle ne fut guère surprise par les révélations de Jeff. Sa seule réaction fut un certain agacement dû aux allées et venues d'Éric. Il ne faisait pas attention à ce que racontait Jeff. Stacy voulait qu'il s'assoie et cesse de faire une fixation sur la présence imaginaire de la plante à l'intérieur de son corps. Il se faisait un film, elle en était certaine. Cette idée même lui semblait absurde, inutilement effrayante. Elle avait beau assurer à Éric qu'il se trompait, c'était inutile. Il continuait à faire les cent pas, marquant de temps à autre une pause pour tâter ses blessures en grimaçant. Tout ce qu'on pouvait faire, c'était s'efforcer de l'ignorer.

Ils étaient retenus prisonniers ici à cause des ronces : voilà ce que leur disait Jeff en substance. Les Mayas avaient défriché le sol tout autour de la colline pour maintenir la plante en quarantaine. Ils avaient même salé la terre. D'après Jeff, les ronces se disséminaient par simple contact. En les touchant, ils avaient récolté au passage leurs graines, spores ou autres semences qui leur servaient de moyen de reproduction. Si jamais ils devaient franchir la clairière stérile, ils les emporteraient avec eux. Voilà pourquoi les Mayas refusaient de les laisser descendre de la colline.

– Et les oiseaux ? demanda Mathias. Tu ne crois pas qu'ils...

– Il n'y en a pas, répondit Jeff. Tu n'as pas remarqué ? Pas d'oiseaux, pas d'insectes – rien de vivant, à part nous, et cette plante.

Ils embrassèrent tous la clairière du regard, comme pour chercher une preuve qui puisse démentir son affirmation.

– Comment savent-ils qu'il ne faut pas s'approcher ? demanda Stacy.

Elle imaginait les Mayas arrêtant les oiseaux, les moustiques et les mouches, tout comme ils l'avaient fait pour eux. Le vieil homme aurait brandi son revolver, crié pour tenir les minuscules créatures à distance. Comment les oiseaux auraient-il pu comprendre qu'ils devaient rebrousser chemin alors qu'elle-même ne s'était doutée de rien ?

La sélection naturelle, dit Jeff. Ceux qui se sont posés sur le coteau sont morts. Ceux qui ont perçu le danger d'une manière ou d'une autre ont survécu...

– Tous ? demanda Amy.

Décidément, elle ne croyait pas un mot de tout cela.

Jeff haussa les épaules.

– Regarde plutôt.

Les poches de sa chemise comportaient des boutons en plastique. Il en arracha un, et le lança dans les ronces.

Il y eut un mouvement soudain, comme un éclair vert traversant la masse végétale.

– Tu as vu à quel point elles sont rapides ? demanda-t-il.

Jeff semblait étrangement satisfait, comme s'il était fier de la plante.

– Imagine qu'un oiseau se soit posé. Ou une mouche. Ils n'auraient pas eu la moindre chance, ajouta-t-il.

Personne ne dit un seul mot. Ils regardaient tous fixement la végétation alentour, comme s'ils s'attendaient à la voir bouger à nouveau. Stacy se souvint de ce long tentacule ondulant vers elle sur le sol de la clairière, son bruit de succion en absorbant le vomi d'Amy. Elle se rendit compte qu'elle retenait son souffle : elle en avait presque des vertiges, dut se forcer à inspirer, expirer, inspirer...

Jeff arracha le bouton de son autre poche et le jeta au milieu des plantes. Une fois encore, la même ruée.

– Mais voilà le plus beau, dit-il en arrachant un troisième bouton, de son col cette fois, avant de le jeter dans les ronces.

Rien.

– Vous voyez ? demanda-t-il en souriant, arborant le même air satisfait. C'était plus fort que lui.

– Elles *apprennent*, dit-il. Elles *pensent.*

– Qu'est-ce que tu racontes ? s'exclama Amy comme si Jeff venait de l'insulter. Peut-être était-elle terrorisée. Il y avait de la tension dans sa voix.

– Cette plante a fait tomber ma pancarte.

– Tu veux dire qu'elle sait lire ?

– Je veux dire qu'elle savait ce que je faisais. Si elle voulait réussir à nous tuer, et peut-être d'autres qui pourraient aussi s'aventurer dans les parages, elle devait se débarrasser de la pancarte. Tout comme elle l'a fait pour cet avertissement-là.

Jeff donna un coup de pied dans la poêle en métal sur laquelle était gravé l'avertissement en espagnol.

Amy se mit à rire toute seule. Stacy avait entendu tout ce que Jeff venait de dire, sans en retenir ni en comprendre la signification. *Les plantes se tournent vers la lumière* : voilà ce qu'elle pensait. Miraculeusement, elle se rappelait le terme désignant ce réflexe. On aurait dit une bulle remontant à la surface de ses pensées – un petit saut en arrière, et voilà qu'elle retrouvait le cours de biologie du lycée, l'odeur de la craie et du formol, les boulettes de chewing-gum séché collées sous son bureau : le phototropisme. Les fleurs s'ouvrent le matin et se referment le soir. Les racines vont chercher l'eau. C'était étrange, angoissant même, mais cela n'avait rien à voir avec le fait de penser.

– C'est absurde, dit Amy. Les plantes n'ont pas de cerveau. Elles ne peuvent pas penser.

– Cette ronce pousse à peu près sur n'importe quoi, pas vrai ? Sur tout ce qui est organique en tout cas, non ? rétorqua Jeff, indiquant le duvet vert pâle poussant sur son jean.

Amy acquiesça.

– Alors, pourquoi n'a-t-elle pas colonisé la corde ? demanda Jeff.

– Elle l'avait colonisée. C'est pour ça qu'elle a rompu. Cette ronce...

– D'accord, mais pourquoi ne l'a-t-elle pas entièrement consommée ? Cette chose a réussi à dépouiller les jambes de Pablo de toute chair en une seule nuit. Pourquoi n'aurait-elle pas dévoré la corde jusqu'à la dernière fibre ?

Amy le regarda en fronçant les sourcils. Elle ne savait pas quoi répondre.

– C'était un piège, dit Jeff. Tu comprends ? Cette plante n'a pas touché à la corde, car elle savait que si quelqu'un venait, il finirait par explorer le puits. Alors, elle pourrait en consumer le chanvre et...

Amy fit un geste pour manifester son incrédulité.

– C'est *une plante*, Jeff. Les plantes ne sont pas conscientes. Elles ne...

Jeff fouilla dans ses poches, les vida les unes après les autres sur le sol devant lui. Il y avait quatre passeports, deux paires de lunettes, des alliances, des boucles d'oreilles, un collier.

– Tiens, dit-il. Ils sont tous morts. Voilà tout ce qui reste. Ça et puis leurs ossements. Et je te dis que ce sont les ronces qui ont fait ça. Elles les ont tués. Alors même que nous parlons, elles projettent de nous faire subir le même sort.

Amy secoua la tête avec violence.

– Non, les ronces ne les ont pas tués. Ce sont les Mayas. Ils ont essayé de s'enfuir et les Mayas les ont abattus. Les ronces ont simplement consumé leurs cadavres ensuite. Pas besoin de penser pour ça. Non...

– Regarde un peu autour de toi, Amy.

Elle se tourna, jeta un coup d'œil circulaire sur la clairière. Tous les autres, même Éric, l'imitèrent. Amy leva les mains :

– Quoi ?

Jeff traversa la clairière et pénétra dans la masse végétale. Il fit cinq pas en avant et atteignit l'un des étranges massifs arrivant à hauteur de la taille. Il s'accroupit puis se mit à arracher les ronces. *Il va se brûler*, pensa Stacy, mais elle voyait bien qu'il s'en fichait pas mal. Alors qu'il continuait son défrichage, elle commença à entrevoir des bouts de blanc jaunâtre sous le tapis de verdure. *Des pierres*, pensa-t-elle, sachant fort bien qu'il n'en était rien. Jeff plongea le bras au centre du massif puis en tira une chose vaguement sphérique et la brandit vers le groupe. Stacy ne voulait pas voir de quoi il s'agissait. Voilà pourquoi il lui avait fallu si longtemps avant de comprendre : l'objet était facile à identifier, ce rictus d'Halloween, ce pavillon de pirates battant au vent, ce pauvre Yorick, là, au bout du bras de Jeff. Oui, c'était bien un crâne qu'il leur tendait ainsi. Elle dut se répéter le mot plusieurs fois avant de l'admettre. Elle ne voulait pas y croire. *Un crâne, un crâne, un crâne...*

Jeff embrassa alors le plateau d'un geste de la main tandis que leurs regards suivaient le mouvement de son bras à l'unisson. Il y avait des massifs partout, se dit Stacy. Elle commença à les compter ; arrivée à neuf, elle abandonna. Il en restait tant d'autres...

– Elles les ont tous tués, dit Jeff, revenant vers eux en s'essuyant les mains sur son jean. *Les ronces*, pas les Mayas. Un par un, elles les ont tous tués.

Éric avait enfin cessé de s'agiter.

– Nous devons nous enfuir, dit-il.

Tous se tournèrent vers lui. Il agitait la main comme s'il venait de se coincer les doigts dans un tiroir et tentait d'atténuer ainsi la douleur. Il semblait très nerveux, rongé par l'angoisse.

– Nous pouvons fabriquer des boucliers. Des lances, peut-être. Et partir à l'assaut. Tous ensemble. Nous pouvons...

– Ils ont des fusils, l'interrompit Jeff, presque avec mépris. Au moins deux, peut-être plus. Et nous ne sommes que cinq. Et après quoi ? Vingt et un kilomètres à faire avant d'être en sécurité ? Et puis Pablo...

Éric agita la main de plus en plus vite, si vite qu'il en faisait claquer ses doigts.

– Mais on ne peut pas rester là à ne rien faire ! hurla-t-il.

– Éric...

– Elle est en moi !

Jeff agita la tête avec détermination et ajouta d'un ton sans appel :

– Ce n'est pas vrai. Tu as peut-être l'impression que c'est le cas, mais tu as tort. Je te le jure.

Éric n'avait aucune raison de le croire. Jeff se contentait de l'affirmer – même Stacy s'en rendait compte. Mais ça semblait marcher. Elle regarda Éric qui finit par céder, vit ses muscles se détendre. Il s'assit enfin, ramena ses genoux contre son torse et ferma les yeux. Stacy le savait pourtant : l'accalmie n'allait pas durer longtemps. Il allait bientôt se relever pour arpenter la clairière. Jeff venait à peine de se tourner, pensant avoir résolu ce problème-là, qu'Éric glissait déjà la main vers son tibia, vers sa blessure, vers la légère boursouflure qui en marquait les contours.

Ils burent tous une gorgée d'eau. Ils s'assirent près de l'appentis de Pablo, formant vaguement un cercle, et firent circuler la gourde en plastique. Amy oublia la promesse qu'elle s'était faite la nuit précédente d'avouer avoir volé de l'eau et de décliner sa ration matinale, et prit sa part sans éprouver la moindre culpabilité. Sa soif était trop intense et elle avait bien trop envie de se débarrasser de cet arrière-goût de vomi persistant.

Les Grecs arrivent : voilà ce qu'elle se répétait sans cesse en imaginant leur parcours minute par minute. Les deux garçons riaient et caracolaient dans la gare routière de Cancún, achetaient des tickets imprimés aux noms de Juan et Don Quichotte, s'en amusaient follement, se donnaient de grandes tapes sur l'épaule avec ce large sourire de lutin si caractéristique. Et puis leur voyage en bus, le marchandage avec le chauffeur de taxi, la longue marche sur le chemin à travers la jungle jusqu'à la première clairière. Ils ne s'arrêteraient pas au village maya. Non, se dit Amy, ils ne feraient pas cette erreur. Ils trouveraient le second sentier et le suivraient à la hâte, peut-être avanceraient-ils en chantant. Amy voyait leurs visages étonnés au sortir de la jungle, apercevant la colline couverte de ronces devant eux tandis que Jeff, Stacy ou bien Éric se tiendrait là, tout en bas de la pente, leur signifiant par gestes de ne pas s'approcher, mimant la situation, le danger. Les Grecs comprendraient. Ils rebrousseraient chemin, fileraient dans la jungle pour aller chercher des secours. Il faudrait attendre encore des heures avant que les deux garçons n'arrivent, pensa Amy. Il était encore trop tôt. Juan et Don Quichotte n'étaient pas même à la gare routière. Peut-être dormaient-ils encore. Mais ils allaient venir. Elle ne pouvait se permettre d'imaginer qu'ils ne le fassent pas. Cette plante était peut-être malveillante si, comme Jeff l'avait affirmé, elle pouvait penser et planifiait leur destruction, mais cela n'avait aucune importance. Les Grecs arrivaient à la rescousse. Ils ne tarderaient pas. Ils seraient bientôt levés, sous la douche ou en train de prendre leur petit déjeuner, étudiant la carte de Pablo...

Jeff leur demanda de vider leurs sacs pour faire l'inventaire des vivres qu'ils avaient emportés.

Stacy présenta ses provisions et celles d'Éric : deux bananes semblant pourries, une bouteille d'un litre d'eau, un sac de bretzels et une petite boîte de fruits secs.

Amy défit le sac de Jeff et en sortit deux bouteilles de thé glacé, deux barres protéinées, une boîte de raisins secs, un sac en plastique rempli de raisins jaunissants.

Mathias ajouta une orange, une canette de Coca, un sandwich au thon détrempé.

Ils avaient tous faim, évidemment. Même en mangeant le tout, ils n'auraient pas été rassasiés. Jeff les en aurait de toutes façons empêchés. Il s'accroupit, se pencha au-dessus du petit tas de provisions, le front plissé, comme s'il espérait les voir se multiplier grâce à sa puissance de concentration et leur fournir par miracle assez de nourriture pour survivre aussi longtemps que nécessaire.

Aussi longtemps que nécessaire. C'était bien le genre d'expression qu'il emploierait, se dit Amy, objective et détachée, et elle sentit monter en elle une pointe d'agacement envers lui. Les Grecs viendraient cet après-midi. Pourquoi s'obstinait-il à refuser de l'admettre ? Ils trouveraient un moyen de les mettre en garde, de les envoyer chercher de l'aide. Les secours arriveraient à la tombée de la nuit. Nul besoin de rationner la nourriture. C'était une mesure alarmiste, extrême. Ils le taquineraient plus tard, imiteraient la façon dont il avait pris le sandwich au thon, en avait ôté l'emballage pour le découper en cinq parts égales. Amy imagina ce scénario pendant quelques instants – elle les voyait tous réunis sur la plage à Cancún, se moquant de Jeff. Elle montrerait aux autres à quel point les parts étaient petites en laissant un infime espace entre son pouce et son index, si petites que c'en était absurde – oui, en vérité, pas plus grosses qu'un biscuit. À peine une bouchée, se disait-elle tout en songeant aux moments plus heureux qu'ils connaîtraient demain, douchés, reposés, sur la plage, assis sur leurs serviettes bariolées. Elle ouvrit la bouche, y plaça sa petite part de sandwich, la mâcha deux ou trois fois, puis l'avala. Fin du repas.

Les autres s'attardaient sur leur part, prenant de minuscules bouchées, dignes d'une souris. Amy se sentit envahie par le remords. Pourquoi n'y avait-elle pas pensé ? Pourquoi n'avait-elle pas fait durer le plaisir, transformé ce snack plus que frugal en un semblant de repas ? Elle voulait qu'on lui redonne sa ration pour la consommer moins vite. Mais elle était déjà au fond de son estomac. Elle n'avait plus qu'à rester assise là, tandis que les autres prenaient leur temps, grignotaient, reniflaient, savouraient leur part. Elle eut soudain envie de pleurer – non, elle retenait ses larmes depuis le matin, peut-être même depuis leur arrivée sur cette colline. C'était encore pire maintenant. Elle se débattait en eau profonde tout en se disant que ce n'était pas vrai. Et cela, justement, l'épuisait. Elle ne savait pas combien de temps encore elle pourrait faire semblant et se débattre ainsi. Elle voulait plus de nourriture, plus d'eau. Elle voulait rentrer chez elle. Elle voulait aussi que Pablo ne soit pas étendu là-bas, sous l'appentis, les jambes dépouillées de toute chair. Ça et plus encore, mais rien n'était possible. Alors elle continuait à se débattre, à faire semblant. Elle savait qu'elle pouvait craquer à tout moment maintenant. Elle devrait alors cesser de lutter et se noyer enfin.

Ils firent circuler la gourde en plastique et burent tous une gorgée pour faire descendre la nourriture.

– Et Pablo ? demanda Mathias.

Jeff jeta un coup d'œil en direction de l'appentis.

– Je doute qu'il puisse avaler quoi que ce soit.

– Je parlais de son sac à dos, répondit Mathias en agitant la tête.

Ils scrutèrent la clairière à la recherche du sac du jeune Grec. Il se trouvait à côté de Jeff. Il tendit le bras pour l'attraper, l'ouvrit pour en sortir trois bouteilles de tequila, l'une après l'autre, puis il retourna le sac, le secoua : une poignée de petits sachets en cellophane tombèrent sur le sol. Des biscuits salés. Stacy éclata de rire. Amy l'imita. Quel soulagement ! Ça faisait du bien, ça semblait presque normal. Elle se sentait l'esprit un peu moins embrumé, le moral un peu moins bas. Trois bouteilles de tequila ! Où Pablo avait-il donc la tête ? Où croyait-il aller ? Amy aurait voulu continuer à rire, prolonger cet instant, tout comme les autres avaient fait durer leur misérable portion de thon. Mais c'était trop difficile, trop rapide. Stacy cessa de rire et Amy l'imita. Elle n'y parvenait pas toute seule. Elle se tut, regarda Jeff remettre les bouteilles dans le sac avant d'ajouter les biscuits à leur maigre réserve. Elle s'en rendait compte : il était en train de réfléchir, de décider ce qu'ils mangeraient, et de l'échelonnement de leurs repas. Les denrées périssables d'abord, pensa-t-elle – les bananes, les raisins et les oranges. Il les distribuerait bouchée par bouchée. Elle sentait l'arrière-goût du thon se mêler à celui du vomi dans sa bouche. Son ventre, étrangement gonflé, la faisait souffrir. Elle voulait manger plus. Le peu que leur avait donné Jeff ne suffisait pas, bien sûr. Il devait leur proposer autre chose – un cracker, au moins, un quartier d'orange, une poignée de raisins.

Amy les regarda tous un à un. Éric ne faisait plus partie du vague cercle formé par le groupe. Il avait recommencé à arpenter la clairière en boitant. Il faisait les cent pas, s'arrêtant de temps à autre pour se pencher sur sa jambe et l'examiner. Mathias regardait Jeff arranger le tas de vivres. Stacy mangeait toujours son petit bout de sandwich, prenant de temps en temps une minuscule bouchée pour la mastiquer longuement, les yeux fermés. Les Grecs arrivaient – ils seraient là dans quelques heures. C'était ridicule de rationner la nourriture ainsi, quelqu'un devait le lui dire enfin. Mais personne ne prendrait la parole, pensa Amy. Non, comme d'habitude, elle devrait le faire. Oui, comme toujours, celle qui se plaignait, qui geignait tout le temps, le canard boiteux en somme.

– L'un de nous devrait descendre au pied de la colline et guetter l'arrivée des Grecs, déclara Jeff. Je me disais aussi qu'on devrait creuser des latrines... maintenant, avant que le soleil soit plus haut dans le ciel. Et puis...

– C'est tout ce que tu nous donnes ? demanda Amy.

Jeff releva la tête, la regarda, ne comprenant pas de quoi elle parlait.

Amy désigna le tas de vivres de la main.

– À manger, précisa-t-elle.

Il acquiesça d'un petit signe de tête un peu sec. Oui, c'était tout. Apparemment, sa question ne méritait même pas de réponse intelligible. Il n'y aurait pas de discussion, pas de débat. Amy se tourna vers les autres. Elle s'attendait à trouver du soutien, mais ils se comportaient comme s'ils ne l'avaient même pas entendue. Ils regardaient tous Jeff, attendant la suite de son discours. Jeff hésita encore un peu, le regard tourné vers Amy, s'assurant qu'elle avait terminé. Elle haussa les épaules, détourna les yeux, céda à la volonté du groupe. Elle se montrait lâche, elle le savait, mais elle ne pouvait pas se rebeller.

– Mathias et moi, nous nous chargerons de creuser, dit Jeff. Éric devrait probablement essayer de se reposer – sous la tente, à l'abri du soleil. Ça veut dire que l'une de vous deux devra descendre au pied de la colline tandis que l'autre veillera sur Pablo, dit-il en regardant Amy et Stacy.

Stacy ne faisait pas attention, Amy le voyait bien. Elle avait encore les yeux fermés. Elle savourait ses dernières miettes de thon. En sus de la faim, de la soif, et de son malaise général, Amy avait une envie d'uriner de plus en plus pressante. Elle se retenait depuis le matin, car elle refusait de recourir une fois de plus à la bouteille. Elle espérait trouver un moment pour s'éclipser et se soulager ailleurs, ça la poussa à prendre la parole. Elle ne pensait pas à ce que ce serait que de se retrouver en bas, au pied de la colline, face aux Mayas, de l'autre côté de cette bande de terre stérile – non, elle ne songeait qu'à s'accroupir au milieu du sentier, hors de vue, le jean descendu sur les talons tandis qu'une flaque d'urine s'élargirait lentement entre ses pieds.

– J'y vais, dit-elle.

Jeff acquiesça.

– Mets ton chapeau. Tes lunettes de soleil. Et essaie de ne pas trop bouger. Il faut attendre deux heures avant de boire à nouveau un peu d'eau.

Amy comprit qu'il la traitait comme une gamine. Elle se releva, toujours aussi préoccupée par sa vessie, pensant au soulagement qui l'attendait en contrebas. Elle mit son chapeau, ses lunettes de soleil, passa la dragonne de son appareil photo autour de son cou, puis traversa la clairière. À peine s'était-elle mise en marche que Jeff la rappelait déjà : Amy !

Elle se retourna. Il s'était levé et courait vers elle. Arrivé à sa hauteur, il la prit par le bras et lui dit tout bas :

– Si tu as une occasion de filer, n'hésite pas. Vas-y.

Amy ne dit rien. Elle n'allait pas tenter de s'enfuir, l'idée lui semblait ridicule. Pourquoi prendre un risque aussi inutile ? Les Grecs allaient arriver. À cette heure, ils devaient déjà se réveiller, se doucher, préparer leurs sacs.

– Entrer dans la jungle, c'est tout ce que tu as à faire. Quelques pas à peine. Après, tu te plaques contre le sol. La végétation est si dense qu'ils ne te retrouveront probablement pas. Attends un peu, puis sors de là. Mais attention. Ils pourront te voir dès que tu te mettras à bouger.

– Jeff, je ne vais pas m'enfuir.

– Je te dis juste que si jamais...

– Les Grecs arrivent. Pourquoi veux-tu que j'essaie de m'enfuir ?

Jeff resta muet. Il fixa Amy, le visage impassible.

– Jeff, tu te comportes comme s'ils n'allaient pas venir. Tu refuses de nous laisser boire ou manger, ou même...

– Nous n'en savons rien.

– Bien sûr que si. Ils arrivent, je te dis.

– Et s'ils arrivent, nous ne pouvons pas être certains qu'ils ne finiront pas comme nous, coincés sur cette colline.

Amy fit non de la tête, comme si cette idée était trop excentrique pour qu'elle daigne en tenir compte.

– Je les en empêcherai.

Jeff ne dit rien, mais son front se plissa imperceptiblement.

– Je les mettrai en garde, insista Amy.

Jeff continua à la regarder en silence un long moment. Elle voyait qu'il réfléchissait, hésitait à ajouter quelque chose. Lorsqu'il reprit enfin la parole, ce fut d'une voix encore plus basse, murmurant presque :

– C'est grave, Amy. Tu en as conscience, non ?

– Oui, dit-elle.

– S'il suffisait d'attendre, j'aurais confiance. Je serais sûr qu'on s'en sortirait, en dépit des difficultés. Peut-être pas Pablo, mais le reste d'entre nous, oui. Tôt ou tard, quelqu'un viendrait – il faudrait juste tenir le coup jusqu'à ce moment-là. Et on y arriverait. On aurait faim, on aurait soif. Le genou d'Éric s'infecterait peut-être aussi, mais tout irait bien au bout du compte, tu ne crois pas ?

Amy acquiesça.

– Mais il ne s'agit pas juste d'attendre maintenant.

Amy ne réagit pas. Elle savait ce qu'il entendait par là mais refusait de l'admettre.

Jeff gardait les yeux rivés aux siens, l'obligeant à le regarder.

– Tu comprends ce que je veux dire ?

– Tu veux parler des ronces.

Jeff acquiesça.

– Elles vont essayer de nous tuer. Comme tous ces autres gens avant nous. Et plus nous restons là, plus elles ont de chances d'y arriver.

Amy détourna le regard pour observer la clairière. Elle avait vu ce dont les ronces étaient capables. Elles les avaient vues se tortiller sur le sol en avançant vers elle pour absorber sa petite mare de vomi. Elle avait vu les jambes décharnées de Pablo. Et pourtant, tout cela était si loin des lois immuables de la nature, si loin de ce qu'une plante peut faire, qu'elle ne parvenait pas à l'admettre. Il s'était passé des choses étranges – terribles. Elle les avait vues de ses propres yeux ; malgré tout elle continuait à douter. Alors même qu'elle observait l'enchevêtrement de ronces sur la colline, leurs feuilles vert foncé, leurs fleurs rouge sang, elle n'éprouvait pas la moindre peur. Les Mayas, leurs arcs et leurs fusils l'effrayaient certes. Elle craignait de ne pas avoir assez à manger ni à boire. Mais, pour elle, les ronces n'étaient que des plantes. Elle n'arrivait pas à les redouter, encore moins à croire qu'elles allaient la tuer.

Elle chercha refuge dans la même idée : « Les Grecs vont venir. »

Jeff soupira. Elle s'en rendait compte, il la trouvait décevante. Une fois de plus, elle ne se montrait pas à la hauteur de ses attentes. Mais elle ne pouvait pas se montrer meilleure, ni plus courageuse, ni plus intelligente. D'ailleurs, Jeff le pensait, Amy le savait bien. Il se résignait déjà face à ses manquements. Il lui lâcha enfin le bras.

– Sois prudente, d'accord, dit-il. Reste vigilante. Hurle s'il arrive quoi que ce soit – aussi fort que tu pourras – et nous arriverons en courant.

Sur ces dernières recommandations, il l'envoya au pied de la colline.

Éric était retourné dans la tente orange. Mauvaise idée. C'était le pire endroit où rester, mais il ne se décidait pas à sortir. Il se sentait passif, inerte. Malgré tout, alors même qu'il était comme enveloppé dans du coton, la panique s'emparait de lui. Piégé, sans aucune maîtrise de la situation, et son séjour sous la tente n'arrangeait certainement pas les choses. Mais Jeff lui avait dit de se mettre à l'ombre et d'essayer de se reposer. Il obéissait... avec pourtant l'intuition que ce n'était pas une bonne idée.

Il faisait de plus en plus chaud. Le soleil implacable montait dans le ciel, dardant de ses rayons le Nylon orange de la tente, au point que la toile elle-même sembla bientôt irradier de la lumière et de la chaleur au lieu d'y faire écran. Éric, étendu sur le dos, suant, les cheveux gras, cherchait à contrôler sa respiration. Il avait le souffle court, trop rapide ; il tentait de le ralentir en prenant de profondes inspirations pour remplir ses poumons. Le reste suivrait : son rythme cardiaque ralentirait, tout comme peut-être le flux de ses pensées. Les idées se bousculaient en effet dans sa tête. Tout allait bien trop vite. Il se savait au bord de l'hystérie – peut-être avait-il même déjà basculé de l'autre côté. L'angoisse s'était emparée de lui, sans qu'il puisse s'en libérer. Tout semblait hors de contrôle : son souffle, son cœur, ses pensées.

Éric se redressait sans cesse pour examiner sa jambe blessée. Il se penchait pour scruter sa blessure de plus près, plissant les yeux, tâtant du bout du doigt le tissu boursouflé. La plante était en lui... Mathias l'avait délogée à coups de couteau, mais il en restait encore. Éric le sentait. Il en était certain, mais les autres ne voulaient rien entendre. Ils l'ignoraient, le laissaient tomber alors que les ronces avaient recommencé à pousser, à pousser en lui, à le dévorer de l'intérieur, et lorsqu'elle aurait fini, il ressemblerait à Pablo. Il ne resterait plus que des os décharnés. Ni le Grec ni lui ne s'en sortiraient vivants. Ils allaient ajouter leurs cadavres aux massifs de verdure parsemant la colline.

Tout avait commencé dans la tente. Alors, pourquoi y était-il retourné ? Jeff. C'était à cause de lui. Il lui avait dit d'y aller, de se reposer – comme s'il pouvait encore se reposer. Jeff ne le croyait pas, voilà pourquoi. Il avait examiné le genou d'Éric quelques secondes, mais ça ne suffisait pas, pas du tout même. Il ne l'avait pas *vue*. Peut-être était-il impossible de voir cette plante, après tout. Peut-être était-ce là le vrai problème. Éric savait ce qu'il en était : il la sentait en lui. Il y avait quelque chose d'anormal dans sa jambe, une chose qui bougeait à l'intérieur mais ne lui appartenait pas, un corps étranger, avec un objectif bien précis. Éric aurait voulu la voir, et que Jeff et les autres la voient aussi. Tout irait mieux si seulement ils pouvaient la voir. Il ne devrait pas rester sous la tente, là où tout avait commencé, où tout pourrait recommencer. Il ne devrait pas rester seul.

Il se leva malgré lui, se dirigea vers la sortie en boitant, se courba, puis entra dans la lumière. Stacy était à côté de l'appentis. Ils lui avaient construit un petit parasol à l'aide des derniers piquets et morceaux de Nylon bleu. Ils avaient fabriqué une sorte de grand parapluie mal ficelé. Il avait l'air en mauvais état. Elle était assise en tailleur, un peu décalée par rapport à Pablo de manière à pouvoir veiller sur lui sans devoir le regarder. Personne ne voulait plus regarder Pablo. Éric les comprenait – il ne voulait pas le regarder non plus. Une chose le troublait cependant : les autres commençaient à l'inclure lui aussi dans cette zone d'invisibilité. Alors qu'il se laissait choir sur le sol aux côtés de Stacy, cette dernière ne le gratifia pas même d'un regard.

Éric tendit la main, et prit la sienne. Stacy se laissa faire, sans réaction, les muscles relâchés, inertes. Il lui semblait tenir un gant. Ils restèrent assis un instant sans parler. Pendant ce bref silence, Éric parvint presque à trouver un peu de paix. Ils étaient comme deux personnes se reposant au soleil – pourquoi ne serait-ce pas aussi simple que ça ? Cette sérénité fut cependant de courte durée. Éric la sentit lui glisser des doigts comme un fragile objet qui se serait fracassé en tombant sur le sol. Sa gorge se noua soudain. Il suait de plus en plus, sa main était moite. Il luttait pour ne pas se relever d'un bond afin d'arpenter à nouveau la clairière. Il entendait la respiration de Pablo : un son lourd, malsain, semblable à celui d'une scie à métaux sur une boîte de conserve. Il lui jeta un coup d'œil furtif, et il ne tarda pas à le regretter. Pablo avait le visage étrangement grisâtre ; il avait les yeux clos, creusés, un mince filet de liquide noir au coin de la bouche : du vomi, de la bile ou peut-être du sang. *Quelqu'un devrait l'essuyer,* pensa-t-il, mais il ne bougea pas d'un pouce.

Et puis, évidemment, sous le sac de couchage, il y avait ses jambes, ou du moins ce qu'il en restait – les os, les gros caillots de sang, les tendons jaunes. Éric savait que le Grec ne pourrait pas survivre ainsi, dépouillé de sa chair. Il allait mourir, et le plus tôt serait le mieux, maintenant si possible – *une bénédiction, un soulagement*, pensa-t-il. Tous ces mensonges dont on entoure la mort pour se rassurer, pour enterrer son chagrin avec le corps. Ici, tout cela devenait vrai d'un seul coup. *Meurs*, se dit Éric, *maintenant, meurs, vas-y.* Et pendant tout ce temps, oui, *implacablement, inexorablement*, le Grec continuait à respirer, le souffle irrégulier.

Éric entendait le murmure des voix de Jeff et de Mathias sans pouvoir distinguer leurs paroles. Il ne les voyait pas, car ils se trouvaient sur le coteau en contrebas, pour creuser des latrines.

Éric pressa la main de Stacy. Elle ne l'avait toujours pas regardé.

– Alors... risqua-t-il, hésitant, ne sachant comment amorcer la conversation. Y avait ce type, et puis aussi ces ronces qui poussaient à l'intérieur de lui.

Silence. *Elle ne va pas répondre*, pensa-t-il. Elle finit par réagir.

– On les a extirpées de là, dit-elle calmement.

Éric dut se pencher pour l'entendre.

– T'es censée dire « mais ».

– Non, je ne joue pas. Je te dis qu'il les a sorties de là. Il n'y a plus rien à l'intérieur de toi, dit-elle en agitant la tête.

– Mais je les sens.

Elle le regarda enfin.

– Ce n'est pas parce que tu les sens qu'elles y sont.

– Mais si c'était le cas...
– On n'y peut rien.
– Tu admets donc qu'elles y sont peut-être.
– Non, je n'ai pas dit ça.
– Mais je les *sens,* Stacy.
– Je te dis que nous n'avons pas le choix. Quoi qu'il arrive, il faut attendre.
– Alors je vais finir comme Pablo.
– Éric... Arrête !
– Mais c'est en moi ! Dans mon sang. Je le sens, là, dans ma poitrine.
– Arrête, s'il te plaît.
– Alors je vais mourir ici.
– Éric !

Il se tut, surpris par le ton de sa voix. Elle pleurait. Depuis quand ?

– S'il te plaît, arrête, mon amour, dit-elle. Tu peux arrêter ? Tu peux te calmer, tu crois ? J'ai vraiment besoin que tu te calmes, ajouta-t-elle en s'essuyant le visage.

Éric ne disait rien. *Dans ma poitrine* – comment était-ce arrivé là ? Il ne s'en était pas rendu compte avant d'en parler, c'était pourtant vrai. Il sentait les ronces à l'intérieur de sa poitrine : elles lui comprimaient légèrement les côtes, poussaient vers l'extérieur.

Stacy retira sa main de la sienne, se leva et traversa la clairière. Elle se baissa, se pencha sur le sac de Pablo, fouilla dedans, en sortit l'une des bouteilles de verre, revint vers Éric, et l'ouvrit enfin.

– Tiens, dit-elle en lui tendant la tequila.
– Ben, Jeff n'est pas là, n'est-ce pas ? dit-il, sans bouger toutefois.

Toujours immobile, Éric regarda la bouteille, le liquide ambré qu'elle contenait. Il sentait la tequila, sa force d'attraction, inextricablement mêlée, contre toute logique, à la soif qu'il éprouvait. Il leva la main, prit la bouteille. C'était celle dont ils avaient bu une gorgée la veille après avoir échoué dans leur traversée du champ boueux – un tout autre monde, peuplé d'avatars d'eux-mêmes, encore innocents et indemnes. Il se souvint de Pablo devant eux, riant de bon cœur, leur offrant la bouteille. Cette image en tête, un rêve plus qu'un véritable souvenir, Éric renversa la tête et prit une longue gorgée d'alcool. C'était trop, et il faillit s'étouffer, toussa, la vue brouillée par les larmes. Mais c'était bon. Juste ce qu'il lui fallait. À peine avait-il repris son souffle que, sans attendre, il porta de nouveau la bouteille à ses lèvres.

Il n'avait mangé depuis hier matin qu'un minuscule bout de sandwich au thon – il était déshydraté, épuisé. La tequila fit son effet en quelques secondes. Si vite... comme si on la lui avait injectée directement dans une veine. Il avait les pensées floues, le cerveau engourdi. C'était agréable, débilitant. Il pouvait enfin respirer. Il s'essuya la bouche du revers de la main et se surprit à rire.

Stacy se tenait toujours debout devant lui, son absurde ombrelle sur l'épaule lui faisant un peu d'ombre.

– Pas trop, dit-elle.

Lorsqu'il leva la bouteille pour prendre une nouvelle gorgée, elle se pencha et la lui prit vivement des mains. Elle la reboucha, la remit dans le sac de Pablo. Elle s'assit enfin à côté d'Éric et le laissa lui prendre la main. La tequila lui brûlait la poitrine. Ses oreilles bourdonnaient. *Peut-être qu'ils ont raison*, pensa-t-il. *Peut-être que je réagis trop violemment.* Il sentait quelque chose se tortiller comme un ver dans sa jambe. Il y avait aussi cette étrange pression, juste en dessous du sternum. Alors que l'alcool apaisait la tempête régnant dans sa tête, il comprenait enfin que tout ça n'était pas forcément lié aux ronces. Peut-être était-il tout simplement effrayé, et faisait trop attention à son corps. Pour peu qu'on cherche, on finit toujours par trouver quelque chose de bizarre quelque part.

– La misère misérable du miséreux, dit-il malgré lui, sans raison apparente.

– Quoi ? demanda Stacy.

Éric agita la tête. Il y avait trois bouteilles de tequila. Il s'efforça d'imaginer le déroulement de la journée, le rationnement de l'alcool, gorgée par gorgée, comme un goutte-à-goutte qui lui aurait distillé un peu de réconfort. Les Grecs seraient bientôt là, et tout irait bien. Il devait rester assis, tenant la main de Stacy. Dans quelques minutes, il pourrait lui redemander la bouteille. Ainsi pourrait-il tenir le coup toute la journée.

Ils n'avaient pas de pelle.

Jeff avait trouvé un rocher pointu en forme de gigantesque fer de lance, si gros qu'il avait dû se mettre à genoux pour attaquer le sol aride et compact à deux mains. Mathias, lui, utilisait l'un des piquets en aluminium de la tente bleue, poignardant la terre. Il lâchait un grognement à chaque nouvel assaut. Lorsqu'ils eurent détaché assez de terre, ils se relevèrent pour la disperser à coups de pied, puis marquèrent une pause de quelques instants. Ils reprirent leur souffle, s'essuyèrent le visage, avant de reprendre leur tâche.

C'était dur, cela n'allait pas aussi vite que Jeff l'avait espéré. Un trou d'un mètre vingt de profondeur, voilà ce qu'il avait en tête : juste assez large pour pouvoir s'accroupir au-dessus, un pied de chaque côté, avec des parois bien nettes et perpendiculaires au sol. Il avait peut-être lu un ouvrage sur la question, vu un dessin quelque part... mais ça ne ressemblait pas à ce que Mathias et lui creusaient ! À peine avaient-ils commencé que les parois de leurs latrines s'effondraient : le trou s'élargissait aussi vite qu'il prenait de la profondeur. Pour pouvoir s'accroupir au-dessus, il fallait s'arrêter de creuser à soixante centimètres : tout ce travail était donc inutile ! Autant suivre l'exemple de Jeff qui s'était aventuré dans les ronces le matin même, avait déféqué, puis recouvert le tout en détachant un peu de terre à coups de pied.

En réfléchissant à tout ça, Jeff comprit soudain qu'il avait eu une idée stupide. Il aurait dû le savoir depuis le début. Ils n'avaient pas besoin de latrines, même bien faites. Les installations sanitaires ne faisaient pas partie de leurs priorités. Quoi qu'il leur arrive ici, ils auraient disparu avant que cela ne devienne urgent. Peut-être même les aurait-on déjà secourus... ou bien tués. Jeff et Mathias creusaient à présent sans raison, parce que Jeff se débattait, cherchait quelque chose de solide à quoi se raccrocher, quelque chose à faire, n'importe quoi, tout ce qui lui éviterait de devoir attendre, assis, impuissant. Jeff cessa de creuser et se redressa. Mathias l'imita.

– Qu'est-ce qu'on fait ? demanda Jeff.

Mathias haussa les épaules en indiquant le fossé peu profond et mal taillé qu'ils étaient parvenus à creuser.

– On creuse des latrines.

– Mais est-ce que ça a un quelconque intérêt ?

– Non, pas vraiment, répondit Mathias en secouant la tête.

Jeff jeta sa pierre sur le sol, s'essuya les mains sur son pantalon. Il avait les paumes en feu : le duvet vert avait repoussé sur la toile de son jean.

Tous en avaient sur leurs vêtements, leurs chaussures. Il les avait tous observés, à un moment ou à autre, s'en débarrassant du revers de la main lorsqu'ils étaient assis en rond dans la clairière.

– On pourrait s'en servir pour l'urine, dit Mathias. Pour la distiller.

Il étala alors une bâche imaginaire sur toute la largeur du trou.

– Est-ce que ça a un intérêt ? demanda Jeff.

– Mais c'est toi qui... s'insurgea Mathias.

Jeff l'interrompit aussitôt.

– Je sais... C'était mon idée. Mais quelle quantité d'eau va-t-on en tirer ?

– Pas beaucoup.

– Assez pour compenser ce qu'on est en train de perdre à creuser et à transpirer comme ça ?

– J'en doute.

Jeff poussa un soupir. Il se sentait stupide. Et fatigué. Et plus encore : vaincu. Peut-être était-ce du désespoir. Il n'y avait pas pire. C'était contraire à la survie. Quoi qu'il en soit, tel était son sentiment maintenant, et il ne savait comment s'en débarrasser.

– S'il pleut, dit-il, nous aurons beaucoup d'eau. Sinon, nous mourrons de soif.

Mathias ne dit rien. Il observait Jeff, plissant légèrement les yeux.

– J'essayais de nous tenir occupés, dit celui-ci en souriant, pour maintenir le moral des troupes. J'avais même l'intention de redescendre dans le puits, ajouta-t-il sur le ton de la dérision.

– Pourquoi ?

– Le gazouillis. La sonnerie du portable.

– Il n'y a plus d'huile dans la lampe.

– On pourrait fabriquer une torche.

– Une torche ? s'esclaffa Mathias en riant, incrédule.

– Oui, avec des chiffons. On pourrait les imbiber de tequila.

– Tu perds le tête, Jeff !

– Tu veux dire que c'est inutile ?

– Non, Jeff, je veux dire que ça ne vaut pas la peine de prendre un tel risque.

– Quel risque ?

– Regarde donc Pablo, répondit Mathias en haussant les épaules comme si c'était l'évidence même.

Pablo. Le pire. Jeff ne lui avait pas encore fait part de son idée, de son projet de sauver le Grec. Il hésitait même à présent, tout en s'interrogeant sur sa réelle motivation. Peut-être cherchait-il encore à les occuper... Il chassa bien vite cette idée. Ils pourraient le sauver s'ils tentaient le coup. Il en était persuadé.

– Mathias, tu crois que Pablo va s'en sortir ?

L'Allemand fronça les sourcils.

– C'est peu probable, dit-il d'une voix presque inaudible.

– Mais si les secours arrivaient aujourd'hui ?

Jeff fit non de la tête. Ils restèrent un moment silencieux. Mathias grattait le sol de son piquet. Jeff rassemblait son courage. Il s'éclaircit la voix, et parla enfin :

– On pourrait peut-être le sauver.

– Comment ? demanda Mathias sans cesser de jouer avec la terre, ne prenant pas même la peine de lever les yeux.

– Nous pourrions l'amputer des deux jambes.

Mathias s'immobilisa, regarda Jeff, lui lança un sourire hésitant.

– Tu plaisantes ?

Jeff fit non de la tête.

– Tu veux lui couper les deux jambes.

– Sans ça, il mourra.

– Sans anesthésie.

– Il ne sentirait rien. Il n'a plus aucune sensation dans le bas du corps.

– Il perdrait trop de sang.

– Les garrots sont déjà en place. On couperait en dessous.

– Avec quoi ? Tu n'as pas d'instruments chirurgicaux, pas de...

– Le couteau.

– Tu as besoin d'une scie chirurgicale ! Un couteau ne servirait à rien.

– On pourrait briser les os, puis couper.

– Non, Jeff, hors de question, répondit Mathias, consterné.

C'était la première fois que Jeff lisait une émotion aussi marquée sur son visage.

– Très bien. Dans ce cas, il est mort.

Mathias ignora cette remarque.

– Et l'infection ? On va le découper avec un couteau sale ?

– On pourrait le stériliser.

– Nous n'avons pas de bois, ni d'eau à faire bouillir. Pas même de casserole !

– On a des trucs à brûler – ces cahiers, les sacs à dos pleins de vêtements. On pourrait passer le couteau directement dans les flammes. Ça cautériserait les plaies au fur et à mesure...

– Tu vas le tuer.

– Ou le sauver, c'est tout l'un ou tout l'autre. Mais au moins, nous avons une chance de réussir. Tu préfères le regarder mourir pendant les prochains jours ? Ça va prendre du temps, ne te fais pas d'illusion.

– Si les secours arrivent...

– Aujourd'hui, Mathias. Il faudrait qu'ils arrivent aujourd'hui. Avec les jambes dans cet état-là, la septicémie ne saurait tarder, peut-être même est-elle déjà là. Quand ça a commencé, il n'y a plus rien à faire.

Mathias se remit à gratter le sol, le dos courbé.

– Je suis désolé de vous avoir emmenés ici, dit-il.

Jeff le rassura d'un geste de la main.

– Nous avons choisi de venir.

Mathias poussa un soupir, puis laissa tomber le piquet.

– Je ne crois pas que j'y arriverai, dit-il.

– Je le ferai.

– Je veux dire, je ne crois pas pouvoir l'accepter.

Jeff ne dit rien. Il ne s'attendait pas à ça. Il avait cru plus facile de convaincre Mathias, pensant qu'il l'aiderait à faire changer les autres d'avis.

– Dans ce cas, nous devons abréger ses souffrances, dit Jeff. On le saoule, on lui verse la tequila directement dans le gosier, on attend qu'il s'évanouisse. Et puis, tu sais...

Il termina par un geste brusque, un coup brutal. C'était plus difficile à formuler qu'il ne l'aurait cru.

Mathias le regarda fixement. Jeff voyait bien qu'il ne comprenait pas... ou refusait de comprendre, peut-être. Il allait être obligé de le dire...

– Quoi ? demanda Mathias.

– L'achever. Lui trancher la gorge. L'étouffer.

– Tu plaisantes, j'espère.

– Si c'était un chien, tu ne crois pas que...

– Mais Pablo n'est pas un chien.

Jeff leva les bras en signe de dépit. Pourquoi était-ce devenu si compliqué ? Il essayait seulement de se montrer pragmatique. Humain.

– Tu sais ce que ça veut dire ? demanda-t-il.

Non, il n'allait pas continuer ainsi. Il avait fait sa proposition. Que faire de plus ? Il ressentit à nouveau cette charge.

Il se sentait plombé. Le soleil montait toujours plus haut. Ils auraient dû se mettre à l'abri sous la tente. Quelle stupidité de rester dehors comme ça, à transpirer. Mais il ne chercha pas à bouger. Il boudait pour punir Mathias de ne pas avoir adopté son plan. Il se haïssait pour ça, mais il détestait aussi Mathias – devenu un témoin. Il aurait voulu pouvoir tout arrêter. Impossible.

– T'en as parlé aux autres ? s'enquit Mathias.

Jeff fit non de la tête.

Mathias brossa son jean pour le débarrasser du duvet vert, puis se frotta les mains avec de la terre. Enfin, il se releva.

– Nous devrions voter, dit-il. Si les autres sont d'accord, je suivrai.

Sur ces mots, il gravit la colline pour rejoindre la tente.

Ils s'assemblèrent dans la clairière.

Mathias réapparut, suivi par Jeff quelques minutes plus tard. Ils s'assirent sur le sol à côté d'Éric et de Stacy pour former un petit cercle autour de l'appentis. Pablo était étendu là, les yeux fermés. Ils discutaient du problème... Personne ne semblait vouloir regarder Pablo. Ils évitaient d'employer son nom. Ils préféraient plutôt dire « il » ou « lui » tout en indiquant son corps brisé d'un geste vague. Amy était toujours au pied de la colline à l'affût des Grecs. Cependant, alors même qu'il était évident que quelque chose d'essentiel, de terrible se jouait dans cette discussion, personne n'avait mentionné son absence.

Stacy avait pensé à elle, se demandant s'il fallait aller la chercher. Elle aurait voulu qu'elle vienne, qu'elle soit à ses côtés, qu'elles puissent y réfléchir ensemble, mais elle ne parvenait pas à le dire. Dans de telles situations, il n'y avait plus personne. La peur la rendait passive et silencieuse. Elle avait tendance à se montrer lâche, à laisser les événements se dérouler.

Mais ils voulaient son opinion. La sienne, et puis celle d'Éric. S'ils disaient oui, Jeff couperait les jambes de Pablo.

C'était horrible, inimaginable... mais, d'après Jeff, son seul espoir. Et selon la même logique, s'ils disaient non, il était perdu. Pablo mourrait. Voilà ce que Jeff leur avait dit.

Aucun espoir. Avant d'en arriver là, il fallait d'abord abandonner un premier espoir. Les secours n'arriveraient pas aujourd'hui, voilà ce que Jeff leur annonçait. Et c'est à cela que réfléchissait maintenant Stacy, alors qu'elle aurait dû penser à Pablo – ils devraient passer encore une autre nuit ici, sous la tente orange, encerclés par ces ronces qui bougeaient, pouvaient s'insinuer dans la jambe d'Éric. Ces ronces qui – si elle en croyait Jeff – voulaient leur mort à tous. Elle ne voyait pas comment elle allait y arriver.

– Qu'est-ce que t'en sais ? demanda-t-elle d'une voix trahissant sa peur.

– Sais quoi ? demanda Jeff.

– Que les secours ne viendront pas.

– Je n'ai pas dit ça.

– Tu as dit...

– Qu'il me semblait peu probable qu'ils arrivent *aujourd'hui*.

– Mais...

– Et que s'ils n'arrivent pas aujourd'hui et que nous n'agissons pas, il ne s'en sortira pas, ajouta-t-il en appuyant ses mots d'un geste vague en direction de l'appentis.

– Mais comment tu le sais ?

– Il a les os à nu. Il va...

– Non ! Qu'ils ne viendront pas.

– Le problème n'est pas de savoir s'ils viendront ou non. Le problème, c'est que nous n'en savons rien. Que nous prenons un risque à attendre au lieu d'agir.

– Alors, ils pourraient arriver.

– Oui, tout comme ils pourraient ne *pas* arriver. C'est tout le problème, répondit Jeff en lui lançant un regard exaspéré.

Ils tournaient en rond, évidemment. C'était une simple joute verbale. Même Stacy s'en rendait compte. Jeff n'allait pas lui donner ce qu'elle voulait. C'était impossible, à dire vrai. Elle voulait que les Grecs arrivent, qu'ils soient déjà là. Elle voulait être secourue, saine et sauve. Mais c'était peu probable, voilà tout ce que Jeff pouvait lui dire. Pas aujourd'hui, en tout cas. Et s'ils n'arrivaient pas, il faudrait couper les jambes de Pablo.

Jeff voulait le faire, Stacy en avait conscience. Mais pas Mathias. Il ne disait rien, malgré tout. Il se contentait d'écouter, comme d'habitude, attendant qu'ils décident. Stacy aurait voulu qu'il dise quelque chose, s'efforce de les convaincre, elle et Éric, de rejeter cette idée. Elle ne voulait pas que Jeff coupe les jambes de Pablo. Elle ne croyait pas que ce fût une bonne idée, mais ne savait pas quels arguments avancer. Elle sentait qu'elle ne pouvait pas dire non, qu'il fallait qu'elle se justifie. Elle avait besoin de quelqu'un pour l'aider, et personne n'était là pour elle. Éric était un peu saoul. Il en avait le regard éteint. Il était beaucoup plus calme maintenant, mais un peu absent. Amy se trouvait loin, au pied de la colline, à l'affût des Grecs...

– Et Amy ? demanda Stacy.

– Amy quoi ?

– On devrait peut-être lui demander son avis, non ?

– Ça n'a d'importance que s'il y a égalité.

– S'il y a égalité de quoi ?

– Égalité des voix.

– On vote ? s'exclama-t-elle, incrédule.

Jeff acquiesça, fit un geste impatient de la main pour marquer l'évidence de son propos. Il ne comprenait pas sa surprise.

Stacy était bel et bien stupéfaite. Elle pensait qu'ils en parlaient seulement, cherchant un consensus, et qu'on ne ferait rien sans l'accord de tous. Mais il suffirait de trois votes pour que Jeff coupe les jambes de Pablo. Stacy s'efforça d'exprimer ses réticences, chercha ses mots, une manière d'aborder le sujet :

– Mais... Je veux dire... On ne peut pas... Ça ne semble pas...

– Coupe-les, dit Éric d'une voix forte qui la fit tressaillir. Maintenant.

Stacy se retourna pour le regarder. Il avait soudain l'air normal, l'œil clair. Véhément aussi, sûr de lui, sûr du bien-fondé de sa position. Elle pouvait toujours dire non. Alors, Jeff devrait descendre jusqu'au pied de la colline pour demander à Amy son opinion. Il la convaincrait probablement, même si elle résistait. Jeff était plus fort que les autres. Ils étaient tous fatigués. Ils avaient soif et rêvaient d'être ailleurs alors que lui ne semblait pas en souffrir. À quoi bon discuter dans ce cas ?

– T'es sûr que c'est la meilleure chose à faire ? demanda-t-elle.

– Il mourra si nous le laissons dans cet état.

Stacy eut un frisson d'horreur à cette pensée, comme si on venait de déposer la tête de Pablo à ses pieds – ce serait de sa faute. On aurait pu facilement éviter ça.

– Je ne veux pas qu'il meure.

– Bien sûr que non, acquiesça Jeff.

Stacy sentait le regard de Mathias. Il la regardait sans ciller. Il voulait qu'elle dise non. Elle aurait voulu pouvoir dire non, mais s'en savait incapable.

– D'accord, dit-elle. J'imagine que tu dois le faire.

Amy prenait des photos.

En quittant la clairière, elle avait emporté son appareil par réflexe. Il pendait désormais à son cou. C'est seulement accroupie au bord du chemin, à mi-pente, au moment même où elle soulageait enfin sa vessie, qu'elle comprit pourquoi elle l'avait emporté. Elle voulait photographier les Mayas, rassembler des preuves de ce qui se passait ici, car on allait venir à leur secours – elle persistait à y croire. Après ça, il y aurait une enquête, on arrêterait les coupables, ensuite on leur ferait un procès. Voilà pourquoi il faudrait des preuves. Quoi de mieux alors que le portrait des criminels ?

Dès qu'elle atteignit le pied de la colline, Amy commença à mitrailler leurs visages. Elle appréciait le sentiment de puissance que lui procurait cette séance furtive, comme si elle avait inversé les rôles, la proie se retournant contre son prédateur. Ils allaient être punis. Ils passeraient le restant de leurs jours derrière les barreaux, et elle y aurait contribué. Amy imaginait déjà le procès, la salle comble, le silence soudain qui précéderait son témoignage. On projetterait leurs photos sur un écran géant et elle pointerait du doigt le portrait du chauve, son revolver. *C'était lui le chef*, dirait-elle. *C'est lui qui refusait de nous laisser partir.*

Les Mayas ne lui prêtaient aucune attention. Ils ne la regardaient pas, ne semblaient pas même remarquer sa présence. Quand elle posa le pied sur le sol de la clairière afin de trouver un meilleur angle pour une photo de groupe, deux des hommes assis autour du feu de camp réagirent soudain : ils pointèrent leurs arcs dans sa direction. Elle les prit en photo et repartit sans tarder au milieu des ronces.

Le sentiment de puissance qu'elle avait ressenti s'estompa peu à peu. Le soleil continuait à monter dans le ciel. Elle avait trop chaud, trop faim, trop soif. Mais elle avait déjà connu toutes ces sensations depuis son arrivée. Non, là n'était pas l'origine de son désespoir soudain, mais plutôt l'indifférence des Mayas. Ils étaient tous regroupés autour de leur feu de camp. Certains dormaient à l'ombre de la jungle. Ils discutaient et riaient entre eux. L'un deux taillait un bout de bois pour tromper son ennui. Le temps s'écoulait si lentement pour eux. C'était bien ça, non ? Que faisaient-ils d'autre, à dire vrai ? Ils attendaient. Mais ils connaissaient déjà la fin de l'histoire. Il n'y avait plus aucun suspense, plus aucune excitation. Tout était déjà écrit. Oui, ils attendaient, sans la moindre émotion, comme quelqu'un qui aurait regardé faiblir la flamme d'une bougie.

Et qu'est-ce que ça veut dire ? se demanda Amy.

Peut-être les Mayas avaient-ils déjà vu les Grecs. Peut-être Juan et Don Quichotte étaient-ils déjà venus, avaient-ils traversé la clairière, emprunté le sentier menant au village, sans jamais songer à sonder la lisière de la jungle. On les aurait renvoyés d'où ils venaient. Ni Amy ni les autres n'avaient évoqué cette hypothèse ; pourtant, maintenant qu'elle y pensait, ça semblait si évident. Ils ne viendraient pas, c'était certain. Personne ne viendrait plus maintenant. Et dans ce cas, il n'y avait plus aucun espoir. Ni pour Pablo ni pour les autres. Et les Mayas le savaient – d'où leur ennui, leur lassitude. Ils n'avaient qu'à attendre que les événements s'enchaînent. On ne leur demandait pas autre chose que de garder la clairière. La soif, la faim, et puis les ronces se chargeraient du reste, comme tant de fois auparavant.

Amy cessa de prendre des photos. Elle avait des vertiges – comme si elle avait trop bu. Elle devait s'asseoir. Elle se laissa tomber sur le sol au bord du sentier. *C'est le soleil*, se dit-elle. *Mon ventre vide*. Elle se mentait à elle-même, cependant, et le savait. Le soleil, sa faim, tout ça n'avait rien à voir avec son état. Elle avait peur, voilà la vérité. Elle essaya de se distraire, prit de grandes inspirations, joua avec son appareil. Elle l'avait acheté à bon prix dix ans plus tôt avec de l'argent gagné en gardant des enfants. Jeff lui avait offert un appareil numérique pour ce voyage, mais elle le lui avait rendu. Elle était bien trop attachée à celui-là pour l'abandonner. Il faisait souvent de mauvaises photos, sur ou sous-exposées, et presque toujours floues, mais Amy savait qu'elle devrait le casser, le perdre ou se le faire voler pour accepter l'idée de lui trouver un remplaçant. Elle vérifia le nombre de poses qui lui restait – trois sur trente-six. Ça ferait l'affaire. Elle n'avait pas apporté d'autres pellicules, n'imaginant pas qu'ils puissent rester assez longtemps pour en avoir besoin. Elle avait pris un certain nombre de photos dans sa vie, la plupart avec cet appareil. Ça lui faisait tout drôle de penser qu'elle avait pris X clichés de ses parents, d'arbres, de monuments, de couchers de soleil, de chiens, de Jeff, de Stacy... Si son intuition était juste, si ce qu'avait dit Jeff était vrai, si les Mayas avaient raison, il se pouvait que ces trois photos soient les dernières de sa vie. Il fallait une photo de groupe prise au retardateur, toute la bande réunie autour de Pablo sur son brancard. Et puis une autre où on la verrait bras dessus bras dessous avec Stacy, la dernière de la série. Et puis...

– Ça va ?

Amy se retourna et vit Stacy debout devant elle, son ombrelle de fortune posée sur l'épaule. Elle avait l'air misérable, décharnée, le cheveu gras. Ses lèvres et ses mains tremblaient, ce qui faisait cliqueter doucement son ombrelle, comme sous l'effet d'une brise légère.

Est-ce que ça va ? pensa Amy, s'efforçant de trouver une réponse sincère. Ses vertiges avaient laissé la place à un étrange sentiment de quiétude et de résignation. Contrairement à Jeff, elle n'était pas une battante. Ou peut-être était-elle tout simplement incapable de se mentir comme il le faisait. Amy risquait de mourir ici, elle n'en ressentait pas pour autant le besoin pressant de s'affairer. Non, tout ça la fatiguait, lui donnait envie de s'allonger et de ne plus rien faire, comme si elle avait voulu accélérer le processus.

– On peut dire que ça va. Et toi ? Ça va ? ajouta-t-elle.

Stacy semblait se sentir beaucoup plus mal qu'Amy.

Stacy agita la tête, indiqua le flanc de la colline d'un geste de la main.

– Amy, ils sont en train de... Je veux dire..., dit-elle sans pouvoir finir sa phrase, incapable de trouver les bons mots.

Elle avait les lèvres gercées depuis la veille – desséchée, fendues, la chair à vif : la bouche d'un naufragé.

– Ils ont commencé, ajouta-t-elle dans un murmure.

– Commencé quoi, Stacy ?

– À lui couper les jambes.

– Qu'est-ce que tu racontes ? demanda Amy qui avait pourtant bien compris.

– Pablo, répondit Stacy en levant les sourcils, comme si elle venait elle aussi d'apprendre la nouvelle. Avec un couteau.

Amy se leva sans trop savoir pourquoi, encore sous le choc. Elle changea soudain d'expression et Stacy recula d'un pas, visiblement effrayée par sa réaction.

– Je n'aurais pas dû dire oui, n'est-ce pas ? demanda Stacy.

– Oui à quoi ?

– On a voté et j'ai...

– Et pourquoi ne m'a-t-on rien dit ?

– Tu étais là, au pied de la colline. Jeff a pensé que ça

n'aurait d'importance qu'en cas de ballottage. Mais Éric a dit oui, et puis j'ai dit...

Amy pouvait lire la même expression de terreur sur le visage de Stacy qui s'avança pour la prendre par le bras.

– Je n'aurais pas dû, n'est-ce pas ? Toi et Mathias, et puis moi... On aurait pu les arrêter.

Amy n'arrivait pas à y croire. Comment pouvait-on amputer quelqu'un des deux jambes avec un couteau ? Comment Jeff pouvait-il tenter pareille opération ? Peut-être en avaient-ils simplement discuté, peut-être en débattaient-ils encore ? Elle pourrait les arrêter si elle se dépêchait. Elle dégagea son bras de l'emprise de Stacy.

– Reste ici, lui dit-elle. Tu guetteras l'arrivée des Grecs, d'accord ?

Stacy acquiesça avec la même expression de terreur, le visage parcouru de spasmes. Elle s'assit en se laissant maladroitement tomber au beau milieu du sentier. On aurait dit une marionnette dont on aurait coupé les fils.

Amy attendit encore un moment pour s'assurer qu'elle allait bien. Puis elle courut vers le sommet de la colline.

Jeff et Mathias avaient amputé Pablo. Ils n'avaient pas demandé d'aide à Éric, et ce n'était pas plus mal car il en aurait été incapable. Il n'arrêtait pas de faire les cent pas dans la clairière, s'arrêtant de temps à autre pour regarder la scène, avant de détourner les yeux, tandis que les deux autres s'affairaient. C'était intolérable à voir comme à entendre.

Ils avaient commencé par sangler à nouveau Pablo avec les ceintures gisant depuis la veille sur le sol à côté du brancard, tels trois serpent entremêlés. Il leur en fallait deux, une pour le torse, l'autre pour le bassin. Pablo garda les yeux fermés pendant que les autres s'agitaient. Il ne les avait pas rouverts depuis qu'il avait cessé de hurler au cours de la matinée. Même lorsque Jeff le secoua doucement en l'appelant par son nom pour lui faire comprendre par gestes ce qu'il s'apprêtait à faire, le Grec refusa de répondre. Il était étendu là, les traits tirés, le visage fermé. Il semblait hors d'atteinte maintenant. Le monde pouvait s'écrouler.

Jeff et Mathias firent un petit feu, y jetant trois des cahiers des archéologues, une chemise, un pantalon. Ils froissèrent deux feuilles de papier pour amorcer les flammes puis ajoutèrent le reste du cahier, avant d'asperger les vêtements de tequila. Le feu n'émettait presque pas de fumée. Jeff passa le couteau au cœur des petites flammes bleues, puis il procéda de même avec un gros caillou en forme de hache jusqu'à ce qu'il se mette à crépiter et vire au rouge. Jeff et Mathias se penchèrent au-dessus de Pablo, échangeant des avis à voix basse, indiquèrent une jambe puis l'autre. Ils planifiaient le déroulement de l'opération. Jeff avait l'air sombre, déprimé, comme si on l'avait forcé à agir contre sa volonté. Mais il ne se laissa pas freiner par le remords.

Éric se trouvait près d'eux lorsqu'ils commencèrent enfin. Jeff tira le caillou du feu à l'aide d'une petite serviette trouvée dans l'un des sacs à dos. Il l'enroula autour de sa main pour se protéger de la chaleur. Il récupéra la pierre d'un geste rapide, se tourna vers le brancard, leva le bras bien haut puis frappa de toutes ses forces sur la jambe de Pablo.

Le Grec ouvrit les yeux d'un coup. Il se remit à hurler. Il se tordait et se cabrait pour se dégager de ses liens. Jeff ne broncha pas. Il avait déjà reposé la pierre dans le feu et récupéré le couteau. Mathias ne montrait lui non plus aucune émotion : il restait concentré sur sa tâche consistant à entretenir le feu en y ajoutant de nouveaux cahiers, en l'aspergeant d'alcool au besoin, tout en remuant les braises et en soufflant dessus.

Jeff, penché sur le brancard, les muscles tendus, sciait et tranchait de plus belle. Il y eut d'abord la puanteur du couteau brûlant contre les chairs de Pablo, une odeur de cuisine, de viande brûlée. Éric entrevit l'os broyé juste sous la rotule, la moelle sanguinolente dégoulinant de la fracture, le couteau qui entaillait, fouillait, et séparait les cartilages quand l'os céda enfin. Pied, cheville, tibia, péroné... le tout à jamais séparé du reste de la jambe gauche. Jeff se redressa pour reprendre son souffle tandis que Pablo continuait à hurler. Il se tordait de douleur, les yeux révulsés. Mathias ôta le couteau des mains de Jeff pour le passer dans les flammes. Jeff prit la petite serviette, l'enroula encore une fois autour de sa main. Éric détourna le regard. Il ne pouvait pas regarder ça plus longtemps. Il devait s'enfuir.

Mais où aller ? Même à l'autre bout de la clairière, le dos tourné à la scène, il entendrait encore le bruit des os broyés, et puis les cris – plus forts que jamais, toujours plus aigus.

Éric ne put s'empêcher de jeter un coup d'œil par-dessus son épaule. Mathias tenait la poêle noire trouvée par Jeff au pied de la colline, avec cet unique mot gravé sur le fond : *peligro*. Éric le regarda la poser sur le feu. Ils allaient s'en servir pour cautériser les plaies du Grec en la pressant tour à tour contre chaque moignon.

Jeff, penché au-dessus du brancard, s'affairait, couteau en main, sciant en cadence. Sa chemise était trempée de sueur.

Pablo n'avait cessé de hurler. On distinguait des mots maintenant. Incompréhensibles, évidemment, mais Éric percevait l'intonation. Pablo les suppliait d'arrêter. Lui se souvenait de sa chute dans le puits, lorsqu'il était tombé sur le Grec, de la façon dont son corps s'était soudain cabré sous son poids. Il repensait aussi à la manière dont Amy et lui avaient jeté Pablo sur le brancard, de leur geste maladroit et plein de panique. Il sentait les ronces qui bougeaient en lui, dans sa jambe, dans son torse aussi. Cette pression insistante à la base de la cage thoracique, la sensation qu'une chose poursuivait sa progression sous sa peau. Tout virait au cauchemar et il n'y avait aucun moyen d'y mettre fin. Plus aucune issue.

Éric détourna encore les yeux mais ne put résister bien longtemps à la tentation. Il fallait qu'il voie.

Jeff termina l'opération et laissa tomber le couteau sur le sol à côté de lui. Éric le regarda ramasser la serviette. Il s'en enveloppa la main, se tourna, tira la poêle du feu. Il avait besoin de l'aide de Mathias maintenant. L'Allemand s'accroupit à côté du brancard, se pencha pour soulever la jambe de Pablo, du moins ce qu'il en restait, puis la saisit des deux mains juste au-dessus du genou. Pablo était en pleurs. Il s'adressait à Jeff et à Mathias, les appelait par leurs noms. Ils ne semblaient pas l'entendre cependant. Ils refusaient de le regarder. Éric aperçut l'inscription gravée sur le fond de la poêle alors même que Jeff la retirait du feu. Le métal avait viré à l'orange et les lettres avaient pris une couleur plus profonde. Elles rougeoyaient. Jeff se retourna d'un coup, puis appliqua la poêle contre le moignon de Pablo, pressant de tout son poids pour bien la maintenir en place. Éric entendit le grésillement de la chair brûlée. On aurait presque dit du bois qui crépite. Il sentit aussi l'odeur de la viande grillée, et son ventre se mit à s'agiter. Ce n'était pas la nausée, non ! La réalité était bien plus choquante : il avait faim.

Éric se tourna, s'accroupit et ferma les yeux, puis il se boucha les oreilles et respira par la bouche. Il resta ainsi pendant un temps qui lui sembla infini, concentré sur les ronces qui cheminaient en lui, sur ce spasme insistant qui animait sa jambe, sur cette pression qu'il ressentait dans la poitrine tout en s'efforçant d'imaginer qu'il s'agissait d'autre chose, quelque chose de bénin, une erreur de perception, comme le prétendait obstinément Stacy : le battement de son pouls, la peur, la fatigue musculaire. Il n'y parvenait pas. Il n'y tint plus : il fallait qu'il voie.

Lorsqu'il se retourna, il vit Jeff et Mathias encore penchés sur le brancard. Jeff appliquait maintenant la poêle contre le moignon droit de Pablo. La même odeur alléchante flottait dans l'air. C'en était écœurant. Mais Pablo s'était tu. Le silence, enfin. Il semblait avoir perdu conscience.

Éric entendit les pas de quelqu'un approchant à la hâte. Amy gravissait le sentier. Elle entra dans la clairière en courant, essoufflée, la peau luisante de sueur.

Trop tard, pensa Éric en la regardant s'arrêter en titubant, le regard fixe, l'air terrifiée. *Elle est arrivée trop tard.*

Jeff ne savait trop ce qu'il devait ressentir. Ou plutôt, il savait ce qu'il pensait, tout comme il était conscient de ce qu'il ressentait au fond, mais il ne parvenait pas à faire coïncider les deux. Tout s'était bien passé, mieux même qu'il ne l'aurait cru. Ils avaient coupé les jambes assez vite, quelques centimètres à peine en dessous du genou, sauvant ainsi l'articulation. Ils avaient si bien cautérisé les moignons qu'il n'y avait eu qu'un léger saignement au moment où ils avaient ôté les garrots. Un suintement, rien de plus. Rien de grave en tout cas. Pablo s'était évanoui vers la fin. Non, ce n'était pas la douleur, Jeff en était presque certain. Le choc, sans doute. Il n'aurait pas dû sentir quoi que ce soit. Mais Pablo, encore conscient au début de l'opération, avait réussi à relever la tête et à voir ce qu'ils faisaient ; ça l'avait sans doute beaucoup angoissé. Il courait un moins grand risque à présent, même s'il n'était pas tiré d'affaire pour autant. Ils n'avaient réussi qu'à lui accorder un sursis, trois fois rien, peut-être un jour, voire deux. Mais c'était déjà ça. Jeff pouvait être fier de lui-même. Il avait accompli un acte de bravoure. Dans ce cas, pourquoi se sentait-il si mal ? C'était à n'y rien comprendre. Il avait du mal à respirer, comme s'il tentait de réprimer ses larmes.

Amy ne l'aidait guère. Aucun d'entre eux ne se montrait très utile. Mathias refusait de le regarder. Il restait recroquevillé sur lui-même, à côté des restes de leur petit feu, l'esprit ailleurs. Éric avait recommencé à faire les cent pas, à sonder frénétiquement sa jambe et son torse. Et puis il y avait Amy. Sans même prendre le temps de considérer ce qu'il avait accompli, elle l'avait agressé, alors même qu'ils ôtaient les garrots tout en enduisant soigneusement les moignons carbonisés de pommade antiseptique.

– Oh, mon Dieu ! s'était-elle exclamée.

Il avait sursauté. Il ne l'avait pas entendue approcher.

– Putain de merde de Dieu ! Qu'est-ce que tu fous, Jeff ?

Jeff ne répondit même pas. Ça semblait assez clair.

– Tu lui as coupé les jambes. Bordel, comment t'as pu...

– On n'avait pas le choix, Amy. Il allait mourir, répondit

Jeff en se penchant sur l'autre moignon pour l'enduire de pommade.

– Et tu crois peut-être que ça va le sauver ? L'amputer des deux jambes avec un couteau sale ?

– On l'avait stérilisé.

– Arrête tes conneries, Jeff. Regarde un peu sur quoi il est allongé !

Elle avait raison, bien sûr. Le sac de couchage utilisé pour rendre le brancard un peu plus confortable était saturé d'urine.

– Nous lui avons donné un sursis. Si les secours arrivent demain, ou même après-demain, il... répondit Jeff en haussant les épaules.

– Tu l'as amputé des *deux jambes* ! hurla presque Amy.

Jeff finit par se retourner et la regarda droit dans les yeux. Elle se tenait là, devant lui, la peau brûlée par le soleil, le visage maculé de terre, le pantalon recouvert d'un duvet vert d'un bon centimètre d'épaisseur. Elle n'était plus elle-même : trop déguenillée, un peu trop agitée aussi. Les autres ne devaient pas faire meilleure figure. Jeff avait l'impression d'être devenu quelqu'un d'autre au cours des dernières vingt-quatre heures. Il venait de couper les jambes d'un homme à l'aide d'une pierre et d'un couteau. Un ami, un étranger, difficile à dire maintenant. Il ne connaissait même pas le vrai nom de Pablo.

– Quelles chances avait-il de s'en sortir d'après toi, hein, Amy ? Avec les os exposés à l'air comme ça ?

Amy ne répondit pas. Elle regardait le sol, juste à côté de lui, une drôle d'expression sur le visage.

– Réponds-moi ! dit-il.

Allait-elle pleurer ? Son menton tremblait. Elle leva la main pour se toucher le visage avant de murmurer :

– Oh Seigneur ! Mon Dieu !

Jeff suivit son regard jusqu'aux membres amputés de Pablo, ce qui restait de ses pieds, de ses chevilles et de ses tibias, ces os ensanglantés reliés par des lambeaux de chair. Jeff les avait laissé tomber à côté du brancard, sans même penser à les enterrer après avoir cautérisé les moignons de Pablo. Mais les choses n'allaient pas en rester là semblait-il. Les ronces avaient dépêché une longue vrille. Elle avait franchi la clairière, puis s'était enroulée autour de l'un des pieds de Pablo avant de le ramener vers la masse de verdure en le traînant sur le sol. Tandis que Jeff regardait la scène, une autre vrille se faufila sur le sol en serpentant, plus rapide que l'autre, et s'empara de l'autre pied.

Ils regardaient tous fixement la scène maintenant. Soudain, Mathias réagit. Il se releva d'un bond, le couteau à la main, et s'avança vers la première longue vrille pour la trancher d'un coup. Il se précipita ensuite vers l'autre et répéta son geste. Au moment même où il coupait les ronces, il vit une troisième vrille puis une quatrième ondulant sur le sol, filant en direction des os. Amy poussa un cri strident, puis se couvrit la bouche de la main avant de se réfugier auprès de Jeff. Mathias se pencha encore, trancha de plus belle, vrille après vrille, mais les ronces continuaient à s'avancer inexorablement. Il en venait de toutes parts maintenant.

– Laisse tomber... dit Jeff.

Mathias l'ignora. Il coupait les ronces, les écrasait du pied, les arrachait à mains nues, toujours plus vite, mais il n'était jamais assez rapide. Les vrilles se défendaient, s'enroulant autour de ses jambes pour l'entraver.

– Mathias ! cria Jeff en s'avançant vers lui.

Il le prit par le bras pour l'éloigner. Il sentait toute la force du jeune Allemand, ses muscles tendus, mais aussi sa fatigue. Il avait cessé de lutter. Ils se tinrent côte à côte regardant les ronces engloutir les membres amputés jusqu'à ce que les os blancs disparaissent enfin dans la masse végétale.

Ils étaient encore là, immobiles, lorsqu'ils entendirent le gazouillis familier d'un téléphone au fond du puits.

Stacy était assise en tailleur à l'ombre de son ombrelle de fortune, recroquevillée sur elle-même. Elle s'efforçait de ne pas regarder son poignet. Elle ne devait pas oublier : sa montre n'y était plus, elle l'avait laissée sur la table de nuit de sa chambre d'hôtel à Cancún où elle devait encore se trouver. Ou peut-être que non. Peut-être ses craintes étaient-elles pour une fois fondées : une femme de chambre l'avait volée. Dans ce cas, où était-elle maintenant ? Avec son chapeau, sans doute, et puis ses lunettes de soleil, au poignet de quelque étranger. Une femme inconnue riant aux éclats alors qu'elle déjeunait dans un restaurant, au bord de la plage. Stacy ressentait l'absence de ses biens matériels de façon quasi physique. Comme une douleur dans la poitrine, une sensation de manque. Il y avait tant de lumière ici. Le soleil était si fort, elle regrettait surtout ses lunettes. Elle en avait mal à la tête. Et puis la faim, la soif, la fatigue et la peur...

Derrière elle, en haut de la colline, ils amputaient Pablo. Stacy s'efforçait de ne pas y penser. Le Grec allait mourir ici. C'était évident.

Enfin, n'y tenant plus, elle jeta un coup d'œil à son poignet. Il n'y avait rien à voir, évidemment, et elle ressassa les mêmes pensées : la table de chevet, la femme de chambre, le chapeau, les lunettes de soleil, cette femme qui déjeunait à la plage, reposée, repue, propre. Une bouteille d'eau à portée de main. Insouciante, heureuse.

Stacy se sentit soudain envahie par un sentiment de haine pour cette hypothétique étrangère. Puis ce fut au tour du garçon qui lui avait pressé le sein, devant la gare routière, de la femme de chambre malhonnête, des Mayas assis face à elle, de leurs yeux qui la surveillaient, de leurs arcs et de leurs flèches : oui, elle les haïssait tous en bloc. L'un des garçons qui les avaient suivis la veille était là maintenant, le plus petit des deux. Assis dans le giron d'une vieille femme, il regardait fixement Stacy, le visage impassible, comme tous les Mayas. Lui aussi, Stacy le haïssait.

Son pantalon et son tee-shirt étaient couverts d'un duvet vert pâle. Ses sandales aussi. Elle n'arrêtait pas d'en frotter le tissu, se brûlant les mains. Les minuscules vrilles repoussaient aussitôt. Elles avaient déjà creusé plusieurs trous dans son tee-shirt. Juste au-dessus du nombril, il y en avait un de la taille d'une pièce de deux euros. Ce n'était plus qu'une question de temps, se disait-elle : elle porterait bientôt des loques.

Stacy haïssait ces ronces... Était-il seulement possible de haïr une plante ? Elle ne supportait pas leur couleur vert acide, leurs petites fleurs rouges, la brûlure infligée par leur sève à sa peau. Elle les détestait parce qu'elles pouvaient se déplacer, qu'elles avaient faim, qu'elles étaient malfaisantes.

Stacy avait les pieds encore crottés de la boue du champ traversé la veille, et elle continuait à dégager une légère odeur d'excrément. *Comme Pablo*, se dit-elle, repensant soudain à ce qui se passait au sommet de la colline, le couteau, la pierre chauffée. Elle frissonna, puis ferma les yeux.

De la haine, toujours plus intense. Ce sentiment la submergeait, l'entraînait vers des abysses sans fond. Elle haïssait Pablo parce qu'il était tombé dans le puits de mine, détestait sa colonne brisée, sa mort imminente. Elle haïssait Éric et sa jambe blessée, les ronces se frayant un chemin sous sa peau comme autant de vers qui auraient foré sa chair, et la panique à laquelle il était en proie. Elle haïssait Jeff et sa compétence, sa froideur, la facilité avec laquelle il avait saisi le couteau, la pierre brûlante. Elle haïssait Amy car elle n'avait pas arrêté sa main, Mathias et ses silences, ses regards mystérieux. Mais la personne qu'elle haïssait par-dessus tout n'était autre qu'elle-même.

Stacy ouvrit les yeux, regarda autour d'elle. Quelques minutes s'étaient écoulées, rien n'avait changé.

Oui, elle se haïssait.

Elle se haïssait, car elle était incapable de revoir l'heure, ni combien de temps il lui faudrait encore rester là.

Elle se haïssait, car elle avait cessé de croire à la survie de Pablo

Elle se haïssait, car elle savait que les Grecs n'allaient pas venir, ni aujourd'hui ni demain. Ni jamais.

Stacy inclina son ombrelle, jeta un rapide coup d'œil vers le ciel. Jeff espérait qu'il pleuvrait. Tout en dépendait. Jeff œuvrait à leur sauvegarde. Il avait des plans, des projets, des stratégies, mais tous comportaient une faille : il aurait fallu garder espoir. Et contrairement aux nuages, blancs, gris ou noirs, qu'importe, l'espoir ne faisait pas tomber la pluie. Le ciel restait d'un bleu aveuglant. Pas un nuage en vue.

Il n'allait pas pleuvoir. Elle le savait.

Cela donnait à Stacy une ultime raison de se haïr encore un peu plus.

Ils décidèrent de retourner au fond du puits.

C'était l'idée de Jeff, mais Amy n'avait pas protesté. Les Grecs n'allaient pas venir aujourd'hui. Tout le monde s'accordait sur ce point maintenant – en silence tout au moins. Le téléphone portable, cet objet potentiellement mythique qui les appelait depuis le fond du gouffre, restait leur seul espoir. Lorsque Jeff leur proposa d'essayer de le trouver une dernière fois, Amy acquiesça – cela ne manqua pas de le surprendre.

Ils ne pouvaient laisser Pablo seul, bien sûr. Ils avaient d'abord décidé de laisser Amy veiller sur lui ; Éric et Mathias actionneraient le treuil, faisant ainsi descendre Jeff dans le puits. Mais Jeff voulait qu'Amy l'accompagne. Il voulait fabriquer une sorte de torche avec les vêtements des archéologues après les avoir imbibés de tequila. Mais il ne savait combien de temps la flamme durerait dans de telles conditions. Deux paires d'yeux seraient plus efficaces au fond du puits, et leurs recherches n'en seraient que plus rapides, méthodiques, systématiques.

Amy ne voulait pas redescendre dans l'abîme. Jeff ne lui laissait pas le choix. Il lui disait ce qu'il voulait *lui*, décrivait tout ça comme une chose déjà décidée. C'était un problème de plus à résoudre. Voilà tout.

– On pourrait le traîner jusqu'au puits, dit Mathias.

Il voulait parler du brancard de Pablo. Ils réfléchirent tous un moment, puis Jeff acquiesça.

C'est donc ce qu'ils firent. Jeff et Mathias soulevèrent le brancard et le transportèrent jusqu'au gouffre tout en s'efforçant de ne pas secouer Pablo. Du Grec émanaient de terribles odeurs. Non seulement les remugles désormais familiers de sa pisse et de sa merde, mais aussi ceux des chairs carbonisées de ses moignons, et puis cette puanteur plus sucrée, flottant dans l'air, signe avant-coureur de la pourriture. Personne ne fit de commentaire. Personne ne dit rien au sujet de Pablo non plus. Toujours inconscient, il semblait plus mal en point que jamais. Ce n'était pas seulement ses jambes, mais aussi son visage. Amy s'efforçait de ne pas le regarder. Lorsqu'elle avait posé sa candidature pour entrer à la fac de médecine, elle avait effectué plusieurs visites guidées du campus et vu les cadavres disséqués par les étudiants : leur peau grisâtre, leurs yeux enfoncés, leurs lèvres pendantes. Pablo commençait à ressembler précisément à ça.

Ils le posèrent à côté du puits. Le gazouillis avait cessé peu de temps auparavant, mais à peine étaient-ils arrivés qu'il avait repris. Ils se tenaient tous là, debout au bord du gouffre, les yeux rivés sur les ténèbres, à l'affût.

Le téléphone sonna neuf fois. Puis plus rien.

Mathias vérifia la corde. Il la déroula sur toute sa longueur puis l'étala sur le sol de la petite clairière, cherchant les points faibles du chanvre.

Amy regardait au fond du puits, cherchait à rassembler ses forces alors que lui revenait le souvenir de son séjour en bas, seule avec Éric, de ce dont ils avaient parlé pour tromper leur peur, les mensonges qu'ils s'étaient racontés. Elle ne voulait pas y retourner. Elle aurait refusé si seulement elle en avait trouvé le moyen. Mais maintenant qu'ils avaient transporté Pablo jusque-là, elle ne voyait vraiment pas comment dire non.

Éric s'accroupit et se mit à tâter sa blessure en marmonnant :

– Nous allons la couper.

Amy se tourna vers lui, le regard plein d'effroi. Peut-être avait-elle mal compris ? Éric se releva et recommença à faire les cent pas. Les ronces avaient percé des trous dans sa chemise, la réduisant presque en lambeaux. Il était couvert de son propre sang : sur tout le corps, des éclaboussures, des taches et des traînées. Aucun d'eux n'avait l'air en grande forme, mais lui était en très piteux état.

Jeff confectionnait sa torche. Il s'était servi d'un piquet de tente dont il avait couvert l'extrémité de ruban adhésif pour éviter que l'aluminium ne devienne trop brûlant dans sa main. Il avait noué des vêtements à l'autre bout du piquet – un short en jean, un tee-shirt en coton – en serrant bien fort. Amy ne voyait pas comment ça pouvait marcher, mais elle ne dit rien, trop épuisée pour en discuter. S'ils devaient descendre à nouveau dans le puits, elle voulait seulement qu'ils en finissent, et vite.

Mathias se leva, puis s'essuya les mains sur son pantalon. La corde tiendrait. Ils l'observèrent l'enrouler soigneusement autour de la poulie. Ensuite, Jeff se passa l'anneau de corde sous les bras. Il tenait la boîte d'allumettes, la bouteille de tequila déjà débouchée, et sa torche de fortune. Mathias et Éric prirent position près du treuil et appuyèrent sur la manivelle de tout leur poids. Puis, sans la moindre hésitation, Jeff s'avança dans le vide. Il ne parla pas à Amy. Ils n'avaient pas vraiment discuté d'un plan quelconque. Elle devait le suivre dans le puits, voilà tout. Quant au reste, ils aviseraient une fois arrivés en bas.

On entendait le grincement familier de la poulie. Mathias et Éric luttaient contre la gravité, dévidant la corde tour après tour, suant sous l'effort. Amy se pencha au-dessus du puits pour regarder Jeff s'enfoncer dans les ténèbres. Il semblait rétrécir à vue d'œil à mesure qu'il descendait. Il resta visible plus longtemps qu'elle ne l'aurait cru, comme s'il avait entraîné un peu de soleil avec lui jusqu'au fond de l'abîme. Sa silhouette s'estompa peu à peu, spectrale.

– Il y est presque, murmura Mathias.

Amy se retourna, lui jeta un coup d'œil, puis regarda le treuil. Ils étaient presque au bout de la corde. Encore quelques tours de manivelle, et Jeff serait en bas. Lorsqu'elle scruta de nouveau les ténèbres, Jeff avait disparu. La corde continuait à s'enfoncer toujours plus dans l'abîme, oscillant légèrement à mesure qu'elle se déroulait, et Amy n'en voyait plus le bout. Elle dut se retenir pour ne pas appeler Jeff. Elle avait peur qu'il ait disparu pour de bon.

Le grincement de la poulie cessa enfin. Éric et Mathias vinrent rejoindre Amy à côté du puits. Ils scrutèrent tous trois les ténèbres. Ils retenaient leur souffle.

– Tout va bien ? lança Mathias.

– Remonte-la, répondit Jeff.

Sa voix semblait si lointaine, déformée par l'écho, presque méconnaissable.

Il ne fallut pas longtemps à Mathias pour remonter la corde. Le grincement avait une autre tonalité, plus aiguë. On aurait cru entendre un rire – rien de franchement rassurant. Amy sentit un frisson lui parcourir l'échine. *Dis non*, pensait-elle. *Tu peux le dire. Vas-y, dis-le*. Mais Éric lui tendait déjà l'anneau de corde, l'aidait à passer la tête dans la boucle et elle n'avait toujours pas protesté. *Ce n'est pas la mer à boire*, se disait-elle encore. *Tu l'as déjà fait. Qu'est-ce qui t'empêche de recommencer* ? C'est avec ces pensées en tête qu'elle avança vers le gouffre, se balança quelques instants au-dessus du vide avant de commencer sa lente descente au fond du puits.

L'expérience était différente maintenant qu'il faisait jour. C'était mieux par certains côtés, pire par d'autres. Elle voyait mieux, évidemment – le puits, les roches et les poutres prises dans les parois, les ronces poussant çà et là en formant de longues boucles semblables à des guirlandes de Noël. Mais la lumière accentuait son impression d'être en transit, de franchir une frontière, de passer d'un monde dans un autre. C'était oppressant. Le jour, puis les ténèbres, le néant, la mort. Inutile de lever les yeux vers le ciel : cela ne faisait qu'aggraver les choses, car, même à cette profondeur relativement faible, la lumière du jour semblait déjà hors d'atteinte. La lucarne semblait rétrécir à mesure qu'elle descendait, comme si elle allait se refermer à jamais telle une gueule qui l'aurait avalée, emprisonnée dans les entrailles de la terre. Elle agrippa l'anneau, chercha à contrôler sa respiration tout en s'efforçant de se calmer. La corde était humide – la sueur de Jeff sans doute, pensa-t-elle. Ou peut-être était-ce la sienne. Elle commençait à se balancer au bout de la corde, frôlant les parois du puits.

Elle essaya de se stabiliser, en vain. Elle en avait la nausée. Elle avait encore ce goût de vomi dans la bouche, cela ne l'aidait guère à contenir le haut-le-cœur qu'elle sentait monter du creux de son ventre pourtant vide. Oui, elle pouvait très bien expulser un long ruban de vomi, en éclabousser Jeff qui attendait en bas dans l'obscurité.

Amy ferma les yeux.

Sa nausée s'était dissipée.

L'air était de plus en plus froid, glacial même. Amy avait oublié cette sensation. Elle aurait pris un vêtement chaud si seulement elle s'en était souvenue, aurait pillé les sacs des archéologues, leur aurait volé un pull-over. Elle se mit à frissonner, couverte de sueurs froides.

Lorsque Amy rouvrit les yeux, elle vit Jeff qui se perdait dans la pénombre. C'était comme si elle l'avait observé sous l'eau, ou à travers un écran de fumée. Il levait la tête vers elle. Amy ne pouvait distinguer les traits de son visage, mais il lui semblait qu'il souriait. Quelque chose dans la posture. Malgré elle, malgré sa peur, malgré ses sueurs, ses frissons et son malaise général, elle lui rendit son sourire.

Ses pieds touchèrent enfin le sol et la corde se détendit, le grincement cessa enfin. Ce silence soudain l'emplit d'un sentiment de panique. Sa poitrine se serra.

– Eh bien, dit-elle, simplement pour rompre ce silence pesant. Nous y voilà !

Jeff l'aida à sortir de l'anneau.

– C'est incroyable, n'est-ce pas ? À quelle profondeur crois-tu que nous soyons ?

Amy était bien trop surprise par l'excitation qu'elle percevait dans sa voix pour lui répondre. Il appréciait la situation. Malgré tout les événements de ces dernières vingt-quatre heures, il y trouvait une certaine satisfaction. On aurait dit un petit garçon : les plaisirs interdits des lieux souterrains, les cavernes, les repaires et les tunnels secrets.

– Je n'ai jamais été si loin sous terre en tout cas, dit-il. Aucun doute là-dessus. Tu crois que ça pourrait faire plus de trente mètres ?

– Jeff ! répondit-elle.

C'était étrange. Ils se trouvaient dans le noir, mais il y avait quand même un peu de lumière. Un soupçon, quelque résidu venu du ciel. À mesure que ses yeux s'adaptaient, elle y voyait de mieux en mieux. Les parois, le sol, Jeff, son visage. Il la regardait d'un air étonné.

– Quoi ? demanda-t-il.

– Trouvons ce téléphone, tu veux bien ?

– T'as raison. Le téléphone.

Amy le regarda s'accroupir et préparer sa torche. Il aspergea le nœud de vêtements de tequila, lentement, pour bien les imprègner. Il prit son temps, versa un mince filet, marqua une pause, recommença. Amy sentait l'odeur de la tequila. Elle avait tellement faim, tellement soif, se sentait à bout de forces... l'odeur de l'alcool l'enivrait. Elle vit une chaussette et une chaussure sur le sol, à un mètre environ à droite de Jeff. Il lui fallut un long moment avant de comprendre qu'elles appartenaient à Pablo. Éric les lui avait retirées pour lui gratter la plante du pied et vérifier ainsi s'il s'était brisé la colonne vertébrale. Ils les avaient oubliées la veille, dans la précipitation de la remontée. Elles étaient déjà couvertes d'un fin duvet vert. Amy allait se pencher pour les récupérer, à l'idée que Pablo en aurait peut-être besoin, mais se reprit. Elle se sentait idiote, misérable aussi car elle avait souri à cette pensée. Plus besoin de chaussures ni de chaussettes, évidemment. Plus jamais.

– Il y avait une pelle ici hier, dit-elle, surprise.

Elle n'y avait pas songé avant, n'ayant pas même eu conscience de son absence. Elle montra du doigt la paroi où aurait dû se trouver la pelle. Elle avait disparu.

Jeff se retourna et suivit des yeux la direction indiquée.

– T'es sûre ? demanda-t-il.

– Oui, une pelle pliable, tu sais.

– Peut-être qu'elles l'ont prise.

– Elles ?

– Oui, les ronces.

– Pourquoi feraient-elles ça ?

– Mathias et moi, on a essayé de creuser un trou à l'aide d'une pierre et d'un piquet de tente pour en faire des latrines et distiller notre urine. Peut-être qu'elles veulent nous en empêcher, ajouta-t-il tout en versant un peu de tequila sur sa torche.

Amy resta muette. Trop de choses à contester. Elle en était presque prise de panique. Elle ne savait par où commencer.

– Tu veux dire qu'elles voient ? Qu'elles vous ont *vus* en train de creuser ?

– Elles doivent bien avoir un moyen de percevoir leur environnement. Comment auraient-elles pu s'étirer pour s'emparer des pieds de Pablo ?

Phéromones, pensait Amy. *Réflexes*. Non, les ronces ne pouvaient voir. Cette idée l'horrifiait. Leurs actes devaient être automatiques, préconscients.

– Et elles peuvent communiquer aussi ? demanda-t-elle.

– Qu'est-ce que tu veux dire ?

– Elles vous ont vu creuser hier et ont demandé aux ronces se trouvant ici de cacher la pelle, poursuivit-elle.

Elle avait envie de rire. Quelle idée absurde ! Pourtant; quelque chose au fond d'elle-même l'en empêchait.

– J'imagine, Amy.

– Et elles *pensent* ?

– C'est certain.

– Mais...

– Elles ont fait tomber ma pancarte. Comment auraient-elles pu savoir sans...

– Ce sont des *plantes*, Jeff. Les plantes ne voient pas. Ne communiquent pas non plus. Ne pensent pas. Elles...

– Écoute. Y'avait bien une pelle ici hier, oui ou non ?

– Je crois bien que oui. Je...

– Alors, où est-elle passée ?

Amy resta silencieuse, incapable de répondre.

Jeff avait fini d'asperger les vêtements et prit le temps de reboucher la bouteille avant de poursuivre.

– Amy, si quelque chose l'a déplacée, tu ne crois pas raisonnable d'imaginer que ce soient les ronces ?

Avant qu'elle puisse répondre, le gazouillis reprit sur sa gauche. Ça venait de l'autre puits. Jeff craqua une allumette et enflamma sa torche. L'alcool semblait vouloir s'emparer de l'allumette, absorber sa flamme. Un halo bleuté se matérialisa autour de la torche. Jeff la leva devant eux. Elle émettait une faible lumière menaçant de s'éteindre à chaque instant. Amy savait qu'elle ne durerait pas longtemps.

– Vite, dit-il en faisant un geste en direction de l'autre boyau.

Déjà trois sonneries. Ils se précipitèrent en avant. Ils voulaient trouver le téléphone avant que ça s'arrête. Cinq enjambées, et ils avaient pénétré dans le boyau. Un courant d'air froid continu faisait vaciller la flamme de la torche. Amy eut un frisson de terreur au moment où elle laissa derrière elle la petite lucarne de ciel bleu. Le plafond était si bas que Jeff dut courber l'échine et fléchir les genoux pour avancer. Les ténèbres semblaient vouloir les envelopper, les enserrer un peu plus à chaque pas, comme si le boyau se rétrécissait petit à petit.

Les ronces, étrangement luxuriantes dans un endroit aussi dépourvu de lumière, recouvraient toutes les parois ainsi que le sol. Les plantes leur arrivaient aux genoux, leur frôlaient le visage. Si Amy n'avait pas tant voulu trouver ce téléphone, elle aurait immédiatement fait volte-face et pris ses jambes à son cou.

Une quatrième sonnerie un peu plus loin devant eux les attira plus avant dans le boyau. Amy percevait une sorte de mur – même dans le noir, sans pouvoir l'apercevoir, elle en sentait la présence à une dizaine de mètres de là. Le gazouillis était déformé par l'écho, mais il lui semblait que le téléphone se trouvait au pied de cette paroi enfouie sous les ronces. Ils devraient se mettre à quatre pattes pour le chercher. Amy courait presque maintenant. Elle voulait trouver ce téléphone avant qu'il cesse de sonner... et puis elle était si terrorisée par cet endroit qu'elle filait comme le vent.

Les ronces frôlaient son corps, caressaient sa peau, comme si elles s'étaient écartées pour lui céder le passage. Jeff avançait plus prudemment : elle l'avait laissé loin derrière elle.

– Attends, dit Jeff, s'arrêtant net et brandissant la torche devant lui pour tâcher d'y voir un peu mieux.

Amy ignora son appel. Elle voulait arriver, le trouver, partir enfin. Elle voyait la paroi maintenant, ou tout au moins une chose faisant écran, comme une ombre qui se serait soudain matérialisée.

– Amy ! lança Jeff, d'une voix plus forte qui se réverbéra contre la paroi du fond.

Elle hésita, ralentit, fit presque demi-tour. Elle comprit alors que les ronces s'agitaient. Voilà qui expliquait cette sensation d'étouffement. Ce n'étaient pas les ténèbres qui s'épaississaient, ni le boyau qui rétrécissait, mais les fleurs : elles pendaient du plafond, des parois, montaient vers elle depuis le sol. Elles s'ouvraient et se refermaient comme autant de bouches minuscules. Amy s'arrêta presque, mais le téléphone sonna une cinquième fois, l'attirant toujours plus avant. Elle le savait, il allait bientôt se taire. Il n'était plus très loin, juste là, contre la paroi. Il lui suffisait de se mettre à genoux et...

– Amy ! hurla Jeff.

Elle sursauta. Il avait repris sa progression, courant vers elle à présent, brandissant la torche devant lui.

– Amy ! Non !

– Il est juste là, dit-elle. Il est...

Elle fit encore un pas en avant. C'était idiot, mais elle voulait être la première à le trouver.

– Arrête ! hurla-t-il.

Avant même qu'elle puisse lui répondre, il se trouvait à son côté, lui empoignant le bras, la tirant en arrière, la ramenant contre lui. Elle sentit son visage près du sien, sa chaleur, et l'entendit murmurer :

– Il n'y a pas de téléphone.

– Quoi ? demanda-t-elle, confuse.

Ils entendirent alors une sixième sonnerie, semblant sortir des ronces, là, juste devant eux. Amy tenta de se libérer.

– Jeff, il est...

Mais Jeff la tira en arrière en lui serrant le bras. Il lui faisait mal. Il se pencha, lui chuchota encore à l'oreille :

– Ce sont les ronces, les fleurs qui produisent ce son.

– Non, il est juste... répondit Amy incrédule.

Jeff se pencha un peu en avant, abaissa sa torche pour éclairer la masse de ronces à quelques dizaines de centimètres d'eux. Les plantes se rétractèrent rapidement devant la flamme, on aurait cru entendre le sifflement d'un serpent. Là où aurait dû s'étendre le sol s'ouvraient le vide, les ténèbres. Le courant d'air s'intensifia soudain, désorientant Amy. Jeff agitait la torche d'avant en arrière pour agrandir le trou. Il fallut plusieurs secondes à Amy pour comprendre de quoi il s'agissait, ce que masquaient ces ténèbres, pourquoi le sol se dérobait à cet endroit précis. C'était l'entrée d'un autre puits à pic. Les ronces l'avaient recouvert pour le dissimuler. *Un piège.* Elles les avaient entraînés jusque-là en espérant qu'ils tomberaient dans le vide.

Ils entendirent soudain le claquement sec d'un fouet : l'une des ronces vint frapper la torche, s'enroula autour de la poignée en aluminium pour l'arracher des mains de Jeff. Amy la regarda tomber tandis que vacillait sa flamme, encore visible alors même qu'elle touchait le fond du gouffre, dix mètres plus bas. Amy aperçut quelque chose de blanc – *des os*, pensa-t-elle, peut-être un crâne, les orbites tournées vers elle. La pelle était là, et puis les ronces, semblables à un nœud de serpents reculant face à la petite flamme qui brûlait en leur sein. Enfin la lumière vacilla... et puis plus rien.

Il faisait noir maintenant, terriblement noir, plus noir encore qu'Amy n'aurait pu l'imaginer. Un instant, elle n'entendit que la respiration de Jeff à ses côtés, le son sourd des battements de son propre cœur, mais le sifflement reprit, plus fort, plus dense. Avant même qu'elles commencent à s'enrouler autour de son corps, Amy comprit qu'il s'agissait des ronces. Elles semblaient venir de toutes parts, des parois, du sol et du plafond, cinglant sa chair, s'enroulant autour de ses bras, de ses jambes, de son cou même, l'attirant vers le vide.

Amy poussa un cri strident, se débattit, recula. À peine avait-elle libéré un membre que de nouvelles ronces l'enserraient déjà. La plante n'était pas assez puissante pour la terrasser de la sorte – ses tiges rompaient trop facilement –, mais sa sève lui dévorait la peau. Elles revenaient à la charge sans relâche. Amy se retourna, donna des coups de pied en hurlant de plus belle, en proie à une telle panique qu'elle ne savait plus dans quelle direction aller, ni où se trouvait la gueule béante du puits de mine.

– Jeff ? appela-t-elle.

Elle sentit alors une main lui empoigner le bras, la tirer vers l'avant. Elle n'opposa aucune résistance, et le suivit tandis que les ronces continuaient de leur fouetter le corps et tentaient de les retenir, écoulant une sève acide qui consumait leurs chairs.

Jeff cria quelque chose d'incompréhensible. Il la tirait en arrière. Ils trébuchèrent, s'étalèrent l'un sur l'autre, désormais à quatre pattes au milieu des ronces qui cherchaient à les plaquer sur le sol. Ils se relevèrent enfin, virent une faible lueur devant eux : Jeff tira Amy par le bras et ils se mirent à courir, laissant derrière eux les ronces de nouveau immobiles et silencieuses.

Amy vit l'anneau de corde, leva les yeux et aperçut le petit rectangle de ciel bleu, les têtes d'Éric et de Mathias se découpant dans la lumière.

– Jeff ? lança Mathias.

Jeff ne prit pas la peine de répondre. Ses yeux restaient rivés sur l'entrée du boyau derrière eux. Juste un trou noir maintenant, duquel émanait toujours un courant d'air frais.

– Passe l'anneau, dit-il à Amy.

Jeff avait le souffle court, Amy aussi. Elle resta près de lui sans bouger pendant un long moment, s'efforçant de reprendre ses esprits.

Jeff s'accroupit, attrapa la bouteille de tequila, en dévissa le bouchon. Puis il attrapa la chaussette de Pablo et l'aspergea d'alcool.

– Jeff, qu'est-ce que tu fais ? murmura Amy.

Quelque chose se déplaçait dans le boyau. Un bruit presque inaudible, qui gagnait peu à peu en volume. Jeff enfonça la chaussette dans le goulot de la bouteille du bout d'un index.

Le son, de plus en plus net maintenant, était encore trop faible pour qu'ils puissent en déterminer la nature exacte, mais il leur semblait étrangement familier. On aurait dit le bruissement insolite, presque humain, de cartes battues avant d'attaquer une partie.

– Dépêche-toi ! Amy ! cria Jeff.

Amy ne protesta pas. Elle tendit la main, attrapa l'anneau qu'elle passa sous ses aisselles.

– Jeff ? lança à nouveau Mathias.

– Remontez-la ! hurla ce dernier.

Amy renversa la tête. Ils étaient toujours là, scrutant le fond du puits depuis ce minuscule rectangle de ciel. Elle savait qu'ils ne pouvaient pas la voir depuis là-haut.

– Qu'est-ce qui s'est passé ? cria Mathias.

Jeff manipulait la boîte d'allumettes.

– Maintenant ! hurla-t-il.

Le son montait en puissance à chaque seconde, toujours plus familier. Amy savait de quoi il s'agissait sans pouvoir le formuler clairement. Elle n'en pouvait plus d'entendre ce bruit, refusait de voir la vérité en face. L'anneau répercuta une secousse le long de la corde, puis le grincement reprit, couvrant cet autre son qu'elle se refusait à identifier. Elle s'élevait déjà dans les airs, les pieds balançant au-dessus du vide. Jeff ne lui lança pas même un coup d'œil. Il regardait tour à tour la boîte d'allumettes et l'entrée du boyau d'où provenait le grondement de plus en plus fort. On aurait dit qu'il cherchait à la poursuivre jusqu'à la lumière pour la happer et l'attirer au fond du gouffre.

Amy vit le geste de Jeff, la flamme de l'allumette. La chaussette de Pablo s'embrasa d'un coup dans un halo bleu pâle. Jeff se releva, tint la bouteille à la main un instant encore pour s'assurer que la mèche avait bien pris. Puis il la lança telle une grenade dans la gueule béante de l'autre puits. Amy entendit le verre se fracasser, puis vit une lueur intense éclairer le visage de Jeff.

Un cocktail Molotov, pensa-t-elle. Ça lui faisait tout drôle de connaître ce terme. Amy imaginait des Polonais impuissants en train de les lancer sur des chars russes dans un geste futile et désespéré. Jeff restait parfaitement immobile, les yeux rivés sur le boyau. Le feu diminuait déjà... Et dire qu'elle s'éloignait si vite. Elle allait bientôt le perdre de vue. Les flammes auraient dû faire cesser définitivement ce bruit effroyable. Il reprit bientôt, un peu moins fort cependant. Amy avait l'impression qu'il l'enveloppait tout entière. Il lui fallut un moment pour comprendre qu'il ne venait plus du fond du puits mais se trouvait tout autour d'elle, et même au-dessus. Jeff disparaissait peu à peu, le feu s'éteignait et les ténèbres l'engloutissaient à nouveau. Amy leva les yeux pour jauger la distance la séparant de la lumière quand un mouvement imperceptible accrocha son regard. Ses yeux se rivèrent sur les plantes qui pendaient de la paroi, grêles et pâles. Leurs fleurs minuscules s'ouvraient et se fermaient en cadence. Voilà d'où provenait ce bruit terrible, plus doux à présent, plus insidieux aussi, lointain écho du vacarme qui devait envelopper le coteau. Elle devait bien l'admettre maintenant : *les plantes riaient.*

Une fois sortis du puits, il ne leur restait plus grand-chose à faire. Jeff était à court d'idées, pour la première fois. Il semblait encore sous le choc de ce dont il avait été témoin au fond de l'abîme. Ils replacèrent Pablo sous son appentis, s'assirent ensemble, excepté Stacy – toujours au pied de la colline, guettant l'arrivée des Grecs –, puis ils firent circuler la gourde. Éric remarqua que les mains de Jeff tremblaient, ce qui lui procura un étrange sentiment de satisfaction. Après tout, il tremblait lui aussi, et depuis un bon moment déjà. Ça le réconfortait de se sentir un peu moins seul. *La misère misérable du miséreux*, pensa-t-il. Il ne parvenait pas à se sortir ça de la tête et s'efforçait de ne pas dire la phrase à voix haute.

– Elles se moquaient de nous, chuchota Amy.

Personne ne dit mot. Mathias reboucha la gourde, se leva et repartit vers la tente. Jeff leur avait raconté ce qui s'était produit dès qu'il avait émergé du trou, comment les plantes avaient réussi à reproduire cette sonnerie, essayant de les attirer dans un piège ; même ce leurre terrifiant comportait sa part de réconfort pour Éric.

Ils allaient *voir ce qu'ils allaient voir,* maintenant qu'ils avaient compris la puissance de ces ronces. Ils allaient le croire quand il affirmait que la plante se trouvait encore dans son corps, s'y développait, le rongeait de l'intérieur. Il la sentait, ne pouvait *pas* ne pas la sentir. Il avait l'impression qu'une chose forait sa jambe, une chose semblable à un ver, juste à côté de son tibia, fouillant ses chairs et les dévorant. Ça semblait se déplacer vers son pied. Plus haut, dans sa poitrine, il y ressentait une pression constante. Impossible à ignorer. Éric imaginait une sorte de vide, là, juste sous ses côtes, une cavité naturelle que venaient lentement remplir les ronces, s'enroulant sur elles-mêmes au fil de leur croissance, déplaçant ses organes, occupant toujours un peu plus d'espace. S'il découpait sa chair à cet endroit, une toute petite incision, rien de plus, la plante se déroulerait le long de sa poitrine, dégoulinante de sang, tel un nouveau-né monstrueux qui se serait tordu de douleur, ouvrant et refermant ses fleurs comme autant de bouches affamées.

Pablo gémit. On aurait presque dit qu'il parlait, comme s'il réclamait quelque chose. Mais lorsqu'ils se tournèrent vers lui pour regarder, il avait toujours les yeux fermés, le corps inerte. *Il rêve*, pensa Éric. C'était bien pire que ça : il délirait. Un dernier soubresaut avant la chute.

Il rêve, il délire, il est en train de mourir...

– Vous ne croyez pas qu'il faudrait lui donner un peu d'eau ? demanda Amy.

Éric lui trouva une drôle de voix. *Elle aussi doit trembler*, pensa-t-il. Personne ne répondit. Ils regardèrent fixement Pablo pendant de longues minutes, en silence, attendant qu'il ouvre enfin les yeux, qu'il réagisse, mais en vain. Il émettait un seul son : celui de sa respiration irrégulière et chargée de mucus. Ça ressemblait au bruit d'une table traînée sur un parquet en bois.

– Il n'a pas bu depuis..., insista Amy.

– Il est inconscient, l'interrompit Jeff. Tu comptes t'y prendre comment au juste ?

Amy fronça les sourcils, mais se tut.

Les uns après les autres, ils détachèrent leurs yeux de Pablo. Éric promena son regard sur la clairière, sans but, et s'arrêta soudain sur le couteau, posé à côté de l'appentis, maculé par le sang du Grec. Il était assez près pour qu'il puisse l'attraper. Il lui suffisait de se décaler de quelques dizaines de centimètres à gauche, de se pencher, de tendre le bras et... Voilà ! Il l'avait attrapé. Le soleil avait réchauffé le manche, c'était rassurant. Juste ce qu'il lui fallait. Il essaya de nettoyer la lame sur son tee-shirt, mais le sang séché ne voulait pas partir. Éric était si déshydraté qu'il dut se servir de sa langue pour rassembler une quantité suffisante de salive avant de pouvoir cracher. Ce fut inutile malgré tout. Rongé par le duvet vert, le coton n'était plus qu'une fine gaze translucide : il partit en lambeaux dès qu'il commença à frotter la lame sur le tissu.

Aucune importance ! Ce n'était pas une infection qu'il redoutait.

Éric se pencha en avant et trancha la chair de sa jambe sur une dizaine de centimètres, le long du tibia, juste en dessous de la première incision de Mathias. Ça faisait mal, évidemment, d'autant plus qu'il devait enfoncer la lame jusqu'au muscle, puis ramener la chair à la surface à la pointe du couteau, pour enfin déloger la minuscule ronce qui devait s'y terrer. La douleur était intense – *assourdissante*. Mais il y trouvait un étrange réconfort. Ça lui redonnait du courage, en dissipant les brumes de son esprit. Le sang emplissait déjà la plaie, débordait, dégoulinant le long de sa jambe si bien que le muscle devenait difficile à voir. Éric plongea son index dans la blessure, fouillant, tâtonnant, tandis que la douleur augmentait de façon vertigineuse. Les autres l'observaient, trop choqués pour réagir. La sensation était toujours là, malgré la douleur. Éric sentait la chose qui s'enfuyait, se dérobait sous son doigt, filait vers son pied. Il reprit le couteau, trancha plus profond cette fois. Jeff se releva d'un bond et se précipita sur lui.

Éric lui jeta un bref coup d'œil. Le sang coulait maintenant le long de sa jambe, emplissant progressivement sa chaussure. Éric espérait un peu de sollicitude, un peu d'aide, et s'étonna de lire non seulement de l'impatience mais surtout du dégoût sur le visage de Jeff. Ce dernier tendit le bras et lui ôta le couteau des mains d'un coup sec.

– Arrête ça ! dit-il en jetant le couteau au loin. Arrête de faire le con, putain !

La clairière fut soudain silencieuse. Éric se retourna vers les autres, pensant que l'un d'eux prendrait sa défense. Ils évitèrent tous son regard, le visage impassible, visiblement en accord avec Jeff.

– Tu crois pas qu'on a assez d'emmerdes comme ça, Éric ?

Éric eut un geste de désespoir en montrant son tibia ensanglanté :

– C'est à l'intérieur de moi !

– Une infection, voilà tout ce que tu vas récolter. C'est ça que tu veux ? Une jambe infectée ?

– Ce n'est pas juste dans ma jambe, mais dans mon torse aussi, dit Éric en se touchant la poitrine, à l'endroit où il ressentait une douleur sourde. Puis il y posa sa paume tout entière. Il avait l'impression de sentir la plante résister et repousser sa main.

– Y'a rien à l'intérieur de toi. Tu comprends ? questionna Jeff d'une voix dure qui trahissait sa fatigue, son agacement. Tu t'imagines des trucs, et il faut... Putain, faut que t'arrêtes !

Jeff se tourna alors et rejoignit le centre de la clairière. Il fit les cent pas sous le regard des autres. Pablo émettait toujours le même râle. *Il rêve, il délire, il est en train de mourir*, songea de nouveau Éric en s'efforçant de résister à l'envie de fourrer son doigt dans sa plaie. *Non, il n'y a rien. Elle n'y est pas*, se répétait-il en essayant d'y croire.

Jeff s'immobilisa.

– Il faut que quelqu'un prenne la relève de Stacy, dit-il.

Personne ne réagit.

Jeff se tourna d'abord vers Amy, puis vers Mathias. Ils ne levèrent pas les yeux. Il ne prit pas la peine de regarder Éric.

– Très bien, dit-il enfin, les congédiant tous d'un geste de la main, eux et leur inertie, leur lassitude, leur impuissance. Il semblait totalement dégoûté.

– Je m'y colle !

Puis, sans même un regard, il se retourna et commença à descendre la colline.

Ils auraient dû manger quelque chose, pensa Jeff alors qu'il entamait sa descente.

Midi était largement passé. Ils auraient dû répartir les bananes, les couper en cinq portions égales, mastiquer, avaler, et s'en contenter. Puis il y aurait l'orange pour le dîner – peut-être quelques raisins, aussi. Tout ça ne se garderait pas. D'ailleurs, les fruits commençaient déjà à pourrir sous l'effet de la chaleur. Et puis après ? Des bretzels, des noix, des barres protéinées. Combien de temps allaient-ils tenir ? Deux ou trois jours, puis ce serait la diète, puis la famine. Pourquoi s'en inquiéter puisque de toute façon il n'y pouvait rien. Il ne restait qu'à espérer, ou à prier, voilà tout. Pour Jeff, cela revenait à ne rien faire.

Il aurait dû emporter le couteau. Éric allait recommencer à se taillader les chairs, sauf si les autres l'en empêchaient. Jeff ne pouvait pas vraiment compter sur Mathias ni sur Amy pour ça. Il était en train de les perdre. Il en avait conscience. Vingt-quatre heures à peine s'étaient écoulées, ils se comportaient déjà comme des victimes – l'échine courbée, le visage impassible. Même Mathias semblait avoir régressé dans la matinée : il était devenu plus passif alors que Jeff avait besoin de son énergie.

Jeff aurait dû deviner qu'il n'y avait pas de téléphone au fond du puits. Il aurait dû anticiper un revirement brutal. Ses idées n'étaient plus assez claires, cela ne faisait qu'aggraver leur péril. Les ronces n'avaient pas consumé la corde. C'était pourtant simple. Elles l'avaient laissée intacte sur sa poulie :

elles voulaient donc qu'ils retournent au fond du gouffre. Jeff aurait dû s'en rendre compte. Cela ne pouvait signifier qu'une chose : ce gazouillis était un leurre. Les ronces pouvaient se déplacer, penser, et imiter différents sons – pas seulement la sonnerie d'un téléphone, mais aussi le chant des oiseaux. En effet, ça devait être les ronces qui avaient crié ainsi pour avertir les Mayas alors que Jeff se faufilait au milieu des plantes la veille au soir. Ça aussi, il aurait dû le comprendre.

Jeff devenait négligent. Il perdait le contrôle et ne savait comment reprendre les commandes.

Stacy lui apparut : assise sous son ombrelle, le dos courbé, face à la clairière, aux Mayas, à la jungle qui s'étendait au-delà. Elle n'entendit pas approcher Jeff, ne se retourna pas pour le saluer. C'est seulement arrivé à sa hauteur qu'il comprit pourquoi. Les jambes croisées, penchée vers l'avant, l'ombrelle posée sur l'épaule, les yeux fermés, la bouche entrouverte, elle était profondément endormie. Jeff resta là près d'une minute, les yeux posés sur elle, les mains sur les hanches. Sa colère instinctive face à la négligence de Stacy s'évanouit en un éclair. Il était trop épuisé. Cela n'avait pas vraiment d'importance. Si les Grecs étaient arrivés, ils l'auraient appelée dès qu'ils l'auraient aperçue, l'auraient réveillée alors qu'ils se trouvaient encore assez loin pour qu'elle les arrête. Et puis, les Grecs n'étaient pas arrivés après tout, peut-être même ne viendraient-ils jamais. Sa colère passa aussi vite qu'une pluie d'été.

L'ombrelle de Stacy, mal orientée, protégeait seulement la partie supérieure de son corps, laissant son giron et ses jambes croisées à la merci du soleil de midi. Elle avait les pieds brûlés jusqu'en haut de la cheville – d'un rouge profond, comme de la viande crue. Elle allait avoir des cloques, la peau pèlerait ensuite et ce serait douloureux. Si Amy s'était retrouvée à sa place, il aurait subi des plaintes sans fin – des pleurs aussi. Stacy ne remarquerait sans doute même pas l'état de sa peau. Ça faisait partie de son côté « créature venue du fin fond de l'espace », comme si elle se dissociait de son propre corps. Jeff avait souvent du mal à ne pas la comparer à Amy. Il les avait rencontrées ensemble, avait vécu avec elles dans la même ville, pendant sa première année de fac, dans la même résidence universitaire, un étage plus bas, pile en dessous de leur chambre. Il était monté un soir pour se plaindre du bruit et les avait trouvées en pyjama, accroupies à côté d'un petit tas de bois, un marteau à la main, une feuille d'instructions rédigée en coréen devant elles. C'était l'étagère qu'Amy avait achetée sur Internet, pas cher du tout, sans penser un instant qu'elle devrait la monter elle-même ensuite. Ainsi étaient-ils devenus amis. D'abord, il ne sut pas très bien laquelle il courtisait. C'était sans doute pour cette raison qu'il ne pouvait s'empêcher, d'évaluer leurs différences.

Amy avait fini par le conquérir grâce à sa personnalité. Elle était bien plus solide que Stacy, plus fiable aussi, malgré ses geignements. Mais Stacy l'attirait physiquement. Il y avait quelque chose dans ses yeux noirs, dans son regard qui semblait soudain ne rien cacher en se posant sur vous. Elle était sexy, très sexy même, tandis qu'Amy se contentait d'être jolie. Jeff avait caressé l'idée indigne d'entreprendre une liaison avec Stacy alors qu'il n'était qu'au début de sa relation avec Amy. En effet, ce qui s'était passé sur la plage avec Don Quichotte n'était pas un événement isolé. Stacy avait tendance à dériver dans ce sens. Elle se montrait légère presque malgré elle. Elle aimait embrasser les étrangers, toucher, se faire toucher, surtout lorsqu'elle avait bu. Éric était au courant de certaines de ses mésaventures, mais il ne savait pas tout. Ils s'étaient disputés à propos de celles qu'il avait découvertes, s'étaient insultés violemment pour se réconcilier ensuite. Stacy fondait en larmes et lui faisait alors des promesses apparemment sincères, qu'elle ne tenait bien entendu jamais, parfois même dans les jours suivant la querelle. Ça lui faisait bizarre de se rappeler tout ça maintenant, surtout cette liaison fantasmée avec Stacy. Tout ça était si loin maintenant.

Malgré le côté très sexuel de Stacy, elle avait quelque chose d'étonnamment enfantin. C'était en partie dû à sa personnalité éthérée, à son goût pour le jeu et la fiction aux dépens de toute forme de travail, mais aussi à son physique, à son visage, à la forme de sa tête remarquablement ronde, un peu trop grosse pour son corps, comme celle d'une petite fille. Jeff pensait qu'elle ne perdrait jamais cette qualité. Même si elle survivait à cet endroit, même si elle devenait une vieille ridée, voûtée, au pas traînant et à la main tremblante. Elle avait l'air si vulnérable, ainsi plongée dans un profond sommeil.

Elle ne devrait pas se trouver ici, pensa Jeff malgré lui. Il avait raison. Aucun d'entre eux n'aurait dû être sur cette colline. C'était pourtant le cas, et il n'avait pas grand espoir de s'échapper ailleurs. C'est lui qui avait eu l'idée de partir au Mexique, d'accompagner Mathias pour l'aider à retrouver son frère Henrich. Se rendait-il maintenant responsable de tout cela ? Les ronces avaient pris racine sur les sandales de Stacy, s'accrochant à leur cuir comme une guirlande. Jeff s'accroupit et arracha la plante.

Stacy se réveilla en sursaut, cherchant à se relever, laissant tomber son ombrelle. Elle était terrorisée.

– Qu'est-ce qui s'est passé ? demanda-t-elle en criant presque.

Jeff lui fit signe de se calmer. Il aurait voulu la toucher, la prendre dans ses bras, mais elle recula.

– Tu t'es endormie, répondit-il.

Stacy se protégea les yeux, s'efforçant de s'orienter. Les ronces poussaient sur ses vêtements aussi. Une longue vrille pendait de son tee-shirt, une autre le long de la jambe gauche de son pantalon pour venir s'enrouler autour du mollet. Jeff se courba, ramassa son ombrelle et la lui tendit. Elle le regarda fixement comme si elle ne le reconnaissait pas, ne comprenait pas ce qu'il lui voulait. Elle prit enfin l'ombrelle et la posa sur son épaule. Elle recula encore d'un pas. *Elle se comporte comme si elle avait peur de moi*, pensa Jeff, un rien irrité.

– Tu peux remonter maintenant, dit-il en indiquant le sommet de la colline.

Stacy ne bougea pas. Elle leva son pied brûlé, le gratta sans y penser.

– Elles riaient, murmura-t-elle.

Jeff se contenta de la regarder. Il savait ce qu'elle voulait dire, mais pas comment lui répondre. Quelque chose dans son attitude, dans cette rencontre même, lui faisait prendre conscience de son épuisement. Il dut réprimer un bâillement.

Stacy fit un geste circulaire en désignant les ronces.

– Je veux dire... Les ronces.

– Nous sommes descendus dans le puits. À la recherche du téléphone.

– Vous l'avez trouvé ? s'exclama Stacy dont le visage s'anima soudain d'un nouvel espoir.

– Non, c'était un piège. Ce sont les ronces qui produisaient ce son.

Stacy, soudain livide, s'affaissa d'un coup.

– Je les ai entendues rire. Sur tout le coteau.

– Elles sont capables d'imiter les sons. C'est seulement un son qu'elles ont appris à reproduire. Elles ne riaient pas vraiment, ajouta-t-il pour la rassurer.

Stacy avait l'air tellement inquiète.

– Je me suis endormie, avoua-t-elle, absente, comme si elle parlait de quelqu'un d'autre. J'avais si peur. J'étais... Je ne sais pas comment j'ai pu m'endormir, ajouta-t-elle d'une voix faible, incapable de trouver les mots justes.

– Tu es fatiguée. Comme nous tous.

– Est-ce qu'il va bien ? murmura Stacy.

– Qui ça ?

– Pablo. Est-ce qu'il... va bien ?

Étrangement, Jeff ne comprit pas immédiatement de quoi elle voulait parler. Il lui suffisait pourtant de baisser les yeux sur les éclaboussures de sang maculant son jean, mais il dut faire un effort pour se souvenir de leur origine. *Fatigué*, pensa-t-il, mais c'était bien pire que ça, et il le savait. Comme les autres, il fuyait la réalité.

– Il est inconscient.

– Ses jambes ?

– Plus rien.

– Mais est-ce qu'il est vivant ?

Jeff acquiesça.

– Et est-ce que ça va aller ?

– On verra.

– Amy ne t'a pas empêché de le faire ?

Jeff secoua la tête.

– Elle devait pourtant t'en empêcher.

– On avait déjà fini.

Stacy resta silencieuse.

Jeff se rendit soudain compte qu'elle commençait à l'agacer vraiment. Pourquoi ne partait-elle pas ? Il savait déjà ce qu'elle allait ajouter, le devinait, attendait qu'elle le dise...

– Je pense que nous n'aurions pas dû.

– C'est un peu tard maintenant, Stacy, tu ne crois pas ?

Stacy hésita. Elle l'observait.

– Je voulais simplement que tu le saches. C'est tout. J'aurais voulu voter contre. Je ne voulais pas que tu l'amputes.

Jeff ne savait pas quoi répondre. Il avait envie de hurler, de la secouer, de la gifler, mais cela ne mènerait à rien. Ils semblaient tous prêts à lui faire défaut, à le laisser tomber en ce moment. Ils étaient tellement plus faibles qu'il ne l'aurait cru. Il essayait simplement de faire de son mieux, de sauver la vie de Pablo, de les sauver tous. Personne ne semblait capable de le reconnaître, encore moins de l'aider à accomplir ces tâches difficiles.

– Tu devrais retourner là-haut, dit-il. Dis-leur de te donner de l'eau.

Stacy acquiesça en tirant sur la minuscule ronce qui s'accrochait à son tee-shirt. Le tissu se déchira. Elle ne portait pas de soutien-gorge. Jeff entrevit son sein droit. Il ressemblait étrangement à celui d'Amy : la même taille, la même forme. Le téton était plus foncé, brun, alors que celui d'Amy était rose pâle. Jeff détourna rapidement le regard et, sans vraiment s'en rendre compte, pivota sur lui-même, finissant par lui tourner le dos et se retrouvant ainsi face aux Mayas. Allongés à l'ombre de la jungle, ils se protégeaient de la chaleur du jour. Certains fumaient et discutaient entre eux. D'autres sommeillaient. Ils avaient laissé le feu s'éteindre et avaient jeté des cendres sur les braises. Personne ne faisait attention à eux, là, au pied de la colline. Jeff eut presque l'illusion qu'il lui suffisait de franchir la clairière et de disparaître dans la pénombre de la jungle, que personne ne l'arrêterait. Il le savait pourtant, ce n'était qu'un rêve. Il les voyait déjà se relever, armes à la main, criant pour le mettre en garde, bandant leurs arcs. Inutile d'essayer.

Jeff voyait le petit garçon de la veille, celui qui les avait suivis depuis le village, assis sur le guidon d'un vélo grinçant. Il se tenait à côté du feu de camp. Il essayait d'apprendre à jongler avec trois pierres de la taille d'un poing. Il les lançait l'une après l'autre en cherchant à atteindre ce mouvement si fluide propre aux clowns jongleurs. Il n'avait pas leur grâce cependant. Il laissait sans cesse tomber les pierres, les ramassait, recommençait. Après une bonne dizaine d'essais, il sentit que Jeff l'observait. Il se retourna, fixa le jeune homme, soutint son regard comme s'il s'agissait d'un nouveau jeu. Jeff n'allait certainement pas céder : il déversait toute sa frustration dans cette rencontre, toute sa rage. Il entendit à peine les pas de Stacy qui s'éloignait.

Stacy rejoignit Éric et Amy à côté de la tente. Amy était assise par terre, le dos tourné à Pablo, les genoux ramenés contre sa poitrine, les yeux fermés. Éric faisait les cent pas. Il ne jeta pas même un coup d'œil à Stacy. Mathias semblait avoir disparu.

Stacy avait soif et c'était sa priorité.

– Jeff a dit que je pouvais boire, annonça-t-elle.

Amy ouvrit les yeux, la regarda en silence. Éric ne dit rien non plus. Il flottait une odeur de cuisine dans la clairière et il restait un cercle noir de suie là où Mathias avait fait du feu. *Ils ont préparé le déjeuner*, pensa Stacy avant de comprendre. Elle jeta un coup d'œil à Pablo, le vit sans vraiment le voir, allongé sous son appentis, ses yeux enfoncés, ses moignons roses et noirs, luisants de pommade... Alors elle recula, se tourna vers la tente, fuyant cette vision d'horreur. Le rabat était ouvert. Elle se précipita à l'intérieur, laissant son ombrelle dehors.

Il faisait plus sombre dans la tente. Il lui fallut un moment pour s'habituer à la pénombre. Mathias était allongé sur l'un des sacs de couchage, recroquevillé sur lui-même. Ses yeux étaient fermés, mais Stacy sentit qu'il ne dormait pas. Elle se faufila jusqu'au fond de la tente et s'accroupit pour prendre la gourde. Elle dévissa le bouchon, prit une longue gorgée, s'essuya la bouche du revers de la main. Elle avait encore soif. Ça n'était pas assez. La gourde tout entière ne lui aurait pas suffi et elle caressa un temps l'idée de prendre une autre gorgée. Ce serait mal, elle le savait. Sentant la culpabilité l'envahir, elle reboucha bien vite la gourde. En se tournant, elle vit Mathias qui l'observait avec cette même expression indéchiffrable.

– Jeff m'a dit que j'avais le droit, assura-t-elle.

Elle ne voulait pas qu'il croie qu'elle l'avait volée.

Mathias acquiesça en silence.

– Est-ce qu'il va bien ? chuchota Stacy en désignant Pablo.

Mathias hésita si longtemps qu'elle crut bien qu'il n'allait jamais lui répondre. Puis il fit un signe de la tête qui semblait signifier oui.

Stacy ne savait quoi ajouter. Elle s'avança vers la sortie, puis marqua une pause.

– Et toi ? Ça va ?

Mathias esquissa un semblant de sourire. Stacy crut presque qu'il allait rire, mais non.

– Et toi, Stacy ? demanda-t-il simplement.

– Non. Ça ne va pas.

Et puis, plus rien. Mathias se contenta de la fixer avec ce même regard vide dans lequel elle décelait pourtant une pointe d'amusement. Elle comprit enfin qu'il attendait qu'elle parte. Elle franchit le seuil de la tente et referma le rabat derrière elle.

Éric faisait toujours les cent pas. Stacy remarqua qu'il avait à nouveau la jambe en sang. Elle voulut lui demander pourquoi, puis se ravisa. Elle n'avait pas envie de savoir. Elle aurait voulu qu'il rentre dans la tente et y reste allongé avec Mathias. Elle l'y aurait forcé si elle avait pu. Peut-être auraient-ils dû tous se réfugier sous la tente. C'est ce que voudrait Jeff : qu'ils se reposent, à l'ombre, qu'ils économisent leurs forces. Mais elle avait l'impression d'être piégée à l'intérieur, enfermée. Impossible de savoir ce qui se passait dehors. Stacy ne voulait pas y rester et pensa qu'il devait en être de même pour les autres. Elle ne comprenait pas comment Mathias pouvait supporter ça.

Elle ramassa son ombrelle et s'assit sur le sol à un mètre d'Amy. Éric continuait à arpenter la clairière tandis que le sang dégoulinait le long de sa jambe. Sa chaussure gémissait à chaque pas. Stacy aurait voulu qu'Éric se calme enfin. *Assieds-toi, Éric*, pensait-elle. *S'il te plaît, assieds-toi.* Ça ne marchait pas, évidemment. Elle aurait tout aussi bien pu le hurler sans qu'il cesse de s'agiter pour autant.

Le plus dur à supporter dans la clairière, ce n'était ni le soleil, ni la chaleur, mais la respiration de Pablo, une respiration sonore, irrégulière et insolite. Ça s'arrêtait parfois pendant plusieurs secondes – le silence, soudain – et Stacy ne put s'empêcher de regarder en direction de l'appentis : *il est mort*, pensa-t-elle. Mais le Grec inspira brusquement, comme s'il avait manqué se noyer, et ce bruit la fit tressaillir. À chaque fois que Pablo cessait de respirer, elle se sentait obligée de le regarder. Elle voyait alors ces moignons couverts de cloques luisantes, ces yeux refusant de s'ouvrir, ce mince filet de liquide brun au coin de sa bouche.

Et puis il y avait les ronces, bien sûr. Elles les encerclaient. Du vert, du vert, du vert. Partout où se portait son regard, Stacy voyait ce même vert. Elle se répétait sans cesse : ce n'est qu'une plante, rien qu'une plante. En tout cas, elle ne ressemblait à rien d'autre en ce moment : elle ne bougeait pas, ne riait pas de ce rire sardonique. Ce n'était qu'un joli enchevêtrement végétal, avec de minuscules fleurs rouges et des feuilles plates en forme de main qui absorbaient la lumière, inertes, inoffensives. Voilà ce que faisaient les plantes : elles ne bougeaient pas, ne riaient pas, *ne pouvaient pas* bouger, *ne pouvaient pas* rire non plus. Mais Stacy s'accrochait à son rêve comme à une bouée percée qui l'entraînait peu à peu dans l'abîme. Elle avait vu les ronces se déplacer, s'enfoncer dans la chair d'Éric, se gorger du vomi d'Amy, puis les avait entendu rire. Tout le coteau avait résonné de leurs rires. Stacy ne pouvait s'empêcher de penser qu'elles guettaient, planifiant leur prochaine attaque.

Stacy se rapprocha d'Amy et déplaça son ombrelle de fortune de façon à la protéger elle aussi. Elle prit sa main dans la sienne, surprise par le contact de sa peau moite. *Elle est effrayée,* pensa-t-elle. Puis elle lui demanda :

– Amy ? Ça va ?

Amy fit non de la tête, se mit à pleurer, serrant la main de Stacy.

– Chuuut, murmura Stacy pour la consoler. Chuut.

Elle passa le bras autour de l'épaule de son amie et comprit aux soubresauts agitant son corps qu'elle sanglotait en silence.

– Qu'est qu'il y a, ma puce ? Hein, Amy, qu'est-ce qui ne va pas ?

Amy retira sa main et s'essuya le visage. Elle se mit à agiter la tête, sans pouvoir retenir ses larmes.

Éric faisait toujours les cent pas. Perdu dans son monde, il ne les regardait même pas. Stacy l'observait arpenter la clairière, toujours et encore.

Amy finit par réussir à dire quelques mots.

– Je suis fatiguée, c'est tout. Tellement fatiguée, répéta-t-elle avant de se remettre à pleurer.

Stacy resta assise à côté d'elle en attendant qu'elle se calme. En vain. N'y tenant plus, Stacy se releva et traversa la clairière. Le sac de Pablo était là, posé sur le sol. Elle fouilla dedans, en sortit l'une des bouteilles de tequila. Elle rejoignit Amy et la déboucha. Elle ne savait pas quoi faire d'autre. Elle se rassit à côté d'Amy et but une longue gorgée. L'alcool lui brûlait la gorge. Elle tendit la bouteille à Amy qui la regarda fixement, toujours en pleurs. Stacy la sentait hésiter, elle allait dire non. Elle finit par céder. Amy empoigna la bouteille, la porta à ses lèvres, renversa la tête, et laissa couler la tequila dans sa gorge. Elle reprit sa respiration en toussant à moitié.

Soudain, Éric était à côté d'elle, la main tendue.

Amy lui donna la bouteille.

Ainsi passèrent-ils l'après-midi tandis que le soleil amorçait sa lente descente vers l'ouest. Ils se serraient les uns contre les autres dans cette petite clairière, encerclés par cet enchevêtrement de ronces aux feuilles vertes et aux fleurs rouges, tandis que la bouteille passait de main en main.

Amy ne tarda pas à sombrer dans l'ivresse.

Ils avaient pourtant commencé doucement, mais cela n'avait aucune importance. Elle avait le ventre vide et la tequila semblait lui passer directement dans le sang après lui avoir brûlé l'œsophage. Au début, elle se montra guillerette. Elle riait presque bêtement, avait un peu le vertige. Puis ses mots, ses pensées se brouillèrent ; enfin vint la lassitude. À ses côtés, Éric avait déjà glissé dans le sommeil. De minces filets de sang continuaient à s'écouler de trois plaies à la jambe. Stacy était éveillée. Elle parlait même, mais elle lui semblait déjà si loin qu'Amy avait du mal à la suivre. Amy ferma les yeux un instant. Elle ne pensait plus à rien, c'était l'extase, juste ce qu'il lui fallait.

Lorsqu'elle les rouvrit, elle se sentait raide, misérable. Le soleil était plus bas dans le ciel. Éric dormait encore. Stacy parlait toujours.

– Voilà, c'est ça, bien sûr ! disait-elle. Qu'importe qu'il y ait un autre train ou non ? Je suis sûre qu'elle ne voyait pas ça du même œil et qu'elle pensait juste à l'heure. Car c'était le dernier train pour aujourd'hui, et elle allait devoir passer la nuit dans cette ville étrange dont elle ne connaissait pas vraiment la langue. Eh bien, voilà qui arrange un peu les choses, non ?

Amy n'avait aucune idée de ce que racontait Stacy, elle acquiesça pourtant. C'était sans doute le mieux. La bouteille de tequila était posée devant Stacy, à moitié pleine, couchée sur le côté. Amy le savait, elle aurait dû s'arrêter là : elle avait eu tort de boire, cela ne servirait qu'à la déshydrater, ça rendrait la situation encore plus pénible, la nuit allait tomber et ils devraient avoir l'esprit clair pour l'affronter... mais rien n'y faisait. Elle y avait pensé. Sachant qu'elle avait raison, elle tendit néanmoins la main pour attraper la bouteille. Stacy la lui passa sans interrompre son monologue.

– Je pense aussi, dit-elle. Si c'est le dernier, tu te grouilles pour l'attraper et tu sautes pour le prendre en marche. Et puis, elle avait été athlète, tu te souviens ? Et bonne avec ça. Elle n'avait sans doute même pas envisagé la possibilité d'une chute, pas hésité une seule seconde. Elle avait couru, puis sauté. Je ne la connaissais pas bien, et du coup je ne peux pas dire comment ça s'est passé. Je spécule. Je l'ai vue une fois après son retour, cela dit. Peut-être une année plus tard – c'est plutôt rapide quand on y pense. Et elle jouait au basket. Elle ne faisait plus partie de l'équipe, évidemment. Mais sur le terrain. Et puis, tu sais, elle avait l'air bien. Elle portait un pantalon de jogging. Je ne voyais pas de quoi elle avait l'air. Mais je la voyais courir sur le terrain. Elle avait l'air presque normale. Pas totalement, mais presque.

Amy but deux petites gorgées. Le soleil avait réchauffé la tequila, cela facilitait un peu l'ingestion. Deux grosses gorgées à dire vrai, mais elle ne toussa pas. Stacy tendit la main et Amy lui passa la bouteille. Elle but un tout petit peu, telle une dame du monde, puis reboucha la bouteille avant de la reposer entre ses jambes.

– Elle avait l'air heureuse – voilà ce que j'essaie de dire. Elle semblait aller bien. Elle souriait. Elle faisait ce qu'elle aimait faire, là, sur le terrain de basket, même si, tu sais...

Stacy ne termina pas sa phrase, et son visage prit soudain une expression de tristesse.

Ivre et à moitié endormie, Amy n'avait pas la moindre idée de ce que racontait Stacy.

– Même si ?

Stacy acquiesça d'un air grave.

– Exactement.

Elles restèrent assises en silence un long moment. Amy s'apprêtait à lui redemander la bouteille lorsque Stacy s'anima soudain.

– Amy ? Tu veux voir ?

– Quoi ?

– Comment elle courait.

Amy acquiesça et Stacy lui tendit l'ombrelle et la bouteille. Puis elle se releva, traversa la clairière en courant, faisant semblant de jouer au basket : elle dribblait, faisait des passes, des feintes. Après un panier, elle fit un bond en arrière, les mains en l'air, en défense. Puis elle recommença à courir, de l'autre côté cette fois, une trouée rapide, un petit bond et dans le panier. Elle courait d'une drôle de façon. On aurait presque dit qu'elle boitait. Elle avait l'air un peu déséquilibrée, telle une grue palmée. Amy prit une longue gorgée. Elle regardait Stacy, perplexe.

– Tu vois ? demanda Stacy, essoufflée et encore plongée dans son match imaginaire. Ils avaient préservé les genoux – c'est ça l'important. Elle pouvait encore courir pas mal. Elle était juste un peu maladroite. Mais, comme j'ai dit, c'était environ un an après. Si ça se trouve, elle court encore mieux maintenant.

Ils avaient préservé les genoux. Amy comprenait enfin : courir après un train, sauter, chuter. *Ils avaient préservé les genoux.* Elle reprit une autre gorgée de tequila, risqua un regard en direction de Pablo. Il respirait un peu plus calmement, même si son souffle avait ce même son humide, chargé de glaires. Il était terrible à voir, comment aurait-il pu en être autrement ? Il avait l'échine brisée et deux moignons carbonisés à la place des jambes. Il avait perdu beaucoup de sang. Il était déshydraté, inconscient, probablement en train de mourir. Il puait aussi, la merde et la pisse, et puis la chair brûlée aussi. Les ronces avaient déjà germé sur le sac de couchage détrempé. Ils devaient faire quelque chose, pensa Amy. Peut-être valait-il mieux carrément jeter le sac, soulever Pablo, virer ce machin fétide. C'était la marche à suivre, ce que Jeff leur aurait probablement demandé de faire s'il avait été là, mais elle ne bougea pas. Elle ne pensait qu'à la nuit précédente, quand elle s'était retrouvée au fond du puits avec Éric et qu'ils avaient mis Pablo sur le brancard. Non, elle n'allait pas réessayer. Elle ne soulèverait pas le Grec, plus jamais.

– Sans les genoux, faut que tu les balances. Comme ça.

Amy se tourna pour regarder Stacy. Elle se déplaçait, jambes raides, oscillant d'un côté puis de l'autre, l'air concentrée. Elle savait bien faire ce genre de trucs. C'était une imitatrice née. Elle ressemblait au capitaine Achab arpentant le pont de son navire avec sa jambe de bois. Amy se mit à rire. Elle ne pouvait s'en empêcher.

Stacy se tourna vers elle, visiblement ravie.

– Je ne fais pas encore très bien l'autre, n'est-ce pas ? Je veux dire, avec les genoux. Attends, je réessaye.

Stacy reprit son match de basket imaginaire. Elle commença par dribbler en essayant différents mouvements. Puis, tout d'un coup, elle réussit son imitation, une sorte de grâce maladroite. On aurait dit une ballerine aux pieds gourds. Elle courut jusqu'à l'autre bout de la clairière, mit un autre panier, avant de revenir vers Amy, en défense cette fois-ci.

Éric s'agita. Il était resté allongé sur le côté, recroquevillé sur lui-même. Voilà qu'il se redressait, observant Stacy. Il n'avait pas l'air bien. Amy se dit qu'ils devaient tous en être là. Ses orbites étaient creusées, il n'était pas rasé : un réfugié, affamé, usé, qui aurait fui quelque catastrophe. Sa chemise tombait en lambeaux. Les plaies couvrant sa jambe semblaient ne jamais devoir se refermer. Il regarda Stacy dribbler, faire une passe, puis tirer. Il avait le regard étrangement vide, comme s'il avait été dans une salle d'attente, aux urgences, les yeux rivés sur un écran de télé dont on aurait coupé le son.

– Elle joue au basket, dit Amy. Mais avec des prothèses en guise de jambes.

Éric tourna la tête et la regarda du même œil vide.

– Tu sais, y'avait cette fille, dit Amy. Elle était passée sous un train, mais elle pouvait encore jouer au basket.

Amy racontait mal l'histoire, elle le savait : elle rendait les choses un peu plus confuses. Cela semblait sans importance cependant, car Éric acquiesça.

– Oh ! dit-il.

Il tendit la main et elle lui donna la bouteille.

Ils virent Stacy mettre en jeu une nouvelle balle ; elle s'arrêta enfin, essoufflée et dégoulinant de sueur. Amy applaudit. Elle se sentait de mieux en mieux et n'avait pas l'intention de laisser filer ce sentiment.

– Fais l'hôtesse ! lança-t-elle.

Stacy arbora soudain un sourire figé, exagéré puis, tel un robot, se mit à imiter les consignes de sécurité, montrant comment se servir de sa ceinture, où se trouvaient les issues de secours, comment mettre un masque à oxygène. Elle imitait l'hôtesse du vol qui les avait emmenés à Cancún. Elle l'avait déjà imitée le soir de leur arrivée, juste après avoir déposé ses affaires dans sa chambre, lorsqu'elle les avait retrouvés sur la plage. Assis en rond, ils avaient bu des bières. C'était avant qu'ils ne rencontrent les Grecs, avant Mathias, aussi. Ils étaient encore pâles, un peu fatigués par le voyage, mais heureux d'être là. Ils avaient passé un bon moment. Tout le monde avait bien ri en la regardant faire son numéro. Le sable était encore chaud. Le bruit des vagues se mêlait à la musique s'échappant de la terrasse de l'hôtel. Oui, ils étaient heureux. Amy essayait sans doute de retrouver ces impressions maintenant, en lui demandant d'imiter l'hôtesse, cette innocence, alors qu'ils ignoraient encore l'existence de ce terrible endroit. Peine perdue, bien sûr. Stacy n'y était pour rien : elle imitait à la perfection le sourire et les gestes mécaniques de l'hôtesse. Mais, Éric et Amy avaient changé. Ils se contentaient de regarder la scène. Amy réussit à rire, sans toutefois parvenir à cacher sa tristesse.

Ils avaient préservé les genoux, pensa-t-elle.

Cette nuit-là sur la plage, ils avaient tous contribué à la bonne humeur générale. Ils savaient comment faire ce genre de trucs, car ils avaient tous été à la même école – les classes de neige et les colonies de vacances estivales. Ils savaient comment s'amuser sous un ciel étoilé, ou autour d'un feu de camp. Chacun avait un rôle bien précis. Stacy faisait ses imitations. Jeff leur enseignait ce qu'il avait lu dans son guide durant le vol. Éric inventait des histoires drôles, imaginant la suite de leur voyage à partir de scénarios improbables. Amy chantait. Elle avait une jolie voix, pas particulièrement puissante, mais idéale autour de ces feux de camp, sous un ciel étoilé.

Stacy traversa de nouveau la clairière et vint s'asseoir à côté d'eux. Elle reprit son ombrelle. Sa chemise était déchirée. Amy voyait un sein qui dépassait. À dire vrai, ils étaient tous en haillons. Les entrelacs de ronces vertes poussant sur leurs vêtements les avaient réduits en loques. Rien n'y faisait : ils avaient beau s'en débarrasser d'un revers de la main, l'instant d'après elles avaient déjà repoussé. Et elles écoulaient leur sève corrosive sur leur peau. Ils en avaient les mains brûlées, douloureuses. Ils pouvaient toujours fouiller dans les sacs à dos, pensa Amy, se trouver d'autres chemises, d'autres pantalons, mais ça avait quelque chose d'angoissant, porter des vêtements qui n'étaient pas les vôtres, les vêtements d'un mort. Tous ces massifs de verdure éparpillés à flanc de coteau... Amy espérait pouvoir repousser cet ultime recours jusqu'à la dernière limite. Ça revenait à baisser les bras, pensait-elle, à accepter la défaite. Les secours allaient arriver bientôt. À quoi bon changer de vêtements ?

Éric ne cessait de se palper le torse. Un point, juste au niveau du plexus solaire, semblait le préoccuper tout particulièrement. Il appuyait dessus, un peu plus fort, se mettait à le masser doucement. Amy savait ce qu'il était en train de faire, savait que les ronces avaient pénétré en lui, et ça commençait à l'inquiéter elle aussi. Il devait cesser de sonder ainsi son corps.

– Raconte-nous un truc marrant, Éric, demanda-t-elle.

– Marrant ?

Elle acquiesça en souriant pour l'encourager, le distraire, lui faire oublier cette sensation dans la poitrine.

– Invente une histoire.

– Je suis à court d'idées, répondit Éric en agitant la tête.

– Raconte-nous ce qui va se passer quand nous rentrerons à la maison, ajouta Stacy.

Elles le regardèrent avaler une autre gorgée de tequila tandis que ses yeux s'embrumaient sous l'effet de l'alcool. Il s'essuya la bouche d'un revers de la main, puis reboucha la bouteille.

– Ben, on sera célèbres, non ? Au moins un moment ?

Elles acquiescèrent l'une et l'autre. Évidemment, ils seraient célèbres.

– On fera peut-être la couverture de *People*, continua Éric. On aura sans doute droit à *Time* aussi. Et puis quelqu'un voudra acheter les droits pour faire un film. Faudra qu'on assure, qu'on reste solidaires, qu'on signe tous un document stipulant qu'on vend notre histoire en tant que groupe. On aura plus d'argent comme ça. Il nous faudra un avocat, j'imagine, ou bien un agent.

– Ils vont en faire un film ? demanda Stacy, tout excitée, un peu surprise aussi.

– Ben oui.

– Qui jouera mon rôle ?

Éric regarda Stacy, réfléchit un instant puis sourit en indiquant sa poitrine.

– On voit tes seins, tu sais ça ?

Stacy baissa les yeux, rajusta son tee-shirt. Mais il n'y avait plus assez de tissu pour recouvrir sa poitrine. Ça ne semblait pas la gêner.

– Sérieusement, qui va jouer mon rôle ?

– Faut d'abord commencer par savoir qui tu es.

– Qui je suis ?

– Parce que, ben, ils vont changer nos personnalités, tu sais. Nous transformer en personnages. Il leur faudra un héros, un méchant – ce genre de truc, quoi. Tu vois ce que je veux dire ?

– Et alors, moi, je suis qui au juste ? demanda Stacy.

– Eh bien, y a deux rôles féminins, n'est-ce pas ? L'une de vous devra faire la gentille fille, la précieuse, et l'autre fera la pute. J'imagine qu'Amy serait la précieuse, tu ne crois pas ? ajouta-t-il après un temps de réflexion.

Stacy fronça les sourcils mais ne dit rien.

– Du coup... la pute, ça serait toi.

– Va te faire enculer, Éric, rétorqua-t-elle, furieuse.

– Quoi ? Mais je dis juste que...

– Dans ce cas, c'est toi le méchant. Si je dois avoir le rôle de la pute...

– Tu délires ! Moi, je suis le mec marrant. Genre Adam Sandler. Ou Jim Carrey. Le mec qui n'aurait pas dû se trouver là, venu par erreur, qui n'arrête pas de trébucher et de tomber sur les autres. L'intermède comique, en somme.

– Et alors, c'est qui le méchant ?

– Mathias, forcément. Tu sais, ces Allemands effrayants. Il nous aurait entraînés pour nous piéger. Les ronces proviendraient d'une expérience nazie qui aurait mal tourné. Son père était un scientifique et il nous aurait amenés là pour nourrir les plantes de papa...

– Et le héros ?

– Jeff, évidemment. Bruce Willis. Celui qui sauve le monde en restant stoïque. Un ex-boy-scout. Au fait, Amy, tu sais si Jeff a jamais été chez les scouts ? Je parie que oui.

– Chef scout, acquiesça Amy.

Ils rirent tous les trois, même s'il ne s'agissait pas d'une plaisanterie. Jeff avait vraiment été chef scout. Sa mère avait même mis sous verre un encart découpé dans le journal local pour l'accrocher dans l'entrée. On y voyait Jeff en uniforme, serrant la main du gouverneur du Massachusetts. Amy sentit son cœur se serrer à cette pensée – comme si elle avait soudain envie de le protéger, de le réchauffer. Elle se souvint de leur descente dans le puits, des ronces qui la fouettaient dans le noir, s'agrippaient à elle, l'entraînaient vers ce gouffre. Elle avait aperçu les ossements au fond du trou avant que la torche ne s'éteigne. D'autres étaient morts là-bas, elle aurait pu connaître le même sort. Elle ne devait sa survie qu'à Jeff, et non à quelque intuition salvatrice. Jeff l'avait sauvée. Il les sauverait tous si seulement on le laissait faire. Ils ne devraient pas se moquer de lui.

– Ce n'est pas drôle, dit-elle d'une voix douce, trop douce pour qu'ils l'entendent. Ils étaient trop ivres de toute façon.

– Mais qui va jouer mon rôle ? insista Stacy.

Éric écarta la question d'un geste de la main.

– Ça n'a pas d'importance. Une actrice qui tient la route avec les seins à l'air.

– Et toi tu serais le gros lard, répondit Stacy, à nouveau en colère. Le gros lard, toujours en sueur.

Ils n'allaient pas tarder à se disputer. Leur ton ne laissait aucun doute là-dessus. Encore une ou deux répliques du même goût, et ils se mettraient à crier. Amy ne pensait pas pouvoir supporter ça. Pas ici, pas maintenant. Elle essaya donc de les distraire.

– Et moi alors ? demanda-t-elle.

– Toi ?

– Ben oui, qui va jouer mon rôle ?

Éric pinça les lèvres, songeur. Il déboucha la bouteille, but une autre gorgée, puis la tendit à Stacy en signe de paix. Elle accepta, renversa la tête, but goulûment. Presque d'un trait. Elle gloussa en reposant la bouteille, contente d'elle-même, les yeux étrangement brillants.

– Quelqu'un qui sait chanter, dit Éric.

– C'est ça, acquiesça Stacy. Pour qu'il y ait des scènes musicales.

– Un duo avec le boy-scout par exemple, ajouta Éric en souriant.

– Madonna.

– Britney Spears, poursuivit Éric en pouffant de rire.

– Mandy Moore.

– Chante-nous une chanson, Amy, suggéra Éric.

Ils riaient tous les deux à présent.

Amy souriait, un peu perdue, prête à encaisser une remarque désagréable. Elle n'arrivait pas à déterminer s'ils se moquaient d'elle, ou si elle devait rire avec eux. Elle était aussi saoule qu'eux.

– Chante-nous *One is The Loneliest Number*, ajouta Stacy.

– Ouais, c'est parfait ! fit Éric à son tour.

Stacy tendit la bouteille à Amy, qui but une gorgée en fermant les yeux. Quand elle les rouvrit, ils attendaient toujours qu'elle se mette à chanter. Elle s'exécuta :

– Quand on est seul, la solitude est sans partage. Mais être à deux, ça n'vaut guère mieux que d'être seul. Oh non sur cette terre, y'a pas plus solitaire. Y a vraiment pas plus triste, si seul avec soi-même. Toujours plus seul encore, sur terre en solitaire. Si solitaire et seul, tandis qu'à deux c'est mieux...

Amy était à bout de souffle. Elle avait des vertiges. Elle tendit la bouteille à Éric.

– Je ne me souviens pas de la suite, dit-elle.

C'était un mensonge, mais elle n'avait plus envie de chanter. Les paroles la rendaient triste et elle n'avait aucune envie de replonger dans l'abîme, alors qu'elle se sentait à peu près bien depuis un petit moment.

Éric but une longue gorgée. Ils avaient déjà descendu les deux tiers de la bouteille. Il se leva tant bien que mal, puis traversa la clairière en titubant. Il se baissa, ramassa quelque chose, les rejoignit. Il avait la bouteille dans une main et le couteau dans l'autre. Amy et Stacy le regardèrent toutes les deux. Amy voulait qu'il s'en débarrasse, mais elle ne trouvait aucun argument pour lui faire reposer le couteau. Elle le regarda cracher sur la lame, essayant de le nettoyer sur son tee-shirt. Puis il agita le couteau sous le nez d'Amy.

– Tu pourras la chanter à la fin. Quand tu seras la dernière survivante.

– La dernière ? demanda Amy.

Elle voulait tendre le bras et lui arracher le couteau des mains. En vain. Ses muscles ne répondaient pas. Elle était très, très saoule, et si fatiguée. Elle n'était vraiment pas à la hauteur.

– Oui, quand on sera tous morts, continua Éric.

– Arrête ! C'est pas drôle ! rétorqua Amy.

– Le boy-scout survivra aussi. C'est le héros. Il doit survivre. Tu croiras juste qu'il est mort. Tu chanteras ta chanson et il surgira de nulle part, en vie. Et puis vous vous échapperez. Il fabriquera une montgolfière avec les restes de la toile de tente et vous vous envolerez en lieu sûr, poursuivit Éric sans prêter attention à sa remarque.

– Tu veux dire que je vais mourir ? demanda Stacy, visiblement inquiète, les yeux écarquillés. Pourquoi faut-il que je meure ? ajouta-t-elle d'une voix traînante.

– La pute doit crever. C'est comme ça. Parce que t'es une salope. Faut qu'on te punisse.

– Et le mec drôle alors ? demanda Stacy, blessée.

– C'est le premier. C'est toujours le premier. Il meurt bêtement pour que les spectateurs puissent rigoler.

– Tu penses à quoi ?

– Il se coupe, peut-être, et là les ronces s'infiltrent dans sa jambe et le bouffent de l'intérieur.

Amy savait ce qu'il allait faire ensuite. Elle leva la main, enfin, pour l'arrêter. Trop tard : il se charcutait déjà. Il avait relevé son tee-shirt, puis effectué une incision de dix centimètres à la base de sa cage thoracique. Stacy manqua s'étouffer. Amy resta assise, le bras tendu. Le sang commença à suinter le long de l'incision avant de dégouliner sur son ventre, trempant l'élastique de son short. Éric regardait sa plaie en fronçant les sourcils, sondant sa blessure de la pointe du couteau, l'élargissant tandis que l'hémorragie s'intensifiait.

– Éric ! hurla Stacy.

– Je croyais qu'elles allaient jaillir de mon torse, dit-il.

Ça devait faire sacrément mal, mais il n'avait pas l'air de s'en inquiéter. Il continuait à sonder sa plaie de la pointe du couteau.

– C'est là, juste là, en dessous. Je le sens. La plante doit sentir ce que je fais et battre en retraite, s'enfoncer plus profond. Elle se cache.

Éric se palpa le torse, juste au-dessus de l'incision. Il allait s'entailler de nouveau. Amy se pencha, lui arracha le couteau des mains. Elle croyait qu'il allait lui résister, mais non. Le sang continuait à jaillir de sa blessure et il ne fit aucun effort pour l'arrêter.

– Aide-le, Stacy. Aide-le à arrêter l'hémorragie, dit Amy en laissant tomber le couteau.

Stacy regarda Amy, bouche bée. Le souffle court.

– Comment, Amy ?

– Enlève-lui son tee-shirt. Comprime la blessure avec.

Stacy posa son ombrelle, s'approcha d'Éric, l'aida à ôter son tee-shirt. Désormais passif, il levait les bras comme un enfant, se laissait déshabiller sans protester.

– Allonge-toi, ordonna Amy.

Éric s'exécuta. Le sang continuait à jaillir, s'accumulant dans le creux de son nombril.

La situation s'aggravait et Amy savait qu'elle n'y pourrait rien changer ; elle ne pourrait jamais retrouver sa fausse impression de quiétude. Plus d'imitations, plus de plaisanteries, plus de chansons. Elles s'assirent en silence. Stacy continuait à appuyer sur le tee-shirt pour contenir l'hémorragie. Éric était toujours allongé sur le dos. Il ne se plaignait pas. Il était étrangement serein, le regard tourné vers le ciel.

– C'est de ma faute, dit Amy.

Stacy et Éric se tournèrent vers elle, perplexes. Amy s'essuya le visage du revers de la main. Elle était couverte d'un film de poussière et de sueur mélangées.

– Je ne voulais pas venir. Lorsque Mathias nous a demandé si nous voulions venir, je savais bien que je n'avais aucune envie de venir. Mais je n'ai rien dit. J'ai laissé faire. On pourrait être à la plage en ce moment... On pourrait...

– Chuuut, murmura Stacy.

– Et le type à la camionnette. Le chauffeur de taxi. Il m'avait dit de ne pas y aller. Il avait dit que cet endroit était mauvais. Qu'il...

– Tu ne savais pas, ma puce.

– Et après le village, si je n'avais pas eu l'idée de vérifier la lisière de la forêt, on n'aurait jamais trouvé ce sentier. Si seulement je l'avais bouclée...

Stacy agita la tête tout en continuant à presser le tee-shirt contre le ventre d'Éric. Le tissu était entièrement imbibé de sang maintenant. Elle en avait les mains rouge écarlate. L'hémorragie continuait.

– Comment t'aurais pu savoir, Amy ?

– Et puis c'est moi qui ai mis le pied dans les ronces, n'est-ce pas ? Si j'avais pas fait ça, ce type nous aurait peut-être forcés à partir. On aurait peut-être...

– Regarde un peu les nuages, dit Éric, l'interrompant d'une voix distante, rêveuse, comme s'il était sous l'emprise d'une drogue.

Il leva la main vers le ciel.

Il avait raison. Des nuages se formaient au sud, de gros nuages noirs, porteurs de pluie. S'ils avaient été à Cancún, ils seraient en train de rassembler leurs affaires pour rentrer dans leurs chambres. Elle ferait l'amour avec Jeff, puis ils s'endormiraient. Une longue sieste avant le dîner, la pluie dégoulinant sur la vitre, brouillant la vue, une mare se formant sur leur minuscule balcon. Le premier jour, ils avaient vu une mouette posée là, en partie à l'abri de l'averse, regardant la mer. La pluie signifiait qu'ils auraient enfin de l'eau, bien sûr. Ils devaient trouver le moyen de la collecter.

Amy n'y arrivait pas. Elle avait l'esprit vide. Elle était saoule, fatiguée, triste aussi. Quelqu'un d'autre devrait s'en charger. Pas Éric, en train de perdre son sang. Pas Stacy non plus, elle avait l'air encore plus mal en point qu'Amy : elle souffrait d'une insolation, tremblait, le regard halluciné. Ils étaient inutiles. Tous les trois. Avec leurs histoires idiotes, leurs chants, leurs rigolades dans un moment pareil. Des idiots, voilà tout. Certainement pas des survivants.

Comment était-ce possible ? Comment le soleil avait-il pu descendre aussi bas ? Il touchait presque l'horizon. Une heure encore – deux tout au plus – et il ferait nuit.

Quand les choses avaient-elles commencé à mal tourner ?

Le jour suivant, Éric passa un long moment à essayer de démêler les fils de cette histoire. Il ne pensait pas que la boisson ni même ses plaies en aient été la cause. La situation était encore gérable alors – ils avaient commencé à perdre le contrôle, c'était le début de la dérive, d'accord, mais ils pouvaient encore endurer ça. Allongé sur le dos tandis que Stacy comprimait sa blessure avec son tee-shirt afin de stopper l'hémorragie, alors que les nuages s'accumulaient au-dessus d'eux, Éric s'était soudain senti incroyablement serein. La pluie arrivait : ils n'allaient pas mourir de soif. Et si c'était vrai : s'ils parvenaient à franchir cet obstacle majeur s'opposant à leur survie, pourquoi ne franchiraient-ils pas tous les autres ? Pourquoi ne rentreraient-ils pas vivants ?

Évidemment, il leur fallait de la nourriture, en plus de l'eau, et la pluie n'y changerait rien. Éric leva les yeux vers le ciel, réfléchissant à ce dilemme, en vain. Il ne réussit qu'à accroître la sensation de faim qui le tenaillait.

– Pourquoi n'avons-nous pas encore mangé ? demanda-t-il d'une voix lointaine, la langue pâteuse, le souffle court. *La tequila,* pensa-t-il. Et puis, *je saigne.*

– T'as faim ? demanda Amy.

Quelle question idiote ! Comment n'aurait-il pas eu faim ? Il ne prit même pas la peine d'y répondre. Amy se releva, s'avança vers la tente, ouvrit le rabat pour se faufiler à l'intérieur.

C'est à ce moment-là que ça s'est passé, se dit Éric le matin suivant. *Lorsqu'elle est partie chercher la nourriture.* Mais il ne l'avait pas remarqué la veille. Il l'avait juste regardée disparaître dans la tente, puis s'était remis à regarder le ciel, les nuages qui s'amassaient. Non, il ne bougerait pas. Il resterait là, sur le dos, tandis que la pluie s'abattrait sur lui.

– Ça ne s'arrête pas, dit Stacy.

Elle parlait de sa blessure. Elle avait l'air inquiète, contrairement à lui. Il se fichait de l'hémorragie, il était trop saoul pour sentir la douleur. Il allait pleuvoir. Il attendrait que l'eau le lave tout entier. Une fois propre, il trouverait la force de fouiller ses chairs, de sonder cette incision juste en dessous de la cage thoracique. Il tendrait la main et chercherait la plante, l'attraperait, l'arracherait enfin. Tout irait bien pour lui.

Amy ressortit de la tente. Elle portait la gourde en plastique remplie d'eau et le sac de raisins. Elle posa la gourde sur le sol, ouvrit le sac, le tendit à Stacy.

Stacy secoua la tête.

– Non, il faut attendre.

– Nous n'avons pas déjeuné, dit Amy. Nous étions censés déjeuner.

Amy ne reposa pas les raisins. Elle les tendait toujours à Stacy.

De nouveau, Stacy secoua la tête.

– Lorsque Jeff reviendra. Nous pourrons...

– J'en mettrai quelques-uns de côté pour lui.

– Et Mathias ?

– Pour lui aussi.

– Qu'est-ce qu'il fait ?

– Il dort, dit Amy en désignant la tente d'un signe de la tête. Puis elle agita le sac avant d'ajouter :

– Allez. Prends-en un ou deux. Ça calmera ta soif.

Stacy hésita puis plongea la main dans le sac pour attraper deux grains de raisin.

Amy secoua de nouveau le sac :

– Prends-en plus. Pour Éric, aussi.

Stacy en prit deux de plus. Elle en mit un dans sa bouche, et déposa l'autre dans celle d'Éric. Il le garda sur la langue un instant, juste pour savourer la sensation. Il regarda Stacy et Amy manger les leurs, puis il fit de même. La sensation était presque trop intense – le jus, la douceur sucrée, le plaisir de mastiquer, de déglutir. Il en avait presque le vertige. Mais il n'éprouvait aucune impression de satiété. Au contraire, la faim le dévorait de l'intérieur. Il en avait le corps tout endolori. Stacy déposa un autre grain de raisin dans sa bouche et il mastiqua plus rapidement cette fois, rouvrant la bouche immédiatement dans l'attente du suivant. Les autres semblaient tout aussi pressées d'avaler les leurs. Aucun d'eux ne parlait. Ils mâchaient, avalaient, plongeaient la main dans le sac encore et encore. Éric regardait les nuages tout en mangeant. Il n'avait qu'à ouvrir la bouche et Stacy y déposait un autre grain. Elle souriait. Amy aussi. Le jus étanchait un peu sa soif, comme l'avait prédit Amy. Il se sentait un peu moins saoul. Les choses semblaient se remettre en place, reprendre consistance. Il sentait la douleur, mais c'était rassurant. Il s'était montré stupide. Quelle idée ! Plonger la lame de ce couteau dans ses chairs. Il ne savait même pas comment il en avait eu le courage. Il était dans de beaux draps maintenant. Il lui fallait des points de suture – des antibiotiques, aussi. Il se sentait malgré tout en paix. Si seulement il avait pu rester allongé ainsi à manger du raisin tout en regardant le ciel s'assombrir... Tout se serait bien passé, il s'en serait sorti, pensait-il.

Soudain, ils comprirent que le sac était presque vide. Il n'y restait que quatre grains de raisin. Ils avaient mangé tout le reste. Ils regardèrent tous les trois le sac en silence. Pablo continuait à respirer bruyamment, mais Éric en était venu à n'y prêter presque plus attention. C'était comme un bruit de fond – la circulation derrière une vitre, les vagues sur la plage. Il fallait pourtant que quelqu'un dise quelque chose, commente leur geste. Amy en assuma enfin la responsabilité.

– Ils pourront toujours manger l'orange, dit-elle.

Stacy et Éric restèrent silencieux. Ils avaient mangé plein de raisins. Il aurait dû y en avoir assez pour Jeff et Mathias.

– Faut que je fasse pipi, murmura Stacy – elle s'adressait à lui. Tu peux tenir ton tee-shirt ?

Éric acquiesça, saisit le tissu, et continua de comprimer la blessure. Il sentait à nouveau les ronces qui se déplaçaient à l'intérieur de lui. Ça s'était calmé après l'incision, mais ça recommençait.

– Faut vraiment que je fasse dans la bouteille ? demanda Stacy à Amy.

Amy fit non de la tête. Stacy se releva, traversa la clairière. Elle ne semblait pas vouloir s'aventurer dans les ronces. Elle s'accroupit en leur tournant le dos et Éric l'entendit uriner. Pas grand-chose, juste un petit jet ; déjà elle se relevait, remontait son pantalon.

– Ils peuvent encore manger quelques grains de raisin, dit Amy, comme se parlant à elle-même.

Stacy revint, s'assit à côté d'Éric. Il croyait qu'elle allait reprendre sa place et comprimer sa blessure avec son tee-shirt. Elle prit la gourde, la déboucha, et versa un peu d'eau sur son pied droit. Éric et Amy la regardèrent, abasourdis.

– Putain ! tu fais quoi là au juste ? demanda Amy.

– Je me suis fait pipi dessus, répondit Stacy, visiblement surprise par le ton de sa voix.

– C'est notre eau ! Et tu viens d'arroser ton putain de pied de merde ! ajouta Amy en lui arrachant la gourde des mains pour la reboucher.

Stacy resta assise en silence, clignant des yeux comme si elle ne comprenait pas très bien ce qu'Amy venait de lui dire.

– Pas besoin d'être grossière, dit-elle.

– On va mourir de toute façon... T'en as conscience, Stacy ? Et toi, tu viens de...

– J'ai pas réfléchi, d'accord. Je voulais juste rincer la pisse que j'avais sur le pied. J'ai vu la gourde et...

– Putain de bordel de Dieu ! Stacy ! Où as-tu la tête, bon sang ?

– Il va pleuvoir. On aura plein d'eau, ajouta Stacy en montrant le ciel, les nuages bas.

– Alors pourquoi t'as pas attendu ?

– Ne crie pas, Amy. Je suis désolée, et...

– Désolée ? Ça ne remplace pas l'eau que t'as gaspillée, tu ne crois pas ?

Éric voulait parler pour qu'elles cessent, mais il ne trouvait pas les bons mots. Il savait ce qui se passait. Amy et Stacy se disputaient comme ça : des crises soudaines, intenses, semblant venir de nulle part, des éruptions de colère aussi violentes que brèves. Un seul mot maladroit pouvait tout déclencher. Le plus souvent lorsqu'elles avaient bu. Dans les secondes qui suivaient, elles s'affrontaient, en venaient parfois aux mains. Stacy avait déjà griffé la joue d'Amy, il en avait été témoin. Il savait aussi qu'Amy avait donné une telle gifle à Stacy qu'elle l'avait fait tomber. Puis, comme toujours, ces crises cessaient d'elles-mêmes. Les deux filles se regardaient alors, ahuries, se demandant comment elles avaient pu dire des choses pareilles. Elles se suppliaient alors l'une l'autre de se pardonner, s'embrassaient et se mettaient à pleurer.

Et voilà que ça recommençait. Toujours la même scène.

– Y'a des jours où t'es vraiment trop conne ! dit Amy.

– Va te faire foutre... marmonna Stacy, à peine audible.

– Quoi ?

– Laisse tomber, tu veux ?

– Putain, t'as même pas honte ! Réponds-moi, Stacy !

– Faut que je m'excuse combien de fois au juste ?

Éric essaya de se redresser, mais il sentit sa blessure se rouvrir.

– Euh, les filles, peut-être que vous feriez mieux de...

Amy lui lança un regard trahissant un pur mépris. Elle était saoule, ce qui accentuait ses expressions.

– Te mêle pas de ça, Éric, d'accord ? Tu nous as déjà causé assez d'emmerdes comme ça.

– Fous-lui la paix ! dit Stacy.

Elles parlaient trop fort. Éric en avait mal à la tête. Il voulait se relever et les laisser se disputer toutes seules, mais il saignait encore. Il avait encore mal. Il était encore saoul. Il ne pensait pas pouvoir bouger.

– S'il se coupe encore, putain, je le laisse saigner comme un porc.

– T'es une vraie salope, Amy, tu sais ça ?

– Pute !

– Quoi ? demanda Stacy, comme si Amy lui avait craché dessus.

– Oui, il a raison. C'est le rôle idéal !

Stacy fit un geste de dédain, tentant en vain de feindre l'indifférence.

Elles n'étaient plus très loin des coups de griffe, des gifles, des coups de pied.

– T'es bourrée, dit-elle. T'es ridicule, Amy.

– Une pute. T'es rien d'autre qu'une pute !

– Tu t'es entendue. T'es pas foutue d'articuler.

– Ta gueule, la pute !

– Non, c'est *toi* qui vas la fermer, salope !

– Non. C'est *toi* qui vas la fermer, ta grande gueule !

– Salope !

– Pute !

– Salope !

– Pute !

Il se passa quelque chose d'étrange ensuite. Elles se turent toutes les deux, le regard tourné vers les ronces. Les deux mots continuaient pourtant à résonner dans la clairière dans un échange incessant – Salope... Pute... Salope... Pute... Salope... Pute... Amy et Stacy se taisaient, les yeux rivés sur le coteau, horrifiées. Le volume sonore s'intensifiait maintenant, leurs voix se mêlaient peu à peu.

PuteSalopePuteSalopePuteSalopePuteSalotePuteSalope...

C'était les ronces. Elles les imitaient, comme pour se moquer de leur dispute. Elles imitaient si parfaitement le son de leurs voix qu'Éric eut peine à accepter l'évidence alors même qu'il les regardait toutes les deux, lèvres scellées. Il s'agissait bien de leurs voix – volées, dérobées...

PuteSalopePuteSalopePuteSalopePuteSalotePuteSalope...

Soudain Mathias apparut à côté d'eux. Il venait de se réveiller, clignait des yeux.

– Qu'est-ce qui se passe ? demanda-t-il.

Personne ne lui répondit. Qu'y avait-il à dire après tout ? Les voix s'atténuèrent puis reprirent de plus belle pour entonner une autre rengaine : *S'il se coupe encore, putain... T'as même pas honte ! Réponds-moi, Stacy !*

– Ce sont les ronces, dit Stacy comme s'il avait besoin d'une explication.

Mathias restait silencieux. Il regardait la scène, jaugeait la situation – le sac en plastique, les quatre grains de raisin restant, le tee-shirt ensanglanté sur le ventre d'Éric, la silhouette inerte de Pablo, la bouteille de tequila presque vide.

– Où est Jeff ? demanda-t-il.

Je me suis fait pipi dessus, hurlèrent les ronces. *Ils peuvent toujours manger l'orange.*

– Au pied de la colline, répondit Amy.

– Quelqu'un n'aurait pas déjà dû prendre la relève ?

Personne ne répondit. Ils regardaient tous dans le lointain, honteux. Si seulement ces voix avaient cessé, si Mathias les laissait tranquilles dans leur coin. Éric sentit sa poitrine se contracter – les prémisses de la colère. Comment Mathias se permettait-il de les juger ? Il ne faisait pas partie du groupe après tout. Ils le connaissaient à peine. C'était presque un étranger.

Y'a des fois où t'es vraiment trop conne.

– Vous avez bu, c'est ça ? demanda Mathias.

Personne ne répondit. Soudain, ils entendirent la voix d'Éric. *Le méchant, c'est forcément Mathias.* Et puis, comme un disque rayé : *Nazi... Boy-scout... Nazi... Boy-scout.*

Éric sentit que Mathias se tournait vers lui, mais il détourna les yeux, regarda au loin vers le sud, vers les nuages qui continuaient à s'assombrir et à s'accumuler. Ça n'allait pas tarder à tomber. Éric aurait aimé que l'orage éclate sur-le-champ.

Non, c'est toi qui vas fermer ta grande gueule.

Fous-lui la paix.

Raconte-nous un truc marrant.

Moi, je suis le mec marrant.

– Ça fait combien de temps que ça dure ? demanda Mathias.

– Ça vient juste de commencer, répondit Amy.

Ils ont préservé les genoux.

Nazi.

Saigner comme un porc.

T'es bourrée.

Nazi.

Va te faire foutre.

Nazi. Nazi. Nazi.

Mathias se détachait peu à peu de la scène. Son visage se fermait. Il venait de prendre une décision.

– Je vais prendre sa relève, dit-il enfin.

Amy acquiesça. Stacy l'imita. Éric resta allongé. Il avait l'impression d'entendre la plante en lui, de la sentir vibrer contre sa cage thoracique. Elle parlait, criait même. Était-il donc le seul à l'entendre ? *Pute*, disait-elle avec la voix d'Amy. Et puis *salope*, avec celle de Stacy. Le tee-shirt était complètement imbibé de sang, telle une éponge détrempée. Lorsqu'il le pressait, il sentait le sang chaud lui couler le long des flancs.

Nazi.

Pute.

Nazi.

Salope.

Nazi.

Ils regardèrent Mathias leur tourner le dos et sortir de la clairière.

Les voix continuèrent encore un moment. Celle d'Amy, d'Éric et de Stacy. Venant de partout, elles se mêlaient les unes aux autres, hurlant parfois. Et puis elles se turent toutes d'un coup. Contrairement à ce qu'il avait espéré, le silence qui s'ensuivit ne soulagea pas Éric. Il y avait de la tension dans l'air : les ronces pouvaient recommencer à n'importe quel moment. Il avait aussi l'impression qu'on l'écoutait, qu'on l'espionnait. Il leur fallut un instant avant de pouvoir rompre le silence.

– Je suis désolée, dit enfin Stacy dans un murmure.

Amy se contenta d'un geste pour lui signifier que cela n'avait pas d'importance.

– Je n'ai pas réfléchi, insista Stacy. J'ai... Je me suis fait pipi sur le pied.

– C'est pas grave. Tout ira bien, ajouta Amy en montrant du doigt les nuages.

– Et puis, t'es pas une salope.

– Je sais, ma puce. On... On oublie ça, d'accord ? On va faire comme si rien ne s'était passé. On est toutes les deux fatiguées.

– Effrayées.

– C'est ça. Fatiguées et effrayées.

Stacy se décala légèrement pour se rapprocher d'Amy. Elle tendit la main. Amy la prit et la serra.

Éric avait envie de se lever, de suivre Mathias jusqu'au pied de la colline, pour clarifier les choses. C'était sa voix qu'on avait entendu crier encore et encore ce même mot – nazi – et il n'osait imaginer ce que devait penser Mathias à présent. Cette idée l'obsédait. *J'aurais dû lui expliquer*, pensa-t-il dans un moment de panique. *J'aurais dû lui dire que c'était une blague*. Éric souffrait trop pour le rattraper. Sa plaie saignait encore beaucoup. À se demander si ça s'arrêterait un jour. Mais il fallait que quelqu'un y aille, remette les choses en place.

– Va lui dire ! lança-t-il à Stacy.

– Tu veux que je dise quoi à qui ?

– À Mathias. Que c'était une plaisanterie.

– De quoi tu parles au juste ?

– Nazi. Dis-lui qu'on rigolait.

Avant même que Stacy ait le temps de lui répondre, Pablo se mit à parler. En grec, évidemment. Un seul mot, étrangement sonore. Ils se tournèrent tous vers lui. Il avait les yeux ouverts, la tête relevée, les muscles du cou tendus à se rompre et pris d'un léger tremblement. Il répétait le mot *patate.* Ça semblait tellement absurde, mais c'est ainsi que l'entendait Éric. Pablo leva la main droite en montrant quelque chose. Il semblait vouloir désigner la gourde en plastique.

Et encore cette voix rauque : « *Pa-ta-te.* »

– Je crois qu'il veut de l'eau, dit Stacy.

Amy ramassa la gourde, la porta jusqu'au brancard et s'accroupit à côté de Pablo.

– Tu veux de l'eau ? demanda-t-elle.

Pablo acquiesça. Il ouvrait la bouche comme un poisson manquant d'air : « *Pa-ta-te... Pa-ta-te... Pa-ta-te.* »

Amy déboucha la gourde et lui versa un peu d'eau dans la bouche. Ses mains tremblaient. Elle versait trop vite, l'étouffant presque. Il toussa, cracha et détourna la tête.

– Tu devrais peut-être lui donner un grain de raisin, dit Stacy en attrapant le sac en plastique pour le tendre à Amy.

– Tu crois ?

– Il n'a rien mangé depuis hier.

– Mais tu crois qu'il peut...

– Essaie juste.

Pablo avait cessé de tousser. Amy attendit qu'il tourne à nouveau la tête vers elle ; elle prit un grain de raisin, le lui montra en levant les sourcils.

– T'as faim ?

Pablo se contenta de la fixer. Il semblait perdre connaissance. Pendant un instant, son visage avait retrouvé quelque couleur, mais il était déjà redevenu gris. Les muscles de son cou se relâchèrent d'un cou et sa tête vint frapper le brancard.

– Mets-le lui dans la bouche, tu verras bien ce qui se passera, dit Stacy.

Amy glissa le grain de raisin entre les lèvres de Pablo puis le poussa du bout du doigt jusqu'à qu'il disparaisse dans sa bouche. Pablo ferma les yeux. Ses mâchoires restèrent immobiles.

– Sers-toi de ta main, conseilla Stacy. Aide-le à mâcher...

Amy lui attrapa le menton pour lui ouvrir la bouche puis la refermer. Éric entendit le grain de raisin lui gicler dans la bouche, puis la toux de Pablo qui venait de tourner la tête pour éructer. Il recracha le fruit écrasé, et vomit une quantité impressionnante d'un liquide noirâtre dans lequel flottaient des caillots filandreux. C'était du sang. *Oh mon Dieu,* pensa Éric. *Qu'est-ce qu'on fout au juste ?*

Éric sursauta en entendant quelqu'un s'exclamer derrière lui :

– Vous foutez quoi au juste ?

Il se retourna, étonné, et vit Jeff, debout derrière eux, les yeux rivés sur Amy, visiblement furieux.

Alors qu'il était assis au pied de la colline, guettant l'arrivée des Grecs, Jeff avait eu l'impression d'entrer dans une autre dimension temporelle, plus dense, où tout se déroulait au ralenti. Les secondes s'étiraient au point de devenir des minutes, les minutes se transformaient en heures, et il ne se passait toujours rien, rien de notable en tout cas... Et certainement pas ce pour quoi il était descendu là. Non, les Grecs n'étaient pas arrivés, n'avaient pas franchi la clairière en titubant, ni pénétré dans cette zone interdite où Jeff et les autres se trouvaient désormais prisonniers. Jeff restait assis, à la merci du soleil qui drainait de ses pores une eau précieuse, ajoutant la chaleur à ses autres tourments, à sa soif, à sa faim, à sa fatigue, au sentiment d'avoir échoué, aggravé une situation qu'il essayait de simplifier.

Il y avait trop de choses auxquelles penser, et rien de positif en vue.

Évidemment, il y avait Pablo – comment pouvait-il ne pas penser à lui ? Jeff sentait encore le poids de la pierre dans sa main, la chaleur traversant le tissu de la serviette, entendait le son des os se brisant tandis qu'il frappait le tibia et le péroné, percevait la puanteur âcre de sa chair brûlée. *Avais-je le choix ?* se demandait-il sans cesse. Ces interrogations, ce besoin soudain de se justifier, de s'expliquer, comme s'il devait répondre à une accusation, tout ça ne lui disait rien de bon. *J'essayais de lui sauver la vie.* Mais cette phrase signifiait justement qu'il avait échoué, n'avait pas atteint son objectif. Et c'était le cas : Jeff avait abandonné tout espoir pour Pablo. Peut-être pourrait-on encore le sauver si les secours arrivaient dans quelques heures, ou même demain. Serait-ce le cas ? Tout le problème était là. Jeff avait cru qu'en l'amputant des deux jambes, ou du moins de ce qui en restait, il pourrait prolonger la survie de Pablo – pas de beaucoup, mais un peu – assez longtemps, juste assez longtemps. Mais ça n'allait pas finir comme ça. Il devait bien l'admettre. Pablo tiendrait encore deux jours, trois au mieux, et puis il mourrait.

Dans d'atroces souffrances, à coup sûr.

Les Grecs arriveraient peut-être encore... mais plus Jeff y pensait, moins cette éventualité lui semblait probable. Les Mayas savaient exactement ce qu'ils faisaient. Ils l'avaient déjà fait auparavant, et devraient sans doute recommencer. Ils avaient dû poster quelqu'un à l'autre bout du sentier pour faire rebrousser chemin aux éventuels secours, pour les orienter dans la mauvaise direction. Don Quichotte et Juan ne seraient jamais à la hauteur. Si jamais ils devaient venir, les Mayas n'auraient aucun mal à s'en débarrasser. Si des secours devaient arriver, ce serait bien plus tard – certainement trop tard –, des semaines plus tard, quand leurs parents se seraient aperçus de leur absence et, envisageant le pire, inquiets, auraient agi. Jeff n'avait pas envie de chercher à deviner combien de temps ils mettraient – les appels qu'ils devraient passer, les questions qu'ils devraient poser – avant que la mécanique ne se mette en route. Et après ça, pousserait-on les recherches au-delà de Cancún ? Leurs tickets de car avaient été émis à leur nom, mais en gardait-on la trace à la gare ? Et puis, ce premier pas franchi et parvenus à Cobá, comment les secours pourraient-ils penser à parcourir vingt et un kilomètres à travers la jungle ? L'homme à qui on aurait confié l'enquête disposerait sans doute de photos à montrer aux chauffeurs de taxi à Cobá, aux vendeurs de rue, aux serveurs dans les cafés. Peut-être l'homme à la camionnette jaune les reconnaîtrait-il. Peut-être dirait-il ce qu'il savait. Et puis après, quoi ? Le policier ou l'inspecteur suivrait le sentier jusqu'au village maya, ces cinq ou six photos à la main – s'il était déjà au courant pour Mathias et Pablo, avait fait le lien entre eux et le reste du groupe. Mais les Mayas ne lui offriraient rien d'autre qu'un visage de marbre. Ils se gratteraient peut-être le menton, agiteraient lentement la tête. Et alors, si par miracle cet hypothétique inspecteur, ce policier perspicace, persévérait sans croire à leurs dénégations, combien de temps cela prendrait-il encore ? Toutes ces étapes pour parvenir jusque-là, sans compter les détours et les impasses éventuelles – combien de temps ? Trop longtemps, pensa Jeff.

Trop longtemps pour Pablo. Cela ne faisait aucun doute. Et trop longtemps pour le reste d'entre eux.

Il fallait qu'il pleuve. C'était l'essentiel. Sans eau, ils ne survivraient pas très longtemps à Pablo.

Et puis restait le problème de la nourriture. Ils disposaient de ce qu'il avait apporté, pas grand-chose, des snacks à dire vrai. Ça les ferait tenir deux jours, trois tout au plus, et encore s'il procédait à un rationnement drastique. Mais après ça ?

Rien. Le jeûne, puis la famine.

Éric allait mal. Toutes ces incisions, ces allées et venues, ces murmures – tout ça ne laissait rien augurer de bon. Ses plaies allaient bientôt s'infecter. Jeff n'avait aucune idée de la manière d'enrayer le processus. Une fois encore, le temps jouerait. La gangrène, la septicémie. Ce serait plus lent que la faim, mais bien plus rapide que la soif.

Jeff oubliait les ronces, refusait d'y penser. Elles se déplaçaient, émettaient des sons, pensaient et tiraient des plans. Le pire était sans doute encore à venir, mais il ne savait pas très bien de quoi il retournerait.

Jeff s'assit et regarda les Mayas qui l'observaient. Il attendait l'arrivée des Grecs. Il n'y croyait pourtant plus. Il pensait à l'eau, aux vivres, à Pablo et à Éric. Lorsque des nuages commencèrent à se former au sud, il souhaita qu'ils grossissent, s'assombrissent et dérivent vers le nord. Il aurait dû dresser un plan avec les autres, leur laisser des instructions à suivre. Mais il était fatigué, avait trop de choses à penser. Il avait oublié. Il se releva, se tourna pour regarder le sentier derrière lui. Pourquoi personne ne venait-il prendre la relève ? Ça aussi, ils auraient dû en parler, le planifier...

Les nuages continuaient à s'accumuler. Cette boîte en plastique, trouvée dans la tente bleue, ils pourraient la vider et s'en servir pour collecter l'eau de pluie. Il devait y avoir d'autres choses susceptibles de leur être utiles, mais il devait se trouver en haut de la colline pour y réfléchir. Il avait besoin de voir ce qui était disponible.

Jeff commença à faire les cent pas. Il regardait les Mayas, les nuages, le sentier derrière lui. Les Mayas lui rendaient ses regards, muets et impassibles. Les nuages continuaient à s'accumuler. Derrière lui, le sentier restait vide. Jeff s'arrêta un instant, s'étira, arpentant de nouveau la lisière de la clairière. Le ciel était maintenant entièrement couvert. Il allait bientôt pleuvoir, et il commençait à peine à se dire qu'il fallait qu'il remonte, et se dépêche, tout en évaluant le risque encouru à laisser le sentier sans surveillance par rapport à celui de voir arriver la pluie sans s'y être préparé. Les averses étaient brèves et intenses sous ces latitudes... Il entendit alors des bruits de pas. Quelqu'un descendait le sentier.

C'était Mathias.

Il y avait quelque chose d'anormal. Jeff le voyait rien qu'à sa démarche. Mathias était tendu, se dépêchait tout en maîtrisant ses gestes. Il arborait toujours la même expression de retenue, mais quelque chose avait changé. C'était presque imperceptible, et néanmoins présent. Ses yeux, pensa Jeff. On y lisait une certaine lassitude, voire de l'inquiétude. Il s'arrêta à quelques mètres de Jeff, hors d'haleine.

– Qu'est-ce qui se passe, Mathias ?

– T'as pas entendu ? demanda Mathias en désignant le coteau.

– Entendu quoi ?

– Elles parlaient.

– Qui ça, elles ?

– Les ronces.

Jeff le regarda fixement, trop surpris pour parler.

– Elles nous imitaient. Stacy, Amy et Éric. Elles imitaient leurs voix.

Jeff réfléchit un instant. Il ne croyait pas que cela puisse expliquer l'agitation de Mathias. Il devait y avoir autre chose.

– Elles disaient quoi au juste ?

– Je me suis endormi, sous la tente. Et lorsque je me suis réveillé... ils se disputaient, ajouta Mathias, hésitant.

– Se disputer ?

– Les filles. Elles hurlaient et s'insultaient.

– Oh mon Dieu, soupira Jeff.

– Elles avaient bu. De la tequila. Et pas qu'un peu si tu veux mon avis.

– Tous ?

Mathias acquiesça.

– Ils sont saouls ?

– Oui... Ils m'ont traité de nazi.

– Quoi ?

– Les ronces. Ou Éric, j'imagine. C'était sa voix, mais c'étaient les ronces qui hurlaient.

Jeff le regarda. C'était donc ça. Voilà pourquoi il était bouleversé. Qui ne l'aurait été à sa place ? Il devait se sentir seul au milieu du groupe. Il les connaissait à peine. Il était facile d'en faire un bouc émissaire. Jeff s'efforça de le rassurer.

– C'était une blague, j'en suis sûr. Éric... tu sais... Enfin, tu le connais.

Mathias resta silencieux.

– Il faut que j'y aille, ajouta Jeff. Tu guetteras les Grecs.

Mathias acquiesça.

Jeff s'apprêtait à partir ; il s'arrêta soudain :

– Et Pablo au fait ?

– Pareil. Pas bon, répondit Mathias avec un geste vague de la main.

Sur quoi, Jeff se mit à gravir la colline en toute hâte, courant même sur les endroits les plus plats. Il s'essoufflait bien plus vite qu'il n'aurait dû. Cela faisait à peine vingt-quatre heures qu'ils étaient là, et il se sentait déjà plus faible. Ce déclin physique semblait refléter une détérioration plus profonde : tout semblait échapper à son contrôle. Stacy, Amy et Éric avaient passé l'après-midi à boire de la tequila. Pouvaient-ils se montrer plus stupides ? Myopes, impulsifs, irresponsables – trois idiots jouant avec le feu. Ils s'étaient forcément dressés les uns contre les autres. Ils s'étaient disputés, insultés. Et puis Éric, allez savoir pourquoi, avait traité Mathias de nazi. L'incrédulité céda bientôt le pas à la rage. Jeff le savait, c'était tout aussi stupide. Mais il ne pouvait résister à l'envie de punir ces trois-là, de les gifler pour leur redonner un peu le sens des réalités. Il chevauchait encore cette vague de colère quand il parvint au sommet de la colline, entra dans la petite clairière, et vit Amy forçant Pablo, à peine conscient, à avaler un grain de raisin.

– Qu'est-ce que tu fous au juste ? avait-il lancé.

Ils s'étaient tous les trois tournés vers lui, surpris de le voir là, d'entendre la fureur animant sa voix.

Pablo vomissait, même si le terme était mal approprié pour décrire ce qui se passait. Vomir supposait quelque chose de plus dynamique, de plus violent. Pablo était bien trop passif. Il avait la tête tournée sur le côté, et de sa bouche s'écoulait un liquide noir. Du sang, de la bile – difficile à dire. Trop, assurément, bien plus que ce qu'aurait pu imaginer Jeff. Un liquide noir marbré de filets plus épais, des caillots. Une petite flaque peu profonde se formait à côté du brancard, trop gélatineuse pour que la terre l'absorbe. À quatre mètres de lui, Jeff en sentait l'odeur putride et sucrée.

– Il avait faim, dit Amy.

Elle était tellement saoule qu'elle manquait avaler une syllabe à chaque mot. Elle tenait dans sa main gauche le sac plastique contenant le raisin. Il ne restait que trois grains. La bouteille de tequila gisait, presque vide, à côté de Stacy. Éric se comprimait le flanc avec un tee-shirt ensanglanté.

Jeff sentit la rage l'envahir tout entier.

– Vous êtes tous bourrés, c'est ça ?

Amy détourna le regard. Pablo avait cessé de vomir. Il avait les yeux fermés à présent.

– Tous les trois. J'ai raison, pas vrai ? poursuivit Jeff en s'efforçant de garder son calme.

– Pas moi, dit Éric.

Jeff se tourna vers lui comme pour lui décocher un coup. *Stop*, pensa-t-il. *Ne fais pas ça.* Mais c'était déjà trop tard. Il avait laissé échapper les mots, d'une voix de plus en plus forte, plus rapide, plus dure.

– T'es pas bourré peut-être ?

Éric fit non de la tête, mais Jeff remarqua à peine son geste. Il n'attendait pas de réponse. Il poursuivit donc, incapable de s'arrêter, sachant pourtant que c'était la pire façon de gérer la situation. Il y prenait plaisir – quel soulagement que de parler enfin, de pouvoir hurler. C'était quelque chose de physique, d'une intensité presque sexuelle.

– Je dis ça parce que... Tu sais que ta seule défense, c'est que tu sois bourré, Éric. Tu comprends ? Putain, tu t'es encore charcuté, n'est-ce pas ? Tu t'es entaillé le torse, putain ! T'as la moindre idée de ce que t'es en train de branler ? Et surtout, tu sais à quel point t'es con ? Tu te plantes un couteau dégueu dans le gras toutes les deux heures alors qu'on est coincés ici, avec un petit tube de pommade de merde dont la date limite d'utilisation est déjà dépassée. Tu te crois malin ? Tu crois que tu sais ce que t'es en train de faire, bordel ? Continue comme ça et tu vas crever ici. Tu vas pas t'en sortir...

– Jeff... l'interrompit Amy.

– Ta gueule, Amy. Tu vaux pas mieux.

Jeff s'en prenait à elle maintenant. Il se fichait pas mal de la personne à qui il s'adressait : n'importe lequel des trois ferait l'affaire.

– J'aurais pourtant cru que toi, au moins, t'aurais eu un peu plus de jugeote. L'alcool est un diurétique – ça déshydrate. Tu sais ça. Alors, putain de merde, comment t'as pu....

Tu te crois malin ? C'était sa voix et ça venait de quelque part sur sa gauche. Jeff se tut sur le coup. *Tu crois que tu sais ce que tu es en train de faire, bordel ?* Jeff se tourna. Il savait ce qui se passait, mais s'attendait encore plus ou moins à voir quelqu'un en train de l'imiter. Le vent s'était levé. Il agitait les ronces, faisait osciller leurs feuilles en forme de main. On aurait dit qu'elles se moquaient de lui.

C'était maintenant au tour d'Amy : *Pute !*

Et puis Stacy : *Salope !*

– C'est parce que vous hurlez, dit Stacy, en murmurant presque. Ça fait ça quand on crie.

Boy-scout, lança la voix d'Éric. *Nazi !*

Les nuages s'étaient accumulés dans le ciel. On se serait cru au crépuscule. Il était difficile de dire quelle heure il était. L'orage se trouvait juste au-dessus d'eux, mais la nuit ne tarderait pas. Ils n'étaient pas prêts à l'affronter. Pas du tout, même.

– Regarde, dit Amy en désignant le ciel du doigt tout en s'efforçant de bien détacher chaque syllabe, en vain. Cela n'a pas d'importance, nous allons avoir de l'eau.

– Mais est-ce que nous nous y sommes préparés ? Ça va durer quelques minutes à peine, et vous serez là, assis, à regarder, les bras ballants. Je me trompe peut-être ? Vous fixerez l'eau filer dans le sol, disparaître, perdue.

Jeff sentait sa colère s'apaiser lentement malgré lui. Il se sentait abandonné, comme si on lui ôtait de sa puissance physique.

– Vous êtes lamentables, dit-il en leur tournant le dos. Tous, autant que vous êtes. Putain ! Lamentables. Vous n'avez pas besoin des ronces pour crever. Vous allez y arriver tout seuls.

À nouveau la voix de Stacy. *Et alors c'est qui le méchant ?*

Chante-nous un truc, Amy, répondit la voix d'Éric.

Salope !

Pute !

Nazi !

Et puis sa propre voix, encore, pleine de haine : *Vous êtes bourrés, n'est-ce pas ?*

Jeff avança jusqu'à la tente orange, ouvrit le rabat et y pénétra. Il passa en revue les outils empilés au fond. La boîte à outils était là, mais il ne voyait rien d'autre qui puisse lui servir. Il s'accroupit, souleva le couvercle de la boîte pour y découvrir non des outils mais un nécessaire de couture. Une petite pelote à épingles hérissée d'aiguilles. Des bobines de fils disposées en rang, couvrant tout le spectre des couleurs, comme une boîte de pastels. Des bouts de tissu, une petite paire de ciseaux, et même un mètre. Jeff déversa le tout sur le sol de la tente et emporta la boîte.

Rien n'avait changé au-dehors. Éric était toujours allongé sur le dos, son tee-shirt ensanglanté pressé contre son ventre. Stacy était assise à ses côtés, la même expression de frayeur sur le visage. Pablo avait toujours les yeux fermés. Il respirait toujours aussi bruyamment. Amy était tout contre lui. Elle ne leva pas les yeux lorsque Jeff sortit de la tente. Il posa la boîte au milieu de la clairière, ouverte, pour collecter l'eau de pluie. Puis il traversa la clairière pour rejoindre le tas formé par les restes de la tente bleue.

Les plantes continuaient leurs imitations, hurlant et chuchotant tour à tour. Il y avait de longs silences laissant espérer qu'elles s'étaient enfin tues, puis de soudaines volées de paroles confuses. Jeff s'efforçait de ne pas y prêter attention, mais certains mots le surprenaient parfois, l'obligeaient à marquer un temps d'arrêt, étonné. C'était sans doute le but, aussi difficile à croire que cela puisse être. Les ronces s'étaient mises à parler pour les monter les uns contre les autres.

La voix de Stacy disait : *Eh bien... Jeff n'est pas là, n'est-ce pas ?* Et puis celle d'Éric : *Est-ce que Jeff a été chez les scouts ? Je parie qu'il était scout.* Des rires... Éric et Stacy, moqueurs.

On aurait dit que les ronces avaient appris leurs noms, savaient qui était qui, et adaptaient leurs imitations à chacun, comme pour mieux les déstabiliser. Jeff essayait de repenser aux dernières vingt-quatre heures, à ce qu'il avait dit, aux éventuelles difficultés à venir. Il était si fatigué, tellement engourdi que son cerveau refusait de coopérer. Cela n'avait pas d'importance de toute façon. Les ronces savaient ce qu'il avait dit, et, alors qu'il commençait à fouiller dans le tas, il entendit sa propre voix...

En finir. Lui trancher la gorge. L'étouffer.

Plus longtemps on reste ici, moins grandes sont ses chances de survie.

Elles sont capables d'imiter les sons. Elles ne riaient pas vraiment.

Soudain, tout le coteau se mit à résonner d'éclats de rires – des gloussements, des rires gras, sarcastiques, sardoniques... des rires entrecoupés par des exclamations. Il entendait sa propre voix hurlant, répétant toujours et encore la même phrase : *Elles ne riaient pas vraiment... Elles ne riaient pas vraiment... Elles ne riaient pas vraiment...* On aurait dit que ça n'allait jamais s'arrêter.

Jeff extirpa le Frisbee du tas désordonné puis la cantine vide et les emporta avec lui. Il avait l'intention de récupérer l'eau dans le Frisbee et, quand il serait plein, d'en verser le contenu dans la cantine, la gourde, la bouteille dont ils s'étaient servis pour collecter leur urine. Ce n'était peut-être pas la meilleure stratégie, mais il n'avait pas trouvé mieux.

Ni Amy, ni Stacy, ni Éric n'avaient bougé d'un pouce. Les ronces avaient dépêché une autre vrille qui se repaissait du vomi de Pablo dans un bruit de succion. Ils regardaient tous trois la scène, la bouche ouverte, saouls. Après avoir terminé son festin, la vrille se retira pour rejoindre les autres ronces. Personne ne broncha.

Jeff sentit la colère monter en lui à la vue de leur passivité, de leur stupeur. Mais il ne dit rien. Il n'avait plus envie de hurler maintenant. Il posa le Frisbee sur la boîte à outils, puis vida l'urine que contenait la bouteille de Mathias. Les autres l'observèrent en silence, écoutant les ronces : elles venaient de se taire un instant, avant de reprendre de plus belle. Elles riaient encore. Des rires étrangers, cette fois. Cees Steenkamp, peut-être, pensa Jeff. La fille que Henrich avait rencontrée sur la plage. Tous ces ossements entassés, nettoyés de toute chair, leurs âmes depuis longtemps envolées... Et leurs rires préservés, mémorisés par les ronces qui s'en servaient à présent comme d'une arme.

Elles ne riaient pas vraiment... Elles ne riaient pas vraiment... Elles ne riaient pas vraiment...

Il restait quelques bandes de Nylon bleu. Jeff essayait de trouver un moyen de s'en servir maintenant, cherchait comment collecter l'eau de pluie et la conserver ensuite. Il aurait dû y songer auparavant. Il aurait pu utiliser le kit de couture trouvé dans la tente orange pour assembler les bandes de Nylon et en faire une immense poche. Mais il n'en avait plus le temps.

Demain, pensa-t-il.

Alors, la pluie se mit à tomber sans crier gare.

Violemment, comme si une trappe venait de s'ouvrir dans le ciel. L'instant d'avant, le ciel était noir, l'atmosphère électrique ; une légère brise agitait doucement les ronces puis, sans transition apparente, l'air s'était empli d'eau. La lumière avait décliné, prenant une teinte verdâtre, comme aux instants précédant la tombée de la nuit. En un éclair, la terre compacte s'était muée en boue. Ils avaient du mal à respirer.

Les plantes se turent.

Le Frisbee s'emplit en quelques secondes. Jeff versa l'eau dans la cantine, et renouvela l'opération. Puis il tendit la cantine à Stacy. Il devait crier pour couvrir le bruit de la pluie rugissante.

– Bois ! hurla-t-il.

Son chapeau, ses vêtements, ses chaussures, complètement trempés, lui collaient à la peau, de plus en plus lourds.

Jeff versa le contenu du Frisbee dans la gourde en plastique, le laissa se remplir à nouveau, recommença. Lorsqu'il eut rempli la gourde, il fit de même avec la bouteille de Mathias.

Stacy but dans la cantine, la passa à Éric, encore allongé sur le dos, torse nu, tandis que la pluie faisait rejaillir la boue sur son corps. Il se releva maladroitement en se tenant le flanc, puis il prit la cantine.

– Bois tout ce que tu peux ! lui cria Jeff.

Du savon, pensa-t-il. Il aurait dû vérifier les sacs pour voir s'il n'y avait pas de savon. Ils auraient au moins eu le temps de se laver les mains et le visage avant la fin de l'orage. Pas grand-chose, mais ça leur aurait un peu remonté le moral. *Demain*, pensa-t-il. *Il a plu aujourd'hui, alors pourquoi pas encore demain* ?

Il finit de remplir la bouteille de Mathias, tendit la main pour qu'on lui rende la cantine, la remplit à nouveau avant de la donner à Amy.

La pluie continuait à tomber, étrangement fraîche. Jeff se mit à frissonner, tout comme les autres. *C'était le manque de nourriture*, pensa-t-il. Ils n'avaient même plus l'énergie nécessaire pour lutter contre le froid.

Le Frisbee s'emplit à nouveau, et il le porta à ses lèvres puis but. La pluie avait un goût sucré qui le surprit. De l'eau sucrée, pensa-t-il, tandis que ses pensées lui semblaient s'éclaircir à mesure qu'il buvait. Il sentait son corps reprendre une certaine solidité, une masse et un poids qui lui avaient manqué. Il remplit le Frisbee, but encore, recommença, sentant son ventre se gonfler et se tendre. Il n'avait jamais bu eau plus savoureuse.

Amy avait cessé de boire. Elle se tenait là, à côté de Stacy, courbée, les bras serrés contre la poitrine, frissonnante. Éric s'était rallongé. Il avait les yeux clos, la bouche ouverte pour accueillir la pluie. Ses jambes et son torse étaient de plus en plus maculés de boue : il en avait dans les cheveux, sur le visage aussi.

– Amenez-le dans la tente ! hurla Jeff.

Il prit la cantine des mains d'Amy et se remit à la remplir tout en la regardant relever Éric avec l'aide de Stacy puis le guider jusqu'à la tente.

L'averse commença à faiblir. La pluie tombait encore régulièrement, mais l'orage était passé. Encore cinq minutes, dix au plus, et ce serait fini. Jeff traversa la clairière pour vérifier l'état de Pablo. L'appentis n'avait pas servi à grand-chose. Le Grec était aussi trempé que les autres. Et, tout comme Éric, couvert d'éclaboussures de boue – sur sa chemise, sur le visage, sur les bras, sur les moignons. Il gardait les yeux fermés, et cette même respiration sonore et saccadée. Étrangement, il ne frissonnait pas. Jeff se demanda si ce n'était pas mauvais signe, si un corps pouvait atteindre une telle déchéance qu'il n'ait pas même la force de trembler. Il s'accroupit, posa la main sur le front de Pablo, et la retira presque aussitôt en sentant la chaleur qu'il dégageait. Tout ça ne laissait rien présager de bon. Non, rien de bon. Jeff pensa alors aux ronces, à la manière dont elles avaient fait écho à sa voix. *En finir. Lui trancher la gorge. L'étouffer.* Les mots résonnaient dans sa tête ; il était à deux doigts de passer à l'acte. Quoi de plus simple, après tout ? Il était seul dans la clairière. Personne ne le saurait jamais. Il n'aurait qu'à se pencher, lui pincer les narines, couvrir sa bouche et compter jusqu'à... Combien ? Cent ? *Pitié* : voilà ce qu'il pensait en retirant sa main du front de Pablo pour la laisser glisser le long de son visage. Il la laissa là, à quelques centimètres du nez, jouant avec cette idée – *quatre-vingt-dix-sept, quatre-vingt-dix-huit, quatre-vingt-dix-neuf.* Puis Amy sortit de la tente, titubant, encore ivre, posant le pied dans la clairière. Ses cheveux dégoulinaient de pluie. Une traînée de boue lui barrait la joue gauche.

– Est-ce qu'il va bien ? demanda-t-elle.

Jeff se releva rapidement, furieux d'entendre sa voix traînante. Il avait envie de hurler, de la ramener à la raison. Il résista à la tentation, ne répondit pas à sa question. *Comment aurait-il pu lui répondre ?* Il traversa la clairière pour prendre la boîte à outils.

Bizarrement, elle était presque vide.

Jeff la regarda fixement, cherchant à comprendre ce qui s'était passé.

– Y'avait un trou, dit Amy.

Elle avait raison. Lorsque Jeff souleva la boîte, il vit un mince filet d'eau s'écoulant du fond par une fissure de cinq centimètres de long. Elle lui avait échappé lorsqu'il avait vidé la boîte de son contenu. Il avait agi précipitamment, sans prendre le temps de l'inspecter. Sinon, il aurait pu la réparer avant l'averse – *le ruban adhésif,* pensa-t-il. Il était trop tard à présent. La pluie diminuait déjà et ne tarderait pas à cesser. Encore une minute ou deux... Furieux contre lui-même, il jeta la boîte à outils, l'envoyant valdinguer du côté de la tente.

Amy avait l'air consternée.

– Tu fais quoi, putain ? dit-elle en criant presque. Il y avait encore de l'eau dedans !

Elle courut jusqu'à la boîte, la remit en place. Un geste inutile, car l'orage était passé et le ciel commençait déjà à s'éclaircir. Il ne pleuvrait plus. En tout cas, pour aujourd'hui.

– Tu peux parler ! lança-t-il à Amy.

Amy se retourna en s'essuyant le visage :

– Quoi ?

– Pour ce qui est de gaspiller l'eau.
– Commence pas ! rétorqua-t-elle en remuant la tête.
– Commence pas quoi ?
– Pas maintenant.
– Commence pas quoi, au juste, Amy ?
– À me faire la morale.
– Mais tu vois pas que tu déconnes ? Hein ?
Amy ne réagit pas. Elle se contenta de lui lancer un regard triste, comme si c'était lui le fautif. Jeff sentit la fureur monter de nouveau en lui.
– Tu piques de l'eau en plein milieu de la nuit. Tu te bourres la gueule. T'imagines quoi au juste ? Qu'on est en train de jouer ?
– T'es dur, Jeff, répondit-elle, agitant encore la tête.
– Dur ? Putain, mais regarde un peu ces massifs ! lança-t-il en pointant du doigt les ossements masqués par la végétation. C'est comme ça qu'on va finir. Et toi, tu ne fais qu'accélérer les choses.
– Les Grecs...
– Arrête ça, Amy. T'es pire qu'un enfant. Les Grecs, les Grecs, les Grecs... Ils ne viendront pas, les Grecs, Amy. Faut que tu t'y fasses.
– Arrête, Jeff. Arrête. Je t'en prie... répondit-elle en se bouchant les oreilles.
– Regarde un peu Pablo. Il est en train de mourir. Tu le vois pas, peut-être ? Et Éric va finir par attraper la gangrène ou... ajouta-t-il en l'attrapant par les poignets.
Il hurlait à présent.
– Chuuut...
Amy essaya de se dégager, lançant des regards inquiets en direction de la tente.
– Et vous ne trouvez rien de mieux à faire que de picoler. Tu sais à quel point c'est con ? C'est très précisément ce que les ronces attendent que vous fassiez pour...
– Je ne voulais pas venir ! hurla Amy d'une voix stridente, prise d'une fureur soudaine qui le força à se taire. Elle se

dégagea enfin d'un coup sec et lui martela la poitrine de ses poings. Jeff fit un pas en arrière.

– Je ne voulais pas venir ! répéta-t-elle encore et encore, le frappant de plus belle. C'est de ta faute ! C'est toi qui as eu l'idée ! Je voulais rester à la plage ! C'est de ta faute ! Ce n'est pas la mienne !

Le visage d'Amy était méconnaissable. La pluie luisait sur sa peau, ou peut-être étaient-ce des larmes.

– Ta faute ! hurlait-elle toujours. Pas la mienne !

À cet instant, les ronces recommencèrent à crier : *C'est de ma faute. De ma faute à moi, n'est-ce pas ? C'est moi qui ai mis le pied dans les ronces.* C'était la voix d'Amy. Elle venait de tous côtés. Amy cessa de frapper Jeff, le regard hébété.

C'est de ma faute.

– Arrête ! hurla Amy.

De ma faute à moi, n'est-ce pas ?

– Ta gueule !

C'est moi qui ai mis le pied dans les ronces.

Amy pivota sur elle-même. Elle avait l'air désespérée, les mains tendues devant elle.

– Fais-les taire ! implora-t-elle.

C'est de ma faute.

Amy désigna Jeff en hurlant :

– C'est à cause de toi ! Tu le sais ! Ce n'est pas ma faute. Je ne voulais pas venir.

De ma faute à moi, n'est-ce pas ?

– Je t'en supplie, fais-les taire !

Jeff ne broncha pas, ne dit rien. Il la regarda fixement.

C'est moi qui ai mis le pied dans les ronces.

Le ciel s'obscurcissait à nouveau. Ce n'était pas l'orage, mais la nuit qui tombait. Ils n'avaient rien fait pour s'y préparer. Ils devaient manger. À ce moment-là, Jeff se souvint du raisin. Ils ne s'étaient pas contentés de boire, mais s'étaient servis, avaient pris de la nourriture.

– Et vous avez mangé quoi d'autre à part ça ?

– Mangé ?

– À part le raisin ? T'as volé autre chose ?

– Nous n'avons pas volé le raisin. Nous avions faim. Nous...

– Réponds-moi.

– Va te faire foutre, Jeff. Tu te comportes comme...

– Dis-le moi.

– T'es trop dur. Tout le monde... On est... On pense que t'es trop dur.

– Ça veut dire quoi au juste ?

C'est de ma faute.

Amy se retourna et lança en direction des ronces :

– Vos gueules !

– Vous en avez parlé ? Vous avez parlé de moi ? demanda Jeff.

– S'il te plaît. Arrête ça. Tu veux bien arrêter, mon amour ? S'il te plaît ? ajouta-t-elle en lui tendant la main.

Elle pleurait.

Prends-la, pensa Jeff. Mais il resta immobile. C'était toujours la même histoire lorsqu'ils se disputaient. Amy finissait toujours par être bouleversée. Elle pleurait, battait en brèche, et Jeff ne résistait jamais à l'envie de la consoler, de la cajoler, de lui susurrer des mots doux et de la rassurer sur son amour. C'était systématiquement lui qui s'excusait. Jamais Amy, même si c'était de sa faute à elle. Ça n'avait pas changé : elle n'avait pas dit « D'accord, j'arrête », ni même « Vaut mieux que nous arrêtions de nous disputer ». Jeff était fatigué de tout ça, profondément fatigué. Il se jura à lui-même que, non, on ne l'y reprendrait pas. Pas ici, pas maintenant. C'était de sa faute à elle. C'est elle qui devait s'arrêter, qui devait faire le premier pas pour s'excuser. Pas lui.

Les ronces étaient redevenues silencieuses, remarqua-t-il enfin.

Il ferait bientôt nuit. Encore cinq ou dix minutes et ils n'y verraient plus rien. Ils auraient dû tout passer en revue, établir les tours de garde, distribuer une autre ration de nourriture et d'eau. « Trop dur », avait dit Amy. « On pense que t'es trop dur. » Lui qui cherchait à assurer leur survie ! Et pendant ce temps, ils ragotaient dans son dos, se plaignaient de lui.

Qu'elle aille se faire foutre, pensa Jeff. *Qu'ils aillent tous se faire foutre.*

Il se détourna, la laissa seule, la main encore tendue devant elle. Jeff s'approcha de l'appentis, s'assit dans la boue, juste à côté de Pablo. Il avait les yeux clos, la bouche entrouverte. La puanteur émanant de lui était presque intenable. Il fallait le déplacer, retirer ce sac de couchage dégoûtant gorgé de ses fluides corporels. Nauséabond. Il fallait le laver aussi, rincer les moignons carbonisés, enlever les traces de boue. Il y avait assez d'eau maintenant. Ils pouvaient se le permettre. Mais la lumière déclinait déjà. Ils n'y arriveraient jamais dans le noir. C'était de la faute d'Amy. Ils avaient raté leur chance. La faute d'Amy, de Stacy et d'Éric. Ils l'avaient distrait. Ils lui avaient fait perdre son temps. Et maintenant, Pablo devrait patienter jusqu'au lendemain matin.

Les moignons saignaient encore, suintant légèrement. Il fallait les laver, puis les bander. Ils n'avaient pas de gaze, bien entendu, aucun tissu stérile. Jeff devrait encore fouiller dans les sacs à dos, chercher une chemise propre, en espérant que ça ferait l'affaire. Peut-être pourrait-il utiliser le nécessaire de couture, un fil, une aiguille. Il pourrait rechercher les vaisseaux saignant encore et les ligaturer un par un. Il fallait penser à Éric aussi. Jeff pourrait recoudre la plaie qu'il avait au côté. Il se tourna, jeta un coup d'œil à Amy. Elle se tenait encore au centre de la clairière, immobile, n'avait pas même baissé la main. Elle attendait encore qu'il cède. Il n'allait certainement pas céder.

– Dis-moi que tu regrettes, dit-il.

– J'ai mal entendu, peut-être ?

Il faisait si sombre, il voyait mal son visage. Il se comportait comme un enfant. Il en était conscient. Il ne valait pas mieux qu'elle. Mais il ne pouvait s'en empêcher.

– Dis que tu regrettes.

Elle laissa tomber sa main.

– Dis-le ! insista-t-il.

– Que je regrette quoi ?

– D'avoir volé de l'eau. D'avoir picolé.

– C'est bon, répondit-elle en soupirant, et elle s'essuya le visage d'un geste las.

– C'est bon quoi ?

– Je regrette.

– Quoi ?

– Bon, ça va...

– Dis-le, Amy.

Il y eut un long moment de silence. Il sentait qu'elle hésitait. Puis, d'une voix quasi monocorde, elle lui donna ce qu'il attendait :

– Je regrette d'avoir volé de l'eau. Je regrette d'avoir picolé.

Ça suffit, se dit-il. *Arrête-toi là.* Mais il insista.

– T'as pas l'air très sincère, Amy.

– Mon Dieu, Jeff. Tu peux pas...

– Dis-le avec sincérité. Sinon, ça compte pas.

Amy soupira encore, plus fort cette fois. On aurait presque dit qu'elle se moquait. Puis elle remua la tête, se retourna, rejoignit l'autre bout de la clairière et se laissa tomber lourdement sur le sol, la tête dans les mains. Il faisait presque noir. Jeff avait l'impression de voir la lumière se dissiper dans l'air environnant. Il regarda la silhouette courbée d'Amy tandis qu'elle disparaissait dans la pénombre, se fondait dans la masse végétale derrière elle. Ses épaules semblaient bouger. Pleurait-elle ? Il tendit l'oreille, mais la respiration rauque de Pablo brouillait tous les autres sons.

Va la voir, se dit-il. *Maintenant.* Mais il ne bougea pas. Il se sentait piégé, paralysé. Il avait lu dans un livre comment forcer une serrure et était persuadé d'y parvenir si nécessaire. Il savait se libérer du coffre d'une voiture, sortir d'un puits, s'échapper d'un immeuble en feu. Rien de tout cela ne l'avait aidé ici. Non, il ne savait pas comment se sortir de cette situation. Il avait besoin qu'Amy fasse le premier pas.

Il en était certain maintenant : elle pleurait. Au lieu de l'attendrir, ses larmes eurent l'effet contraire. Elle jouait sur sa compassion, tentait de le manipuler. Il ne lui demandait pourtant rien de plus que des excuses sincères. Était-ce donc si difficile ? Peut-être qu'elle ne pleurait pas, après tout, qu'elle frissonnait. Elle était trempée, elle avait froid. Il la vit s'allonger sur le côté, dans la boue. Voilà qui aurait dû l'émouvoir, mais non, il était en colère. Si elle était trempée, si elle avait froid, pourquoi ne se prenait-elle pas en main ? Pourquoi ne se relevait-elle pas pour regagner la tente ? Elle trouverait bien des vêtements secs dans l'un des sacs à dos. Devait-il lui dire tout ce qu'elle devait faire ? Eh bien, non, cette fois, ça ne se passerait pas comme ça. Si elle voulait s'allonger dans la boue, frissonner, pleurer, c'était son problème. Elle pouvait y passer la nuit si tel était son désir. Il n'allait pas la rejoindre.

Plus tard, bien plus tard, bien après le coucher du soleil, après le retour de Mathias... Dans un ciel dégagé, la lune s'était levée, infime croissant prêt à disparaître dans les ténèbres. Jeff avait laissé sécher ses vêtements à même sa peau, Pablo avait cessé de respirer pendant trente secondes avant de reprendre son souffle, manquant s'étouffer – on aurait dit le son d'un drap se déchirant. Jeff avait pensé une bonne dizaine de fois à rejoindre Amy, à la réveiller, à l'envoyer sous la tente. Il avait accompli non seulement son tour de garde mais aussi une bonne partie du suivant, immobile, attendant qu'elle fasse le premier pas, le supplie de bien vouloir la pardonner, ou tout simplement qu'elle se jette dans ses bras sans un mot... Enfin, Amy se releva d'un pas chancelant, tomba à genoux et commença à vomir. Penchée en avant, appuyée sur une main, elle semblait vouloir de l'autre retenir le flot de vomi. Il faisait trop sombre pour voir ce qu'elle faisait. Jeff distinguait seulement sa silhouette. Il comprit ce qu'elle faisait en l'entendant s'étouffer, tousser, cracher. Elle essaya encore de se relever, mais retomba à genoux, la main droite toujours sur la bouche tandis qu'elle semblait tendre l'autre dans sa direction. L'appelait-elle ? Avait-il entendu son nom ? Jeff n'aurait su le dire, il ne bougea donc pas d'un pouce. Maintenant ses deux mains se pressaient contre sa bouche, comme pour contenir le jet. Mais c'était impossible. Elle toussa, s'étouffant presque, encore et toujours. Jeff sentait l'odeur maintenant. Elle couvrait la puanteur de Pablo – la tequila, la bile. De plus en plus perceptible.

Va la voir, pensa-t-il.

Et puis : *T'es trop dur. On pense tous que t'es trop dur.*

Jeff la regarda se courber vers le sol, les mains toujours sur la bouche. Elle hésita un instant, puis se tut enfin. Pendant près d'une minute, elle resta immobile. Puis, tout doucement, elle bascula sur le flanc, dans la boue, recroquevillée en chien de fusil. Jeff pensa qu'elle s'était rendormie. Il savait qu'il devait aller l'aider maintenant, la nettoyer comme un nouveau-né, la conduire jusqu'à la tente. Mais c'était de sa faute à elle, n'est-ce pas ? Pourquoi devrait-il recoller les morceaux ? Non, il ne bougerait pas. Elle n'avait qu'à rester là-bas. Elle se réveillerait bien à l'aube, le visage maculé de vomissures. Il en sentait encore l'odeur au point qu'il en eut presque un haut-le-cœur. La colère, le dégoût, l'impatience montaient en lui. C'est ainsi qu'il passa la nuit à côté de l'appentis, observant la scène sans rien faire. *Il faudrait que je vérifie si elle va bien*, se dit-il. Combien de fois ? Dix, peut-être plus. Il ressassait ces mots dans sa tête, savait que c'était la chose à faire, mais il resta immobile toute la nuit durant.

Jeff finit par se décider à l'approche de l'aube. Il s'était assoupi, s'éveillant de temps à autre pour replonger dans le sommeil tandis que la lune grimpait, grimpait au firmament, avant d'entamer sa descente. Elle s'était presque couchée lorsque Jeff parvint enfin à s'agiter. Il se leva, s'étira, le corps engourdi. Il ne rejoignit pas encore Amy. Ça n'aurait eu aucune importance de toute façon. Il la regarda longuement – masse inerte plongée dans la pénombre au centre de la clairière –, puis se rendit à la tente d'un pas traînant, ouvrit le rabat et s'introduisit dedans sans un bruit.

Stacy avait entendu Jeff et Amy se disputer, sans pouvoir distinguer leurs mots à cause du clapotis de la pluie sur la toile de la tente. Les ronces s'en étaient mêlées aussi.

Elle les avait entendues alors qu'elles imitaient la voix d'Amy.

Elles hurlaient : *C'est de ma faute.*

Et puis : *C'est de ma faute à moi, n'est-ce pas ?*

Stacy était seule avec Éric sous la tente. Il faisait très sombre à cause de l'orage. Stacy ne savait pas quelle heure il était mais sentait que le jour tirait à sa fin. Encore une nuit de plus. Elle ne savait pas comment il allait s'en sortir.

– Si je m'endors, tu veilleras sur moi ? lui demanda Éric.

Stacy avait l'esprit encore embrumé par l'excès d'alcool. Tout semblait un peu plus lent que d'ordinaire. Elle regarda Éric dans la pénombre, s'efforçant de comprendre sa question. La pluie continuait de tomber. L'eau faisait ployer la tente sous son poids. Jeff et Amy avaient cessé de hurler.

– Tu veux dire toute la nuit ?

– Non, juste une heure. Tu peux tenir une heure ? J'ai juste besoin d'une heure.

Elle était fatiguée. Et elle avait faim. Et puis elle était vraiment très, très saoule.

– Pourquoi on peut pas dormir tous les deux ?

Éric désigna le tas d'affaires à l'autre bout de la tente.

– Elles vont revenir. Elles vont s'insinuer en moi. L'un de nous deux doit rester éveillé.

Il parle des ronces, pensa Stacy. Pendant un instant, elle crut bien sentir leur présence, tapies, là, dans l'ombre, les écoutant, les observant, attendant qu'ils s'endorment enfin.

– D'accord, dit-elle. Une heure. Après ça, je te réveille.

Éric s'allongea sur le dos. Il pressait encore le tee-shirt roulé en boule contre son flanc. Il faisait trop noir pour voir s'il saignait encore. Stacy s'assit à son côté, lui prit l'autre main. Elle était froide et humide. Ils auraient dû se sécher, changer de vêtements. Elle avait froid, frissonnait encore, mais elle ne dit rien, ne tendit pas même la main vers les sacs à dos. Les archéologues étaient tous morts, comme tous ceux qui les avaient précédés ou suivis. Stacy avait le sentiment que leurs affaires étaient contagieuses. Une idée stupide, mais elle ne voulait pas porter leurs vêtements.

Éric s'endormit. Stacy sentit sa main se détendre dans la sienne. Elle fut surprise de la vitesse à laquelle il avait sombré. Il commença à ronfler, émettant un son étrangement semblable à la respiration rauque et chargée de mucus de Pablo. C'était effrayant. Stacy faillit bien le réveiller. Elle voulait qu'il se tourne sur le côté, qu'il se taise enfin. Il s'arrêta soudain. Ce n'était pas plus rassurant. Elle se pencha au-dessus de son visage pour s'assurer qu'il respirait encore.

C'était le cas.

Stacy se laissa tomber à ses côtés, tout contre lui. L'averse s'éloignait déjà. Ce n'était plus qu'un crachin et la tente lui sembla presque paisible. Stacy ferma les yeux. Elle n'allait pas s'endormir – comment aurait-elle pu ? Il ne faisait même pas nuit. Amy arriverait bientôt, et elles pourraient rester assises là à discuter à voix basse pour ne pas réveiller Éric. Elle était fatiguée, d'accord. Mais elle lui avait donné sa parole et savait que les ronces guettaient tout autour d'eux. Elles n'attendaient qu'une chose, que Stacy baisse sa garde et... Non, elle n'allait pas s'assoupir. Elle fermerait juste les yeux pour écouter le doux crépitement de la pluie sur le Nylon. Peut-être rêverait-elle éveillée, s'imaginerait ailleurs.

Lorsqu'elle rouvrit les yeux, il faisait très sombre dans la tente. On y voyait plus rien. Quelqu'un, penché au-dessus d'elle, la secouait par l'épaule.

– Réveille-toi Stacy. C'est ton tour.

C'était la voix de Jeff. Elle ne bougea pas, resta allongée sur le dos, le regard tourné vers lui. Tout lui revint peu à peu à l'esprit, un peu trop lentement pour faire sens. La pluie, Amy la traitant de « pute ». La dispute de Jeff et d'Amy. Éric qui lui avait demandé de veiller sur lui. Elle avait la gueule de bois, se sentait encore saoule. Douloureux mélange. Non seulement mal à la tête, mais aussi l'impression d'avoir de la gelée dans le cerveau : au moindre mouvement un peu brusque, elle risquait de la laisser s'échapper. Elle ne voulait pas bouger. Ce serait trop périlleux. Sa vessie lui semblait prête à céder, mais cela ne suffisait pas à la forcer à bouger.

– Non, répondit-elle.

Elle ne voyait pas Jeff mais sentit sa stupeur, comme un raidissement dans sa posture.

– Non ? demanda-t-il.

– Je ne peux pas.

– Pourquoi ?

– Je ne peux pas. C'est tout.

– Mais c'est ton tour.

– Je ne peux pas, Jeff.

– Arrête un peu ton cinéma, Stacy. Debout ! dit Jeff en élevant la voix. Il était en colère.

Il la bouscula un peu et elle faillit hurler. Elle avait mal partout. Elle psalmodia :

– Je ne peux pas. Je ne peux pas. Je ne peux pas. Je ne peux pas...

– J'y vais, dit Mathias depuis l'autre bout de la tente.

– Mais Mathias, c'est son tour.

– C'est bon, Jeff. Je suis réveillé.

Stacy entendit Mathias se lever, se diriger vers la sortie, avant de s'arrêter sur le seuil, hésitant.

– Où est Amy ? demanda-t-il.

– Toujours dehors. Elle cuve.

– Tu crois que je devrais...

– Laisse tomber.

Stacy entendit le bruit de la fermeture Éclair du rabat. Soudain, une lueur éclaira presque la tente. Elle aperçut un instant ses trois compagnons : Éric allongé sur le dos, inerte, Jeff debout face à elle, et Mathias qui franchissait déjà le seuil. *Merci*, pensa-t-elle, sans parvenir à former les mots. Mathias referma le rabat. Ils furent de nouveau plongés dans l'obscurité.

Stacy referma les yeux malgré elle. Jeff, allongé à un mètre d'elle environ, marmonnait dans sa barbe. Il se plaignait sans doute d'elle. Elle s'en fichait. Il était déjà en colère contre Amy, alors... Elles en riraient toutes les deux par la suite. Stacy imiterait sa façon de marmonner tout en soupirant.

Je devrais jeter un coup d'œil sur Éric, pensa-t-elle.

Elle essaya de se souvenir de ce qui s'était passé avant qu'elle ne s'endorme. L'avait-elle réveillé avant de sombrer, comme elle l'avait promis ? Plus elle y réfléchissait, moins ça lui semblait probable. Elle commençait à peine à émerger, ouvrant péniblement les yeux, lorsqu'elle entendit les cris de Mathias. Il appelait Jeff.

C'était reparti pour un tour : il se réveillait dans cette atmosphère lourde, les jambes couvertes de ronces. *À l'intérieur de moi*, pensa Éric en tendant la main pour palper la plante. *Dans mon torse aussi.*

Mathias, là-bas dans la clairière, hurlait. Quelqu'un bougeait dans la tente. Il faisait trop sombre pour voir quoi que ce soit. Éric essaya en vain de se redresser. Les ronces semblaient le plaquer au sol.

À l'intérieur de moi.

– Jeff... ! hurlait Mathias, Jeff...

Il était arrivé quelque chose, quelque chose de grave. *Pablo est mort*, pensa-t-il.

– Jeff...

Quelqu'un se tenait debout devant la sortie.

– Oh, mon Dieu ! s'exclama Éric.

Il avait glissé sa main entre les ronces pour sentir son torse et découvert qu'elles se trouvaient là, sous sa peau, juste en dessous de sa blessure ; leur masse spongieuse lui couvrait toute la cage thoracique et remontait peu à peu vers son sternum.

– Le couteau ! hurla-t-il. Qu'on me donne un couteau !

– Qu'est-ce qu'il y a ? Qu'est-ce qui se passe ? demanda Stacy d'une voix pleine de frayeur.

Elle était juste à côté de lui et lui saisit l'épaule.

– Il me faut le couteau, dit-il.

– Le couteau ?

– Grouille !

Dans la clairière, Mathias continuait à hurler :

– Jeff... ! Jeff... !

Éric touchait maintenant sa jambe. La même grosseur molle, juste en dessous de la peau. Elle remontait au-dessus du genou jusqu'à mi-cuisse. Il avait entendu le rabat s'ouvrir, s'était tourné pour voir qui venait de sortir et avait distingué la silhouette de Jeff.

– Attends ! J'ai besoin d'un...

Trop tard. Jeff était déjà loin.

Jeff savait.

Dès qu'il avait entendu les cris de Mathias, il avait su. Il s'était levé d'un bond, avait foncé dans la clairière. Tout s'était passé si vite... Il y avait quelque chose dans le ton de Mathias... Il était paniqué. C'est tout ce dont Jeff avait besoin pour réagir.

Oui, il savait.

Là-bas, de l'autre côté de la clairière, la silhouette de Mathias perdue dans les ténèbres. Il était penché au-dessus d'Amy. Jeff tomba à genoux à côté d'eux, prit la main d'Amy, son poignet déjà froid au toucher. Il ne distinguait ni son visage, ni celui de Mathias.

– Je crois qu'elles... bégaya presque Mathias. Je crois qu'elles l'ont étouffée.

Jeff se pencha sur le visage d'Amy. Les ronces lui avaient recouvert la bouche et le nez. Il les arracha tandis que la sève lui brûlait les mains. Elles s'étaient insinuées dans sa bouche ; il dut y enfoncer les doigts pour les en retirer tout s'efforçant d'ignorer le contact des lèvres froides, si froides... glacées.

Éric avait recommencé à hurler depuis la tente :

– Le couteau ! Donnez-moi le couteau !

Elles l'ont étranglée, pensa Jeff. Il sentait l'odeur de la tequila, de la bile, le liquide sur les feuilles. Il se souvint de la scène : Amy vacillant, tentant de se relever, de s'avancer vers lui, la main sur la bouche. Il avait cru, à tort, qu'elle essayait de contenir sa nausée. Elle tentait d'arracher la plante collée à son visage, d'ouvrir un passage pour vomir enfin alors même qu'elle s'étouffait, tombant à genoux, l'appelant au secours par gestes.

Après avoir dégagé sa bouche, il inclina sa tête, pinça ses narines, et pressa ses lèvres sur les siennes. Il sentit sur sa langue le goût du vomi, la brûlure de la sève. Il expira pour lui emplir les poumons, lui releva la tête, et plaça ses mains sur son torse. Il le comprima de tout son poids, compta mentalement après chaque poussée. *Un... deux... trois... quatre... cinq.* Il recommença...

– Jeff, dit Mathias.

On racontait pourtant certaines histoires... De faux décès, de gens tirés des eaux, le cœur arrêté, les lèvres bleues, les membres raides. Des histoires d'infarctus, de morsures de serpent et de coups de foudre. Et, pourquoi pas, de victimes qu'on aurait étranglées ? Ces cadavres n'auraient jamais dû ressusciter. Pourtant, par miracle, par quelque bizarrerie physiologique, ils étaient revenus à la vie, tel Lazare, grâce à quelqu'un qui, malgré tout, leur avait insufflé de l'air dans les poumons, et fait circuler le sang dans leurs artères...

– C'est trop tard, dit Mathias.

Jeff recommença néanmoins.

Mathias lui toucha l'épaule.

– Elle n'est pas... répondit Jeff.

Vas-y, pensa-t-il. Les mots résonnaient dans sa tête. Assis dans la boue à côté de l'appentis de Pablo, il l'avait regardée vaciller, tomber à genoux, les mains sur la bouche. *Fais-le. Maintenant.* Pourquoi n'avait-il rien fait ?

Stacy apparut alors.

– C'est à l'intérieur de lui, dit-elle. Je...

Elle s'arrêta net, les yeux fixés sur eux.

– Qu'est-ce qui s'est passé ?

Jeff posa de nouveau ses mains sur la poitrine d'Amy pour les placer à hauteur du sternum.

– Est-ce qu'elle est...

De ma faute. Ça ne faisait aucun doute, mais Jeff ne pouvait se permettre de se laisser aller à ces pensées. Il devrait faire face plus tard. Il ne s'en tirerait pas comme ça.

Puis il se mit à presser : *un... deux... trois... quatre... cinq.*

Peut-être n'en aurait-il pas l'occasion après tout. Qu'il n'y aurait pas d'après. Amy n'était que la première. Lui et les autres n'allaient pas tarder à mourir. Et si tel était le cas, quelle importance cela pouvait-il bien avoir ? Mourir d'une façon ou d'une autre... Peut-être même que c'était une bénédiction, de voir abréger ainsi ses souffrances ?

– Jeff... dit Mathias.

Il ne savait pas. Il n'avait rien vu. Elle était à quelques mètres de lui seulement, perdue dans les ténèbres. Comment aurait-il pu savoir ?

Éric hurlait depuis la tente. Il appelait Stacy, réclamait le couteau. Il avait besoin d'aide.

Pas maintenant, pensa Jeff en s'efforçant de garder son calme. *Plus tard.*

– Mathias ? demanda Stacy. Est-ce qu'elle est...

– Oui.

On avait sauvé des bébés trouvés dans des poubelles, de vieilles femmes dans leur chemise de nuit, des randonneurs ensevelis sous la neige... Il suffisait de garder espoir, de ne pas tirer de conclusions hâtives, d'agir sans hésitation, et de prier pour que se produise ce fameux miracle, cette bizarrerie, ce soudain appel d'air.

Stacy avança d'un pas.

– Tu veux dire que...

– Morte.

Jeff les ignora. De nouveau, il colla ses lèvres sur celles d'Amy. De nouveau le goût du vomi, la brûlure de la sève. Éric continuait à hurler dans la tente. Stacy et Mathias restaient silencieux. Immobiles, ils regardaient Jeff s'acharner sur le corps d'Amy – les poumons, le cœur –, s'efforçant d'atteindre ce moment de grâce qui semblait lui échapper. Il avait abandonné tout espoir bien avant d'arrêter, continuant pendant plusieurs minutes, comme mû par sa propre force d'inertie, par la terreur de ce que signifierait toute interruption définitive. Il dut s'arrêter à cause de la fatigue, des vertiges, de la crampe qui lui serrait la cuisse droite. Il s'assit sur ses talons, à bout de souffle.

Tous restèrent silencieux.

Elle m'a appelé, pensa Jeff. Il s'essuya la bouche. La sève lui avait mis les lèvres à vif. *Je l'ai entendue dire mon nom.*

Il prit la main d'Amy dans les siennes comme pour la réchauffer.

– Stacy ! cria Éric.

Jeff releva la tête et se tourna vers la tente.

– C'est quoi son problème ? demanda-t-il, étonné par le calme de sa voix alors qu'il s'attendait à entendre un long hurlement plaintif, des sanglots. Mais non. Rien.

Plus tard, pensa-t-il.

– C'est à l'intérieur de lui, dit Stacy d'une voix douce, presque inaudible.

La mort qui rôdait les poussait à chuchoter ainsi.

Jeff lâcha la main d'Amy, puis la reposa soigneusement sur sa poitrine.

– Quelqu'un devrait aller l'aider, dit-il enfin.

Mathias se leva sans dire un mot et partit vers la tente. Jeff et Stacy regardèrent sa silhouette s'éloigner dans la clairière. *Tel un spectre*, pensa Jeff. Les larmes, enfin. Il ne parvenait plus à les retenir. Des larmes silencieuses. Pas un gémissement, pas un seul sanglot, juste quelques gouttes d'eau salée qui lui coulèrent le long des joues, réveillant les brûlures de la sève sur sa peau.

Stacy ne voyait pas les larmes de Jeff. Elle ne voyait pas grand-chose à dire vrai. Elle était dans un triste état : fatiguée, ivre, les os et les muscles endoloris, terrorisée. Il faisait noir, bien trop noir. Elle avait mal aux yeux à force de scruter l'obscurité. Amy était allongée sur le dos, Jeff agenouillé à son côté. Mais Stacy avait tout de suite su, à peine franchi le seuil de la tente.

Stacy s'accroupit. Elle se trouvait à un mètre d'eux. Il lui aurait suffi de tendre la main pour toucher Amy. Elle aurait dû le faire, Amy l'aurait voulu. Mais elle ne bougea pas. Elle était trop effrayée. Toucher Amy n'aurait fait que confirmer ce que Stacy savait déjà.

– T'es sûr ? demanda-t-elle à Jeff.

– Sûr ?

– Qu'elle est...

Les mots s'étranglèrent dans sa gorge, Jeff la comprit néanmoins. Il acquiesça dans le noir.

– Comment ? murmura-t-elle.

– Comment quoi ?

– Comment est-ce qu'elle est...

– Elles lui ont recouvert la bouche et l'ont étouffée.

Stacy inspira profondément par réflexe. *Non, ce n'est pas vrai*, pensa-t-elle. *Comment serait-ce possible ?* L'odeur du feu de camp flotta à nouveau dans l'air et elle se souvint de la présence des Mayas au pied de la colline.

– Faut qu'on leur dise.

– À qui ?

– Aux Mayas.

Elle sentait sur elle le regard de Jeff, mais il restait silencieux. Elle aurait voulu pouvoir distinguer son expression, car son calme, sa voix mesurée, ses traits perdus dans l'ombre... Tout ça ne faisait qu'accentuer le côté irréel de la situation. Amy était morte, et ils étaient là tous les deux, assis à côté d'elle, à ne rien faire.

– Faut qu'on leur dise ce qui s'est passé, insista-t-elle d'un ton plus pressant cette fois. Faut qu'ils aillent chercher de l'aide.

– Ils ne vont pas...

– Il le faut.

– Stacy...

– Il le faut !

– Stacy ! insista-t-il.

Elle s'arrêta, hébétée. Elle avait du mal à rester accroupie tant les muscles de ses cuisses l'élançaient. Elle voulait bondir en avant, dévaler la colline, mettre un terme à tout ça. Ça semblait si simple.

– La ferme, dit Jeff d'une voix très calme. T'as compris ?

Stacy, trop surprise pour répondre, éprouva le désir subit de hurler, de l'insulter, de le frapper, mais se calma aussi vite. Tout semblait s'effondrer peu à peu. Elle était à nouveau fatiguée et apeurée. Elle tendit le bras et prit la main d'Amy.

Elle était froide au toucher, légèrement humide. Si elle avait bougé, Stacy aurait poussé un cri strident. Ainsi finit-elle par admettre la vérité...

Morte, pensa Stacy. *Elle est morte.*

– On se tait maintenant, dit Jeff. Tu crois que tu peux le faire ? Rester ici, avec moi... avec elle... sans dire un mot ?

Stacy s'agrippait à la main d'Amy. Aussi étrange que cela puisse paraître, ce geste l'aidait à supporter la situation.

Elle acquiesça.

Ils restèrent ainsi, de chaque côté du cadavre d'Amy, sans dire un mot, tandis que l'aube se levait peu à peu.

Éric suppliait sans cesse Mathias de « l'opérer », mais ce dernier refusait de le faire dans le noir.

– Faut qu'on la vire de là, insistait Éric. Elle est en train de s'étendre : elle est un peu partout.

– Tu n'en sais rien.

– Tu ne la sens pas ?

– Je sens une boursouflure, c'est tout.

– Ce n'est pas enflé, ce sont les ronces. Elles...

– Chuuut ! l'interrompit Mathias en lui tapotant le bras. Attendons qu'il fasse jour.

Il faisait chaud dans la tente. L'air y était confiné et humide. Mathias avait la main moite. Éric n'appréciait guère ce contact, il eut un mouvement de recul.

– Je ne peux pas attendre aussi longtemps.

– Il fait presque jour.

– C'est parce que je t'ai traité de nazi ?

Mathias garda le silence.

– C'était juste pour rigoler. On discutait du film qu'on allait faire. Quand on rentrera, tu sais... De la manière dont ils feront de toi le méchant. Parce que t'es allemand, tu vois ? Du coup, tu serais forcément le nazi.

Éric n'avait pas les idées claires et parlait trop vite. Il avait peur, et peut-être disait-il n'importe quoi. Maintenant qu'il avait commencé, il ne parvenait plus à s'arrêter.

– Ça veut pas dire que t'es un nazi. Juste que c'est le rôle qu'ils te donneront. Il leur faut un méchant, tu comprends. C'est toujours comme ça. Bon, c'est sûr, les ronces pourraient faire l'affaire, non ? Alors, peut-être que t'as pas besoin de jouer les nazis, du coup. Tu pourras jouer les héros, comme Jeff. Y'en aura deux. Vous avez des boy-scouts en Allemagne aussi ?

– Éric... lui dit Mathias dans un soupir.

– Donne-moi juste ce putain de couteau, d'accord ? Je vais le faire moi-même.

– Je n'ai pas le couteau.

– Va le chercher, alors !

– Lorsqu'il fera jour...

– Appelle Jeff. Lui au moins le fera.

– On ne peut pas appeler Jeff.

– Pourquoi ?

Mathias marqua un temps d'arrêt, hésita un instant avant de répondre.

– Il est arrivé quelque chose de grave.

Éric pensa au petit appentis, à la puanteur de toute cette pisse, cette merde, cette pourriture, et acquiesça.

– Je sais.

– Je ne crois pas, non.

– C'est Pablo... Il est mort.

– Non, ce n'est pas Pablo.

– Ben alors, quoi ?

– C'est Amy.

– Amy ? interrogea Éric, incrédule. Qu'est-ce qu'elle a ?

Mathias resta de nouveau silencieux un instant. Il essayait de trouver les mots justes.

– Elle nous a quittés, dit-il enfin.

– Elle est partie ?

– Elle est morte, Éric. Ça l'a tuée.

– Qu'est-ce que tu...

– Ça l'a étouffée. Dans son sommeil.

– T'es sûr de ça ? demanda Éric interloqué.

– Oui.

Éric fut pris d'un vertige soudain. *Morte.* Il avait envie de se lever pour aller voir lui-même, mais n'était pas sûr d'en avoir la force. Avant ça, quelqu'un devait extirper les ronces qui poussaient dans sa jambe, les arracher de sa cage thoracique. *Morte.* Il savait que c'était vrai, sans vraiment pouvoir l'accepter. *Morte.* Le film qui les avait tant fait rire le hantait désormais : Amy jouait la gentille fille, la précieuse. Elle aurait dû survivre, s'envoler avec Jeff dans une montgolfière.

Morte, morte, morte.

– Mon Dieu ! s'exclama Éric.

– Je sais.

– Je veux dire...

– Chuuut ! murmura Mathias en lui tapotant à nouveau le bras de sa main moite. Ne dis rien. Nous ne pouvons plus rien y changer.

Éric laissa tomber sa tête sur le sol de la tente. Il ferma les yeux, les rouvrit en quête des premières lueurs de l'aube qui auraient filtré à travers la toile de Nylon. Mais il faisait encore noir. Les ténèbres les enveloppaient.

Il referma les yeux et resta là, allongé. Il attendit l'aube tout en ressassant la même pensée.

Morte, morte, morte, morte, morte...

Dès le lever du soleil, Éric se remit à appeler. Il réclamait le couteau. Mathias sortit de la tente, resta un instant immobile dans la clairière, regardant fixement Jeff et Stacy. Ils étaient toujours assis à côté du cadavre d'Amy. Stacy lui tenait la main.

– Quoi ? demanda Jeff.

Mathias haussa les épaules en inclinant la tête. La lumière du jour était encore faible. Le ciel se teintait de rose. Au loin, dans la jungle, retentissaient des caquètements et des cris d'oiseaux. Jeff ne parvenait pas à déchiffrer le visage de Mathias. Inquiet, sans doute. Incertain, peut-être...

– Je crois qu'il faudrait que tu viennes voir ça.

Jeff se leva, le corps tout ankylosé. Il suivit Mathias jusqu'à la tente, laissant Stacy seule à côté de la dépouille d'Amy.

Il faisait encore trop sombre à l'intérieur de la tente pour distinguer quoi que ce soit. Éric était allongé sur le dos, sa jambe gauche et son abdomen cachés sous une masse informe. Les ronces, comme le comprit bientôt Jeff.

Il s'accroupit à côté d'Éric.

– Pourquoi tu ne les as pas arrachées ? demanda-t-il.

– Il a peur de casser les tiges, répondit Mathias à la place d'Éric.

– Si elles se rompent, elles peuvent aller n'importe où. Comme des vers, ajouta Éric.

Jeff tâta la masse de feuilles, puis se rapprocha encore. Les ronces s'étaient insinuées dans les plaies. Difficile de dire jusqu'où... Jeff avait besoin d'un peu plus de lumière.

– Tu peux marcher ? demanda-t-il à Éric.

– Non, je vais les écraser. Elles vont me brûler.

– D'accord. On va te transporter dans ce cas.

– Où ça ? s'inquiéta Éric, effrayé.

Il essaya de se lever, ne parvint qu'à se redresser, appuyé sur un coude.

– Dehors. Il fait trop sombre ici.

Il y avait cinq vrilles en tout, enroulées autour du corps d'Éric. Trois d'entre elles s'étaient attaquées à sa jambe, chacune pénétrant ses chairs par une plaie différente, tandis que les deux autres s'insinuaient dans son torse. Jeff comprit qu'il fallait les déraciner pour pouvoir transporter Éric au-dehors. Il le fit d'un geste vif, sans rien dire, de peur qu'il ne proteste. Puis il fit signe à Mathias de venir l'aider. Ce dernier saisit Éric par les épaules, Jeff se chargea des pieds, et ils le soulevèrent. Les cinq vrilles pendaient le long de son corps en se tortillant comme des serpents tandis qu'ils le transportaient dans la clairière.

Ils le déposèrent à même le sol, entre Pablo et Amy. Jeff partit chercher le couteau, heureux d'avoir quelque chose à faire. Ça l'aidait. Il se sentait déjà l'esprit plus clair, le couteau à la main. Il hésita une seconde et balaya la scène du regard. Ils n'avaient pas vraiment fière allure : sales et en guenilles. Mathias et Éric arboraient une barbe de plusieurs jours. Éric était maculé de sang séché, et on aurait dit que les ronces avaient pris racine dans ses plaies. Jeff l'avait vu jeter un coup d'œil vers Amy avant de détourner la tête. Personne n'avait dit un mot. Ils semblaient tous attendre que quelqu'un d'autre rompe le silence. Il leur fallait un plan pour surmonter la situation présente, leur occuper l'esprit, et ce serait à lui de le trouver.

La lumière devenait peu à peu plus intense, réchauffant l'atmosphère. Pablo respirait beaucoup plus calmement. Un moment Jeff crut même que le Grec était mort. Il s'approcha de l'appentis, s'accroupit à ses côtés : non, il vivait toujours. Il avait le souffle beaucoup plus régulier, plus lent aussi. Jeff lui toucha le front. Toujours aussi brûlant. Cependant, quelque chose avait changé. Quand Jeff ôta sa main, le Grec ouvrit les yeux et le fixa d'un regard étonnamment vif.

– Salut, fit Jeff.

Pablo se lécha les lèvres et déglutit péniblement.

– Patate ? murmura Jeff.

Pablo acquiesça en se léchant à nouveau les lèvres.

– Il veut de l'eau, dit Stacy. Ça veut dire « eau » en grec.

– Comment tu sais ça ? lui demanda Jeff.

– Il l'a déjà dit avant.

– Le couteau, Jeff ! intervint Éric, toujours sur le dos, les yeux rivés sur le ciel.

– Ça vient, ça vient.

Mathias se tenait debout devant Éric, les bras croisés sur la poitrine comme s'il avait froid. Jeff voyait pourtant la sueur sur son visage luisant. Leurs regards se croisèrent et Jeff lui indiqua la gourde posée sur le sol à côté de la tente. Mathias la ramassa et la lui apporta.

Jeff dévissa le bouchon et montra la gourde à Pablo.

– Patate ? demanda-t-il.

Pablo acquiesça, ouvrit la bouche et sortit un peu la langue. Il avait quelque chose sur les dents, comme un film brunâtre – du sang peut-être. Jeff posa le goulot contre les lèvres de

Pablo, fit couler un peu d'eau sur sa langue. Le Grec avala en toussant légèrement, puis en réclama encore. Jeff refit trois fois le même geste. La respiration de Pablo, son réveil, sa capacité d'avaler l'eau : dans l'ensemble, c'était plutôt bon signe, mais Jeff ne parvenait pas à l'admettre. Pour lui, Pablo était déjà mort. Il ne croyait pas que quiconque puisse survivre à ce qu'avait enduré le Grec au cours des dernières trente-six heures – pas une prise en charge médicale sophistiquée. La colonne brisée, les jambes amputées, l'hémorragie, l'infection presque certaine... Quelques goulées d'eau n'allaient certainement pas compenser tout ça.

Lorsque Pablo referma les yeux, Jeff retraversa la clairière pour rejoindre Éric.

Un plan – voilà ce dont ils avaient besoin.

Nettoyer le couteau – enlever le sang sur la lame, faire un autre feu pour la stériliser. Procéder de même avec l'une des aiguilles du nécessaire de couture, peut-être. Et puis extirper les ronces du corps d'Éric, le recoudre.

Quelqu'un devrait bientôt descendre au pied de la colline pour guetter l'arrivée des Grecs.

Ils devraient coudre ensemble les restes de la tente bleue pour en faire une poche, au cas où il pleuvrait à nouveau l'après-midi.

Et puis ? Quoi d'autre ? Il oubliait quelque chose, évitait d'y penser, mais quoi ?

Le cadavre d'Amy.

Il y jeta un coup d'œil, mais détourna bien vite le regard. *Une chose après l'autre*, se dit-il à lui-même. *Commence par le couteau.*

– Il me faut quelques minutes de préparation, dit-il à Éric.

– Qu'est-ce que tu racontes ? l'interrogea celui-ci en essayant de se relever, sans succès.

– Je vais stériliser le couteau.

– Ça n'a pas d'importance. Je n'ai pas besoin de...

– Je ne t'ouvre pas avec un couteau sale.

– Je vais le faire, lança Éric en tendant la main.

– Trois minutes, Éric, dit Jeff en remuant la tête. D'accord ?

– Dépêche-toi, s'il te plaît ! répondit Éric après avoir longuement hésité.

Nettoyer le couteau.

Jeff repartit vers la tente et se mit à fouiller dans les sacs des archéologues. Il cherchait un pain de savon. Il trouva une trousse de toilette dans une poche latérale. Elle contenait un rasoir, une petite bombe de crème à raser, une brosse à dents, du dentifrice, un peigne, un déodorant, et puis, dans une petite boîte en plastique rouge, un savon. Il rapporta le tout, ainsi qu'une serviette, trouvée elle aussi dans le sac, une aiguille et une petite bobine de fil.

Le savon, la serviette, le couteau, l'aiguille, le fil, la gourde... Qu'est-ce qui manquait ?

Il se tourna vers Mathias, assis à côté du petit appentis.

– Tu peux faire du feu ? lui demanda-t-il.

– Grand comment ?

– Un petit fera l'affaire. C'est pour chauffer le couteau.

Mathias se releva et s'affaira dans la clairière. Les cahiers, restés dehors sous la pluie la veille, étaient encore trop humides pour brûler. Mathias disparut dans la tente, à la recherche d'un autre combustible. Jeff versa un peu d'eau sur la serviette, puis se mit à frotter le savon jusqu'à ce qu'il mousse. Il nettoyait déjà la lame lorsque Mathias reparut avec un livre, et un caleçon à la main. Il les disposa sur le sol à côté de Jeff, puis les aspergea de tequila. Il s'agissait d'un roman d'Hemingway, *Le Soleil se lève aussi*. Jeff l'avait lu au lycée dans la même édition, avec la même couverture. En le voyant là, posé sur le sol, Jeff se rendit compte qu'il n'en avait pas gardé le moindre souvenir.

– File lui un coup à boire, dit Jeff en montrant la tequila.

Mathias tendit la bouteille à Éric qui la prit à deux mains, l'air dubitatif, les yeux tournés vers Jeff.

Jeff acquiesça et l'invita à boire.

– C'est pour la douleur.

Éric but une longue gorgée, s'arrêta pour reprendre son souffle, puis but à nouveau.

Mathias tenait la boîte d'allumettes, prêt à en craquer une :

– Quand tu veux, Jeff.

Jeff versa un peu d'eau sur la lame pour la rincer, puis il reprit la tequila à Éric et posa la bouteille sur le sol.

– Après t'avoir ouvert, je te recoudrai, d'accord ?

– Non, je ne veux pas que tu me recouses.

– Tes plaies ne vont pas se refermer toutes seules.

– Mais les plantes seront encore là.

– Éric, je ne vais pas en laisser une seule. Je vais...

– Tu ne pourras pas les voir. Certaines sont beaucoup trop petites. Et si tu me recouds avec elles à l'intérieur...

– Écoute-moi bien, d'accord ? dit Jeff en s'efforçant de ne pas élever le ton, de garder une voix raisonnable et rassurante. Si nous laissons tes plaies en l'état, ça va continuer. Tu comprends ? Tu t'endormiras et elles s'insinueront à nouveau dans ton corps. C'est ça que tu veux ?

Éric referma les yeux. Des spasmes parcouraient son visage. Jeff le voyait retenir ses larmes.

– Je veux rentrer à la maison, dit-il. C'est ça que je veux. Si tu me recouds, elles vont... ajouta-t-il en retenant un sanglot.

– Éric, intervint Stacy, laisse-le faire, tu veux bien, mon chéri ? Laisse-le...

Éric la regarda fixement. Elle se trouvait encore à côté du cadavre d'Amy. Elle la tenait par la main. Il inspira profondément, recommença. Les traits de son visage s'apaisèrent enfin. Il ferma les yeux, les rouvrit, puis acquiesça.

Jeff se tourna vers Mathias qui avait attendu patiemment, une allumette à la main.

– Vas-y ! lui dit Jeff.

Ils regardèrent tous Mathias démarrer le petit feu.

Stacy, à quelques mètres de là seulement, voyait toute la scène.

Jeff commença par l'abdomen d'Éric. Il élargit d'abord la plaie tout en tirant doucement sur l'une des vrilles. Il trancha sur cinq centimètres environ et la plante se détacha. Puis il coupa dans l'autre sens tout en tirant sur la seconde vrille. Comme la première fois, cinq ou six centimètres suffirent à dégager la plante. Ça devait faire mal, mais Éric se contentait de grimacer tout en serrant les poings. Il resta silencieux.

Jeff tendit le couteau à Mathias et prit l'aiguille. Mathias l'avait déjà passée au feu. Il avait même enfilé le fil dans le chas. Ils ne semblaient pas avoir besoin de parler ; ils savaient ce que l'autre voulait et s'exécutaient, tout simplement. *Comme Amy et moi,* pensa Stacy en retenant ses larmes. Elle serra fort la main d'Amy et ferma les yeux pour ne pas éclater en sanglots. Elle avait réchauffé la peau d'Amy à tel point qu'on aurait pu la croire endormie. Mais son corps commençait déjà à se raidir, ses doigts se recourbaient légèrement dans la main de Stacy. Elle rouvrit les yeux. Jeff épongeait le sang d'Éric à l'aide de la serviette, prêt à le recoudre.

Éric releva légèrement la tête.

– Qu'est-ce que tu fais, Jeff ?

Jeff hésita, l'aiguille à quelques centimètres de l'abdomen d'Éric.

– Je te l'ai déjà dit. Il faut te recoudre.

– Mais tu n'as pas tout eu.

– Bien sûr que si. C'est même sorti sans difficulté.

– Putain ! mais tu vois pas que ça remonte jusqu'en haut de mon torse ?

– C'est juste enflé, dit Jeff après avoir examiné la zone que lui montrait Éric.

– Conneries !

– C'est comme ça que le corps réagit à un traumatisme physique.

– Ouvre-moi. Là !

Éric montrait son sternum.

– Je ne vais pas...

– Vas-y ! tu verras...

Jeff lança un coup d'œil à Mathias, puis à Stacy, comme s'il attendait leur aide.

– Laisse-le juste te recoudre, mon chéri, tu veux bien ? risqua Stacy.

Éric l'ignora. Il tendit la main vers Mathias.

– Donne-moi le couteau !

Mathias regarda Jeff qui fit non de la tête.

– Bon, soit tu m'ouvres la poitrine, soit tu me files le couteau et tu me laisses faire.

– Éric...

– Putain, Jeff ! C'est là, en moi. Je le sens.

Jeff hésita encore un instant, puis rendit l'aiguille à Mathias, et reprit le couteau.

– Montre-moi, dit-il.

– Là. Là où c'est enflé, dit Éric en posant un doigt à gauche de son sternum.

Jeff se pencha sur lui, fit entrer la lame dans sa chair, puis coupa le long d'une ligne de huit centimètres environ le long de sa cage thoracique.

– Tu vois, Éric. Il n'y a rien.

– Plus profond, répondit Éric, en sueur, les cheveux collés au front.

– Hors de question ! Il n'y a rien, je te dis.

– Elles se cachent. Tu dois...

– Si je coupe plus profond, je vais tailler dans l'os. Tu sais à quel point ça fait mal ?

– Mais c'est là, dedans ! je te dis... Je la sens.

– C'est juste enflé, Éric, dit Jeff en essuyant la lame sur la serviette.

– Elles vont me bouffer, comme Pablo.

Jeff l'ignora. Il essuyait toujours la lame de son couteau. Puis il se mit à recoudre la plaie.

– Ça fait mal ! cria Éric.

Jeff, penché au-dessus du corps d'Éric, cousait, épongeait et ainsi de suite, refermant peu à peu la plaie.

– Va falloir que tu te reprennes, lui chuchota Jeff.

Il parlait si doucement que Stacy dut se pencher pour l'entendre.

Éric ne dit rien et garda les yeux fermés. Il inspira profondément, retint son souffle avant d'expirer lentement.

– Je... Je veux pas mourir ici, c'est tout.

– Bien sûr que non. Aucun de nous n'a envie de ça.

– Mais ça pourrait m'arriver, tu ne crois pas ? Ça pourrait nous arriver à tous ?

Jeff ne répondit pas. Il finit de recoudre la poitrine d'Éric, fit un dernier nœud, puis s'attaqua à la plaie située à la base de sa cage thoracique.

Éric ouvrit les yeux.

– Jeff ?

– Quoi ?

– Tu crois qu'on va tous mourir ici ?

– Je crois qu'on est dans un endroit hostile. Va falloir faire très, très attention. Être malins, et puis vigilants aussi.

– Tu ne m'as pas répondu.

Jeff réfléchit un instant, puis il acquiesça.

– Je sais, dit-il sans rien ajouter.

Il poursuivit son ouvrage. Après avoir recousu l'abdomen d'Éric, il s'empara de nouveau du couteau pour s'occuper des plaies à la jambe.

Lorsque tout fut terminé, Jeff fit boire à Éric un peu de tequila. Pas beaucoup, pas assez en tout cas. Puis il lui donna de l'aspirine. Éric rit en voyant la boîte. Quelle plaisanterie !

Jeff, le chef scout, lui, ne sourit même pas.

– Prends-en trois, dit-il. C'est toujours mieux que rien.

Les points de suture étaient douloureux. À vrai dire, Éric avait mal partout. Il se sentait comme emmailloté dans sa propre peau, comme si elle pouvait se déchirer d'un moment à l'autre. Il avait peur de bouger, de se relever. Il resta donc immobile, allongé sur le dos dans la clairière, observant le ciel d'un bleu limpide, sans un nuage en vue. *Temps idéal pour aller à la plage*, pensa-t-il. Il essaya d'imaginer leur hôtel à Cancún, l'agitation qui y régnait, la manière dont ils auraient occupé leur temps par une si belle matinée. Peut-être auraient-ils nagé, juste avant de prendre le petit déjeuner sous le porche. Puis, dans l'après-midi, s'il n'avait pas plu, ils auraient pu monter à cheval. Stacy avait dit vouloir essayer avant de partir. Amy, aussi. Éric se tourna vers elles. Stacy n'arrêtait pas de fermer les paupières d'Amy, qui ne restaient pas closes. Sa bouche était ouverte. La sève lui avait brûlé le visage : on aurait dit une tache de naissance. Ils devraient l'enterrer, se dit Éric, se demandant comment ils allaient creuser un trou assez grand pour son cadavre.

Éric remarqua d'abord sa faim, et non l'odeur qui la réveillait. Il avait l'estomac serré, et l'eau lui vint soudain à la bouche. D'instinct, il se mit à humer l'air. *Du pain*, pensa-t-il.

Au même moment, Stacy s'exclama :

– Tu sens ça ?

– C'est du pain. Quelqu'un est en train de faire cuire du pain.

– Les Mayas ? demanda Stacy.

Jeff s'était relevé. Il essayait de remonter jusqu'à la source de l'odeur qui s'intensifiait rapidement. On se serait cru dans une boulangerie. Il se déplaça lentement en suivant la lisière de la clairière. Il prenait de grandes inspirations.

– Peut-être qu'ils nous ont apporté du pain ? dit Stacy, souriante. Faudrait que l'un de nous descende et...

– Ce ne sont pas les Mayas, l'interrompit Jeff, accroupi à l'autre bout de la clairière.

– Mais...

– Ce sont les ronces, dit-il, se tournant vers Stacy pour lui faire signe de s'approcher.

Mathias et Stacy se levèrent tous deux pour venir renifler les minuscules fleurs rouges. Éric n'en éprouvait pas le besoin : il suffisait de voir leurs têtes. Jeff avait raison. Les ronces s'étaient bien mises à diffuser l'odeur du pain à peine sorti du four. Stacy reprit sa place près du corps d'Amy. Elle plaqua une main sur son nez et sur sa bouche.

– Je ne peux pas supporter ça, Jeff. Je ne peux pas.

– On va manger quelque chose, dit Jeff. On va partager l'orange.

– Ça ne changera rien, rétorqua Stacy.

Sans répondre, Jeff disparut dans la tente.

– Comment peuvent-elles faire ça ? demanda Stacy, regardant tour à tour Éric et Mathias, comme si l'un d'eux détenait la clé du mystère.

Elle était au bord de la crise de nerfs. Elle se pinçait les narines, respirait par la bouche, légèrement essoufflée.

Jeff reparut enfin.

– Elles le font exprès, n'est-ce pas ? demanda Stacy.

Personne ne lui répondit. Jeff s'assit par terre et se mit à peler l'orange sous les regards d'Éric et de Mathias.

– Pourquoi maintenant ? insista Stacy.

– Elles attendaient que nous ayons faim, dit Jeff. Que nous soyons plus vulnérables. Si elles avaient fait ça plus tôt, ça ne nous aurait pas autant dérangés. On s'y serait habitués. Mais à présent... C'est pour ça qu'elles ne nous ont pas imités tout de suite. Elles attendent que nous soyons affaiblis pour nous assener les derniers coups, ajouta-t-il en haussant les épaules.

– Pourquoi du pain ? demanda Stacy.

– Elles ont dû en sentir l'odeur un jour. Quelqu'un doit avoir fait cuire du pain ici, ou tout au moins en réchauffer. Cette plante imite ce qu'elle entend, ce qu'elle sent. Comme un caméléon. Un oiseau moqueur.

– Mais c'est une plante.

– Qu'est-ce que t'en sais ?

– Comment je sais que c'est une plante ? Qu'est-ce que tu veux que ce soit d'autre ? Elle a des feuilles, des fleurs, et...

– Mais elle se déplace. Elle pense. Peut-être qu'elle a juste l'air d'une plante, dit-il en souriant, comme s'il était heureux d'énoncer les qualités de ces ronces. Comment veux-tu qu'on sache ?

Jeff partagea le fruit, puis compta les quartiers. Il y en avait dix.

L'odeur changea et s'intensifia.

– De la viande, dit Mathias avant même qu'Éric ait réussi à trouver le mot.

– Du steak, ajouta Stacy, humant l'air.

– Des hamburgers, précisa Mathias.

– Des côtelettes de porc, corrigea Éric.

– Arrêtez ! fit soudain Jeff.

– Tu veux qu'on arrête quoi ? demanda Stacy.

– D'en parler. Ça ne fait qu'aggraver les choses.

Ils se turent. *Non, pas des côtelettes de porc*, pensa Éric, *des hot dogs*. La plante se trouvait encore dans son corps. Il en était certain. En le recousant, Jeff l'avait enfermée. Piégée, elle attendait son heure. Mais peut-être que ça n'avait pas d'importance. Elle savait imiter les sons et les odeurs. Elle pensait, bougeait. Qu'elle soit en lui ou ailleurs, de toute façon c'est elle qui gagnerait la partie.

Jeff répartit les morceaux d'orange en quatre piles égales de deux quartiers et demi.

– On devrait aussi manger la peau, dit-il avant de la partager en quatre tranches. Stacy, choisis la première, ajouta-t-il en l'invitant à s'approcher.

Stacy se leva, s'avança, puis se pencha pour évaluer chaque ration. Elle se décida enfin et en prit une.

– Éric ? dit Jeff.

– Je m'en fous. Donne-moi ce que tu veux, dit-il en tendant la main.

– Non, montre du doigt.

Éric indiqua l'un des trois tas restants et Jeff le lui apporta. S'ils avaient encore été cinq, ils n'auraient reçu que deux quartiers chacun, pensa Éric avec tristesse. N'était-il pas terrible de pouvoir mesurer de façon aussi mesquine l'absence d'Amy ? Il posa l'un des quartiers sur sa langue et ferma les yeux sans mâcher, pour prolonger le plaisir.

– Mathias ? demanda Jeff.

L'Allemand se leva pour prendre sa ration. Puis ce fut le silence. Ils se retirèrent tous en eux-mêmes pour savourer ce semblant de petit déjeuner.

L'odeur changea encore. *De la tarte aux pommes*, pensa Éric, pris par une soudaine envie de pleurer. *Comment connaît-elle l'odeur de la tarte aux pommes ?* Il entendait les autres qui commençaient à mastiquer. Il fit glisser son chapeau sur ses yeux.

Avec un soupçon de cannelle, en prime.

Éric mâcha, avala, puis plaça un bout d'écorce sur sa langue. Il avait réussi à retenir ses larmes. Mais pour combien de temps ?

De la crème chantilly aussi.

Éric mastiqua la pelure minuscule, déglutit, puis recommença. Il imaginait une pâte dorée, un peu brûlée sur le fond. Non, ce n'était pas de la crème chantilly, mais de la glace à la vanille qui fondait lentement sur le bord de l'assiette – une petite assiette en fer-blanc, une tasse de café posée à côté. Au bord des larmes, Éric ferma les yeux, retint son souffle en attendant que ça passe, l'esprit hanté par la même question.

Comment peut-elle savoir ? Comment peut-elle savoir ? Comment peut-elle savoir ? Comment peut-elle savoir ?

Faudrait qu'on s'organise un peu, dit Jeff.

Ils avaient divisé l'orange, l'avaient mangée, écorce comprise. Ensuite la gourde était passée de main en main et Jeff leur avait conseillé de boire tout leur saoul. L'eau n'était plus leur principale préoccupation après la pluie de la veille. Jeff était certain qu'il allait encore pleuvoir – presque chaque jour. S'ils parvenaient à éliminer au moins ce problème-là, ça soutiendrait un peu le moral des troupes. Ils mangèrent ainsi leur maigre petit déjeuner, et burent jusqu'à plus soif.

Ils pourraient toujours coudre ensemble les restes de la tente bleue pour fabriquer une poche. Peut-être parviendraient-ils même à recueillir assez d'eau pour se laver...

Ils n'étaient pas rassasiés, évidemment. Une orange pour quatre... Jeff s'efforçait d'envisager la situation comme un jeûne, une grève de la faim : combien de temps pouvait-on tenir ainsi ? Il imaginait une photo en noir et blanc dans les journaux : trois jeunes hommes regardant l'objectif avec un air de défi – faibles, émaciés, mais vivants, les yeux pétillants de vie. Jeff essaya de se souvenir du titre de l'article, de leur histoire. Pourquoi n'y arrivait-il pas ? Il voulait juste retrouver un chiffre, une durée. Certainement des semaines, des semaines en buvant juste de l'eau.

Cinquante jours ?

Soixante ?

Soixante-dix ?

Au bout du compte, il devait bien arriver un moment où le jeûne se muait en famine. Jeff était convaincu que tout irait bien tant qu'il leur restait encore un petit peu de nourriture. Ils maîtriseraient la situation. C'était un rationnement, pas une famine.

Du déni. Un conte de fées.

Et puis il y avait aussi ce qu'il savait et ne pouvait nier, tout ce qu'il avait lu au fil des ans, tous ces détails retenus. Au bout d'un moment, la sensation de faim disparaîtrait. Leur organisme commencerait à digérer les tissus musculaires et les acides gras contenus dans le foie. La machine se consommerait elle-même pour continuer à fonctionner. Leur métabolisme ralentirait, tout comme leur pouls, et leur pression artérielle baisserait. Ils auraient froid, même en plein soleil, deviendraient léthargiques. Assez vite. Deux semaines, trois au plus. Et puis cela se mettrait à empirer : arythmie cardiaque, problèmes oculaires, anémie, ulcères buccaux, etc. La liste était sans fin.

Qu'il s'agisse de cinquante ou de soixante-dix jours, cela n'avait guère d'importance. Seule comptait l'issue finale. Ils s'acheminaient peu à peu vers le gouffre, chaque heure qui passait les rapprochant un peu plus du bord.

Après le pain, la viande, et après la viande, la tarte aux pommes, puis les fraises, le chocolat, et puis plus rien. Enfin.

– C'est pour éviter qu'on s'y habitue, leur avait dit Jeff. Pour nous prendre par surprise à chaque nouvel assaut.

Il leur restait bien une chose à faire, évidemment. Ils avaient encore cette ressource-là, mais Jeff doutait que les autres puissent l'accepter. *De mauvais goût*, c'était le bon mot. *Ils trouveraient l'idée de très mauvais goût.* En dépit de la situation, Jeff y décelait encore une pointe d'humour.

De l'humour noir.

Faudrait qu'on s'organise un peu. C'est ainsi qu'il avait présenté les choses. Ça semblait si banal, si bénin à première vue. Mais comment aborder le sujet autrement ?

Éric était toujours allongé sur le dos, le chapeau sur les yeux. Il ne semblait pas avoir entendu.

– Éric ? T'es réveillé ?

Éric leva la main, retira le chapeau, acquiesça. Sa peau faisait des plis au niveau des points de suture. Il suintait encore un peu de sang de ses blessures. Ce n'était pas beau à voir. Sa chair était à vif. Mathias se tenait à la gauche de Jeff, la gourde posée sur les genoux. Stacy était toujours assise à côté de la dépouille d'Amy.

La dépouille d'Amy.

– Stacy, tu dois mettre de la crème solaire sur tes pieds, dit Jeff.

Stacy regarda ses pieds d'un air absent. Ils étaient rose vif et un peu enflés.

– Et mets le chapeau d'Amy. Ses lunettes de soleil aussi.

Stacy observa Amy. Les lunettes accrochées au col de son tee-shirt. Le chapeau gisant à un mètre environ, trempé, maculé de boue et déformé par la pluie. Stacy ne bougea pas. Jeff finit par se relever, s'avança, ramassa le chapeau et détacha soigneusement les lunettes du tee-shirt d'Amy. Il tendit le tout à Stacy. Elle hésita, faillit refuser, puis avança lentement la main pour prendre le tout.

Jeff la regarda chausser les lunettes, ajuster le chapeau sur sa tête. Il était satisfait. C'était un bon début. Il reprit sa place.

– L'un de nous devrait bientôt partir surveiller le sentier. Au cas où les Grecs...

– J'y vais, dit Mathias en se levant.

– Dans une minute, lui dit Jeff. On doit d'abord...

– On ne devrait pas ?... Tu sais... dit Stacy en montrant le corps d'Amy.

La dépouille d'Amy.

Jeff se tourna vers elle, surpris. Malgré lui, il se sentait plein d'espoir, presque soulagé. *Elle va le dire pour moi.*

– Quoi ? demanda-t-il

– Tu sais... répondit-elle en désignant de nouveau le corps d'Amy.

Jeff attendit qu'elle termine sa phrase. Pourquoi devait-il toujours prendre les choses en main ? Il resta donc assis à la regarder sans rien dire. Mais elle lui fit faux-bond.

– Je crois... Je sais pas... L'enterrer ? Un truc dans le genre ? dit-elle en haussant les épaules.

Non, ce n'était pas possible. Ce n'était pas du tout ça. Il devrait encore tout faire. Jeff inclina la tête comme pour acquiescer avant de reprendre la parole.

– Eh bien, oui, c'est bien le problème. En quelque sorte. C'est de ça qu'on doit parler.

Les autres restèrent silencieux. Personne n'allait l'aider. *Des veaux,* pensa-t-il en scrutant leurs visages. Ce n'était pas forcément une bonne idée de leur avoir distribué l'orange. Peut-être aurait-il dû attendre pour leur en parler, attendre qu'ils n'y tiennent plus, avec cette odeur de pain flottant dans l'air... ou de viande.

– Je crois qu'on est bons, dit-il. En tout cas, pour ce qui est de l'eau. On peut compter sur des averses assez fréquentes pour assurer notre survie. On peut même confectionner une poche avec le reste de toile.

Il indiqua les restes de la tente bleue d'un geste de la main. Les autres suivirent son geste, regardèrent un instant dans cette direction, avant de tourner à nouveau les yeux vers lui. *Des moutons*, pensa-t-il. Il cherchait les mots justes, en vain.

Stacy reprit la main d'Amy dans la sienne comme pour se rassurer.

Il n'y avait pas de mots justes, évidemment.

– C'est juste une question de temps. Il suffit d'attendre et c'est ce que nous faisons. Nous attendons que quelqu'un vienne et nous trouve – les Grecs, qui sait ? Ou quelqu'un d'autre, envoyé par nos parents.

Jeff, incapable de les regarder droit dans les yeux, en avait honte. Il passa des pieds brûlés de Stacy aux fronces formées par les plaies de la jambe d'Éric, puis fixa à nouveau le sol entre ses pieds.

– Attendre. Survivre aussi. Si nous parvenons à conserver nos réserves d'eau, ça nous aidera, évidemment. Mais il faut aussi penser à la nourriture, pas vrai ? On n'en a pas tant que ça. Et on ne sait pas... Je veux dire... Si les Grecs n'arrivent pas, il faudra attendre que nos parents envoient quelqu'un, ça peut prendre des semaines. Et nous n'avons pas de quoi tenir plus de quelques jours. Si seulement on pouvait chasser, prendre des animaux au piège, ou attraper du poisson, manger des racines ou encore des baies... Il n'y a rien sur cette colline à part nous et ces ronces. Il est clair qu'on ne peut pas en manger. On a nos ceintures. On pourrait peut-être trouver le moyen de les faire bouillir. D'autres ont fait ce genre de choses, des gens perdus dans le désert ou en mer. Mais ça ne changerait pas grand-chose, n'est-ce pas ? Pas si nous devons rester ici des semaines durant.

Jeff risqua un rapide coup d'œil sur leurs visages. Inexpressifs. Ils écoutaient, n'ayant aucune idée de ce qu'il avait en tête. Il essayait de ne pas les effrayer, d'aborder le sujet pas à pas, pour leur laisser le temps de se préparer, mais ça ne marchait pas. Il avait besoin de leur aide pour ça et aucun d'eux n'était à la hauteur.

– Cinquante, soixante, soixante-dix jours, dit-il. Dans ces eaux-là, je ne sais plus très bien. En tout cas, on ne peut pas tenir plus longtemps sans nourriture. Et longtemps avant ça, les choses commencent à mal tourner. Alors, mettons trente, d'accord. Ça nous fait quoi ? Quatre semaines environ ? Et si ce ne sont pas les Grecs, mais nos parents, alors combien de temps ça va prendre au juste ? Raisonnablement, je veux dire. Encore une semaine avant qu'ils attendent notre retour, peut-être encore une autre avant qu'ils commencent à s'inquiéter vraiment, à passer quelques coups de fil à Cancún, à l'hôtel, au consulat américain. C'est plutôt simple jusque-là. Et puis quoi ? Combien de temps leur faudra-t-il pour retrouver notre trace jusqu'à la gare routière, jusqu'à Cobá, jusqu'au sentier, jusqu'au village maya, jusqu'à cette putain de colline perdue au milieu de la jungle ? Peut-on vraiment tabler sur moins de quatre semaines ?

Jeff fit non de la tête, leur lança un autre regard furtif. Ils n'avaient toujours pas compris. Il ne faisait que les déprimer, les terroriser, voilà tout. C'était pourtant là, juste devant eux, et ils ne voyaient rien.

Peut-être ne voulaient-ils rien voir, après tout.

Il indiqua le cadavre d'Amy, garda le bras tendu assez longtemps pour bannir toute ambiguïté. Ils devaient regarder, voir sa peau grisâtre, ses yeux qui ne se fermaient pas, sa chair à vif, brûlée, tout autour de la bouche et du nez.

– Ce qui est arrivé à Amy est terrible. Vraiment. Impossible de le nier. Mais maintenant que c'est arrivé, il faut voir les choses en face, accepter ce que ça peut signifier pour nous. Car il y a une question à laquelle nous devons répondre – une question vraiment difficile, très difficile. Il va falloir faire preuve d'imagination aussi, car cela ne prendra toute son importance que dans les jours à venir. Pas tout de suite. Vous comprenez où je veux en venir ? dit-il enfin en scrutant leurs visages.

Mathias resta silencieux, impassible. Éric avait refermé les yeux. Stacy tenait toujours la main d'Amy. Elle remua la tête en guise de réponse.

Jeff le savait, ça n'allait pas marcher, mais il devait soulever le problème. Il en avait le devoir.

– Je vous parle d'Amy, de la façon dont nous pouvons la préserver.

Les autres encaissèrent en silence. Mathias se déplaça légèrement, le visage contracté. *Il a compris*, pensa Jeff. Mais pas les autres. Éric aurait tout aussi bien pu dormir : il ne réagissait pas. Stacy tendit le cou et lança un regard interrogateur à Jeff.

– Tu veux dire l'embaumer ou quoi ?

Jeff décida d'aborder les choses différemment.

– Si vous aviez besoin d'un rein, si vous deviez mourir sans ça et qu'Amy mourait avant vous, est-ce que vous prendriez le sien ?

– Son rein ? demanda Stacy.

Jeff acquiesça.

– Qu'est-ce que ça veut...

Tout à coup, Stacy comprit ce qu'il voulait dire. Elle se couvrit la bouche comme pour retenir un haut-le-cœur.

– Non, Jeff. Hors de question.

– Quoi ?

– Tu veux dire que...

– Réponds juste à ma question, Stacy. Si tu avais besoin d'un rein, si tu..

– Tu sais que c'est pas pareil.

– Parce que ?

– Un rein, ça veut dire une opération chirurgicale. Ce serait... dit-elle en remuant la tête, exaspérée. Ce, c'est... poursuivit-elle d'une voix de plus en plus forte.

Incapable de finir sa phrase, elle eut un geste de dégoût.

Éric ouvrit les yeux. Il regarda Stacy avec étonnement.

– De quoi est-ce qu'on parle au juste ?

– Il... Il veut... Il veut qu'on... bégaya Stacy.

– On parle de nourriture, Éric, intervint Jeff. Il avait du mal à garder son calme face à Stacy, de plus en plus hystérique. On essaie de savoir si on va crever de faim ici ou pas ?

– Quel rapport avec le rein d'Amy, demanda Éric qui n'y était toujours pas.

– Rien ! hurla presque Stacy. Voilà !

– Tu le prendrais, Éric ? Si t'avais besoin d'un rein ? Si tu devais mourir sans ça ?

– J'imagine que oui, dit Éric en haussant les épaules. Pourquoi pas ?

– Il ne parle pas de reins, Éric. Mais de bouffe. Tu piges ? Il parle de bouffer Amy !

Les mots avaient été lâchés. Impossible de reculer maintenant. Il y eut un long silence. Tous les yeux étaient rivés sur la dépouille d'Amy. Stacy finit par le rompre en s'adressant à Jeff :

– Tu serais vraiment capable de faire ça ?

– D'autres l'ont fait avant moi. Des naufragés et puis...

– Je te demande si toi, tu le ferais. Si toi, tu la mangerais, elle, Amy.

– Je ne sais pas, répondit Jeff après un temps de réflexion. Et il était sincère.

– Tu ne sais pas ? demanda Stacy, atterrée. Comment peux-tu dire une chose pareille ?

– Parce que je ne sais pas ce que c'est que de crever de faim, je ne sais pas ce que je ferais dans ce cas-là. C'est une option, voilà tout ce que je sais. Si seulement on arrivait, ne serait-ce qu'à en parler... Va falloir qu'on prenne certaines mesures, maintenant, sans plus attendre.

– Des mesures ?

– Oui.

– C'est-à-dire ?

– Il faut que nous trouvions un moyen de le conserver ?

– Le conserver ?

– Qu'est-ce que tu veux que je dise ? répondit Jeff en soupirant.

– Pourquoi ne pas la conserver, elle, Amy ?

– Tu penses vraiment que c'est encore elle ? Tu crois vraiment que ça a encore quelque chose à voir avec Amy ? C'est un objet maintenant, Stacy. Quelque chose d'inerte. Une chose que nous pouvons raisonnablement envisager d'utiliser pour survivre. On peut aussi décider de faire du sentiment, en dépit de tout bon sens, de se montrer stupides en vérité et de le laisser pourrir, d'attendre que les ronces le rongent jusqu'aux os, comme tous les autres. C'est un choix et nous devons le faire. Nous devons décider du sort de ce cadavre. Te fais pas d'illusions surtout : même si tu décides de détourner les yeux, de ne plus y penser, tu n'y échapperas pas pour autant. C'est un choix comme un autre. Tu comprends ce que je veux dire, n'est-ce pas ? conclut Jeff dans un élan de rage.

Stacy ne répondit pas. Elle ne le regardait pas.

– Quelle que soit notre décision, il faut voir les choses en face. Voilà tout ce que j'en dis.

Jeff sentait qu'il aurait dû laisser tomber. Il en avait déjà trop dit, il y était allé bien trop fort, mais il ne parvenait plus à s'arrêter.

– Si tu laisses les sentiments de côté, après tout, ce n'est qu'un tas de viande.

Stacy lui lança un regard plein de haine.

– Putain, mais c'est quoi ton problème au juste ? Est-ce que ça te fait quelque chose au moins ? Elle est morte, Jeff. Tu comprends ? Morte !

Jeff voulut tendre la main, la toucher, mais elle ne le laisserait pas faire – il le savait. Il voulait qu'ils se calment l'un comme l'autre.

– Tu crois vraiment que ça compterait pour Amy ? Tu ne t'en ficherais pas, à sa place ?

Stacy secoua la tête avec violence, manquant perdre le chapeau d'Amy.

– C'est impossible !

– Pourquoi ?

– Tu fais comme si c'était un jeu. Un truc abstrait dont on pourrait discuter dans un bar. Mais c'est réel ! C'est le corps d'Amy ! Et je ne vais pas...

– Comment tu t'y prendrais, Jeff ? demanda Éric.

– Comment je m'y prendrais ?

– Oui. Comment est-ce que tu préserverais, tu sais, la...

Viande était le mot juste, mais Éric n'arrivait pas à le dire.

– Je la fumerais, j'imagine, répondit Jeff en haussant les épaules. Je la ferais sécher.

– Je vais vomir, leur lança Stacy.

Jeff l'ignora.

– Je crois qu'on peut trouver un moyen de la saler. Avec de l'urine. Tu coupes la viande en tranches et tu la laisses macérer dans...

– Non ! Non ! hurla Stacy en se bouchant les oreilles.

– Stacy...

– Je vais pas vous laisser faire. Je vais pas vous laisser

faire. Je vais pas vous laisser faire. Je vais pas vous laisser faire... se mit-elle à psalmodier.

Jeff se tut. Avait-il le choix ? Stacy continuait de gémir en secouant la tête. Son chapeau avait glissé et gisait sur le sol. Jeff éprouva soudain cette même résignation. Quelle importance ! Pourquoi ne pas mourir ici, plutôt qu'ailleurs ? Il essuya la sueur de son front. Il sentait encore le parfum de l'écorce d'orange sur ses doigts. Il avait tellement faim qu'il aurait pu les lécher.

Stacy cessa enfin. Il y eut un long silence. Éric continuait à se tâter la poitrine et le ventre. De minces filets de sang suintaient de ses blessures. Mathias se déplaça légèrement et l'on entendit l'eau s'agiter dans la gourde posée sur ses genoux. Stacy tenait encore la main d'Amy. Jeff jeta un coup d'œil à Pablo. Les yeux ouverts, il les observait, comme s'il avait compris qu'ils étaient en train de prendre une importante décision. En voyant son corps ravagé et immobile, Jeff comprit que la discussion ne s'arrêtait pas là. Amy ne serait pas la dernière à mourir. Il écarta cette pensée.

Ils évitaient tous de se regarder. Personne n'allait prendre la parole. Il devrait une fois de plus rompre le silence en signe de paix. Il se lécha les lèvres. Elles étaient fendues et enflées.

– Dans ce cas, j'imagine que nous devons l'enterrer, dit-il enfin.

Il ne leur fallut pas longtemps pour le comprendre : il était impossible d'enterrer Amy. Ne serait-ce qu'en raison de la chaleur grandissante. Même sans ça, il leur aurait fallu une pelle. Ils ne disposaient que d'un piquet de tente et d'une pierre pour creuser. Jeff tira donc l'un des sacs de couchage hors de la tente pour y enfermer Amy. Mais sa dépouille semblait refuser de se laisser envelopper dans ce linceul. Jeff et Mathias durent lutter pour l'y faire entrer. Ils y parvinrent enfin, tous deux essoufflés et dégoulinant de sueur.

Stacy ne chercha pas à les aider. Elle observa la scène, prise de nausée. Elle avait la gueule de bois, des vertiges et se sentait ballonnée. Et puis, il y avait la mort d'Amy. Jeff avait envisagé de manger son cadavre pour qu'ils puissent survivre. Stacy l'en avait empêché. Elle essayait de se réjouir de cette victoire. En vain.

Les deux garçons hésitèrent un instant avant de refermer le sac, comme s'ils avaient perçu la portée symbolique de cet acte sans retour – comme une première poignée de terre jetée sur le couvercle du cercueil. Stacy voyait encore le visage d'Amy, un peu enflé, dont la peau avait pris une teinte verdâtre. Et les yeux ouverts. Autrefois, on posait des pièces de monnaie sur les paupières des défunts. Ou les mettait-on dans la bouche pour payer l'octroi du passeur ? Stacy ne savait plus très bien. Elle ne s'était jamais vraiment préoccupée de tels détails et finissait toujours par le regretter. Qu'y avait-il de pire que de savoir les choses à moitié ? Des pièces sur les paupières... Ça semblait pourtant idiot, car elles tomberaient au moment du transport du cercueil jusqu'au cimetière avant de le mettre en terre. Les morts resteraient donc ainsi, les yeux ouverts, sous une masse de terre, deux pièces inutiles à leur côté.

Pas de cercueil pour Amy – pas de pièces, non plus. Rien pour le passeur.

Nous devrions organiser une cérémonie, pensa Stacy. Elle essaya d'imaginer ce qu'ils pourraient bien faire. La seule image qui lui vint à l'esprit fut celle d'un homme penché au-dessus d'une tombe ouverte, lisant la Bible. Elle voyait le tas de terre à côté de la fosse, le pin brut du cercueil duquel suinteraient des perles de résine ambrée. Mais ils n'avaient rien de tout cela, ni Bible, ni fosse, ni cercueil. La dépouille d'Amy et un sac de couchage puant, voilà tout. Alors, Stacy ne dit rien en regardant Jeff tirer la fermeture Éclair.

Éric remit son chapeau sur son visage. Mathias s'assit, puis il ferma les yeux. Jeff disparut dans la tente. Stacy se demandait s'il les fuyait, s'il voulait se retrouver seul pour pouvoir pleurer, ou se frapper la tête contre le sol, mais il ne tarda pas à reparaître, une petite bouteille en plastique à la main.

Il s'accroupit devant elle, ce qui la fit sursauter si fort qu'elle faillit reculer.

– Il faut tu t'enduises les pieds avec ça, dit-il.

Jeff lui tendit la petite bouteille. Stacy plissa les yeux pour en déchiffrer l'étiquette. *Crème solaire*. La chemise kaki de Jeff était trempée de sueur. On voyait des auréoles de sel tout autour du col. Elle sentait son odeur, la puanteur de sa transpiration, cela renforçait sa nausée. Elle avait conscience des quelques morceaux d'orange dans son estomac, de ces petits morceaux d'écorce qu'elle rendrait si aisément... Elle voulait que Jeff s'en aille, loin. Mais il ne bougea pas, resta accroupi là tandis qu'elle se tartinait le pied droit en prenant soin de ne pas salir les lanières de cuir de sa sandale.

– Allez ! dit Jeff. Fais ça correctement.

– Correctement ? demanda-t-elle.

Stacy ne comprenait pas ce qu'il voulait dire. Elle se concentrait pour ne pas vomir. Si elle vomissait, les ronces s'avanceraient pour lui voler ces quelques tranches d'orange, ces morceaux d'écorce. Elle n'aurait rien d'autre ensuite, et elle le savait.

Jeff lui arracha la bouteille des mains.

– Enlève tes sandales.

Stacy s'exécuta maladroitement, puis le regarda lui masser le pied avec une grosse noix de crème solaire.

– Tu m'en veux ? lui demanda-t-elle.

– Si je t'en veux ?

Jeff ne la regardait pas. Il gardait les yeux fixés sur ses pieds ; cela inquiétait Stacy. Elle avait l'impression de ne plus exister. Elle voulait qu'il la regarde.

– Parce que, tu sais... Parce que je t'ai empêché de...

Jeff ne répondit pas tout de suite. Il passa à l'autre pied. Une goutte de sueur tomba de son front et vint s'écraser sur le tibia de Stacy, qui frissonna. La respiration de Pablo avait empiré : à nouveau ce même son rauque, chargé de glaires. On n'entendait rien d'autre dans la clairière. Difficile de l'ignorer.

– Je veux juste nous sauver, dit enfin Jeff. C'est tout. Faire en sorte qu'on ne meure pas ici. Et puis la nourriture... Ça se résumera à ça au bout du compte. Je ne vois pas vraiment d'autre issue.

Jeff reboucha la bouteille, la jeta sur le côté, et fit signe à Stacy de remettre ses sandales. Elle regarda fixement ses pieds. Ils étaient déjà rose vif, brûlés. *Ça va faire mal sous la douche*, pensa-t-elle en s'efforçant de ne pas éclater en sanglots. Il n'y aurait certainement pas de douche, pas pour elle, pour aucun d'entre eux. Amy n'était que la première. Aucun n'en réchapperait.

– Et toi ? demanda Jeff.

– Moi ?

– Tu m'en veux ?

Les oreilles de Stacy bourdonnaient. La fatigue, la peur, ou peut-être la faim. Elle n'aurait su le dire. Elle était bien trop épuisée pour pouvoir éprouver de la colère. Elle fit non de la tête.

– Bien, dit Jeff. Pourquoi ne prends-tu pas le premier tour de garde au pied de la colline ? ajouta-t-il comme s'il lui annonçait qu'elle venait de gagner un prix après avoir donné la bonne réponse.

Stacy n'en avait pas envie. Alors même qu'elle cherchait un prétexte pour refuser, elle comprit qu'elle n'avait pas le choix. Amy les avait quittés. Voilà qui aurait dû tout changer. Mais non, la terre tournait encore et Jeff poursuivait son chemin, se préoccupant de crème solaire, des Grecs – toujours en train d'échafauder des plans –, car c'est ainsi qu'on parvenait à rester en vie.

Est-ce que je suis en vie ? s'interrogea Stacy.

Jeff ramassa la gourde et la lui tendit.

– Hydrate-toi d'abord.

Elle prit la gourde, la déboucha, but une gorgée ; cela calma un peu sa nausée. Elle réussit à se mettre debout.

Jeff lui tendit l'ombrelle.

– Trois heures, dit-il. D'accord ? Et puis Mathias prendra la relève.

Stacy acquiesça. Jeff lui tourna alors le dos, s'affairant à une autre tâche. Il ne lui restait plus qu'à partir, et c'est ce qu'elle fit. Ses pieds enduits de crème solaire glissaient dans ses sandales. Le bourdonnement résonnait dans sa tête à chaque pas. *Je vais bien,* se dit-elle. *Je peux le faire. Je suis en vie.* Elle continua à se répéter ces mêmes mots comme un mantra tandis qu'elle descendait lentement le sentier. *Je suis en vie. En vie. En vie...*

Éric était allongé sur le dos au centre de la clairière. Les rayons du soleil lui dardaient le visage, les bras, les jambes et cette sensation avait déjà quelque chose de douloureux. Mais il y prenait plaisir. Il était en train d'attraper un coup de soleil, mais qu'y avait-il de si terrible à cela ? C'était normal. Ça pouvait arriver à n'importe qui – il suffisait d'être allongé au bord d'une piscine, de faire un somme sur la plage. Éric trouvait cela rassurant. Oui, il voulait attraper ce coup de soleil, subir ce désagrément ordinaire – pour masquer les étranges déplacements qu'il sentait dans son corps, pour oublier le risque de voir se rouvrir ses plaies au moindre mouvement trop brusque, oublier l'idée que les ronces étaient encore tapies en lui, piégées par les points de suture, enfermées mais pas mortes pour autant, en veille, telles des graines prêtes à germer. Les yeux fermés, concentré sur les réactions de sa peau tendue sous l'effet de la brûlure, Éric avait trouvé un refuge temporaire d'autant plus séduisant qu'il était des plus fragiles. Mais il savait que ça ne le mènerait pas très loin. Il fallait respecter un certain équilibre pour ne pas sombrer. Il réprimait sans cesse l'envie de bâiller, persuadé que s'il se détendait – même un peu seulement – il céderait au sommeil. Et le sommeil était l'ennemi : les ronces s'attaquaient à lui lorsqu'il dormait.

Éric se força à rouvrir les yeux, s'appuya sur un coude, et vit Jeff et Mathias qui pansaient les moignons de Pablo. Ils nettoyaient les tissus carbonisés avec de l'eau prise dans la gourde. Puis Jeff passa un fil dans le chas d'une aiguille, la stérilisa avec une allumette. De cinq ou six vaisseaux sanguins s'écoulaient encore de minces filets rouges. Jeff se penchait maintenant au-dessus de Pablo pour recoudre ces plaies-là. N'y tenant plus, Éric se recoucha. L'odeur de l'allumette lui rappelait les horreurs de la veille : il revoyait Jeff pressant la poêle chauffée à blanc contre la chair du Grec, sentait encore le fumet flottant dans toute la clairière.

Éric aurait dû se réfugier sous la tente, se mettre à l'ombre. Mais il ferma les yeux. Il entendait sa propre voix dans sa tête qui disait : *Tout ira bien. Jeff est là. Il veillera sur moi. Je serai en sécurité.* Les mots se succédaient sans même qu'il en ait conscience, comme s'il s'était soudain dédoublé.

Il sombrait peu à peu dans le sommeil.

Lorsqu'il se réveilla, la journée était déjà bien avancée. Le soleil avait déjà entamé sa descente. Des nuages se dirigeaient vers l'ouest. Rien à voir avec les averses dont ils avaient été témoins jusqu'alors. Non, cela ressemblait plutôt à un front orageux qui ne tarderait pas à s'abattre sur eux. La lumière avait déjà pris un aspect inquiétant.

Éric tourna la tête, balaya la clairière du regard, abruti par le sommeil. Stacy était remontée du pied de la colline. Assise à côté de Pablo, elle lui tenait la main. Le Grec semblait avoir de nouveau perdu conscience. Sa respiration était terrible. Éric écoutait : il gargouillait en inspirant, puis on entendait un long sifflement expiratoire, suivi d'un temps d'arrêt des plus angoissant. La dépouille d'Amy gisait sur le sol, enfermée dans le sac de couchage bleu sombre. Jeff se trouvait de l'autre côté de la clairière, concentré sur son ouvrage. Éric mit un moment à comprendre de quoi il s'agissait. Jeff avait cousu une grande poche en forme de seau, en assemblant les morceaux de Nylon bleu, pour collecter l'eau de pluie. Et il construisait une sorte de cadre avec les piquets d'aluminium pour éviter à la poche de s'affaisser à mesure qu'elle se remplirait.

Mathias avait disparu. Il devait monter la garde au départ du sentier, pensa Éric.

Il se redressa. Il avait le corps ankylosé et se sentait étrangement frigorifié. Il s'apprêtait à examiner ses plaies, palpant sa chair pour vérifier si les ronces n'avaient pas poussé en lui – cherchant des bosses, une légère boursouflure, un épanchement – lorsque Jeff se leva, passa devant lui sans un mot, et disparut dans la tente.

Pourquoi ai-je si froid ?

Éric le savait, la température ambiante n'avait rien à y voir. Il voyait les auréoles de sueur sur le tee-shirt de Stacy. Il sentait même la chaleur de l'atmosphère, mais à distance, comme s'il s'était trouvé derrière la vitre d'une pièce climatisée face à un paysage recuit par le soleil. Non, ce n'était pas ça. En fait, sa peau faisait office de vitre, brûlante à l'extérieur, glacée à l'intérieur. Ce devait être l'un des effets de la faim, ou de la fatigue, de l'hémorragie... Peut-être était-ce dû à la présence de la plante en lui. Elle aspirait sa chaleur tel un parasite. Il ne pouvait avoir aucune certitude à ce propos, mais cela n'augurait rien de bon. Il eut envie de se rallonger, mais Jeff reparut avec deux bananes à la main.

Éric le regarda se baisser pour récupérer le couteau, l'essuyer sur sa chemise sans grande conviction, puis s'accroupir et couper chaque banane en deux, sans les peler. Jeff fit signe à Éric et à Stacy d'approcher :

– Faites votre choix, dit-il.

Stacy se pencha et reposa doucement la main de Pablo sur sa poitrine avant de se lever pour rejoindre Jeff. La peau des bananes était presque entièrement noire maintenant. Stacy en choisit une et la garda précieusement au creux de sa paume.

– On mange aussi la peau ? demanda-t-elle.

– Ce sera peut-être un peu dur à mâcher, répondit Jeff en haussant les épaules, mais tu peux toujours essayer.

Puis il se tourna vers Éric.

– Choisis ta part.

– Et Mathias ?

– Je vais prendre sa relève maintenant. Je la lui apporterai.

Éric frissonnait et se sentait incapable de tenir debout. Pas seulement à cause de ses plaies qui menaçaient de se rouvrir, mais aussi de ses jambes, trop faibles pour le porter – tout au moins, c'est ce qu'il craignait.

– Tu n'as qu'à me la lancer.

– Laquelle ?

– Celle-là, répondit Éric en pointant du doigt la part la plus proche de lui.

Jeff la lui lança par en dessous et elle atterrit sur ses genoux.

Ils mangèrent en silence. Les bananes, bien trop mûres, semblaient avoir déjà commencé à fermenter. Éric avait du mal à avaler cette purée aigre-douce malgré sa faim. Il mangea rapidement, en commençant par le fruit. Impossible de bien mâcher la peau, bien trop fibreuse : Éric en avait la mâchoire endolorie. Il dut se résoudre à l'avaler d'un coup. Jeff avait déjà fini, mais Stacy prenait son temps, grignotant un petit bout de fruit, gardant la peau sur ses genoux.

Jeff scruta le ciel, les nuages s'accumulant au-dessus de leurs têtes, le soleil pris dans un petit rectangle bleu.

– J'ai sorti du savon au cas où il se mettrait à pleuvoir pendant que je suis encore là-bas, dit Jeff en indiquant un pain de savon sur le sol à côté de lui. Il y avait aussi la boîte à outils en plastique. Jeff avait colmaté la brèche avec du ruban adhésif.

– Lavez-vous, et puis rentrez sous la...

Il s'interrompit soudain, les yeux tournés vers la tente, visiblement surpris.

Éric et Stacy suivirent son regard. Le sac de couchage remuait. Ils entendaient le crissement du tissu. Non, c'était Amy qui donnait des coups de pied, se débattait en essayant en vain de se relever ! Ils se contentèrent un instant d'observer la scène, incrédules, puis se précipitèrent vers le sac. Éric en oubliait ses plaies, sa faiblesse, sa fatigue, soudain transcendées par le choc, l'étonnement, l'espoir – même s'il savait ce qu'ils allaient trouver au fond du sac. Il écarta cette idée, attendit que Jeff et Stacy aient ouvert la fermeture Éclair et qu'Amy s'extirpe enfin du sac, essoufflée et bouleversée. *Une erreur, tout ça n'était qu'une erreur.*

Éric entendait la voix d'Amy à l'intérieur du sac, étouffée, pleine de panique.

– Jeff... Jeff...

– On arrive ma chérie, lui cria Stacy. On est là.

Elle chercha maladroitement la fermeture Éclair. Jeff fut plus rapide et l'ouvrit d'un coup : le sac vomit alors une longue guirlande de ronces qui vinrent s'affaler sur le sol. Elles portaient des fleurs rose pâle. Éric les regarda s'ouvrir et se fermer, appelant toujours et encore : *Jeff... Jeff... Jeff...* Les vrilles enchevêtrées se tordaient, s'enroulant et se déroulant au milieu des os mis à nus d'Amy. Éric aperçut son crâne, son bassin, peut-être son fémur, le tout entremêlé de ronces. Stacy recula en hurlant. Elle remuait la tête en tout sens, refusant de croire à ce qu'elle voyait. Éric s'avança vers elle et Stacy s'agrippa à lui, lui rappelant ses blessures si vulnérables, si promptes à se rouvrir et à laisser s'écouler son sang.

Les ronces cessèrent d'appeler Jeff. Après un court silence, elles se mirent à glousser.

Jeff resta devant le sac, le regard fixe. Stacy se blottit contre le torse d'Éric. Elle pleurait maintenant.

– Chuuut, murmura Éric. Chuuut.

Il lui caressait les cheveux avec le sentiment étrange d'être extérieur à toute la scène. Il repensa à la manière dont les gens décrivaient les accidents dont ils avaient été victimes, cette impression de flottement qui semblait accompagner si souvent les catastrophes. Il s'efforça de revenir à lui. Stacy avait les cheveux gras au toucher. Il essaya de se concentrer là-dessus, dans l'espoir que cette sensation le riverait à la réalité présente. Mais son regard flottait déjà vers le sac de couchage, vers l'écheveau de ronces se tordant encore en riant, et vers les ossements prisonniers des plantes.

Amy.

Stacy pleurait à chaudes larmes maintenant et se serrait contre lui. Ses ongles lui entaillaient la chair du dos.

– Chuuut, répétait-il sans cesse, chuuut...

Jeff n'avait pas bougé.

Éric sentait dans sa poitrine la plante s'enfoncer plus avant. Tout lui semblait si lointain. Il était en état de choc, certainement. Peut-être que c'était une bonne chose après tout, comme un mécanisme de défense : son esprit se fermait quand les choses allaient trop loin.

– Je veux rentrer à la maison, gémit Stacy. Je veux rentrer à la maison.

– Chuuut... chuuut, murmura-t-il en la caressant.

Les ronces avaient dévoré la chair d'Amy en une demi-journée. Pourquoi ne lui feraient-elles pas subir le même sort après tout ? Il suffisait qu'elles atteignent son cœur, et puis quoi ? Qu'elles le compriment lentement, l'empêchent de battre ?

Éric prit soudain conscience de son pouls, du fait – aussi grave que banal – qu'il s'arrêterait un jour, que ce soit ici ou ailleurs. Alors, il mourrait. Chaque battement le rapprochait un peu plus de sa fin. S'il pouvait ralentir son pouls, il pourrait vivre plus longtemps, gagner un jour ou deux, une semaine peut-être, pensait-il en dépit de toute logique, lorsque les ronces se turent enfin. On n'entendit plus que le souffle rauque de Pablo qui s'arrêtait, reprenait, s'arrêtait encore... Puis vint s'y ajouter le bruit produit par une personne qui s'étouffe.

C'était Amy. Elle vomissait, pensa Éric.

Jeff tourna le dos au sac, aux ronces, aux os épars. Le visage tendu, il retenait visiblement ses larmes. Éric aurait voulu dire quelque chose, le réconforter, mais Jeff se déplaçait trop vite et Éric n'avait plus l'esprit assez vif. Il regarda Jeff se pencher, se relever et partir vers le sentier. À peine avait-il franchi la clairière que la voix d'Amy s'éleva, très faible, entre deux hoquets : *Aide-moi.*

Jeff s'arrêta, et se tourna vers Éric.

Aide-moi, Jeff.

Jeff secoua la tête. Il semblait soudain si vulnérable, si jeune. On aurait dit un petit garçon cherchant à réprimer ses sanglots.

– Je ne savais pas, dit-il. Je le jure. Il faisait trop sombre. Je ne la voyais pas.

Jeff n'attendit pas la réponse d'Éric. Il fit volte-face et s'éloigna à grands pas.

Éric resta là, à le regarder – Stacy toujours blottie contre lui, en pleurs, tandis que la voix d'Amy s'éloignait de la clairière pour poursuivre Jeff jusqu'au pied de la colline.

Aide-moi, Jeff... Aide-moi... Aide-moi...

Jeff avait à peine parcouru une cinquantaine de mètres lorsque les ronces se turent enfin. Il pensait éprouver un certain soulagement, mais c'était bien pire encore. Cette interruption si brusque, ce sentiment de solitude soudain – le silence qui avait suivi la mort d'Amy, son cri étranglé. Il sentit venir les larmes et cette fois ne put les contenir. Il s'accroupit au milieu du sentier et se blottit la tête entre les jambes pour se cacher le visage, comme s'il craignait que la plante se réjouisse de ses souffrances. Il pleura en silence. Une fois calmé, il se releva et s'essuya le visage du revers de sa manche. Il avait les jambes flageolantes, le souffle étrangement court, mais se sentait plus fort d'avoir pleuré. Plus calme aussi, malgré le chagrin, la culpabilité et la perte.

Il reprit sa descente.

Les nuages continuaient à s'accumuler à l'ouest. Le ciel s'assombrissait dangereusement, un gros orage se préparait ; Jeff estima qu'il ne les atteindrait pas avant une heure ou deux. Ils devraient se réfugier tous sous la tente, et cette idée l'inquiétait : se retrouver ainsi tous les quatre dans un espace confiné à compter les heures. Et Pablo ? Qu'allaient-ils faire de lui ? Ils ne pouvaient le laisser dehors sous la pluie, n'est-ce pas ? Jeff chercha en vain une réponse à ce dilemme : il imaginait le brancard sous la tente, le vent cinglant les parois de Nylon, l'eau dégoulinant sur le tissu tandis que cette effroyable puanteur s'élèverait du corps du Grec. Il comprit bientôt que c'était impossible. Mais que faire ? Peut-être qu'il ne pleuvra pas, pensa-t-il, tout en sachant qu'il se comportait comme un enfant, qu'il ne valait pas mieux que les autres. Il espérait que ce qu'il trouvait trop horrible à affronter allait tout simplement disparaître s'il détournait le regard assez longtemps.

Mathias était assis en tailleur au pied de la colline face à la jungle. Il ne l'entendit pas approcher. Jeff s'assit à côté de lui et lui tendit sa part de banane.

– Ton déjeuner, dit-il.

Mathias prit le fruit sans un mot. Jeff le regarda manger. C'était un vendredi. Mathias et Henrich auraient dû rentrer en Allemagne. Jeff et les autres leur auraient donné leurs e-mails, leurs numéros de téléphone. Ils se seraient fait la vague promesse de se revoir – sincère cependant. Tout le monde se serait embrassé dans le hall. Amy les aurait pris en photo. Puis ils se seraient tenus tous les quatre devant le grand panneau vitré, agitant la main tandis que la camionnette aurait emmené les deux frères vers l'aéroport.

Jeff s'essuya le visage du revers de la manche, craignant qu'il ne subsiste encore quelques traces de ses larmes. À l'évidence, Mathias n'avait pas entendu les ronces, et Jeff fut surpris de constater à quel point cette idée le soulageait. Il ne voulait pas que l'Allemand sache ce qui s'était passé. Il redoutait son jugement.

Elle m'a appelé. Elle a crié mon nom.

Les Mayas accrochaient une bâche en plastique à l'orée de la jungle pour se protéger de l'orage, sans doute. Ils étaient quatre – trois hommes et une femme. Deux autres hommes, assis à côté des cendres fumantes du feu de camp, faisaient face à Jeff et à Mathias, leur arc sur les genoux. L'un d'eux se mouchait continuellement dans un bandana sale, examinant à chaque fois le contenu de ce mouchoir improvisé. Jeff se pencha en avant, regarda de part et d'autre de la zone défrichée en quête de leur chef, l'homme chauve qui portait un revolver à la ceinture. Il n'était pas là. Ils devaient avoir des tours de garde, pensa-t-il. Certains se chargeaient de veiller sur la colline tandis que d'autres travaillaient aux champs.

– On aurait pu penser qu'ils nous auraient déjà tués, dit Jeff. Ça demande un tel effort de rester assis là. Pourquoi ne pas nous avoir massacrés depuis le début ? Ils seraient débarrassés maintenant.

– Peut-être qu'ils auraient l'impression de commettre un péché, répondit Mathias.

– Mais ils nous tuent en nous gardant prisonniers sur cette colline, non ? Et si on essayait de partir, ils n'hésiteraient pas à nous descendre.

– C'est de l'autodéfense, non ? De leur point de vue ? Ce n'est pas un meurtre.

Meurtre, pensa Jeff. *Était-ce donc ça ? Amy avait-elle été assassinée ? Dans ce cas, par qui ? Les Mayas ? Les ronces ? Lui ?*

– Mathias, d'après toi, ça dure depuis combien de temps ?

– Ça ?

– Les ronces, répondit Jeff en indiquant la colline, la zone défrichée d'un geste vague. Tu crois qu'elles viennent d'où ?

Mathias se mit à mâcher sa peau de banane en fronçant légèrement les sourcils, pensif. Jeff attendit qu'il ait fini. Trois oiseaux noirs se déplaçaient d'arbre en arbre au-dessus de la bâche des Mayas. Des corbeaux, songea Jeff. Des charognards, attirés par l'odeur de Pablo ou d'Amy, mais pas assez imprudents pour s'aventurer plus près. Mathias avala, s'essuya la bouche du revers de la main.

– La mine, j'imagine. Tu ne crois pas ? Quelqu'un a dû déterrer la plante.

– Mais comment l'ont-ils maîtrisée ? Comment ont-ils eu le temps d'isoler la colline ? Ils ont dû défricher toute cette partie de la jungle, puis labourer et saler la terre. Tu imagines le temps que ça leur a pris ?

Jeff remua la tête – tout ça lui semblait impossible.

– Peut-être que tu te trompes. Peut-être qu'il ne s'agit pas de mettre les ronces en quarantaine, qu'ils savent comment les éliminer, mais choisissent de ne pas le faire.

– Pourquoi ?

– Peut-être qu'elles reviendraient de toute manière. C'est une façon de les tenir à distance, de les confiner. Une sorte de trêve trouvée par hasard.

– Mais s'il ne s'agit pas de les mettre en quarantaine, pourquoi ne nous laissent-ils pas partir ?

– C'est peut-être un tabou transmis de génération en génération, pour s'assurer que les ronces ne franchissent jamais ces limites. Si tu poses le pied dedans, tu ne peux plus revenir en arrière. Et puis, lorsque des étrangers ont commencé à arriver, ils leur ont tout simplement appliqué cette règle, ajouta-t-il. Il réfléchit un instant, le regard tourné vers les Mayas. Ça pourrait même être quelque chose de religieux, non ? Ils considèrent que la colline est sacrée. Si tu y poses le pied, tu ne peux plus en partir. Nous sommes peut-être une sorte de sacrifice.

– Mais si...

– Ce ne sont que des hypothèses, Jeff, dit Mathias, le ton plein de lassitude et légèrement agacé. Des paroles en l'air. Pas la peine de se disputer pour ça.

Ils restèrent assis un moment à regarder les corbeaux aller de branche en branche. Le vent se levait. L'orage était presque sur eux. Les Mayas rassemblaient leurs affaires sous la bâche. Mathias avait raison. Il était inutile de théoriser ainsi. Les ronces étaient de ce côté-ci, tout comme eux, tandis que les Mayas se trouvaient de l'autre côté de la clairière stérile. Et derrière eux, hors de portée, s'étendait le reste du monde. Voilà ce qui comptait.

– Et les archéologues ? demanda Jeff.

– Eh bien, quoi ?

– Tous ces gens. Pourquoi personne n'est venu à leur recherche ?

– Peut-être est-ce encore trop tôt. Nous ne savons pas depuis combien de temps ils ont été portés disparus. S'ils devaient passer l'été ici, pourquoi devrait-on s'inquiéter ?

– Mais tu crois que quelqu'un va venir ? Au bout du compte, je veux dire. Que nous allons réussir à tenir le coup assez longtemps ?

– Combien de monticules y a-t-il sur cette colline, dis-moi ? Trente ? Quarante ? Trop de gens sont déjà morts ici pour que nous disparaissions comme ça. Tôt ou tard, quelqu'un va finir par trouver cet endroit. Je ne sais pas quand. Mais tôt ou tard.

– Et tu crois qu'on pourra tenir tout ce temps ?

Mathias haussa les épaules, s'essuya les mains sur son jean. Il avait les paumes rouge vif, le bout des doigts fendu et sanguinolent : brûlé par la sève des ronces. Il secoua la tête.

– Pas sans nourriture.

Comme par réflexe, Jeff récapitula mentalement la liste des rations qui restaient. Les bretzels, les fruits secs. Les deux barres protéinées, les raisins secs, les quelques biscuits salés. Une canette de coca, deux bouteilles de thé glacé. Le tout à répartir entre quatre personnes – cinq si Pablo reprenait assez de forces pour manger. Et ça devait durer, combien de temps déjà ? Six semaines ?

L'un des corbeaux se posa dans la clairière et s'avança d'un pas hésitant vers les deux hommes assis près du feu de camp. L'un d'eux agita son bandana pour l'effrayer et l'oiseau s'envola vers les arbres en croassant. Jeff le suivit du regard.

– Peut-être qu'on pourrait abattre l'un de ces oiseaux avec une lance, dit-il. On pourrait se servir d'un piquet de tente, y fixer le couteau, attacher le tout à un bout de corde, et en faire une sorte de harpon. Comme ça, on pourrait le lancer dans les arbres et le ramener à nous. Il faudrait juste trouver un moyen d'ébarber la lame pour que...

– Jeff, ils ne nous laisseront pas venir assez près.

Mathias avait raison. Jeff éprouva néanmoins une pointe de colère à son égard, comme s'il avait fait exprès de décevoir ses espoirs.

– Et si on essayait de défricher la colline ? Qu'on se mettait à tailler les ronces, à les arracher... Si on s'y mettait tous et...

– Il y en a trop, Jeff. Et puis ça pousse si vite. Comment pourrions-nous...

– J'essaie juste de trouver une issue, dit Jeff d'un ton grincheux qu'il trouvait détestable.

Mathias ne semblait pas avoir remarqué.

– Peut-être qu'il n'y a pas d'issue, dit-il. Peut-être que nous n'avons pas d'autre choix que d'attendre, d'espérer et de tenir le coup aussi longtemps que possible. Les vivres s'épuiseront.

Nos corps nous lâcheront. Et les ronces feront ce qu'elles voudront.

Jeff resta immobile, scrutant le visage de Mathias. Comme les autres, il était incroyablement émacié. La peau de son nez et de son front commençait à peler. Il avait une pâte collante aux commissures des lèvres et les paupières noircies. Malgré cette dégradation générale, il gardait encore une certaine force que personne d'autre, pas même Jeff, ne semblait plus avoir. Il paraissait plus calme, étrangement posé. Après tout, il le connaissait à peine. Mathias avait grandi à Munich, s'était fait faire un tatouage durant son bref service militaire, et suivait des études en ingénierie. C'est tout. Mathias était la plupart du temps tellement silencieux, tellement réservé. Il était facile de se convaincre qu'on savait ce qu'il pensait. Mais maintenant qu'il lui parlait vraiment pour la première fois, Jeff avait l'impression que l'Allemand se transformait à vue d'œil, qu'il se révélait bien plus fort qu'il ne l'aurait jamais cru, plus mature aussi. Jeff se sentait tout petit, presque puéril à ses côtés.

– Tu sais ce qu'on raconte, n'est-ce pas ? On dit qu'un poulet dont on a coupé la tête continue à courir dans tous les sens.

Jeff acquiesça.

– Nous nous affaiblissons tous et cela ne peut qu'empirer. Alors ne te fatigue pas pour rien et concentre-toi sur l'essentiel. Ne marche pas si tu peux rester assis. Et ne reste pas assis si tu peux t'allonger. Tu comprends ?

Le plus petit des deux garçons mayas avait reparu. Assis à côté du feu de camp, il s'entraînait à jongler. Les adultes se moquaient visiblement de ses efforts, lui prodiguaient des conseils, émettaient des commentaires.

Mathias les désigna d'un mouvement de tête.

– Et que racontait ton bouquin sur ces gens-là ?

Jeff revit les pages de papier glacé. Il en sentait presque l'odeur, le toucher froid et lisse. Son guide regorgeait d'informations sur le passé des Mayas – leurs pyramides, leurs voies pédestres, leurs calendriers astrologiques – mais aucune sur leur situation actuelle.

– Pas grand-chose, répondit-il. Il y avait un mythe sur les origines du monde. C'est tout ce dont je me souviens.

– Du monde ?

– Des hommes, rectifia Jeff.

– Raconte.

Jeff réfléchit un instant pour retrouver le fil de l'histoire.

– Il y eut d'abord des faux départs. Les dieux firent un premier essai avec de la boue. Mais les hommes ainsi créés, certes doués de parole, ne pouvaient tourner la tête et se dissolvaient sous la pluie. Alors, les dieux choisirent le bois. Mais les hommes de bois étaient mauvais : ils avaient l'esprit vide et ignorèrent les dieux. C'est pourquoi le monde entier se ligua contre eux. Les pierres de leurs foyers se jetaient sur eux, leurs marmites les frappaient et leurs couteaux les poignardaient. Certains d'entre eux s'enfuirent dans les arbres et devinrent des singes, les autres furent massacrés.

– Et que s'est-il passé ensuite ?

– Les dieux employèrent du maïs – du blanc et du jaune. Et de l'eau. Ils façonnèrent ainsi quatre hommes parfaits. Trop parfaits à dire vrai, et cela effraya les dieux. Ils craignaient que ces créatures n'en sachent trop, qu'elles n'aient nul besoin d'eux. Alors, ils leur embrumèrent l'esprit de leur souffle divin. Ainsi naquirent les premiers hommes aux pensées floues et au corps d'eau et de maïs.

Un grondement retentit, qui les fit tressaillir tous deux. Jeff et Mathias scrutèrent le ciel : les nuages ne tarderaient pas à voiler le soleil. L'orage était proche.

– Mais, Jeff, nous n'avons vu aucun singe en traversant la jungle, dit tristement Mathias. J'aurais aimé en voir, pas toi ?

Il y avait une telle résignation dans la voix du jeune homme, comme s'il contemplait une chose à jamais hors d'atteinte, que Jeff parla sans réfléchir :

– Je ne veux pas mourir ici.

– Je ne veux mourir nulle part, répliqua Mathias en esquissant un sourire.

L'un des Mayas se mit à applaudir. Le jeune garçon jonglait enfin et les cailloux décrivaient un demi-cercle continu au-dessus de sa tête. Il avait l'air étonné d'avoir accompli un tel exploit. Lorsque enfin il laissa choir l'un des cailloux, les hommes l'acclamèrent, lui donnèrent une tape dans le dos : cela fit sourire l'enfant.

– Mais j'imagine que ça finira par arriver de toute façon, n'est-ce pas ? ajouta Mathias.

Une seule question hantait Jeff, un seul mot : *Ici ?* Mais il garda le silence. Il redoutait la réponse de Mathias, son indifférence face à cette éventualité. Pablo serait sans doute le premier à mourir, puis Éric. Stacy prendrait sa suite... ou peut-être que non, après tout. C'était difficile à dire. Au bout du compte, si Mathias avait raison, ils finiraient tous de la même façon : de petits tas recouverts de ronces. Jeff essayait d'imaginer ce qui resterait de lui : la fermeture Éclair et les rivets de son jean, les semelles en caoutchouc de ses baskets, sa montre. Et puis cette chemise kaki qu'il avait prise dans l'un des sacs à dos – du polyester sans doute – et qui draperait sa cage thoracique. Étrangement, cette dernière image était la plus troublante, l'idée de devoir mourir dans les vêtements d'un autre. Quand on les trouverait enfin – ça arriverait un jour ou l'autre selon Mathias –, on penserait que cette chemise lui appartenait.

– T'es chrétien ? demanda-t-il à Mathias qui sembla amusé par cette question.

– J'ai été baptisé jadis, répondit l'Allemand avec un demi-sourire.

– Mais, est-ce que tu crois en Dieu ?

Mathias fit non de la tête, sans aucune hésitation.

– Dans ce cas, que signifie la mort pour toi ?

– Rien. La fin. Et toi ?

– Je ne sais pas, répondit Jeff. Ça a l'air bête, mais je n'y ai jamais vraiment pensé.

On l'avait élevé selon le culte de l'église épiscopalienne, mais cela ne représentait qu'une tâche parmi tant d'autres durant son enfance, comme tondre la pelouse, ou apprendre à jouer du piano. Une fois à l'université, il avait cessé d'aller à la messe. Il était jeune, bien portant, à l'abri de tout. Il n'avait jamais pensé à la mort.

– Mon pauvre Jeff, dit Mathias en riant doucement.

– Quoi ?

– Tu veux toujours tout planifier, ajouta-t-il en lui tapotant le genou. Ce sera ce que ce sera, pas vrai ? Rien, quelque chose... Quelles que soient nos croyances, ça n'aura plus d'importance à la fin, n'est-ce pas ?

Mathias se leva alors, s'étira en tendant les bras au-dessus de sa tête, prêt à remonter vers la clairière. Jeff se sentit soudain pris d'un mouvement de panique. Il ne voulait pas rester seul ici. Il avait un mauvais pressentiment, même s'il n'avait jamais vraiment cru à ce genre de choses. Il se revit soudain en train d'ôter les ronces de la bouche d'Amy, retrouva la sensation gluante, l'odeur de la bile et de la tequila, la résistance des vrilles qui s'étaient accrochées à son visage et se tordaient alors même qu'il tirait dessus. Ces souvenirs le firent frémir.

– Tu vis où exactement, Mathias ?

L'Allemand le regarda sans comprendre.

– En Allemagne, je veux dire. Dans une maison ?

– Non, un appartement.

– C'est comment ?

– Rien de particulier. C'est petit. Une chambre, un salon, une cuisine – au premier étage. Ça donne sur la rue. Il y a une boulangerie au pied de l'immeuble. L'été, les fours à pain rendent l'atmosphère étouffante.

– Tu sens l'odeur du pain ?

– Évidemment. Tous les matins, en me réveillant... J'ai un chat. Il s'appelle Katschen. Ça veut dire chaton. C'est la fille du boulanger qui s'en occupe lorsque je suis en voyage. Elle le nourrit, nettoie sa caisse. Elle arrose les plantes aussi. J'ai une grande fenêtre dans ma chambre – comment vous dites ça déjà, une baie vitrée, n'est-ce pas ? J'ai plein de plantes. Quelle ironie quand on y pense... Chaque soir, je m'endormais dans une chambre remplie de plantes. Ça m'apaisait.

Ils se mirent à rire de bon cœur. Puis les nuages obscurcirent le ciel et la lumière changea en un instant. On se serait cru en automne. Il y eut une bourrasque de vent et ils durent tous deux retenir leurs casquettes.

– Je vais y aller maintenant, dit enfin Mathias.

Jeff acquiesça, sans rien ajouter. Il regarda Mathias remonter le long du sentier.

Une odeur de cuisine flottait dans l'air. Jeff crut d'abord que ça venait des ronces, qu'elles le soumettaient à une nouvelle torture. Mais en se tournant vers les feux de camp, il vit que la femme venait de poser une grosse casserole en fer sur son trépied, juste au-dessus du feu. Elle remuait quelque chose. De la chèvre, pensa Jeff en humant l'air. Ils mangeaient plus tôt que d'habitude, peut-être dans l'espoir de terminer leur repas avant l'arrivée de l'orage.

Jeff sentait également sa propre odeur. De la sueur aigre sur fond de pourriture – la puanteur de Pablo : sa pisse, sa merde, sa chair en putréfaction. Jeff repensa au pain de savon qu'il avait sorti avant l'arrivée de la pluie. Il essaya d'imaginer ce que ce serait de se laver, de frotter, de se rincer enfin, mais il ne parvenait pas à se convaincre que ça puisse changer quoi que ce soit. Il ne pourrait se débarrasser de cette odeur putride, car il portait la puanteur de l'échec. Il avait vraiment cru pouvoir les maintenir en vie, être plus malin et plus discipliné que les autres. Quelle connerie ! Il s'en rendait compte à présent. Il n'aurait jamais dû amputer Pablo. Prolonger les souffrances du Grec, voilà tout ce qu'il avait réussi à faire. Quelle connerie, d'être resté à bouder dans son coin tandis qu'Amy mourait étouffée à cinq mètres de lui ! Même s'il s'en sortait vivant par quelque miracle, il ne voyait pas comment il allait survivre à ce souvenir-là.

Le temps passait. Les Mayas avaient fini de dîner. La femme nettoyait maintenant la casserole avec une poignée de feuilles. Les hommes étaient assis, leur arc posé sur leurs genoux. Ils l'observaient. Le jeune garçon avait cessé de jongler. Il était parti s'allonger sous la bâche. Les corbeaux continuaient à voler de branche en branche en échangeant des cris rauques. Le ciel s'assombrissait à vue d'œil et les arbres se balançaient au gré du vent. À chaque nouvelle bourrasque, la bâche émettait un claquement sec semblable à la détonation d'un fusil.

Enfin, au seuil du crépuscule, la pluie commença à tomber.

Stacy était sous la tente avec Éric. Elle s'était laissé aller un instant dans la clairière, debout face à ce sac de couchage, tandis que les ronces se tordaient de rire à ses pieds. Elle s'était mise à pleurer, s'agrippant à Éric, incapable de retenir ses larmes. Elle sanglotait encore longtemps après le retour de Mathias. Éric la tenait dans ses bras, la cajolait en murmurant : « Chuuut... Chuuut... » Elle finit par se calmer, épuisée.

– Il faut que je m'allonge, dit-elle à voix basse.

Ils étaient retournés sous la tente, s'étaient allongés tous deux sur le sac de couchage qui restait, blottis l'un contre l'autre. Les larmes firent place au désespoir. Comment pourrait-elle continuer ainsi ? *Ce sentiment-là passerait aussi*, se dit Stacy sans grande conviction. Elle se souvenait des trois heures interminables qu'elle avait passées au pied de la colline le matin même. Comment survivre à ça ? Mais elle y était parvenue. Elle était restée assise au soleil, s'efforçant en vain de ne pas penser à Amy. Les heures s'étaient enchaînées lorsque, enfin, elle s'était retournée pour voir Mathias, là, debout, derrière elle. Elle avait fini son tour de garde. Elle pouvait enfin remonter au campement.

Stacy avait la gorge douloureuse à force de pleurer, les yeux gonflés. Elle était si fatiguée, et pourtant le sommeil la terrifiait. Elle sentait le souffle d'Éric sur sa nuque. Il la tenait dans ses bras. Au début, cela lui avait semblé agréable, apaisant même, mais à présent elle avait le sentiment qu'il la serrait un peu trop fort. Elle entendait battre son propre cœur, un peu trop vite, un peu trop fort.

Stacy essaya de se libérer de l'étreinte d'Éric, mais il l'attira encore un peu plus près.

– J'ai si froid, dit-il. T'as froid, toi aussi ?

Stacy secoua la tête. Le corps d'Éric lui semblait brûlant au contraire, presque fiévreux.

– Et puis je suis fatigué, tellement fatigué, putain ! ajouta-t-il.

À son retour du pied de la colline, Stacy l'avait trouvé allongé au beau milieu de la clairière, la bouche ouverte, endormi. Jeff avait fini de coudre sa poche. Il l'avait appelée dès qu'il l'avait vue et lui avait demandé d'aller chercher de l'eau. Éric n'avait pas bronché. Il avait dû dormir deux heures, peut-être trois. Il était pourtant toujours aussi fatigué, et prêt à se rendormir – elle le comprenait à sa voix. Elle chercha de nouveau à se libérer, plus brusquement cette fois, et il la laissa partir. Elle s'assit, les yeux rivés sur Éric.

– Tu veux bien veiller sur moi, Stacy ?

– Veiller sur toi ?

– Pendant que je dors, répondit-il. Juste un peu.

Stacy acquiesça. Elle voyait les blessures sur sa jambe, la chair boursouflée au niveau des points de suture, luisante de pommade antiseptique, la peau maculée de sang. Éric avait froid. Il était fatigué, mais n'avait aucune raison de l'être. Stacy décida de ne pas poursuivre son raisonnement. Elle ferma les yeux. *Ça finira aussi par passer,* pensa-t-elle.

Stacy sursauta en sentant la main d'Éric sur la sienne. Il lui souriait, l'air à demi endormi. Elle resta là sans broncher, même si elle mourait d'envie de fuir sa présence, la chaleur de son corps, la moiteur de sa chair. *C'est à l'intérieur de lui.* Voilà ce qu'elle pensait. Elle essaya de lui rendre son sourire. En vain. Mais cela n'avait plus d'importance, car Éric fermait déjà les yeux.

Stacy attendit d'être certaine qu'il s'était bien endormi avant de retirer sa main de la sienne, ouverte, paume vers le ciel, telle la main d'un mendiant dans laquelle elle aurait déposé une pièce, tard dans la nuit, au coin d'une rue sombre.

Elle s'imaginait s'éloignant à la hâte pour ne plus jamais le revoir.

Ça finira aussi par passer.

Mathias était dans la clairière, assis à côté de Pablo. Stacy entendait la respiration du Grec malgré le bruit du vent qui venait de se lever et gonflait la toile de Nylon. Il faisait sombre à l'intérieur de la tente, presque noir. Éric ronflait à présent. Stacy l'imitait parfois pour faire rire Amy dans leur chambre d'étudiantes. Elles partageaient leurs secrets. La douleur de ce souvenir était presque physique, comme un poids sur la poitrine.

Ça aussi, ça passera.

Stacy sentait que la pluie était proche. *La voilà*, pensa-t-elle. L'instant d'après, l'orage était sur eux. Il se mit à pleuvoir des cordes : on eut dit une main géante frappant en rythme les parois de la tente qui s'incurvaient à chaque bourrasque.

Stacy se pencha pour toucher l'épaule d'Éric.

– Éric, dit-elle.

Il ouvrit les yeux, la regarda, l'air encore endormi.

– Il pleut, dit-elle.

– Pleut ?

Éric palpait ses blessures, l'une après l'autre, comme pour vérifier qu'elles étaient encore là. Stacy acquiesça.

– Je dois aller aider Mathias, d'accord ?

Éric se contenta de la regarder fixement, l'air hagard, étonnamment pâle. Stacy pensa à tout le sang qu'il avait perdu au cours des deux derniers jours, revit Jeff arrachant des vrilles de son corps. Elle frémit malgré elle.

– Ça va aller ? demanda-t-elle.

Éric acquiesça en tirant sur le sac de couchage pour se couvrir. Sans plus attendre, Stacy sortit dans la clairière.

Elle fut trempée en quelques secondes. Mathias se trouvait au centre de la clairière. Il remplissait la gourde en plastique à l'aide du Frisbee. Ses vêtements lui collaient au corps et sa casquette informe lui retombait mollement sur les oreilles. Il lui fit signe de prendre le Frisbee et la gourde. Puis il se hâta vers Pablo, immobile sur son brancard, les yeux fermés, sous la pluie battante. Mathias tenta d'ajuster l'appentis pour protéger un peu mieux le Grec, mais en vain. Le vent continuait à souffler en bourrasques. Ils devaient emmener Pablo sous la tente.

Stacy reboucha la gourde. La poche s'emplissait. Ça semblait marcher. La pluie tombait sans répit, transformant la clairière en champ de boue. Stacy sentait ses sandales s'enfoncer lentement dans la terre. Elle remarqua le savon à demi immergé à côté de la poche, le ramassa et se mit à se frotter les mains et le visage. Puis elle renversa la tête en arrière pour se rincer sous l'averse. Mais ça ne suffisait pas. Sans réfléchir, elle ôta son tee-shirt, son pantalon et même sa culotte pour se retrouver nue, au beau milieu de la clairière, en train de se frotter les seins, le ventre, l'entrejambe, les cheveux... Elle se débarrassait de toute cette crasse, cette sueur, cette graisse et cette puanteur.

Mathias s'affairait sur l'appentis, resserrant les nœuds qui maintenaient les piquets d'aluminium. Il se retourna comme pour demander de l'aide à Stacy, mais se contenta de contempler sa nudité en évitant de croiser son regard. Mathias finit par se retourner vers l'appentis sans un mot.

La lumière déclinait rapidement. Stacy avait perdu toute notion du temps, et elle n'aurait su dire si c'était à cause de l'orage ou si le soleil s'était couché derrière cette masse nuageuse. Un roulement de tonnerre retentit dans le ciel. La pluie lui cinglait la peau, de plus en plus froide. Elle serrait les dents pour ne pas frissonner, glacée jusqu'aux os.

Jusqu'aux os.

Stacy se tourna vers le sac de couchage et vit l'entrelacs de ronces, l'éclat des os blancs luisant encore dans la pénombre. Elle avait l'étrange impression qu'on l'observait, et d'être d'autant plus vulnérable qu'elle était nue ; elle croisa soudain les bras pour se couvrir les seins. Elle jeta un coup d'œil à Mathias – il lui tournait le dos, absorbé par son travail – puis regarda le sentier. Jeff était peut-être remonté. Non, personne, ni Jeff, ni même Éric. L'impression persistait néanmoins, de plus en plus nette. C'est quand elle balaya le coteau du regard et vit les feuilles vertes oscillant au vent qu'elle comprit enfin.

Les ronces. Elles l'observaient. C'était donc ça.

Stacy fonça vers la tente, laissant ses vêtements mouillés en tas derrière elle.

Il faisait encore plus noir à l'intérieur. Stacy distinguait à peine Éric allongé sur le sol. Il avait peut-être les yeux ouverts, mais elle n'aurait su le dire avec certitude.

– Je me suis lavée, dit-elle. Tu devrais faire pareil, tu sais.

Éric ne réagit pas.

Stacy s'avança vers lui.

– Éric ?

Il grogna, et se tourna légèrement.

– Ça va ?

Éric émit un nouveau grognement.

Stacy hésita. Le vent continuait à secouer les parois de la tente. Le toit fuyait en différents endroits, et l'eau gouttait sur le sol, formant des flaques de plus en plus grandes. Elle avait l'impression qu'elle n'arriverait jamais à cesser de frissonner.

– Il faut que je m'habille, dit-elle.

Éric resta allongé sans rien dire.

Stacy alla au fond de la tente pour fouiller dans les sacs à dos. Elle trouva une jupe et un chemisier jaune. Elle se sécha rapidement à l'aide d'un tee-shirt, puis enfila la jupe et le chemisier, sans rien en dessous. Elle ne supportait pas l'idée de porter les sous-vêtements d'une étrangère. La jupe courte lui arrivait à mi-cuisses, le chemisier la serrait : la fille devait être encore plus mince qu'elle.

Stacy se sentait un peu mieux. Elle n'entendait plus ce bourdonnement dans ses oreilles. Elle avait un peu moins faim. Elle se sentait vide, mais étrangement sereine. Elle frissonnait encore. Elle eut envie de se faufiler dans le sac de couchage à côté d'Éric, de se blottir contre lui pour sentir sa chaleur. Mais elle se souvint soudain de Mathias qui se démenait pour mettre Pablo à l'abri. Elle s'avança vers la sortie et jeta un coup d'œil au-dehors. Il faisait presque nuit. Mathias n'était plus qu'une ombre à quelques mètres de là. Il était assis dans la boue à côté de Pablo, courbé sous son ombrelle. Il était parvenu à abaisser le toit de l'appentis, mais il était difficile de dire si ça changeait quoi que ce soit pour le Grec.

– Mathias ? appela Stacy. Où est Jeff ?

Mathias regarda par-dessus son épaule, comme s'il s'attendait à voir Jeff tapi dans la clairière. Il dit quelque chose, mais le crépitement de la pluie sur le sol couvrit sa voix.

– Ne devrait-il pas être de retour ? cria Stacy.

Mathias se leva et s'avança vers elle. L'ombrelle était plus symbolique qu'autre chose...

– Jeff. Tu ne crois pas qu'il devrait déjà être là ?

Mathias se dandina lentement d'un pied sur l'autre. Il réfléchissait.

– Faut peut-être que je descende voir ce qui se passe.

– Ce qui se passe ?

– Ce qui le retient là-bas.

Stacy sentit ses oreilles se remettre à bourdonner. Elle ne voulait pas se retrouver seule avec Éric et Pablo. Elle essaya de trouver quelque chose à dire, pour que Mathias reste à côté de la tente. En vain.

– Tu peux veiller sur Pablo ? demanda-t-il.

– Peut-être que si on attend un peu, il... dit-elle d'un ton hésitant.

Elle était propre, sèche, et l'idée d'attendre seule sous la pluie l'emplissait de terreur.

– Il va faire de plus en plus noir. Je ne pourrai rien voir si on attend encore.

Mathias lui tendit l'ombrelle qu'elle empoigna, frémissant au contact des gouttes de pluie. Mathias retira sa casquette, l'essora, puis la remit sur sa tête.

– Je vais essayer de faire vite, dit-il. D'accord ?

Stacy acquiesça. Elle prit son courage à deux mains et sortit de la tente. Elle eut l'impression de passer sous une chute d'eau. Elle rejoignit Pablo sous l'appentis, s'accroupit à côté de lui en évitant de regarder son visage émacié et maculé de boue, ses cheveux mouillés, trop effrayée pour affronter des souffrances qu'elle ne pouvait soulager. Elle tint l'ombrelle au-dessus de sa tête. C'était inutile et ne faisait que donner un peu plus de prise au vent. Mathias l'observa encore quelques instants sous la pluie avant de se retourner et de disparaître dans les ténèbres.

Éric s'était recroquevillé sur lui-même, enfoui dans le sac de couchage pour mieux se réchauffer. La pluie continuait à tomber. Stacy et Mathias étaient dehors. Le vent soufflait en bourrasques et secouait la tente. Épuisé, Éric luttait contre le sommeil. Non, il ne s'endormirait pas. Pas sans quelqu'un pour veiller sur lui. Il allait juste fermer les yeux un instant, respirer, se reposer, sans dormir. Tout à coup, Stacy fut à nouveau là. Elle était mouillée, nue et dégouttait sur lui. Le toit fuyait aussi. *Je dors, je suis en train de rêver*, pensa Éric. Mais non, il avait conscience de sa présence sous la tente, l'entendait fouiller dans les sacs, se sécher, enfiler de nouveaux vêtements. Il se palpa le corps pour vérifier si les ronces ne l'avaient pas attaqué pendant son sommeil, mais ne sentit rien sous ses draps. Son corps tout entier était douloureux. Il avait mal au bout des doigts, à la plante des pieds, et aux rotules.

Éric entendit des voix, il releva la tête et vit Stacy sur le seuil de la tente. Elle parlait avec Mathias. Il referma les yeux, juste un instant. Lorsqu'il les rouvrit, Stacy était déjà partie. Il vérifia à nouveau ses blessures, eut envie de s'asseoir, mais n'en trouva pas la force. La pluie battait si fort qu'il avait du mal à penser.

Éric luttait contre le sommeil. Il enseignait. C'était son premier jour de classe, mais chaque fois qu'il essayait de parler les garçons se mettaient à applaudir et couvraient sa voix. C'était un jeu, mais il n'était pas sûr d'en avoir bien saisi les règles. Il savait seulement qu'il était en train de perdre, et si ça continuait comme ça, il serait viré avant la fin de la journée. Il savait qu'il rêvait, parvenait même à analyser son rêve. Il ne voulait pas être prof – voilà ce que ça signifiait. Il n'avait jamais voulu le devenir, mais ne se l'avouait que maintenant, à jamais pris au piège. *Que faire alors ?* Barman, voilà ce qu'il avait toujours voulu être, dans un vieux saloon à l'ancienne, comme dans les westerns en noir et blanc, avec des portes battantes, une table de poker où l'on jouait à boire, et des duels au pistolet dans la rue. Il emplirait des chopes de bière et les ferait glisser le long du comptoir. Il aurait un accent irlandais, serait le meilleur ami de John Wayne, le pote de Gary Cooper...

– Elles ont tout inventé. D'accord ? Éric ? Tu sais ça, n'est-ce pas ?

La tente était plongée dans le noir. Stacy se tenait accroupie à côté de lui, trempée et ruisselante. Elle lui touchait le bras. Elle semblait effrayée, tremblante. Elle n'arrêtait pas de regarder par-dessus son épaule en direction du rabat.

– C'est pas vrai, dit-elle. Ça n'est jamais arrivé.

Éric n'avait pas la moindre idée de ce dont elle parlait, encore à moitié plongé dans son rêve, tandis que les garçons applaudissaient, que les portes du saloon grinçaient...

– Qu'est-ce que tu racontes, Stacy ?

C'est alors qu'il entendit les voix derrière le crépitement de la pluie. *Embrasse-moi, Mathias. Embrasse-moi, s'il te plaît.* Une voix de femme. Elle venait de la clairière. *Ne t'inquiète pas. J'en ai envie.* On aurait dit la voix de Stacy, mais légèrement brouillée.

Stacy sembla deviner ses pensées.

– Elles essaient de m'imiter. Comme si j'avais dit ça. Mais je ne l'ai jamais dit.

Prends-moi dans tes bras. Prends-moi juste dans tes bras.

Et puis, la voix de Mathias. *On ne devrait pas. Et si jamais il...*

Chuuut... Personne n'entendra rien.

– Ce n'est pas moi. Je te le jure. Il ne s'est rien passé, dit Stacy.

Éric se redressa, croisa les jambes, enroulé dans le sac de couchage. On entendait un halètement dehors, de plus en plus sonore.

La voix de Mathias encore. Presque un soupir : *Oh ! mon Dieu, que c'est bon.*

Le halètement se transforma en gémissement.

Si bon.

Plus fort, murmura la voix de Stacy.

Les gémissements se mêlèrent alors pour atteindre l'orgasme. Un cri strident retentit. C'était la voix de Stacy. Et puis plus rien. Le crépitement de la pluie sur le sol détrempé et la respiration irrégulière de Pablo. Éric observa Stacy dans les ténèbres. Elle portait les vêtements d'une autre. Ils étaient trop petits pour elle et lui collaient à la peau.

Évidemment, cela n'aurait dû avoir aucune importance. C'était peut-être arrivé, peut-être pas... Quoi qu'il en soit, il aurait été stupide de s'en inquiéter dans une situation pareille. Éric en était conscient et il s'efforça de trouver la distance nécessaire pour parvenir à considérer les événements de manière rationnelle. Fallait-il en rire ? Quelle attitude adopter ? Agiter la tête, glousser ? La prendre dans ses bras ? Mais elle était toute mouillée, et puis elle portait ces vêtements bizarres ; on aurait dit une pute à vrai dire. Cette dernière pensée surgit sans prévenir. Éric essaya même de la réprimer, mais c'était inutile face à ces tétons pointant sous le chemisier, cette jupe lui couvrant à peine le haut des cuisses, ce...

– Tu sais que ça n'est pas vrai, dit-elle. N'est-ce pas ?

Contente-toi d'en rire, pensa-t-il. *C'est si facile*. Il se mit soudain à parler malgré lui, comme si les mots lui échappaient, l'entraînant dans une tout autre direction.

– Cette plante n'invente rien !

Stacy resta muette. Elle l'observait.

– Éric... dit-elle en croisant les bras.

– Elle imite. Mais elle ne produit rien de nouveau.

– Dans ce cas, elle a dû entendre quelqu'un faire l'amour à un moment ou à un autre, et elle y a mêlé nos voix.

– C'est donc bien ta voix ? T'as vraiment dit ces trucs-là ?

– Bien sûr que non.

– Mais tu viens de dire qu'elle y avait mêlé vos voix.

– Je veux dire qu'elle a imité nos voix, à partir de choses

que nous avons vraiment dites, et puis s'en est servie pour nous faire dire d'autres trucs. Tu comprends ? Elle a pris un mot dans l'une de nos conversations, puis un autre...

– Quand est-ce que tu as dit « plus fort » ? Ou « embrasse-moi » ?

– Je ne sais pas. Peut-être qu'elle...

– Arrête un peu, Stacy. Dis-moi la vérité.

– C'est idiot, Éric, dit-elle, contenant la colère qui montait en elle.

– Je veux seulement que tu me dises la vérité.

– Je t'ai dit la vérité. Ce n'est pas réel. C'est...

– Je te promets que je ne me mettrai pas en colère, Stacy.

Mais Éric était déjà en colère. Ce n'était pas la première fois qu'il demandait à Stacy de confesser une infidélité, et il sentait le poids de toutes ces autres conversations qui le poussait toujours plus avant.

Ces confrontations suivaient toujours le même scénario : il la harcelait, argumentait, éliminait méthodiquement chacune de ses diversions pour l'acculer peu à peu jusqu'à ce qu'elle n'ait plus le choix, qu'elle dise la vérité. Elle pleurait, le suppliait de lui pardonner, promettait de ne plus jamais le trahir. Éric trouvait toujours le moyen de la croire malgré lui. Mais à présent, l'idée de devoir franchir chacune de ces étapes l'épuisait d'avance. Il voulait en finir tout de suite. Il voulait qu'elle pleure, supplie, promette... mais dans une situation aussi désespérée, elle allait l'obliger à rejouer la même scène et ça le faisait enrager.

– Regarde-moi, Éric. Tu crois vraiment que j'ai envie de baiser avec qui que ce soit en ce moment. Je ne peux même pas...

– Tu baiserais avec lui sinon ?

– Éric...

– T'aurais baisé avec lui à Cancún ?

Stacy poussa un profond soupir comme si la question était trop insultante pour qu'elle daigne y répondre. Éric tentait de rester calme, sans succès.

– T'as vraiment baisé avec lui à Cancún ? C'est donc ça ?

Avant même que Stacy ait le temps de répondre, sa voix retentit à nouveau dans la clairière : *Prends-moi dans tes bras. Prends-moi juste dans tes bras.*

On ne devrait pas. Et si jamais il...

Chuuut. Personne ne nous entendra.

Puis le même halètement, de plus en plus fort. Éric et Stacy se taisaient. Ils écoutaient. Que faire d'autre ?

Le halètement se fit plus profond, céda la place à des gémissements. Éric se concentrait sur les voix encore un peu brouillées. Il lui semblait parfois entendre les vraies voix de Mathias et Stacy, mais il arrivait aussi presque à la croire. Ce n'était pas vrai. Rien de tout ça n'était arrivé.

Si bon, entendit-il.

Non, évidemment que non, ce n'est pas lui, songea-t-il.

Plus fort.

Ce même chuchotement impatient, affamé.

Oui, c'est sûr. Ce ne peut être qu'elle, conclut-il cette fois.

Puis ce fut enfin l'orgasme, suivi par le crépitement de la pluie, la respiration de Pablo et le claquement du Nylon dans le vent. Stacy se rapprocha d'Éric et posa la main sur son genou, le pressant à travers le sac de couchage.

– Elle essaie de nous monter les uns contre les autres, mon amour. Elle veut que nous nous disputions.

– Dis « Prends-moi dans tes bras. Prends-moi juste dans tes bras. »

– Quoi ? rétorqua Stacy en ôtant sa main.

– Je veux t'entendre le dire. Comme ça je saurai.

– Tu sauras quoi au juste ?

– Si c'est bien ta voix.

– T'es vraiment trop con, Éric.

– Dis « Personne ne nous entendra ».

– Hors de question !

– Ou « Plus fort ». Vas-y, dis-le en chuchotant.

– Il faut que j'aille voir comment va Pablo, dit Stacy en se relevant.

– Il va bien. Tu ne l'entends donc pas ?

Le son rauque de sa respiration semblait en effet emplir toute la tente.

Stacy avait les mains sur les hanches. Éric ne pouvait distinguer son visage dans le noir, mais il devinait son expression réprobatrice.

– Pourquoi tu fais ça ? Hein ? Il y a tellement d'autres choses à régler ici, et tu te comportes comme un...

– Amy avait raison. T'es qu'une pute.

Cette dernière remarque semblait avoir fait mouche. Stacy resta muette quelques instants.

– Putain, Éric ! Comment oses-tu dire un truc pareil ? dit-elle très doucement, d'une voix légèrement tremblante.

– Quand est-ce que vous l'avez fait ? Ce soir ? T'étais à poil quand t'es rentrée dans la tente. Je t'ai vue.

Stacy s'essuya le visage, sans doute pleurait-elle. La pluie s'intensifia soudain, au point qu'on eût dit que la tente allait s'effondrer sous les trombes d'eau. Cela ne dura que quelques secondes, et puis le monde leur sembla étrangement calme.

– Vous avez baisé à d'autres moments aussi ?

– S'il te plaît, arrête !

Éric hésita. Ce silence commençait à l'angoisser. Il avait quelque chose de menaçant. Il jeta un coup d'œil au-dehors, comme s'il s'attendait à voir surgir un intrus.

– Dis-moi, Stacy. Combien de fois ?

– T'es vraiment un salaud.

– Je ne suis pas en colère. Est-ce que j'ai l'air en colère ?

– Y'a des jours où je te déteste. Vraiment.

– Je veux juste la vérité. Je veux juste...

Stacy se mit soudain à hurler, Éric sursauta. Elle avait les poings fermés.

– Ferme ta gueule, Éric ! Tu peux pas fermer ta gueule ? Ta putain de gueule ? Non ?

Elle s'avança comme pour le frapper, le bras droit levé, mais s'arrêta soudain et se tourna vers l'entrée de la tente.

Éric suivit son regard et vit Mathias : il se tenait là, sur le seuil, complètement trempé. Il semblait prêt à repartir dans la nuit pour ne pas troubler leur intimité.

– Peut-être que tu peux me le dire, toi ! lui lança Éric. Tu l'as baisée ?

Mathias resta muet, trop surpris par la question pour y répondre.

– Les ronces faisaient des bruits, expliqua Stacy. Comme si toi et moi, on était en train de faire l'amour.

Éric se pencha pour mieux voir le visage de Mathias.

– Dis « Dieu, que c'est bon ».

– Je ne comprends pas, Éric, répondit Mathias...

– Ou « On ne devrait pas. Et si jamais il... » Tu peux dire ça, tu crois ?

– Arrête, Éric, dit Stacy.

– C'est pas à toi que je parle, d'accord ? lui lança Éric avant de se retourner vers Mathias. Allez, dis-le. Je veux entendre ta voix.

– Tu te crois où exactement ? demanda Mathias.

Éric ne savait que répondre. *En enfer. Je suis en enfer.* Voilà la seule pensée qui lui vint à l'esprit, mais il se tut.

– Est-ce que ça aurait une quelconque importance pour toi, je veux dire, si Stacy et moi, on avait baisé ? Ça compterait vraiment ? On est piégés ici. Nous n'avons pas de vivres. Henrich et Amy ont été tués tous les deux. Je n'arrive pas à trouver Jeff. Et puis Pablo...

Mathias s'interrompit soudain, tendit l'oreille. Rien.

Le silence, pensa Éric.

Mathias disparut sous la pluie.

– Oh mon Dieu ! gémit Stacy avant de lui emboîter le pas à la hâte. Oh mon Dieu, non...

Éric se releva, le sac de couchage enroulé autour de ses épaules, s'avança près du seuil et jeta un coup d'œil en direction de l'appentis. Mathias était agenouillé à côté du brancard. Stacy se tenait à ses côtés, sous la pluie battante.

– Je suis désolée, tellement désolée, répétait Stacy.

Mathias se releva sans rien dire et rejoignit Éric sous la tente. C'était inutile. Son expression de dégoût était bien plus éloquente que tout ce qu'il aurait pu dire.

Stacy s'accroupit dans la boue, passa ses bras autour de ses jambes et se mit à se balancer d'avant en arrière.

– Je suis tellement désolée... tellement désolée... tellement désolée...

Éric parvenait à peine à voir Pablo sur son brancard. Immobile. Silencieux. Inerte. Pendant qu'ils se disputaient sous la tente, que l'orage s'abattait sur eux, les ronces avaient envoyé un émissaire. Une vrille s'était enroulée autour du visage du Grec pour lui couvrir la bouche et le nez, et l'avait étouffé.

L'orage avait éclaté, mais Jeff avait gardé son poste au pied de la colline. Si les Grecs s'étaient mis en route ce matin-là, l'orage les avait peut-être surpris en chemin. Jeff réfléchit à la manière dont Juan et Don Quichotte réagiraient alors. Rebrousseraient-ils chemin ? Battraient-ils en retraite vers Cobá ? Continueraient-ils malgré tout ? Cette dernière option semblait la moins probable de toutes. À moins qu'ils ne soient vraiment tout près d'ici, qu'ils aient déjà quitté le sentier principal et poursuivi le long du chemin qui grimpait lentement... Peut-être auraient-ils alors persisté malgré l'averse.

Jeff décida de leur donner vingt minutes pour arriver.

C'était long. Assis ainsi sans abri, sous la pluie battante. Les Mayas s'étaient réfugiés dans la jungle sous leur bâche. Un seul d'entre eux était resté dans la clairière. Il surveillait Jeff. Il s'était fabriqué une sorte de poncho à partir d'un grand sac poubelle percé de trous pour les bras et les jambes. Il pleuvait des cordes, le tonnerre grondait, mais aucun éclair ne zébrait le ciel. Il faisait presque nuit. Jeff consulta enfin sa montre et se leva, décidant de remonter sur la colline.

Le sentier était devenu boueux et le terrain glissant, ce qui rendait son ascension d'autant plus difficile, forçant Jeff à faire de nombreuses pauses. C'est à l'occasion de l'une de ces pauses que le reprit l'envie de s'enfuir. Il faisait trop sombre pour distinguer la lisière de la jungle. Une brume s'élevait du sol, obscurcissant un peu plus la vue. L'averse avait éteint les feux de camp des Mayas. À moins que ces derniers ne soient prêts à monter la garde serrés les uns contre les autres pour barrer la lisière de la jungle, il lui semblait possible de trouver une brèche.

La pluie continuait de tomber, mais Jeff en avait à peine conscience. Il était affamé, épuisé. Il voulait remonter jusqu'à la tente, ouvrir la petite boîte de fruits secs et la répartir. Il voulait boire jusqu'à plus soif, fermer les yeux, s'endormir enfin. Il lutta contre ces tentations, et contre l'impression d'échec qui ne le lâchait plus. Il s'efforça de retrouver un peu d'espoir, même si ce sentiment lui semblait étrangement peu familier désormais. *Pourquoi ça ne marcherait pas ?* se demanda-t-il. Pourquoi ne pourrait-il descendre la colline, traverser la clairière sans être vu et s'évanouir dans la jungle pendant que les Mayas restaient blottis les uns contre les autres sous leur bâche ? Il pourrait se cacher jusqu'à l'aube, se mettre en route pour Cobá aux premières lueurs du jour. Il pourrait tous les sauver.

Mais non. Voilà qu'il recommençait, n'est-ce pas ? Toujours les mêmes conneries, les mêmes faux-semblants. Croyait-il vraiment que les Mayas n'auraient pas prévu quelque chose de ce genre ? N'y aurait-il pas des sentinelles pour l'attendre, prêtes à décocher leurs flèches ? Il n'aurait plus qu'à rebrousser chemin, à remonter la colline, d'autant plus fatigué, affamé et frigorifié. Et tout ça pour rien.

Jeff hésita longuement ainsi, tandis que la pluie continuait de s'abattre sur lui, que les ténèbres s'épaississaient encore. Au bout du compte, malgré la faim, la fatigue, le sentiment que tout était joué d'avance, l'éducation reçue en Nouvelle-Angleterre finit par triompher – cet ascétisme typiquement puritain qui le poussait à toujours choisir la voie la plus ardue.

Jeff redescendit lentement jusqu'au pied de la colline.

Tout était exactement comme il l'avait prévu : la brume, la pluie, l'obscurité. Il ne voyait pas à cinq mètres devant lui. Si le Maya vêtu d'un poncho de fortune montait toujours la garde au centre de la clairière, il était désormais invisible. Donc il ne pouvait pas voir Jeff non plus. Il ne restait au jeune homme qu'à se déplacer vers la gauche sur une vingtaine de mètres environ, trente au plus, pour passer entre les deux campements. Masqué par les ténèbres, la brume et la pluie, il pourrait atteindre la jungle sans se faire repérer.

Jeff se tourna vers la gauche, puis se mit en marche, comptant chacun de ses pas. *Un... deux... trois... quatre... cinq...* La pluie avait détrempé le sol, devenu une boue épaisse et visqueuse qui lui collait aux semelles. Jeff repensa à sa première tentative de fuite, quand il avait tenté de se frayer un chemin à travers les ronces, à la façon dont elles s'étaient mises à crier, alertant les Mayas de son approche. Il se demandait pourquoi la plante restait si calme à présent. Elle avait pourtant dû percevoir son intention. Il se pouvait que ce silence témoigne du peu de chances qu'il avait de réussir son coup. Les ronces percevaient sans doute la présence des Mayas qui montaient la garde, même à travers l'obscurité, la brume, et la pluie. Elles savaient qu'il n'y parviendrait pas : il devrait rebrousser chemin, ou il se ferait tuer. Jeff savait ce que cela présageait, et il serait plus raisonnable d'abandonner et de remonter en haut de la colline.

Il poursuivit néanmoins son chemin.

Trente pas. Puis il s'arrêta. Il se tenait là, scrutant les ténèbres en direction de la jungle. Il n'entendait que le bruit de la pluie sur la boue. Le vent déchirait la brume çà et là, créant des formes illusoires. Jeff voyait sans cesse des silhouettes se découper dans le noir, à sa gauche, à sa droite. Chaque cellule de son corps lui hurlait de rebrousser chemin tant qu'il était encore temps, et il se demandait pourquoi. Après tout, n'était-ce pas l'instant tant attendu ? La fuite. Les secours. Comment aurait-il pu y renoncer maintenant ? Il essaya de se préparer, de s'imaginer allongé sous la tente, cinq jours plus tard, en proie à la faim qui ferait défaillir son corps. Il repenserait alors à ce moment précis et se souviendrait de son hésitation. Il serait fou de rage face à une telle lâcheté. Il se dégoûterait.

Jeff fit un pas en avant dans la clairière, puis s'immobilisa en voyant une autre silhouette se matérialiser dans la brume, avant de disparaître aussitôt. Voilà comment il fallait s'y prendre, un pas après l'autre. Il savait aussi qu'il n'était pas à la hauteur. S'il devait tenter de s'enfuir, il lui faudrait courir. Il était bien trop épuisé pour procéder autrement. Ses nerfs ne tiendraient pas. Il courait bien entendu le risque de foncer droit sur l'un des Mayas. Peut-être cela n'aurait-il pas d'importance après tout. Peut-être, s'il se déplaçait assez vite, s'évanouirait-il dans les ténèbres avant même que le Maya ait pu lever son arme. Il lui suffisait d'atteindre la jungle. Ils ne réussiraient pas à le trouver. Pas sous cette averse. Il en était certain.

Jeff comprit alors que s'il continuait à tergiverser, il ne se lancerait jamais. Il devait faire le grand saut maintenant, ou jamais. L'idée de devoir revenir sur ses pas reviendrait à accepter un nouvel échec, et il ne pouvait le supporter. Il repensa à cet épisode de son adolescence où il avait dû traverser un torrent à la nage, une corde enroulée sur l'épaule, pour permettre aux autres scouts de passer en toute sécurité après l'avoir nouée à un arbre. Jeff s'appliquait à retrouver l'aplomb avec lequel il avait plongé pour affronter le courant.

Jeff inspira profondément, puis se mit à courir.

Il n'avait pas fait cinq pas qu'il perçut un mouvement sur sa gauche. L'un des Mayas venait de se lever et le tenait en joue. Jeff aurait encore pu se sauver, s'arrêter, rebrousser chemin en adressant un sourire plein de regret à cet homme, tout en gardant les mains en l'air. Il fallait lever l'arc, le bander, viser... Ça lui aurait laissé tout le temps du monde pour lui montrer qu'il ne lui voulait aucun mal. Mais c'était trop lui demander. Jeff était en mouvement, il n'allait pas s'arrêter maintenant.

Il entendit l'homme crier.

Il va rater, pensa Jeff. *Il va...*

La flèche vint le frapper juste en dessous du menton, lui transperçant la gorge de part en part. Jeff tomba à genoux, se releva aussitôt. *Tout va bien*, pensa-t-il. *Je ne suis pas blessé*. Il avait la bouche pleine de sang. Il parvint à faire encore trois pas avant de recevoir une seconde flèche qui se ficha presque tout entière dans sa poitrine, à quelques centimètres sous l'aisselle. Jeff eut l'impression de recevoir un coup de massue. Ça lui avait coupé le souffle. Il tomba de nouveau. Il ouvrit la bouche et vomit un flot de sang qui se mêla à la boue. Il ne pouvait plus bouger les jambes. Elles étaient froides, lointaines, perdues quelque part dans les ténèbres. Tout devenait de plus en plus trouble. Non seulement sa vue, mais ses pensées aussi. Il lui fallut un moment avant de comprendre ce qui s'agrippait à lui. Il avait d'abord cru qu'il s'agissait de l'un des Mayas.

De toute évidence, il s'était trompé.

Les vrilles s'étaient étendues dans la clairière pour venir s'enrouler autour de ses membres. Elles le traînaient dans la boue, l'attirant vers la colline. Jeff essaya de se relever, parvint presque à se hisser sur ses bras avant que les ronces le fassent tomber en faisant déraper son bras gauche. Jeff s'effondra d'un coup sur la flèche qui lui avait transpercé la poitrine. Elle s'enfonça encore profondément dans sa chair. Les vrilles continuaient à l'attirer vers la colline. La boue lui semblait étrangement chaude. C'était son sang. Il entendait la plante le boire bruyamment à l'aide de ses feuilles. Jeff percevait quelques silhouettes à la limite de son champ visuel. Des Mayas, toujours prêts à décocher leurs traits.

– Aidez-moi, supplia-t-il dans un gargouillement alors que sa bouche s'emplissait de sang.

Ses mots étaient à peine audibles, mais il s'efforçait malgré tout de parler : « S'il vous plaît... Aidez... moi... »

C'est tout ce qu'il parvint à dire avant qu'une vrille vienne lui couvrir la bouche. Une autre s'enroula autour de ses yeux, de ses oreilles, et le monde lui sembla soudain plus lointain – les Mayas qui l'observaient, la pluie, la chaleur de son sang. Tout s'évanouissait peu à peu jusqu'à ce qu'enfin, dans cet ultime instant avant la mort, il ne perçoive plus que les ténèbres. Les ténèbres et le silence...

La pluie tomba toute la nuit sans faiblir. Les parois de la tente en étaient saturées et les fuites se multiplièrent. Le sol ne fut bientôt plus qu'une mare profonde de plusieurs centimètres. Ils restèrent assis dans l'eau, plongés dans les ténèbres. Impossible de dormir. Stacy et Éric passèrent leur temps à bavarder.

Éric la supplia de le pardonner et Stacy accepta ses excuses. Ils se blottirent l'un contre l'autre, s'embrassèrent. Stacy glissa sa main jusqu'à son entrejambe, mais Éric semblait incapable de parvenir à l'érection. Elle abandonna. De toute façon, c'est de chaleur dont elle avait besoin – au propre, comme au figuré – et non de sexe. Il semblait avoir la peau plus froide que la sienne, au point que Stacy avait l'impression qu'il drainait sa chaleur. Lorsqu'il fut pris d'une quinte de toux soudaine, elle en profita pour s'éloigner de lui.

Stacy essayait de ne pas penser à Pablo. Sans succès. Ça lui faisait tout drôle de se retrouver assise là en sachant que les ronces le dépouillaient en ce moment même de sa chair, qu'il ne serait bientôt plus qu'un tas d'os. Stacy se mit à pleurer de temps à autre – elle avait failli à sa tâche, ne l'avait pas protégé.

Éric faisait de son mieux pour la réconforter, lui assurant que ce n'était pas de sa faute, que le Grec était voué à la mort dès l'instant où il était tombé au fond du puits, qu'au fond c'était une délivrance.

Ils parlèrent de Jeff aussi. Pourquoi n'était-il pas avec eux ? Où pouvait-il bien être ? S'était-il enfui ? Plus ils en parlaient, plus la réponse semblait évidente à Stacy. Il ne pouvait être ailleurs que sur la route de Cobá. Avant le coucher du soleil, demain, oui, demain, on leur aurait porté secours. Ils n'allaient pas mourir là, finalement.

Mathias resta silencieux pendant toute leur discussion. Stacy sentait sa présence dans le noir, à un mètre d'eux. Il était éveillé. Elle aurait voulu qu'il parle, qu'il participe à leur histoire. Son silence suggérait qu'il doutait de tout ça et Stacy se sentait menacée par son scepticisme. Comme s'il pouvait changer le cours des événements. Elle avait besoin qu'il croie lui aussi à la fuite de Jeff, qu'il l'aide à faire que ce soit vrai. C'était absurde, puéril et superstitieux, mais elle ne parvenait pas à se débarrasser d'un sentiment de panique grandissant.

– Mathias ? chuchota-t-elle. Tu dors ?

– Non.

– T'en penses quoi, toi ? Tu crois qu'il a pu s'échapper ?

Silence. Mathias ne répondait pas. Éric ne cessait de s'agiter, et Stacy aurait bien voulu qu'il arrête. Les secondes s'égrenaient, la pluie continuait à tomber, s'infiltrant dans la toile détrempée.

– Mathias ?

– Tout ce que je sais, c'est qu'il n'est pas là.

– Il s'est donc peut-être enfui. N'est-ce pas ? Il a peut-être...

– Ne commence pas, Stacy.

– Ne commence pas quoi ? lui demanda-t-elle, interloquée.

– Si tu te mets à espérer et que tu découvres ensuite que tu t'es trompée, imagine un peu ce que ça te fera. On ne peut pas se le permettre.

– Mais si...

– On verra ça demain matin.

– Verra quoi ?

– Ce qu'il y aura à voir.

– Tu veux dire que... Tu crois qu'il est peut-être...

– Chuuut... Patience. Il fera jour dans quelques heures.

Peu après, ils entendirent à nouveau la respiration de Pablo. Cette même inspiration rauque, ce même sifflement suivi d'une pause. Alors même qu'elle savait que c'était inutile, Stacy se releva d'un bond. Mathias avait fait de même. Ils se frôlèrent en s'avançant vers l'entrée de la tente. Il lui attrapa le poignet pour l'arrêter.

– Ce sont les ronces, murmura-t-il.

– Je sais, mais je veux m'en assurer.

– J'y vais. Toi, tu restes ici.

– Pourquoi ?

– Elles veulent nous faire voir quelque chose, tu ne crois pas ? Ce qu'elles lui ont fait. Elles veulent nous déprimer.

Encore la même inspiration rauque. Ça ressemblait très exactement à la respiration de Pablo et, même après tout ce qu'elle avait vu jusqu'à présent, Stacy avait du mal à imaginer que ce n'était pas lui. Elle savait pourtant que Mathias avait raison ; elle n'avait pas besoin ne serait-ce que d'entrevoir ce que les ronces leur avaient préparé, là-bas, sous l'appentis.

– T'es sûr ? demanda-t-elle.

Elle perçut le mouvement de sa tête. Il lui lâcha le poignet, puis se pencha pour ouvrir le rabat.

À peine était-il sorti sous la pluie que le bruit cessa. Une voix d'homme retentit soudain. Elle hurlait dans une langue étrangère, de l'allemand semblait-il. *Wo ist dein Bruder ? Wo ist dein Bruder ?*

Stacy se rassit, tendit le bras pour saisir la main d'Éric et la serra fermement.

– Il s'agit de son frère, dit-elle.

– Comment tu sais ça ? lui demanda Éric.

Dein Bruder ist da. Dein Bruder ist da.

Mathias reparut, dégoulinant de pluie. Il referma le rabat et reprit place à leurs côtés.

– Qu'est-ce qui s'est passé ? demanda Stacy.

Mathias ne répondit pas.

– Dis-moi, insista-t-elle.

– La plante... Elle est en train de le dévorer. Son visage... Totalement décharné.

Stacy percevait une hésitation dans sa voix. *Il y a autre chose*, pensa-t-elle. Elle attendit, quand, enfin, Mathias se remit à parler, très doucement cette fois.

– C'était sur sa tête. Sur son crâne.

Mathias lui montra quelque chose dans le noir, puis le lui tendit. Stacy le prit avec méfiance, palpant l'objet pour en découvrir la forme.

– Une casquette ? demanda-t-elle.

– Je crois que c'est celle de Jeff.

Stacy le savait, il avait raison. Elle avait tout de suite compris. Mais elle refusait de regarder la vérité en face. Elle essayait de trouver une autre explication. La casquette était lourde et détrempée. Elle dut résister à l'envie de la jeter au loin. Elle se pencha en avant et la rendit à Mathias.

– Comment est-elle arrivée là ? demanda-t-elle.

– Les ronces ont dû, tu sais...

– Quoi ?

– Elles ont dû la prendre et la remonter en haut de la colline en la faisant passer de vrille en vrille, puis elles l'ont placée là et nous ont appelés pour qu'on la trouve.

– Mais comment s'en sont-elles emparées ? Je veux dire, au départ. Comment ont-elles fait pour...

Stacy s'interrompit, comprenant soudain. C'était tellement évident. Elle ne voulait pas entendre Mathias lui dire ce qu'elle ne voulait pas savoir.

– Peut-être qu'il l'a perdue. Peut-être qu'il l'a laissé tomber lorsqu'il a traversé la clairière en courant pour rejoindre la jungle... ajouta-t-elle.

Mais la voix retentit à nouveau : *Dein Bruder ist gestorben. Dein Bruder ist gestorben.*

– Qu'est-ce que ça veut dire ? demanda Éric.

– Les ronces ont commencé par demander où était Henrich, répondit Mathias. Puis elles ont dit qu'il était ici. Et maintenant elles ajoutent qu'il est mort.

Wo ist Jeff ? Wo ist Jeff ?

– Et ça ?

Mathias resta silencieux.

Jeff ist da. Jeff ist da.

Stacy savait ce qu'elles étaient en train de dire. Il n'était pas difficile de le deviner, mais Éric n'avait pas encore franchi ce pas-là.

– Ça a un rapport avec Jeff ? demanda-t-il encore.

Jeff ist gestorben. Jeff ist gestorben.

Éric pressa la main de Stacy.

– Pourquoi refuse-t-il de me répondre ?

– C'est la même chose, Éric, murmura Stacy.

– La même chose ?

– Elles demandent où est Jeff. Puis elles disent qu'il est là. Qu'il est mort.

Dehors, la voix se démultiplia soudain, résonnant sur l'ensemble du coteau, de plus en plus forte pour former un chœur psalmodiant sans relâche : *Jeff ist gestorben... Jeff ist gestorben... Jeff ist gestorben...*

La pluie cessa juste avant l'aube. Les nuages s'étaient déjà dissipés. Éric, Stacy et Mathias sortirent de la tente dès les premières lueurs du jour, hésitants, contemplant les dégâts de la nuit.

Les ronces avaient entièrement recouvert le brancard, masquant les restes de Pablo. Une demi-douzaine de vrilles s'étaient insinuées dans la poche de Nylon bleu pour en drainer l'eau. Les os d'Amy avaient été éparpillés dans toute la clairière. Éric regarda Stacy tandis que, l'air hagard, elle les ramassait pour former un petit tas à côté de la tente.

Éric s'était mis à tousser pendant la nuit. Une toux profonde, semblable à un aboiement. Il avait mal à la tête. Ses vêtements étaient trempés. Il avait la peau gercée à force de rester assis dans l'eau froide. Il avait faim, et froid. Il était épuisé. Il ne voyait pas comment tout cela allait prendre fin.

Mathias s'accroupit à côté du brancard et se mit à arracher les ronces pour en débarrasser le cadavre de Pablo. Éric était si fatigué qu'il avait l'impression de dormir debout. Tout semblait si lointain... ce qui le réconfortait et l'effrayait tout à la fois. C'est pourquoi, quand il se gratta nonchalamment et découvrit une bosse sur sa poitrine, juste sous la peau, il réagit avec un calme remarquable.

– Où est le couteau ? demanda-t-il.

– Pourquoi ? répondit Mathias.

Éric souleva son tee-shirt. On aurait dit qu'une immense étoile de mer s'était insinuée sous sa peau, juste au-dessus de la cage thoracique. C'était d'autant plus horrible à voir que ça bougeait, progressant lentement, centimètre par centimètre, pour rejoindre son estomac.

– Oh ! mon Dieu ! s'exclama Stacy en se couvrant la bouche avant de détourner le regard.

Mathias se leva et s'avança vers Éric.

– Ça fait mal ?

– Non, je ne sens rien, répondit Éric en pressant la boursouflure du doigt.

Mathias parcourut la clairière du regard, à la recherche du couteau. Il le trouva à côté de la tente, à moitié enfoui sous la boue. Il le ramassa, essaya de le nettoyer un peu en le frottant sur son jean, laissant une longue traînée brunâtre sur le tissu.

– Il y en a là aussi, dit Stacy en pointant la jambe droite d'Éric sans oser le regarder.

Le jeune homme se pencha pour voir. Sous la peau, une vrille s'était enroulée autour de son tibia et remontait jusqu'à l'intérieur de sa cuisse. Il la pressa du doigt. Rien. Comme si on l'avait anesthésié à cet endroit. *Je devrais être en train de hurler*, pensa Éric ; néanmoins il se sentait toujours aussi extérieur à la scène. Stacy semblait la plus bouleversée. Elle évitait sans cesse son regard.

Éric tendit la main pour prendre le couteau.

– Donne-le moi, dit-il à Mathias.

– Il faut le stériliser d'abord, répondit-il sans bouger.

– Pas question. Je ne vais pas attendre que tu...

– Il est sale, Éric.

– Je m'en fous.

– Tu ne peux pas te taillader la chair avec un truc aussi...

– Putain de Dieu, Mathias ! Regarde-moi un peu, tu veux ! Tu crois vraiment que j'ai peur de choper une infection ? Ou la gangrène ? De deux choses l'une, ou bien quelqu'un rapplique pour nous secourir dans les deux jours qui viennent, ou cette saloperie va me tuer. Tu saisis ?

Mathias resta muet.

Éric tendit à nouveau la main.

– Maintenant, donne-moi ce putain de couteau !

Jeff ne le lui aurait pas donné, Éric en était certain. Jeff aurait suivi les règles d'hygiène, sorti l'eau et le savon, fait du feu, chauffé la lame. Mais Jeff n'était plus là. C'était à Mathias de décider maintenant. L'Allemand hésita, les yeux rivés sur l'étoile de mer qui déployait ses branches dans la poitrine d'Éric, sur le serpent qui s'enroulait autour de sa jambe.

– D'accord, dit Mathias. Mais laisse-moi faire.

Éric enleva son tee-shirt.

Mathias jeta un coup d'œil autour d'eux, jaugeant la clairière détrempée.

– Tu veux t'allonger ?

– Non, je reste debout.

– Ça va faire mal. Ce serait plus facile si tu...

– Ça va. Vas-y.

Mathias commença par le torse. Il fit cinq incisions rapides en forme d'astérisque en suivant les branches de l'étoile, puis il fouilla la chair d'Éric pour en extirper les ronces. Il y en avait une quantité impressionnante. Mathias dut y mettre les deux mains pour retirer la masse gluante du corps d'Éric. Elle cinglait l'air de ses vrilles couvertes de sang à demi coagulé. La douleur était intense – non pas l'incision, mais l'extraction. Éric avait l'impression qu'on lui ôtait un organe vital. Il repensa aux images du guide de Jeff, aux Aztèques et à leurs longs couteaux, arrachant le cœur encore battant de leurs prisonniers. Ses jambes faillirent se dérober sous lui, il dut s'agripper à l'épaule de Mathias pour ne pas tomber.

L'Allemand jeta la masse grouillante sur le sol. Elle s'écrasa dans la boue avec un son mat, enroulant et déroulant ses vrilles.

– Ça va ? demanda Mathias.

Éric acquiesça et lui lâcha l'épaule. Le sang dégoulinait le long de son torse jusqu'à l'élastique de son short. Il roula son tee-shirt en boule et le pressa contre sa blessure.

– Continue, dit-il.

Mathias s'accroupit et incisa la jambe d'Éric d'un geste fluide et continu, décrivant une spirale à partir de la cheville jusqu'en haut de la cuisse. Cette fois encore, ce ne fut pas l'incision qui lui causa la plus grande douleur. Lorsque Mathias enfouit ses doigts sous sa peau et se mit à tirer sur les ronces, Éric laissa échapper un gémissement, un cri, puis un hurlement presque animal. Il lui semblait avoir été battu au fléau. Il se laissa choir lourdement sur le sol, retombant sur son séant. Le sang jaillissait de sa jambe en flots compacts.

Mathias lui montra la vrille : beaucoup plus longue, elle avait des feuilles et des fleurs très développées, presque de taille adulte. Elle se tortillait dans les airs et semblait s'étirer pour s'accrocher à Éric. Mathias la jeta dans la boue et la piétina avant de faire de même avec la précédente.

– Je vais chercher du fil et une aiguille, dit-il en sortant de la tente.

– Attends ! cria Éric d'une voix tremblante. Il y en a encore. Sur toute la longueur de ma jambe, de mon dos. Je la sens qui bouge en moi.

Mathias se retourna pour l'observer.

– Non, Éric. Ne commence pas, dit-il d'une voix fatiguée. Il faut qu'on te recouse.

Les orbites creusées, Mathias avait l'air épuisé.

Éric se tut, soudain pris de vertiges. Il savait qu'il n'aurait pas la force d'argumenter.

– Tu perds trop de sang, dit Mathias.

Éric crut qu'il allait s'évanouir. Il se coucha lentement sur le dos. La douleur s'atténuait. Il ferma les yeux. Les ténèbres étaient peuplées de couleurs – un orange vif et scintillant tirant sur le rouge. Il ressentait la douleur, le vide laissé par les vrilles dans sa poitrine et dans sa jambe. Son corps réagissait à l'extraction des ronces comme si on lui avait dérobé quelque chose, comme s'il en réclamait le retour.

Éric entendit Mathias entrer dans la tente, mais il garda les yeux clos. Il observait la pulsation des couleurs dans le noir. Elles s'avivèrent lorsque l'Allemand se pencha sur lui et commença à lui recoudre la jambe. Il ne parla pas de stériliser l'aiguille et se mit simplement au travail. L'incision était longue et il lui fallut un bon moment pour terminer. Puis il ôta lentement les mains d'Éric, souleva le tee-shirt gorgé de sang et s'occupa de sa poitrine.

Éric se calma peu à peu. La douleur était toujours aussi intense, mais il éprouvait à nouveau cette impression d'extériorité désormais familière, comme s'il observait de loin son corps en détresse, sans vraiment l'habiter. Le soleil était au-dessus de l'horizon à présent. Il commençait à faire chaud, ce qui lui procurait un certain réconfort. Il cessa enfin de frissonner.

Stacy se trouvait de l'autre côté de la clairière. Éric l'entendait s'affairer là-bas. Il avait l'impression qu'elle l'évitait, qu'elle avait peur de s'approcher. Il releva la tête pour voir ce qu'elle faisait et la vit penchée au-dessus du sac à dos de Pablo. Elle en sortit la dernière bouteille de tequila.

– Quelqu'un en veut ? demanda-t-elle en montrant la bouteille.

Éric secoua la tête. Stacy se remit à fouiller dans le sac. Il y avait une poche intérieure. Il l'entendit ouvrir la fermeture Éclair.

– Il s'appelait Demetris, dit-elle.

– Qui ça ? demanda Mathias sans lever les yeux de son ouvrage.

– Pablo. Son vrai nom, c'était Demetris Lambrakis, dit-elle en leur montrant un passeport.

Elle se leva pour leur apporter le document. Mathias posa l'aiguille, s'essuya les mains sur son jean et le prit. Il l'observa longuement sans rien dire, puis le tendit à Éric.

Pablo semblait un peu plus jeune sur la photo, un peu plus grassouillet aussi. Il avait les cheveux beaucoup plus courts et, comble du ridicule, arborait une moustache. Il portait un costume et une cravate. Il semblait réprimer un sourire. Éric remarqua que les mains de Mathias tremblaient. Il rendit le passeport à Stacy, puis reposa sa tête sur le sol. *Demetris Lambrakis.* Il se répétait sans cesse ce nom. Il essayait de le mémoriser. *Demetris Lambrakis... Demetris Lambrakis... Demetris Lambrakis...*

Mathias finit de le recoudre et ressortit de la tente pour revenir un instant plus tard avec la boîte de fruits secs. Il l'ouvrit et en répartit le contenu entre trois tas égaux posés sur le Frisbee. Mathias prenait les choses en main maintenant. Ils semblaient s'être accordés tous les trois sur ce point, sans même avoir à en discuter.

Éric dut se relever pour manger. C'était douloureux. Il examina son corps un moment. Il avait l'air d'une poupée de chiffon transmise de génération en génération d'enfants négligents, cousue et recousue, perdant sa bourre. Il ne voyait pas comment il rentrerait chez lui désormais. Il se résignait peu à peu. Mais son corps rétif continuait à lui faire entendre ses besoins. En voyant les fruits secs, il se sentit soudain tenaillé par une faim violente. Il les mangea sans attendre, les fourrant dans sa bouche, les mâchant avant de les avaler goulûment. Puis il se lécha les doigts pour en récupérer le sel. Mathias lui tendit la gourde en plastique. Éric but, soudain conscient à nouveau de la présence des ronces remuant dans son corps.

De plus en plus intense, le soleil poursuivait son ascension. La boue commençait à sécher dans la clairière. Les empreintes des jeunes gens se solidifiaient pour former de petits trous d'ombre. Ils avaient fini leurs rations et restaient assis en silence, s'observant les uns les autres.

– Je crois que je devrais partir à la recherche de Jeff, dit Mathias. Avant qu'il ne fasse encore plus chaud.

Cette simple idée semblait l'épuiser par avance.

Stacy tenait encore la bouteille de tequila, posée dans son giron. Elle n'arrêtait pas d'ouvrir et de fermer le bouchon.

– Tu crois qu'il est mort, n'est-ce pas ?

Mathias se retourna pour la regarder en plissant légèrement les yeux.

– Je n'ai pas plus envie que toi de découvrir que c'est le cas. Mais entre avoir envie de croire quelque chose et le croire vraiment... Il y a de la marge, pas vrai ? dit-il en haussant les épaules.

Stacy ne répondit pas. Elle porta la bouteille à ses lèvres, renversa la tête, avala.

Éric sentait que Mathias voulait lui arracher la bouteille des mains, qu'il hésitait mais se retenait. Il n'était pas comme Jeff. Il était trop réservé pour être un chef, trop distant. Si Stacy avait décidé de mettre sa vie en péril en buvant, ça la regardait après tout. Plus personne ne pouvait l'arrêter maintenant.

Mathias se leva enfin.

– Je ne devrais pas être très long, dit-il.

– Je viens avec toi ! s'exclama soudain Stacy en reposant la bouteille.

De nouveau, Éric pensa qu'elle avait peur de lui, de ce qui se passait dans son corps. Elle ne voulait pas rester seule avec lui.

Mathias regarda Éric, scrutant son torse nu, maculé de sang et de boue.

– Ça va aller ? lui demanda-t-il.

Non, pensa Éric. *Bien sûr que non.* Mais il se tut. Il pensait au couteau. Il serait seul dans la clairière, libre de faire ce qu'il voulait. Il acquiesça. Puis il s'allongea au soleil, étrangement apaisé, les regardant s'éloigner ensemble le long du sentier avant de disparaître.

Stacy et Mathias restèrent un instant au pied de la colline, les yeux fixés sur la zone défrichée et la jungle qui s'étendait au-delà. Le soleil avait cuit la terre, à présent couverte d'une mince pellicule friable. En dessous, il y avait bien dix centimètres de boue. Les Mayas marchaient d'un pas lourd, des mottes gluantes leur collaient aux semelles. Stacy regarda deux femmes étendant du linge pour le faire sécher. Des couvertures, des vêtements...

Trois Mayas se tenaient debout à côté du feu de camp. Le chauve était parmi eux – celui qu'ils avaient vu le premier jour, celui qui portait un pistolet à la hanche. Les deux autres étaient beaucoup plus jeunes, à peine sortis de l'enfance. Le chauve avait retroussé le bas de son pantalon blanc jusqu'aux genoux, pour rester propre sans doute, se dit Stacy. Ses tibias étaient fins, presque desséchés.

Mathias fit un pas en avant dans la clairière et s'enfonça dans la boue. Il jeta un coup d'œil sur sa gauche, à l'affût. Il garda le même visage impassible, mais Stacy savait ce qu'il regardait. Elle sentait l'aigreur de la tequila au creux de son estomac. Elle avait de légers vertiges et une sueur froide lui coulait dans le dos. Il ne lui restait qu'une chose à faire. Elle décida de prendre son temps, de retarder le moment où elle irait rejoindre Mathias. Elle retira soigneusement ses sandales, l'une après l'autre, puis les plaça au milieu du sentier, côte à côte. Elle fit un pas en avant, enfonça son pied dans la boue, plus froide qu'elle ne l'aurait cru – la sensation lui rappelait celle de la neige : elle se focalisa sur cette image (*blanc comme le pantalon du chauve, blanc comme un os décharné*) tout en dirigeant son regard vers le petit monticule à vingt-cinq mètres d'eux, petite péninsule verte se démarquant du sol stérile. On aurait dit un doigt. La chaleur grandissante faisait miroiter l'air juste au-dessus, mais Stacy savait qu'il ne s'agissait pas d'un mirage. C'était Jeff, bien sûr. Il les avait abandonnés, tout comme Amy, comme Pablo. Ils n'étaient plus que tous les trois maintenant. Elle prit la main de Mathias, hésitante, et ils s'avancèrent ainsi en silence.

Ils se déplacèrent le long du champ de ronces, pataugeant dans la boue. Le chauve les suivit, accompagné des deux jeunes archers. Le monticule n'était pas très loin, et ils mirent peu de temps à l'atteindre.

Mathias s'accroupit à côté de la masse verte et commença à arracher les vrilles, révélant progressivement le corps de Jeff. Il était encore reconnaissable. La plante ne l'avait dévoré qu'en partie, comme si elle s'était retenue, comme si elle voulait qu'ils sachent avec certitude que Jeff était mort. Il était étendu sur le ventre, les bras projetés vers l'avant. On l'avait tiré par les pieds. Mathias retourna son cadavre. Il avait des blessures à la gorge, de part et d'autre. Sa chemise était trempée de sang. La plante avait consommé la partie inférieure de son visage, révélant ses dents et l'os de sa mâchoire, sans toucher à ses yeux. Ils étaient encore ouverts, tournés vers l'intérieur, vitreux. Stacy dut détourner le regard.

Elle était surprise par son propre calme. Effrayée, même. *Qui suis-je ?* se demandait-elle. *Suis-je encore la même personne ?*

Mathias défit la montre de Jeff, puis fouilla dans sa poche, en retira un portefeuille. Il portait un anneau en argent à la main droite. Mathias le récupéra aussi. Il dut tirer dessus pour le libérer.

Stacy se souvenait du jour où elle avait accompagné Amy pour acheter cet anneau. Elles l'avaient trouvé chez un prêteur sur gages de Boston. Amy l'avait offert à Jeff pour l'anniversaire de leur premier rendez-vous galant. Pendant les années suivantes, Amy et elle s'étaient amusées à imaginer le premier propriétaire. De quoi avait-il l'air ? Comment en était-il arrivé à vendre un si bel objet ? Elles avaient construit un personnage : un musicien raté, parfois drogué, parfois dealer, dont le seul acte glorieux, sans doute apocryphe, était d'avoir revendu un gramme d'héroïne à Miles Davis. Elles lui avaient donné un nom : Thaddeus Fremont. Quand elles croisaient la route d'un vieil homme usé par la vie, elles se poussaient du coude en murmurant : « Hé ! Regarde un peu... C'est Thaddeus. Il cherche son anneau. »

Mathias lui tendit les affaires de Jeff.

– J'aurais dû récupérer celles d'Henrich aussi. Il portait un pendentif – un porte-bonheur, dit Mathias en se touchant la poitrine. Puis il regarda longuement la clairière comme s'il hésitait à y retourner. Mais une fois debout, il se tourna vers le sentier.

Ils partirent ensemble, marchant côte à côte, en silence. Stacy avait les pieds crottés de boue, et l'impression d'avoir chaussé des sabots.

– Non pas qu'il ait servi à grand-chose, dit Mathias.

– Tu parles de quoi au juste ?

– De son porte-bonheur.

Stacy ne savait comment réagir. Il plaisantait, bien sûr, mais l'idée d'en rire, ou même d'en sourire, lui semblait abominable. Elle entendait de nouveau ce même bourdonnement dans sa tête et elle avait du mal à garder les yeux ouverts. Ils lui faisaient mal lorsqu'elle parlait. C'était étrange. Elle continua à marcher, les bras croisés sur la poitrine, la montre de Jeff dans une main, son portefeuille et son anneau dans l'autre.

Elle attendit un long moment avant de reprendre la parole,

pour ne pas devoir répondre à la remarque de Mathias. Ils étaient presque arrivés au départ du sentier.

– On fait quoi maintenant ?

– On retourne à la tente, non ? On essaie de se reposer.

– Tu ne crois pas que l'un de nous deux devrait guetter l'arrivée des Grecs ?

– Pas avant une heure ou deux.

Stacy pensa alors à la tente, à la petite clairière, à Pablo sur son brancard, à ses atroces souffrances. Elle se revit en train de ramasser les os d'Amy le matin même, si tranquillement, comme si elle nettoyait une pièce un lendemain de fête. Des mots résonnaient dans sa tête : *Suis-je encore la même personne ?*

Stacy éclata soudain en sanglots. La crise survint comme une quinte de toux, et cessa aussi vite. Mathias attendit à ses côtés, le temps qu'elle se reprenne. Il posa la main sur son épaule.

– Tu veux t'asseoir un moment ? lui demanda-t-il.

Stacy leva les yeux, regarda autour d'elle. Leurs pieds s'enfonçaient dans dix centimètres de boue. À sa droite s'élevait le coteau, couvert de ronces. À sa gauche, au milieu de la clairière, se tenaient les trois Mayas. Ils les observaient. Elle s'essuya le visage.

– Éric est en train de mourir, n'est-ce pas ? C'est dans son corps, et il va mourir.

Elle avait laissé tomber la montre de Jeff, son portefeuille et son anneau. Mathias s'accroupit pour les récupérer. Ils étaient pleins de boue et il essaya de les essuyer sur son pantalon.

– Je ne sais pas si je vais y arriver, Mathias. Le regarder mourir.

Mathias glissa l'anneau de Jeff dans son portefeuille. Il avait les mains en sang, la peau craquelée et trouée par endroits, rongée par la sève des ronces. Ses vêtements étaient en lambeaux. Il commençait à avoir une barbe épaisse qui le vieillissait.

– Non, dit-il. Bien sûr que non.

Stacy se retourna, fixa les trois Mayas. Ils la regardaient en évitant ses yeux. Elle supposa qu'ils avaient appris à le faire consciemment, un truc pour alléger leur fardeau. Il lui semblait qu'il devait être beaucoup plus difficile de tuer quelqu'un après l'avoir regardé droit dans les yeux.

– Qu'est-ce que tu crois qu'ils feraient si on avançait vers eux maintenant ? Si on marchait droit devant, sans s'arrêter ? demanda-t-elle.

– Ils nous abattraient, répondit Mathias en haussant les épaules.

– Peut-être qu'on devrait le faire. Peut-être qu'on devrait simplement en finir.

Mathias la regarda. Il sembla réfléchir sérieusement à cette option.

– Non. Quelqu'un va venir, Stacy. Au bout du compte. Comment pouvons-nous être sûrs que ce ne sera pas aujourd'hui ?

– Mais ça pourrait prendre plus longtemps. N'est-ce pas ? Des semaines. Des mois. Peut-être que personne ne viendra jamais...

Mathias se contenta de la fixer en silence. Dès leur première rencontre, elle avait trouvé son regard un peu effrayant, si sombre, si droit. Après quelques secondes, elle dut baisser les yeux. Il lui prit la main et, sans un mot, l'entraîna vers le sentier.

Éric sentait s'agiter les ronces dans son corps. Au creux des reins, sous l'aisselle gauche, à l'épaule droite. Le couteau se trouvait à trois mètres de lui – couvert de boue, encore humide de son sang. Il avait pensé recommencer à se taillader la chair dès que Mathias et Stacy auraient quitté la clairière, et puis compris qu'il était trop effrayé pour le faire. Il avait déjà perdu une énorme quantité de sang – il suffisait de jeter un coup d'œil à son corps – et ne savait pas combien il pouvait en perdre encore sans risquer la mort.

Il se rassit, inspira profondément, puis se recroquevilla sur lui-même et toussota. C'était une toux sèche, il avait la sensation qu'une chose se trouvait dans sa poitrine et n'aurait pas dû y être, une chose que son corps essayait en vain d'expulser. Éric avait réprimé sa toux toute la nuit. Il lui semblait étrange à présent de ne pas avoir compris plus tôt qu'il s'agissait des ronces. Il en était certain maintenant. Oui, une vrille poussait dans ses poumons.

Je devrais aller sous la tente, pensa-t-il. *Je devrais m'allonger. Ce n'est pas grave si c'est mouillé.* Mais il ne bougea pas.

Il toussa à nouveau.

Ça aurait été plus simple si Stacy était restée avec lui. Elle aurait pu lui parler, le convaincre. Il aurait peut-être écouté – qui sait ? Elle aurait pu retenir sa main dans le pire des cas. Mais elle n'était pas là ; elle l'avait abandonné. Il n'y avait personne pour l'empêcher de récupérer le couteau.

Il se rassit et le posa sur ses genoux.

Il recommença à jouer avec les mots, à refaire son test de vocabulaire imaginaire, mais il ne se souvenait pas de la lettre à laquelle il s'était arrêté. Les mouvements dans son corps l'empêchaient de se concentrer. Il lui semblait important d'en suivre la progression. *En haut de mon pied droit... à la base de ma nuque...*

Éric se pencha en avant, se gratta le mollet gauche et sentit une boursouflure. Il l'observa, la regarda s'aplatir puis se gonfler à nouveau, un peu plus bas. Elle avait presque la taille d'une balle de golf et en la palpant il ressentait l'engourdissement familier.

L'incision ne lui ferait pas mal, mais l'extraction le ferait hurler. Tout à coup, il remarqua une autre grosseur. Cette fois sur son avant-bras gauche, bien plus petite que les autres, longue de dix centimètres environ et fine comme un ver. Il la toucha. Elle disparut aussitôt, s'enfonçant dans sa chair.

C'en était trop. Il ne pouvait rester assis là sans rien faire, à regarder ces trucs apparaître et disparaître sur son corps. Il devait agir, et il n'y avait qu'une solution, pas vrai ?

Il prit le couteau, se pencha en avant et commença à se taillader les chairs.

Stacy trouvait la pente bien plus raide que la dernière fois qu'elle avait gravi la colline. Elle haleta. Ses vêtements lui collaient au corps. Elle avait un point de côté. Mathias sembla percevoir sa détresse et s'arrêta pour lui laisser le temps de se reposer, même s'ils étaient presque arrivés au sommet. Il resta à côté de Stacy, le regard perdu au loin, pendant qu'elle s'efforçait de reprendre son souffle. Son rythme cardiaque commençait à peine à ralentir lorsque les voix reprirent de plus belle.

Wo ist Éric ? Wo ist Éric ?

Ils se tournèrent pour échanger un regard.

Éric ist da. Éric ist da.

– Oh ! mon Dieu ! dit Stacy. Non !

Éric ist gestorben. Éric ist gestorben.

Ils se mirent tous deux à courir, mais Mathias était plus rapide. Il se trouvait déjà au milieu de la clairière quand elle arriva en haut du sentier. Elle l'y vit gesticuler, répétant sans cesse le même mot avec la même sévérité. Sous l'effet de la fatigue et du stress, il s'était replié sur sa langue maternelle.

– *Genug ! Genug !* criait-il.

Stacy mit un moment à comprendre qu'il s'adressait à Éric. Dans la clairière se trouvait une goule, une nouvelle horreur jaillie du puits de mine : un monstre couvert de sang, nu, le regard fou, un couteau à la main. C'était Éric. Les lambeaux de peau qu'il avait découpés dans sa chair pendaient le long de son corps. Stacy voyait les muscles de ses jambes, ses abdominaux, un éclair blanc à la pointe du coude gauche – de l'os. Ses cheveux étaient maculés de sang. Il s'était coupé l'oreille droite.

Mathias se mit à hurler : « *Genug, Éric* ! *Genug* ! Il faisait signe à Éric de poser le couteau à terre, mais il n'allait évidemment pas le faire. Éric avait l'air terrifié et sauvage, comme si un étranger l'attaquait.

– Éric, lança Stacy. S'il te plaît, chéri. Tu veux bien juste...

Mathias s'avançait déjà, le bras tendu, pour lui arracher le couteau des mains.

Stacy savait ce qui allait se passer.

– Non ! hurla-t-elle.

Trop tard.

Une fois qu'il avait commencé à découper ses chairs, Éric n'avait pu s'arrêter. Il y avait d'abord eu cette grosseur dans son mollet. C'était facile : il avait effectué une petite incision avec son couteau, et là, juste sous la peau, il avait trouvé une petite boule de ronces compactes, pas plus grosse qu'une noix. Il l'avait extirpée de son corps puis jetée au loin. Il était passé à son avant-bras ; là, les choses s'étaient compliquées. Il avait effectué une petite incision là où il lui semblait avoir décelé un renflement, semblable à un ver, et n'avait rien trouvé... Rien du tout. Il avait sondé sa chair à la pointe du couteau, élargi l'entaille sanguinolente, passant la lame sous sa peau du poignet jusqu'au coude. La douleur était intense et il peinait à garder le couteau en main, mais la peur le poussait à poursuivre. Les ronces étaient là – il le savait. Il devait les trouver. Il continuait à couper, taillant toujours plus profond, avant de déplacer la lame latéralement de part et d'autre de l'incision, soulevant la peau, la retournant, épluchant son avant-bras jusqu'à se mettre la chair à vif. Il perdait de plus en plus de sang – trop de sang. Il ne voyait plus ce qu'il faisait. Il essaya d'essuyer le sang du revers de la main, mais il continuait à jaillir. Sa peau pendait de son coude telle une manche déchirée.

Éric sentit soudain une crampe dans sa fesse droite, comme si on venait de le pincer. Il se releva, défit son short et son slip, se tourna pour mieux voir. Il ne voyait rien. Au moment où il allait explorer son muscle avec la lame du couteau, il sentit un mouvement dans son torse, juste au-dessus du nombril. Quelque chose remontait lentement vers le haut. Alors, il se tailla le ventre d'un grand coup de lame. La plante était là, juste sous la surface : une longue vrille dégringola sur ses jambes. Elle mesurait plus de trente centimètres de long et se contorsionnait dans l'air, éclaboussant la terre de son sang. La vrille était encore en lui. Elle avait pris racine un peu plus haut dans son corps. Éric dut s'ouvrir le torse du nombril jusqu'au téton droit avant de pouvoir sortir cette chose de son corps.

Puis ce fut dans sa cuisse gauche.

Son coude droit.

Le bas de sa nuque.

Il y avait du sang partout. Il en sentait l'odeur métallique et cuivrée. Il s'affaiblissait peu à peu, à force de perdre tout ce sang. C'était une catastrophe, il devait cesser, il n'aurait jamais dû commencer. Mais il savait aussi qu'il portait ces ronces en lui, et devait les extirper de son corps, à tout prix. Ils pourraient toujours le recoudre lorsqu'ils reviendraient, l'emmailloter dans des bandages, poser des garrots sur ses membres. Il ne devait pas s'arrêter avant d'en avoir fini... Sinon, il aurait enduré toutes ces souffrances pour rien. Il devait continuer à taillader, découper et sonder sa chair jusqu'à ce qu'il soit sûr d'avoir délogé toutes les vrilles.

La plante était dans son oreille droite. Cela semblait impossible, mais lorsqu'il toucha la masse cartilagineuse, il la sentit sous la peau. Il ne réfléchissait plus. Il se contentait d'agir. Il découpa son oreille en se servant du couteau comme d'une scie qu'il aurait plaquée contre son crâne. Il gémit, puis hurla. Ce n'était pas tant la douleur, pourtant à la limite du supportable, mais le bruit de la lame tranchant dans la chair. Si fort.

Puis il s'occupa de son tibia gauche.

De son genou droit.

Il épluchait la peau recouvrant le bas de sa cage thoracique lorsque Mathias surgit dans la clairière. Le temps s'écoulait bizarrement. Tout allait à la fois très vite et très lentement. Mathias hurlait, mais Éric ne comprenait pas ce qu'il disait. Il voulait expliquer à l'Allemand ce qu'il faisait, lui démontrer la logique de ses actes. Ce n'était pas possible, ça prendrait bien trop longtemps, Mathias ne comprendrait jamais. Il devait se dépêcher, voilà tout, extirper cette chose de son corps avant de perdre conscience... et il sentait cet instant très proche.

Stacy arriva enfin dans la clairière. Elle dit quelque chose, hurla son nom, mais il l'entendit à peine. Il devait continuer à couper – cela seul comptait. Au moment même où il se penchait pour poursuivre son œuvre, Mathias s'élança pour lui arracher le couteau des mains.

Éric entendit Stacy hurler : « Non ! »

Éric tremblait – il ne contrôlait plus vraiment son corps. Il agissait par pur réflexe. Il voulait simplement se défendre, repousser Mathias, dégager assez d'espace autour de lui pour terminer ce qu'il avait commencé. Mais lorsqu'il tendit les mains en avant, il tenait encore le couteau. La lame s'enfonça aisément dans la poitrine de l'Allemand, glissa entre deux côtes, à droite du sternum, à sa plus grande stupeur.

Les jambes de Mathias se dérobèrent sous lui. Il tomba en arrière, loin d'Éric, le couteau planté dans sa chair.

Stacy hurla.

– *Warum ?* demanda Mathias les yeux rivés sur Éric.

Éric entendait le gargouillement du sang dans la gorge du jeune Allemand, ce sang qui trempait peu à peu son tee-shirt. Le manche du couteau oscillait tel un métronome, au rythme des pulsations cardiaques de Mathias. Éric lui avait planté la lame en plein cœur.

Mathias essaya de se lever, réussit à s'asseoir en s'appuyant sur une main, mais il n'irait pas plus loin.

– *Warum ?* demanda-t-il encore.

Puis les ronces se mirent en mouvement, serpentant à toute allure sur le sol de la clairière, agrippant le corps de l'Allemand, s'enroulant autour de ses membres. Stacy bondit en avant, lutta pour le libérer. Elle fit de son mieux, mais elles étaient si nombreuses.

Éric se sentit défaillir. Il devait s'asseoir, ce qu'il fit maladroitement, se laissant presque choir sur le sol, dans une large flaque où se mêlaient son sang et celui de Mathias. C'était absurde, mais il voulait encore le couteau. Il aurait pu ramper jusqu'à l'Allemand pour l'arracher de sa poitrine si seulement il en avait eu la force. Les yeux rivés sur le couteau, il observait le mouvement saccadé que lui imprimait le cœur de Mathias : de haut en bas, de haut en bas, de haut en bas...

Les ronces ne cessaient de dépêcher de nouvelles vrilles. Stacy les arrachait en sanglotant.

Elles viendraient bientôt le chercher lui aussi.

Éric ferma les yeux, juste un instant. Lorsqu'il les rouvrit, le couteau avait cessé de s'agiter.

Stacy s'assit à côté d'Éric. Il avait la tête posée sur ses genoux. Les ronces s'étaient emparées du cadavre de Mathias. Elles l'avaient traîné sur le sol pour l'amener jusqu'à elles. Stacy voyait encore sa chaussure droite émerger de la masse de verdure. Le reste de son cadavre était recouvert de ronces. Les vrilles restaient silencieuses. On n'entendait qu'un bruissement occasionnel tandis qu'elles consumaient son corps.

Stacy ne comprenait pas pourquoi les ronces n'avançaient pas pour capturer Éric. Elle ne pourrait le défendre, tout comme elle n'avait pu le faire pour Mathias. La plante devait en avoir conscience, mais elle se contenta de dépêcher une longue vrille qui vint absorber bruyamment le contenu de l'immense mare de sang qui les entourait.

Les ronces laissèrent Éric en paix.

Il n'y avait pourtant pas le moindre doute sur la suite des événements. Stacy voyait bien qu'il était en train de mourir. Il lui avait d'abord semblé que ça ne prendrait que quelques minutes. Le sang suintait, dégouttait et s'écoulait en minces filets, formant de petites mares au creux des clavicules, jaillissant des blessures les plus profondes. Il dégageait une odeur forte. Vaguement métallique. Étrangement, Stacy se souvint de son enfance, lorsqu'elle collectait la petite monnaie, polissait les pièces et les triait par date.

Elle lui caressa la tête et il gémit.

– Je suis là, dit-elle. Je suis là.

Éric la surprit en ouvrant soudain les yeux pour la regarder. Il avait l'air terrifié. Il essaya de parler, mais sa voix était trop faible, trop enrouée pour être audible.

Stacy s'approcha pour l'entendre.

– Quoi ?

Une fois encore, le même murmure. Il semblait vouloir dire le nom de quelqu'un.

– Thomas ? demanda-t-elle.

Éric ferma les yeux, les rouvrit avec peine.

– Qui est Thomas, Éric ?

Elle le vit déglutir douloureusement. Il avait du mal à respirer. Tout son corps semblait le faire souffrir.

– Je ne connais pas de Thomas.

Éric agita lentement la tête. Il se concentrait visiblement, essayant d'articuler chaque mot.

– Tue... moi, dit-il enfin.

Stacy le regarda. *Non*, pensait-elle. *Non, non, et non*. Elle voulait qu'il referme les yeux, qu'il s'évanouisse.

– J'ai... mal...

– Je sais, mais...

– S'il te plaît...

– Éric...

– S'il te plaît...

Stacy pleurait. Voilà pourquoi les ronces ne l'avaient pas touché. Elles voulaient la torturer en la forçant à assister à sa mort.

– Tout ira bien, je te le promets. Il faut juste que tu te reposes un peu.

Éric parvint à tordre la bouche pour esquisser un sourire. Il lui prit la main, la serra.

– Je... t'en... supplie...

C'en était trop. Stacy resta muette.

– Le cou...teau...

– Non, mon chéri. Chuuut...

– T'en... supplie, dit-il. T'en... sup... plie.

Éric ne cesserait pas. Il continuerait de l'implorer, la tête posée sur ses genoux, perdant son sang dans d'atroces souffrances, tandis que le soleil monterait lentement au firmament. Si elle voulait mettre fin à tout ça, elle devait le tuer.

– Sup... plie...

Stacy reposa doucement la tête d'Éric sur le sol, puis se

leva. *Je vais le lui chercher*, pensa-t-elle. *Je le laisserai faire.* Elle traversa la clairière, s'enfonça dans les ronces, s'accroupit à côté du cadavre de Mathias et écarta les vrilles. La plante avait déjà arraché la chair de son bras droit jusqu'en haut de l'épaule, mais pas encore touché à son visage. Il avait les yeux ouverts, fixés sur elle. Stacy se fit violence pour ne pas les refermer. Le couteau était toujours planté dans sa poitrine. Elle l'attrapa, tira, le libéra enfin et le rapporta à Éric.

– Tiens, dit-elle en le posant dans sa main droite, puis en refermant ses doigts sur le manche.

– Trop... faible, murmura-t-il avec ce même sourire tordu, ce même mouvement de la tête.

– Pourquoi ne te reposes-tu pas un peu ? Ferme les yeux et...

– Toi... lui dit-il en repoussant le couteau vers elle. Toi...

– Je ne peux pas, Éric.

– S'il te plaît... S'il te plaît, répétait-il en pressant le couteau contre sa main.

Ainsi s'achevait la vie d'Éric. Tout ce qui lui restait maintenant n'était que tourments. Il voulait qu'elle l'aide. Il était au désespoir. Pouvait-on considérer comme un péché son refus d'entendre sa supplique, tandis qu'elle restait là, assise à ses côtés, le laissant lentement agoniser, juste parce qu'elle avait la trouille de faire ce qu'il fallait ? Elle avait le pouvoir de le soulager, pourtant elle préférait ne pas le faire. Cela ne la rendait-il pas responsable de ses souffrances ? *Qui suis-je ?* pensa-t-elle encore. *Suis-je toujours la même personne ?*

– Où ? demanda-t-elle.

Éric lui prit la main, celle qui tenait le couteau, et l'attira jusqu'à sa poitrine.

– Ici, dit-il en plaçant la lame à côté de son sternum. Tu n'as qu'à... pousser...

Il aurait été tellement plus facile de retirer le couteau, de le jeter au loin, mais le corps de Stacy refusait de réagir.

– S'il te plaît... murmura Éric.

Stacy ferma les yeux. *Suis-je toujours la même personne ?*

– S'il te plaît...

Elle se mit enfin en mouvement. Elle se pencha en avant et appuya de tout son poids sur la lame.

Douleur.

L'espace d'un instant, c'est tout ce dont Éric eut conscience, comme si quelque chose venait d'exploser dans sa poitrine. Il voyait Stacy au-dessus de lui. Elle avait l'air si terrifiée et si triste. Il essayait de parler, de dire « Merci », et puis « Je suis désolé », et encore « Je t'aime », mais les mots restaient dans sa gorge.

Un jour, sur un coup de tête, ils avaient décidé d'aller visiter un zoo à Cancún. Il n'y avait pas plus d'une douzaine d'animaux, parmi lesquels un âne au pelage peint afin de le faire passer pour un zèbre. Alors qu'ils le regardaient tous les quatre, l'animal s'était soudain mis à uriner. Un véritable torrent. Amy et Stacy avaient éclaté de rire. Bizarrement, cette image lui revenait maintenant à l'esprit. L'âne en train de se soulager, les filles se tenant par le bras, leurs éclats de rire.

Merci, s'efforçait-il encore de dire. *Je suis désolé. Je t'aime.*

Et puis la douleur se dissipait peu à peu... tout était... s'éloignait toujours plus loin... un peu plus loin... plus loin...

Les ronces récupérèrent son cadavre. Stacy ne tenta pas de résister. Elle savait que c'était inutile.

Le soleil était au zénith. Il se coucherait dans six heures. Elle se souvint des paroles de Mathias : « Comment pouvons-nous être certains que ce ne sera pas aujourd'hui ? » Elle essaya d'y trouver une lueur d'espoir. Tout irait bien tant qu'il ferait jour. Mais la nuit l'effrayait, l'idée de rester allongée seule sous la tente, trop angoissée pour pouvoir dormir.

Elle n'aurait pas dû survivre à tous les autres. Jeff aurait dû être le dernier. Lui n'aurait pas eu peur de contempler la lente descente du soleil à l'ouest. Les vivres, l'eau, un endroit où s'abriter... Il aurait eu un plan, contrairement à elle.

Stacy resta simplement assise devant la tente, à manger les dernières provisions – les bretzels, les barres protéinées, les raisins secs, les petits sachets de biscuits salés, faisant passer le tout avec la canette de coca et les bouteilles de thé glacé.

Tout – elle mangea tout.

Elle regarda la clairière et pensa à toutes les autres personnes qui y étaient mortes, à tous ces étrangers dont les ossements parsemaient le coteau. Ils avaient tous connu leur propre calvaire. Tant de souffrance, de désespoir, de morts...

S'enfuir d'un immeuble en flammes en fonçant droit devant... Pouvait-on appeler ça un plan ?

Stacy se souvenait qu'ils avaient discuté du suicide tard un soir, tous les quatre plutôt ivres, cherchant la meilleure manière de s'y prendre. Elle était affalée sur son lit, appuyée contre Éric. Amy et Jeff, assis par terre, jouaient nonchalamment au backgammon. Jeff, toujours efficace, avait mentionné les comprimés et le sac en plastique – une méthode indolore et sûre, avait-il dit. Éric avait suggéré un coup de fusil, le canon dans la bouche, un orteil sur la gâchette. Amy avait été tentée par l'idée de se jeter d'une hauteur, mais, plutôt que de sauter, elle voulait être poussée dans le vide. Ils avaient passé un bon moment à débattre si ça comptait comme un suicide. Finalement, Amy céda et opta pour le monoxyde de carbone. Une voiture tournant au ralenti dans un garage vide. Stacy avait un fantasme plus élaboré : une barque, loin en mer, et des poids pour plomber son corps. C'était l'idée de disparaître qu'elle trouvait séduisante, le mystère qu'elle laisserait derrière elle.

Ils plaisantaient alors. Évidemment. Ce n'était qu'un jeu.

Stacy ressentait les effets de la caféine contenue dans le coca et le thé glacé. Elle ne tenait déjà plus en place et ses mains tremblaient.

Il n'y avait pas de barque ici, ni de voiture, ni de fusil, ni de boîte de comprimés. Elle pouvait toujours se laisser choir au fond du puits. Il y avait aussi la corde suspendue au bout du treuil, les Mayas guettant au pied de la colline, avec leurs flèches et leurs balles. Et puis il y avait le couteau.

Comment pouvons-nous être sûrs que ce ne sera pas aujourd'hui ?

Elle trouva l'ombrelle, utilisa le ruban adhésif pour réparer les dégâts laissés par l'orage. Elle récupéra la bouteille de tequila au centre de la clairière. Puis elle descendit le long du sentier.

Le couteau à la main.

Les Mayas la dévisagèrent alors qu'elle approchait : ses vêtements maculés de sang, ses mains tremblantes. Elle s'assit au bord de la clairière, le couteau posé sur les genoux, l'ombrelle contre l'épaule. Elle déboucha la bouteille de tequila, but une longue gorgée.

Elle aurait bien aimé pouvoir fabriquer quelque chose pour prévenir les prochains arrivants. Elle aurait bien voulu être celle qui, grâce à son intelligence et à sa prévoyance, avait réussi à sauver la vie d'un étranger. Mais elle avait vu cette poêle sur laquelle on avait gravé un unique mot. Elle savait que d'autres avaient essayé et échoué. Elle ne voyait pas pourquoi ce serait différent cette fois. Tout ce qu'elle pouvait espérer, c'est que la présence muette de ses restes non loin du départ du sentier signalerait le danger.

Elle but, attendit un temps. Au-dessus d'elle, le soleil montait lentement vers l'ouest.

Non, on ne pouvait pas dire qu'elle avait un plan.

Stacy versa un peu de tequila sur la lame du couteau et l'essuya sur son chemisier. C'était stupide, à la fois inutile et sans espoir, mais elle voulait une lame propre.

Elle se calma lentement à mesure qu'approchait la fin du jour. Ses mains cessèrent de trembler. Stacy avait peur de bien des choses, de ce qui allait se passer ensuite par exemple, mais pas de la douleur. La douleur ne l'inquiétait pas.

Lorsque le soleil toucha enfin l'horizon, le ciel changea brutalement de couleur et prit une teinte rougeâtre. Stacy comprit qu'elle avait attendu assez longtemps. Les Grecs ne viendraient plus, pas aujourd'hui en tout cas. Elle pensa à la nuit qui allait bientôt tomber, s'imagina à nouveau seule sous la tente, à l'écoute. Elle sut alors qu'elle n'avait plus le choix.

Stacy eut un instant l'envie de prier – *pourquoi ? le pardon ?* –, mais elle ne croyait pas en Dieu. Elle s'était dit ça toute sa vie, par instinct, sans y penser. Là, pour la première fois, elle pouvait enfin l'affirmer avec certitude : elle n'était pas croyante.

Elle commença par le bras gauche.

La première entaille fut hésitante. Une exploration pour ainsi dire. À cet ultime instant, Stacy restait la même, refusant de sauter si elle pouvait patauger. La douleur fut plus vive qu'elle ne l'aurait cru. Ce n'était pas grave, elle pouvait l'endurer. Et puis cette douleur rendait les choses un peu plus réelles, donnait un poids tout à fait approprié à ces derniers instants. Elle s'entailla plus profondément la deuxième fois, en commençant à la base du poignet pour remonter vers le coude en appuyant fermement sur la lame.

Le sang jaillit d'un coup.

Elle prit le couteau dans la main gauche. Elle avait du mal à tenir le manche – ses doigts refusaient de se fermer. Ils dégoulinaient de sang à présent. Mais elle y parvint, pressa la lame contre son poignet droit et l'entailla d'un coup.

Peut-être était-ce dû à la lumière déclinante, mais elle ne s'attendait pas à ce que son sang soit aussi foncé. Il était d'un rouge beaucoup moins vif que celui d'Éric ou de Mathias. Couleur d'encre, presque noir. Elle posa les mains sur ses genoux, paumes vers le haut. Le sang lui coula le long des jambes, chaud d'abord, puis plus frais à mesure qu'une mare se formait autour d'elle. C'était drôle de penser que ce sang faisait partie d'elle, qu'elle s'évanouissait peu à peu dans le néant à mesure qu'il s'écoulait de ses veines.

Qui suis-je ? pensa-t-elle.

Les Mayas l'observaient. Ils avaient dû comprendre qu'elle était la dernière, car les femmes levaient déjà le camp, rassemblaient leurs affaires, les roulaient dans des ballots.

Stacy avait cru que son cœur se mettrait à battre la chamade, accélérant à chaque seconde. C'était le contraire. Tout semblait ralentir peu à peu autour d'elle. Elle était étonnée de se sentir aussi sereine.

Suis-je toujours la même personne ?

Les ronces s'avancèrent vers elle en serpentant. Elle les entendit absorber la mare de sang dans laquelle elle était assise.

Stacy aurait dû couper la corde du treuil. Pourquoi n'y avait-elle pas pensé ? Elle essaya de se rassurer en se disant que ça n'avait pas d'importance. Le cadavre qui resterait là pour monter la garde et avertir les visiteurs qu'il fallait rebrousser chemin suffirait. Mais elle savait bien que c'était faux. Elle en avait pris conscience avant même que les vrilles ne commencent à s'enrouler autour de ses membres pour l'entraîner loin du sentier. Elle lutta du mieux qu'elle le put, jusqu'au dernier souffle, s'efforçant de se relever, mais il était trop tard. Elle était déjà trop loin. Elle n'avait plus la force de lutter. Les ronces la plaquèrent au sol, la recouvrirent, l'ensevelirent. Elle mourut en ayant l'impression de se noyer, gardant l'image de la barque, loin en mer, de ces poids l'attirant toujours plus profond, de ces vagues vertes se refermant sur elle.

Les Grecs arrivèrent trois jours plus tard.

Ils avaient pris le car jusqu'à Cobá puis avaient loué les services de la camionnette jaune pour se rendre jusqu'au sentier. Ils s'étaient fait trois nouveaux amis à Cancún – des Brésiliens – qui les avaient accompagnés dans l'aventure. Ils s'appelaient Antonio, Ricardo et Sofia. Juan et Don Quichotte s'étaient amourachés de Sofia, même si cette dernière semblait être la fiancée de Ricardo. Difficile à dire puisque les Grecs ne parlaient pas portugais et que les Brésiliens ne connaissaient pas le grec.

Ils s'amusaient bien ensemble malgré tout. Ils bavardaient et riaient tout en s'enfonçant dans la jungle. Ricardo transportait une glacière pleine de bières et de sandwiches. Antonio avait apporté un lecteur CD et passait sans cesse le même disque. Il essayait d'apprendre aux Grecs à danser la salsa.

Juan et Don Quichotte se montraient complaisants pour faire plaisir à Sofia et l'entendre rire de leur maladresse.

Il était impossible de manquer l'embranchement menant aux ruines. Il y avait eu trop d'allées et venues ces derniers temps pour masquer l'étroit sentier. La terre avait été tassée, et la végétation écrasée.

Alors qu'ils s'apprêtaient à descendre, Ricardo remarqua une petite fille qui les observait depuis l'autre bout d'un champ. Elle était minuscule. Elle avait dix ans à peine. Elle portait une robe sale, et tenait une chèvre au bout d'une corde. Elle semblait bouleversée et sautillait sur place en leur faisant de grands gestes. Ils s'arrêtèrent pour la regarder et lui firent signe d'approcher. Ricardo lui tendit même un sandwich pour l'attirer, mais elle ne voulait pas venir plus près et il finit par abandonner. Il faisait une chaleur écrasante. Ils se savaient presque arrivés à bon port et s'impatientaient.

Ils s'engagèrent sur le sentier.

Derrière eux, Juan et Antonio virent la petite fille qui laissait tomber sa corde avant de détaler dans la jungle. Ils haussèrent les épaules et sourirent. *Qui sait ?*

Ils traversèrent la forêt, franchirent le petit ruisseau et se retrouvèrent soudain au soleil.

Une clairière.

Et plus loin devant... une colline sous un manteau de fleurs.

Ils marquèrent une pause, frappés par la beauté du lieu. Ricardo sortit une bouteille de bière de la glacière et ils la partagèrent. Ils pointèrent les fleurs du doigt et firent des commentaires dans leurs langues respectives pour souligner leur beauté saisissante. Sofia prit une photo.

Ils se remirent en route en file indienne.

Ils n'entendirent pas l'arrivée du premier cavalier. Ils étaient déjà trop loin sur le coteau, criant le nom de Pablo.

Composition PCA
44400 - Rezé

Impression réalisée sur CAMERON par

La Flèche

pour le compte des Éditions Michel Lafon
en février 2007

Imprimé en France
Dépôt légal : février 2007
N° d'impression : 39805
ISBN : 978-2-7499-0605-8
LAF : 928